JN247232

ポプラディア^{プラス}

POPLAR ENCYCLOPEDIA **PLUS**

人物事典

Biographical Dictionary

4

へ・ほ
ま・み・む・め・も
や・ゆ・よ
ら・り・る・れ・ろ・わ

監修者一覧 （五十音順）

今泉　忠明	動物科学研究所所長（生物）
小野田　襄二	数学教育家（算数・数学）
金井　直	信州大学准教授（西洋・東洋美術）
川手　圭一	東京学芸大学教授（世界史）
久保田　篤	成蹊大学教授（国語）
阪上　順夫	東京学芸大学名誉教授（政治・経済・産業）
田中　比呂志	東京学芸大学教授（学問・思想・宗教・心）
坪能　由紀子	日本女子大学教授（音楽）
西本　鶏介	昭和女子大学名誉教授（文学）
野口　剛	根津美術館館員（日本美術）
山村　紳一郎	科学評論家（サイエンス）
山本　博文	東京大学史料編纂所教授（日本史）
吉田　健城	スポーツジャーナリスト（スポーツ）
渡部　潤一	国立天文台副台長（宇宙）

この人物事典のつかい方

ポプラディアプラス『人物事典』（全5巻）は、古代から現代までのあらゆる時代、あらゆるジャンルで活躍した、日本と世界の人物4300人以上を掲載した学習用人物事典です。

以下に、この人物事典（第1巻から第4巻）のくわしいつかい方をまとめましたので、よく読んでじゅうぶんに活用してください。

★第1巻から第4巻では、すべての人物を五十音順に解説しています。人物名は、原則として「姓・名」の順であらわした場合の、五十音順にならんでいます。

★第5巻では、「征夷大将軍一覧」「天皇系図」など、関連する学習資料と索引を収録しています。
索引は、「五十音順」のほか「ジャンル別」「時代別」「地域別」の3つのテーマでひくことができます。五十音順の索引では、外国人の名前を正式名にしたがって「姓・名」ではなく「名・姓」の順でひくこともできます。

※第5巻『学習資料集・索引』のつかい方は、第5巻3〜7ページに書いてあります。

■ページ全体の見方

■**つめ** そのページにある項目の最初の1文字をひらがなであらわしています。

■**はしら** 左ページではそのページにある最初の項目、右ページではそのページにある最後の項目のはじめの文字を、原則として4文字目まで、ひらがなでしめしています。

■**項目** 見出し語と解説文からできています。

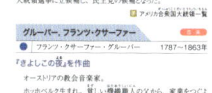

■項目の見方

■**見出し語** 見出し語は、上段と下段の2段でできています。あらわし方のくわしいきまりについては、次のページに説明があります。

■**日本／世界をあらわすマーク**

●**マーク** 主に日本で活躍した人物や、日本の歴史で学習する人物。

🌐**マーク** 主に世界で活躍した人物や、世界の歴史で学習する人物。

■**見出し帯の色** 青色は男性、ピンク色は女性。

■**ジャンル別マーク**（6ページで説明しています）

■**生没年**

■**解説文** その項目の人物の説明です。

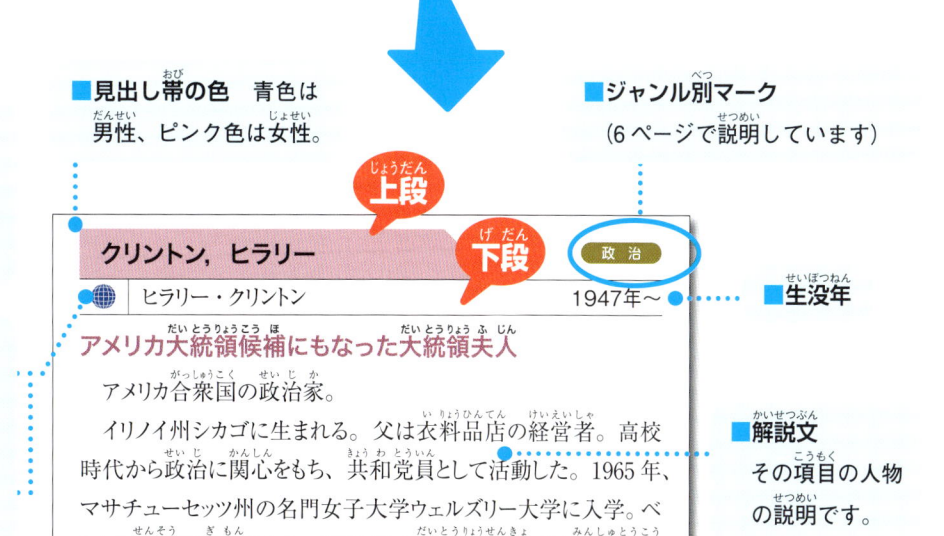

クリントン，ヒラリー 　上段　下段　政治
🌐 ヒラリー・クリントン　1947年〜
アメリカ大統領候補にもなった大統領夫人
アメリカ合衆国の政治家。
イリノイ州シカゴに生まれる。父は衣料品店の経営者。高校時代から政治に関心をもち、共和党員として活動した。1965年、マサチューセッツ州の名門女子大学ウェルズリー大学に入学。ベ

見出し語についてのきまり

■見出し語（上段）のあらわし方

(1) 人物名の読みを、ひらがな、または、カタカナであらわしています。
すべての項目は、この見出し語（上段）の五十音順でならんでいます。

(2) 原則として「姓・名」の順であらわしています。
中国・韓国・朝鮮人以外の外国人の場合、「姓」と「名」は、「,」（カンマ）で区切っています。

［例］

アインシュタイン, アルバート

アシモフ, アイザック

●例外的な人名のあらわし方

「姓」よりも「名」が有名であり、習慣的に「名」でよばれる人物は、「名・姓」であらわしている場合があります。

［例］

ミケランジェロ・ブオナローティ

ダンテ・アリギエリ

正式名より通称が有名である人物は、通称であらわしている場合があります。

［例］

マザー・テレサ

習慣的に「姓」「名」でくぎることをしない人物は、ひとつづきの呼び名であらわしている場合があります。

［例］

バスコ・ダ・ガマ

レオナルド・ダ・ビンチ

(3) 中国人名は、日本式の読みであらわしています。ただし、現地音に近い読みも一般的につかわれている場合、その読みを（　　　）に入れています。

［例］

もうたくとう（マオツォトン）

(4) 韓国・朝鮮人名は、現代の人物は現地音に近い読みで、それ以外の人物は日本式の読みであらわしています。
ただし、それぞれ日本式の読みや現地音に近い読みも一般的につかわれている場合は、その読みを（　　　）に入れています。

［例］

キムデジュン（きんだいちゅう）

こうそう（コジョン）

■見出し語（下段）のあらわし方

(1) 日本・中国・韓国・朝鮮人の場合は、正式名を「姓・名」の順で漢字などであらわしています。

(2) 中国・韓国・朝鮮人以外の外国人の場合は、正式名をカタカナなどであらわしています。
正式名の「姓」と「名」の順は、国によってことなります。
また、見出し語（上段）の ●例外的な人名のあらわし方と同じく、習慣によって特別なあらわし方をしている人物名もあります。

(3) 同姓同名の人物の場合は、（　　　）で補足しています。

［例］

| 🌐 | フランシス・ベーコン（哲学者） |
| 🌐 | フランシス・ベーコン（画家） |

■ほかの項目を参照するための見出し語

次の場合には、ほかの項目を参照するための見出し語をのせています。

(1) 同一人物で複数の呼び名がある場合、矢印 → で参照先の項目をしめしています。
下の例の場合、「なかのおおえのおうじ（中大兄皇子）」は「天智天皇」という項目で、「こうぼうだいし（弘法大師）」は「空海」という項目で解説していることをあらわします。

［例］

なかのおおえのおうじ

中大兄皇子 → 天智天皇

こうぼうだいし

弘法大師 → 空海

(2) 同一人物で複数の読み方やあらわし方がある場合、矢印 → で参照先の項目をしめしています。
下の例の場合、「えいさい（栄西）」は「栄西」という項目で、「マオツォトン（毛沢東）」は「毛沢東」という項目で解説していることをあらわします。

［例］

えいさい

栄西 → 栄西

マオツォトン

毛沢東 → 毛沢東

■大項目のページを参照するための見出し

　この人物事典では、とくに重要な 60 名の人物については、2 ページまたは 1 ページ大の特別な項目をつくって、くわしく解説しています。この特別な項目を「大項目」といいます（7 ページ参照）。

　大項目であつかっている人物は、矢印 → で参照先のページをしめしています。下の例の場合、「徳川家康」という大項目が、70 ページにあることをあらわします。

［例］

とくがわいえやす
徳川家康 → 70 ページ

■見出し語のならべ方

(1) 見出し語（上段）は、五十音順にならべています。

(2) 「゛」（濁音）や「゜」（半濁音）がつく場合は、清音（たとえば［は］）→濁音（［ば］）→半濁音（［ぱ］）の順にならべています。

(3) 「ゃ、ゅ、ょ」（拗音）と「っ」（促音）も、五十音順にふくめます。同じ字の場合には、大きい字のあとにならべています。

(4) 「ー」（のばす音、長音）は、その前の文字の母音と同じように読むと考えて、ならべています。

［例］

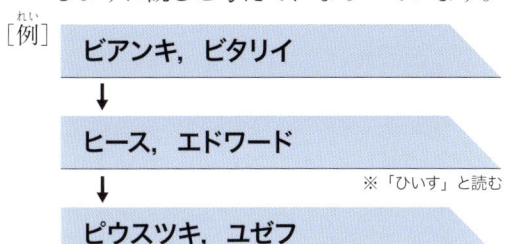

※「ひいす」と読む

(5) 「，」（カンマ）がつく場合は、その前の文字までの五十音順でならべています。

［例］

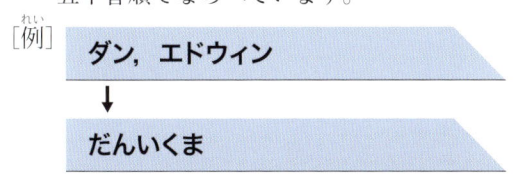

(6) 王族など、見出し語に「○世」とつく場合は、即位順（小さい数字を先）にならべています。

［例］

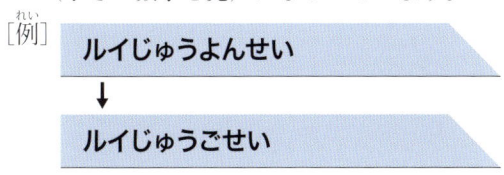

表記やマークについてのきまり

■人物名でのかなや漢字のつかい方

　人物名の表記は、おもに中学校や高等学校でつかわれている教科書を参考にしています。ただし、外国人の人名などにはさまざまな表記のしかたがあり、同一人物であっても、この人物事典とはちがう表記も広くつかわれています。この人物事典では、調べやすさを重視して、次のきまりにもとづいて表記しています。

(1) 外国語の Ｖ 音をあらわすカタカナの「ヴ」は原則としてつかいません。「ヴァ」「ヴィ」「ヴ」「ヴェ」「ヴォ」は、「バ」「ビ」「ブ」「ベ」「ボ」などとあらわしています。

(2) 中国・韓国・朝鮮人以外の外国人の「姓」と「名」の間などには、「・」を入れてあらわしています。

(3) 常用漢字の表記は、原則として「常用漢字表」の字体にもとづいています。ただし、現代の人物などで旧字体で表記されることが一般的な人物名については、一部で旧字体をつかってあらわしています。

［例］

えくにかおり
江國香織

いけざわなつき
池澤夏樹

■年代のあらわし方

(1) 年代は原則として西暦であらわしています。日本国内のできごとで、明治時代以降の事がらは、必要に応じて元号を（　）でしめしています。

［例］　1945（昭和 20）年

(2) 人物の生没年は、生年または没年がわからない場合には「？」、はっきりしない場合には数字に「？」をつけて「○○？年」のようにあらわしています。生年、没年ともにわからない場合は「生没年不詳」としています。存命中の人物は生年のみしめしています。

［例］　？〜 621 年／ 345 〜 367 ？年／ 1973 年〜

(3) 解説文中または大項目の年表内の年齢は、（生まれたときの年齢を 1 歳と数える）数え年の場合があります。また満年齢の場合でも、その時点での実年齢が実際の満年齢とことなる場合があります。

■青い字であらわした人物名

解説文に出てくる人物名のうち、この人物事典でほかの「項目」としてあつかっている人物は、青い字であらわしています。人物名を「名・姓」の順であらわしている場合、調べやすいように、姓の部分だけを青い字にしています。

解説文を読んで、青い字であらわした関連人物の項目をさらに調べることで、学習を深めることができます。

［例］ フランクリン・ローズベルト

■第5巻の学習資料集との関連マーク

解説文の終わりにある 学 マークは、その人物が第5巻の学習資料集にも掲載されていることをあらわします。学 マークの右側は、学習資料集の中でのテーマをしめしています（7ページ参照）。

［例］ 学 征夷大将軍一覧

■人物のジャンル別マーク

見出し語（上段）の右側にあるマークは、その人物が活躍したジャンルをあらわしています。マークは複数入っている場合があります。ジャンル別マークは下記の32種類があります。　　※● は日本の人物、● は世界の人物が当てはまるジャンルであることをあらわします。

王族・皇族 ＝王族・皇族など
● ●（例）聖徳太子、天智天皇、ルイ16世

貴族・武将 ＝貴族・豪族・武将など
●（例）足利尊氏、蘇我入鹿、平清盛、藤原道長

戦国時代 ＝戦国・安土桃山時代の大名・武将など
●（例）織田信長、真田幸村、伊達政宗、豊臣秀吉

江戸時代 ＝江戸時代の大名・武士など
●（例）大岡忠相、徳川家康、松平定信、水野忠邦

幕末 ＝幕末・明治維新で活躍した人物
●（例）勝海舟、西郷隆盛、坂本龍馬、吉田松陰

古代 ＝古代ギリシャ・ローマの人物
●（例）アリストテレス、カエサル、ユリウス

政治 ＝政治家・軍人・運動家
● ●（例）吉田茂、毛沢東、リンカン、エイブラハム

宗教 ＝宗教に関する人物
● ●（例）空海、イエス・キリスト、ムハンマド

思想・哲学 ＝思想家・哲学者
● ●（例）西田幾多郎、ルソー、ジャン＝ジャック

学問 ＝学者
● ●（例）湯川秀樹、ダーウィン、チャールズ

文学 ＝作家
● ●（例）芥川龍之介、川端康成、魯迅

絵本・児童 ＝絵本・児童文学作家
● ●（例）新美南吉、キャロル、ルイス

詩・歌・俳句 ＝詩人・歌人・俳人
● ●（例）藤原定家、松尾芭蕉、杜甫

絵画 ＝画家・書家
● ●（例）葛飾北斎、王羲之、ピカソ、パブロ

音楽 ＝音楽家
● ●（例）武満徹、ブラームス、ヨハネス

写真 ＝写真家
● ●（例）木村伊兵衛、土門拳、キャパ、ロバート

映画・演劇 ＝映画・演劇に関する人物
● ●（例）黒澤明、シェークスピア、ウィリアム

漫画・アニメ ＝漫画・アニメに関する人物
● ●（例）宮﨑駿、シュルツ、チャールズ・モンロー

伝統芸能 ＝伝統芸能・文化に関する人物
●（例）大山康晴、観阿弥、近松門左衛門

華道・茶道 ＝華道家・茶道家
●（例）池坊専慶、今井宗久、千利休、古田織部

彫刻 ＝彫刻家
● ●（例）運慶、高村光雲、ムーア、ヘンリー

建築 ＝建築家
● ●（例）安藤忠雄、丹下健三、ガウディ、アントニ、ル・コルビュジエ

工芸 ＝工芸作家
● ●（例）酒井田柿右衛門、正宗、ウェッジウッド、ジョサイア、ストラディバリ、アントニオ

デザイン ＝デザイナー
● ●（例）横尾忠則、シャネル、ガブリエル

産業 ＝産業人
● ●（例）松下幸之助、カーネギー、アンドリュー

教育 ＝教育家
● ●（例）新渡戸稲造、クーベルタン、ピエール・ド

医学 ＝医学に関する人物
● ●（例）緒方洪庵、北里柴三郎、ナイチンゲール、フローレンス、パスツール、ルイ

スポーツ ＝スポーツ選手
● ●（例）長嶋茂雄、ベーブ・ルース

発明・発見 ＝発明・発見に関する人物
● ●（例）高峰譲吉、エジソン、トーマス・アルバ

探検・開拓 ＝探検・開拓に関する人物
● ●（例）植村直己、間宮林蔵、マルコ・ポーロ

架空 ＝架空・伝説上の人物
●（例）アーサー王、ウィリアム・テル、徐福

郷土 ＝郷土の発展につくした人物
●（例）玉川兄弟、安井道頓、布田保之助

とくに重要な60名の人物については、2ページまたは1ページにまとめて、「大項目」として大きくあつかっています。写真や年表、コラムとあわせて、くわしく解説していますので、理解をより深めることができます。

見出し語のあらわし方やマークの意味は、そのほかの項目と同じです。

■**見出し語**
見出し語のあらわし方のくわしいきまりは、4ページに説明があります。

■**解説文** 小見出しをつけて、内容の組み立てがすぐわかるようにしています。

■**コラム** 人物を幅広く理解するための知識を入れています。

■**年表** その人物の一生をわかりやすくまとめています。

第5巻『学習資料集・索引』について

この人物事典の第5巻には、「天皇系図」「征夷大将軍一覧」「ノーベル賞受賞者一覧」「芥川賞・直木賞受賞者一覧」など、第1巻から第4巻の掲載人物に関連のある学習資料を収録しています。

また、巻頭には、各世紀の「人物年表」、366日その日に生まれた人がわかる「人物カレンダー」を掲載しています。

これらの資料を参照することで、さまざまな人物の相関関係や、同じ時代に生きた人物について知ることができます。

学習資料には、右の一覧のようなテーマがあります。

また、「五十音順」のほか、すべての人物を「ジャンル別」で、日本の人物を「時代別」で、世界の人物を「地域別」でひける索引が収録されています。

索引をつかうことで、より便利に調べることができ、また同じジャンル、同じ時代、同じ地域の人物に興味を広げていくことができます。

※第5巻『学習資料集・索引』のつかい方は、第5巻3～7ページに書いてあります。

■**学習資料集テーマ一覧**

● 歴代の内閣総理大臣一覧
● 天皇系図
● 藤原氏系図
● 源氏・平氏系図
● 征夷大将軍一覧
● 江戸幕府大老・老中一覧
● 鎌倉幕府執権一覧
● 室町幕府執事・管領一覧
● 日本の歴史地図
● アメリカ合衆国大統領一覧
● 国連事務総長一覧
● 主な国・地域の大統領・首相一覧
● ローマ教皇一覧
● 世界の主な王朝と王・皇帝

● 世界の主な王朝地図
● ノーベル賞受賞者一覧
● 日本人ノーベル賞受賞者
● 国民栄誉賞受賞者一覧
● お札の肖像になった人物一覧
● 切手の肖像になった人物一覧
● 文化勲章受章者一覧
● 芥川賞・直木賞受賞者一覧
● オリンピック日本代表選手メダル受賞者一覧
● 日本と世界の名言
● 人名別 小倉百人一首

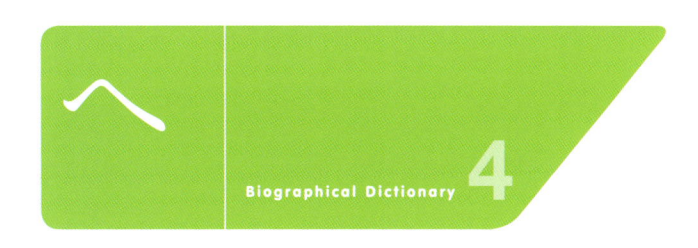

ヘイ，ジョン

政治

ジョン・ヘイ　　　　　　　　　1838〜1905年

国務長官として門戸開放宣言をだした

アメリカ合衆国の外交官、政治家。

インディアナ州に生まれる。ブラウン大学を卒業後、イリノイ州で弁護士となる。1860年からリンカン大統領の秘書をつとめた。1865年にリンカンが亡くなると、外交官としてパリ、ウィーン、マドリードに駐在。一時、新聞記者としても活躍したのち、国務次官、駐英大使をつとめた。1898年から、マッキンリー、ローズベルトの2人の大統領の下で国務長官となる。海外でアメリカの領土を広げる政策を進め、1899年には門戸開放宣言をだした。これは中国の清への進出がおくれていたアメリカが不利にならないよう、通商権や関税などを平等にして各国が利益を得られるようにするべきだという主張で、列国の中国分割の勢いを弱めた。著作にリンカンの伝記がある。

ヘイエルダール，トール

学問　探検・開拓

トール・ヘイエルダール　　　　1914〜2002年

「コンチキ号」で漂流実験をした

ノルウェーの人類学者、探検家。

ラルビックに生まれる。動物学を専攻。1937年、研究のためにポリネシアのマルキーズ諸島をおとずれた際、ポリネシア人の祖先は東南アジアではなく、南アメリカからきたという仮説を立てた。1947年、仮説を証明するために古代と同じバルサ材でつくったいかだコンチキ号で、5人の仲間とともにペルーからポリネシアまで8300km、102日間におよぶ漂流実験をおこない、成功させた。

1953年にはガラパゴス諸島を探検。1955年からはイースター島の巨石文化の調査をおこない、南アメリカのインカ帝国以前の文明との類似点を指摘した。1970年にはアシ舟ラー号で大西洋横断の漂流実験をおこない、古代エジプトから南アメリカへ

人類が移動したという仮説を証明しようとした。

漂流実験はいずれも成功したが、主張の強引さなどから学界の定説とはみとめられていない。航海のようすを書いた著書『コンチキ号漂流記』は、世界的なベストセラーとなった。

ペイシストラトス

古代　政治

ペイシストラトス　　　紀元前600?〜紀元前527年

古代ギリシャの僭主政を代表する支配者

古代ギリシャのアテネの僭主。

アテネの名門貴族の生まれ。紀元前565年ごろ、隣国メガラとの戦争で名をあげる。当時のアテネは、貴族派と民主派の2つの政党が対立していたが、ペイシストラトスは、農民などの支持を受けて第3の党を組織し、紀元前561年、アクロポリスを占領して僭主(非合法な手段で権力を手に入れた独裁者)となった。その後2度追放されたが、復帰して政権をにぎった。

要職こそ一族にあたえたが、貴族と平民の調停をはかったソロンの改革をひきつぐ。中小農民を保護し、強力な護衛部隊を設立。また、大規模な建設事業によって商工業を発展させ、都市の美化や祭礼にも力を入れて、「クロノスの黄金時代」とよばれるアテネの繁栄期を築いた。

へいぜいてんのう

王族・皇族

平城天皇　　　　　　　　　　774〜824年

薬子の変のときの上皇

平安時代前期の第51代天皇(在位806〜809年)。桓武天皇の子で、即位する前は安殿親王とよばれた。

785年、桓武天皇の皇太子に立てられ、806年、父の死後即位した。809年、弟の神野親王(嵯峨天皇)に譲位した。しかし、平城上皇(譲位した平城天皇)は子の高岳親王を皇太子に立て、側近の藤原仲成とその妹の藤原薬子を重用して政治に介入したので、嵯峨天皇と対立するようになった。同年、平城京(奈良市)に移った上皇は、810年、平城遷都を命じてふたたび政権をにぎろうとし、仲成と薬子は兵をあげて政権をうばおうとした。しかし、嵯峨天皇の軍にはばまれて失敗し、上皇は出家し、仲成は射殺され、薬子は自殺した(薬子の変)。高岳親王は皇太子をやめさせられ、桓武天皇の子大伴親王(のちの淳和天皇)が皇太弟(天皇のあとつぎの弟)に立った。

学 天皇系図

ペイン，トマス

思想・哲学

トマス・ペイン　　　　　　　　1737〜1809年

アメリカ独立革命をあとおしした『コモン・センス』の著者

イギリスの文筆家、政治評論家、革命思想家。

東部のノーフォークに、コルセット職人の子として生まれる。13歳で父の職業につき、その後、職を転々とする。アメリカ独立革命前の1774年、37歳のとき、政治家であり、科学者のベンジャ

ミン・フランクリンとロンドンで知り合い、アメリカへ移住し編集者になった。2年後、小冊子『コモン・センス』を刊行、アメリカのイギリスからの独立の意義を平易な文でうったえた。その後、植民地軍に従軍しつつ、小冊子『危機』を発行し、兵士の士気を高めた。1787年、フランスにわたり、1791年、イギリスで『人間の権利』を発表し、フランス革命を擁護したため、反逆罪に問われフランスにのがれたが、投獄された。1802年、再度渡米するが、理神論（神は世界の創造者ではあるが、世界はみずからの法則によって動きつづけるという説）をとなえたため、孤独な晩年を送った。

ヘーゲル，ゲオルク・ウィルヘルム　思想・哲学

🌐　ゲオルク・ウィルヘルム・ヘーゲル　1770〜1831年

弁証法を提唱し、ドイツ観念論を完成させた哲学者

ドイツの哲学者。

シュツットガルトの中級官吏の家に生まれる。幼いころから大の読書家だった。18歳のときにテュービンゲン神学校で学ぶ。1801年、イエナ大学の講師となったのを皮切りに、ニュルンベルクの高等中学校校長やハイデルベルク大学、ベルリン大学の教授を歴任した。

すべてのものごとは、「正」「反」「合」という3段階をへて発展していくという論理の弁証法を提唱した。そして、人倫（人間の道徳や自由の具体化されたもの）も、3段階の発展をへると考えた。つまり、第1段階（「正」の段階）は家族であるが、これは第2段階（「反」の段階）の市民社会へと進む。さらに第3段階（「合」の段階）の国家へと発展する。結局、国家こそが人倫の完成された姿であるとした。ヘーゲルは弁証法にもとづき、カント哲学から出発したドイツ観念論を完成させた。また、彼の弁証法は、マルクスにより弁証法的唯物論として批判的に継承された。

ベーコン，フランシス　思想・哲学

🌐　フランシス・ベーコン（哲学者）　1561〜1626年

帰納法を提唱したイギリス経験論哲学の創始者

イギリスの哲学者、政治家。

ロンドン生まれ。12歳でケンブリッジ大学に入学、法律を学んだのち、パリにわたる。父の死後、23歳で帰国して国会議員となり活躍したが、汚職により失脚。その後、研究と著述の道に進む。観察や実験をくりかえしおこない、少しずつ真理にいたるという帰納法を提唱し、1620年の『新オルガヌム』で経験論を確立した。人間が自然を支配するために学問をすると説いた「知識は力なり」のことばが有名。また、人間は、偏見や先入観である4つのイドラ（偶像）のために、物事が正しく理解できないと主張した。のちに合理論をとなえるデカルトやドイツ観念論のカントなどの西洋哲学全般、さらに、日本の西田幾多郎らにも強い影響をあたえた。

ベーコン，フランシス　絵画

🌐　フランシス・ベーコン（画家）　1909〜1992年

人体や顔を変形してえがいた画家

イギリスの画家。

アイルランドのダブリン生まれ。16歳でロンドンに出て、インテリアデザインや室内装飾の仕事につく。ピカソの影響を受け、1929年から独学で油絵をかきはじめる。1934年、ロンドンではじめての個展をひらく。大胆に変形し、ゆがませて表現した人体や顔を、暗い色をつかい、荒々しい筆づかいでえがいた作品が注目を集めた。

作品を制作するときには、生身の人間でなく、写真や複製をモデルとしてつかっていた。現代社会の悲惨と不安をグロテスクな人間像で表現していたが、名画の引用も試み、有名な人物や画像を奇妙に変化させた。

代表作に『磔刑図のための3つの習作』、『頭部』シリーズ、『横たわる女』などがある。死後、ロンドンのアトリエが祖国の美術館に再現され、肖像は切手にもなった。第二次世界大戦後のイギリス美術を代表する画家といわれる。

ベーコン，ロジャー　学問　思想・哲学

🌐　ロジャー・ベーコン　1214？〜1292？年

近世自然科学の先駆者となった「驚異博士」

イギリスの哲学者、科学者、神学者。

南西部サマセット州生まれ。オックスフォード大学、パリ大学で神学、数学、医学を学び、パリ大学ではアリストテレス哲学を講義した。オックスフォード大学の教授職につき、フランシスコ会の修道士となると、大学で講義するかたわらイスラム科学をとり入れ、数学、天文学、錬金術などの知識を深めた。実験科学を重視し、凸レンズを応用して拡大鏡の原型となる装置をつくったり、暦を改良したりした。博識ゆえに「驚異博士」と称されたが、彼の科学は宗教と矛盾を生じたため異端とされ、監禁されたこともあった。経験、実験を重視した、近代科学の先駆者で、『大著作』『哲学要綱』『神学要綱』などの著作がある。

ヘーシンク，アントン　スポーツ

🌐　アントン・ヘーシンク　1934〜2010年

柔道の世界的な普及につとめた人

オランダの柔道選手。

14歳から柔道をはじめる。日本人の柔道家に見いだされ、指導を受けたほか、日本の講道館や天理大学でも学んだ。

1961年にパリでおこなわれた世界柔道選手権の無差別級に出場し、日本人以外ではじめてとなる優勝をはたし、日本の柔

道界に大きな衝撃をあたえた。柔道がオリンピック競技に加わった 1964 年の東京大会でも、無差別級の決勝戦で日本の神永昭夫をやぶって優勝した。これは、柔道が国際的なスポーツとして発展する大きなきっかけとなった。

選手を引退したのちも、カラー柔道着の導入をはかるなど、柔道の世界的な普及に力をつくした。

ベートーベン, ルートウィヒ・ファン

→ 12 ページ

ベーブ・ルース

| 🌐 ベーブ・ルース | 1895〜1948年 | スポーツ |

「野球の神さま」といわれた名選手

アメリカ合衆国のプロ野球選手。本名はジョージ・ルース。童顔だったことから、ベーブ（英語であかちゃん）という愛称で親しまれた。手のつけられない不良少年だったため、全寮制の不良少年矯正の学校に送られたが、そこで野球と出会い、選手としての才能をみがいていった。

1914 年にボストン・レッドソックスに入団した。はじめは投手だったが、しだいに打者としても活躍するようになり、1919 年にニューヨーク・ヤンキースへ移籍してからは、打者に専念した。1918 〜 1931 年の 14 年間に 12 回もホームラン王になるなど、数々の記録を打ち立てる。1919 年の八百長事件「ブラックソックス事件」で人気にかげりが出ていたプロ野球が、ルースの豪快なホームランで人気をもりかえしたといわれる。

1935 年に現役を引退した。生涯通算本塁打 714 本は、1974 年にハンク・アーロンにやぶられるまで、長いあいだメジャーリーグの最多記録だった。

ベーベル, アウグスト

| 🌐 アウグスト・ベーベル | 1840〜1913年 | 政治 |

マルクス主義を理念として大衆政党を創設した政治家

ドイツの政治家、労働運動指導者。

ケルンで陸軍下士官の子として生まれる。若くして両親を亡くし、施盤職人となって各地をまわり、ライプツィヒに移る。職人教化組合に加入して、はたらきながら組合内での活動をはじめると、リープクネヒトと出会い、マルクス主義の影響を受けた。1867 年から北ドイツ連邦議会議員となり、1869 年、社会民主労働者党を創設。ビスマルクの帝国主義政策に反対、普仏戦争中には軍事公債の発行にも反対したため、反逆罪で入獄した。1875 年全ドイツ労働者協会と合同して社会主義労働者党（の

ちに社会民主党）を結成。1893 年から亡くなるまで党幹部会議長をつとめた。マルクス主義の立場から女性解放論をとなえ、指導的役割をはたした。『女性と社会主義』などの著書がある。

ベーム, カール

| 🌐 カール・ベーム | 1894〜1981年 | 音楽 |

20世紀を代表する大指揮者の一人

オーストリアの指揮者。

グラーツ生まれ。弁護士の父のもと、最初は法律を学んでいたが、ウィーン音楽院でブラームスの友人だった音楽家マンデチェフスキーに師事する。1917 年にグラーツ歌劇場で指揮者としてデビュー、その後、ミュンヘン、ダルムシュタット、ハンブルク、ドレスデンの歌劇場で指揮者や音楽監督をつとめる。作曲家リヒャルト・シュトラウスと親交があり、そのオペラ上演に協力した。1943 〜 1945 年と 1954 〜 1956 年にウィーン国立歌劇場の総監督をつとめ、世界の有名歌劇場でもオペラの指揮をする。

1967 年には、ウィーン・フィルハーモニー管弦楽団の名誉指揮者となり、活発な演奏会活動をおこなう。モーツァルトをはじめとするドイツ音楽の演奏に定評があり、20 世紀を代表する大指揮者の一人といわれる。1963（昭和 38）年以来、4 回の来日をはたした。オーストリア共和国音楽総監督の称号をもつ。

ベーリング, ビトゥス

| 🌐 ビトゥス・ベーリング | 1681〜1741年 | 探検・開拓 |

ベーリング海峡を発見した

ロシアの軍人、探検家。

デンマークのオーゼンセに生まれる。1703 年、アムステルダムの学校を卒業後、ロシア海軍に入隊。1700 年におきて 21 年つづいたスウェーデンに対してロシアなどの国々が戦った北方戦争では、ロシアのバルチック艦隊の一員として参加した。

1725 年、ユーラシア大陸とアメリカ大陸が陸つづきかどうかを調べることを目的とする、第 1 次カムチャツカ探検隊の隊長に任命された。1728 年、一行はカムチャツカ半島東岸を北上し、両大陸のあいだには海峡があることを確認した。この海峡は、のちにベーリング海峡と名づけられた。

1733年、第2次カムチャツカ探検隊の隊長に任じられ、カムチャツカからアメリカ大陸をめざして出発。1741 年、アラスカの南岸に到達し、さらに南西にむかい、アリューシャン列島の一部の島を発見した。その後、嵐にあって無人島（のちのベーリング島）に漂着、そこで越冬中に病気で亡くなった。

ルートウィヒ・ファン・ベートーベン

古典派音楽を頂点にみちびいた「楽聖」

■幼少のころから音楽の才能を発揮

ドイツの作曲家。

ボンで生まれる。祖父、父ともにケルンの宮廷楽士をつとめる音楽一家だった。幼少のころからピアノを教えられ、7歳のときに公開演奏会でピアノ協奏曲を演奏。10歳のころ、ボンの宮廷オルガニストのネーフェからバッハの音楽様式を学んだ。12歳のとき、ピアノソナタを出版し、作曲の才能をうかがわせた。

▲ルートウィヒ・ファン・ベートーベン

1789年、ボンに国立劇場が開設されると、そのビオラ奏者として入団。またボン大学の哲学科の受講生となり、哲学、文学、芸術史などを学んだ。その一方、フランス革命の「自由、平等、博愛」の精神や、ゲーテやシラーらによる芸術における感情の解放をとなえる運動（シュトゥルム・ウント・ドラング）にも関心をもった。

■ウィーンに出てハイドンのもとで修業

1792年、オーストリアの音楽の都ウィーンに移り、作曲家ハイドンらのもとで修業を重ね、ピアニストとして評判となり、ルドルフ公ら貴族たちの支援を得た。1795年、自作のピアノ協奏曲を公開演奏会で披露。その後、『悲愴』ほか多くのピアノソナタを作曲、また革新的な試みをとり入れた交響曲第1番を作曲し演奏会で指揮するなど、最初の絶頂期をむかえた。

■運命を乗りこえて次々に作曲

1798年ごろからじょじょに耳が聞こえなくなっていることに気づ

▲ラズモフスキー四重奏曲の指揮をするベートーベン　1806年、ウィーンに駐在するロシア大使ラズモフスキーの依頼で、弦楽四重奏曲を3曲作曲した。

き、1802年に自殺を決意。弟にあてて遺書を書いたが、これをきっかけに、交響曲第3番『英雄』、第5番『運命』、第6番『田園』など、生命力あふれる名作を次々に作曲。やみから光へとドラマチックに展開する構成など、さまざまな新しい形式を打ち立てた。なお、『英雄』は封建支配からの解放をもたらしたフランスのナポレオン・ボナパルトにささげるつもりだったが、ナポレオン1世として皇帝に即位すると聞いて激怒し、楽譜の表紙に書いた「ボナパルトへ」の文字を消したといわれている。

■歓喜の合唱に聴衆は熱狂

1812年、交響曲第7番を作曲し、その夏には文豪ゲーテと親交を深めた。また1814年には、歌劇『フィデリオ』が、各地の諸侯や君主から称賛され、ベートーベンの名はヨーロッパ中に広まった。その後、体調をくずしながらも、『荘厳ミサ曲』など意欲作を作曲した。1824年、終楽章にシラーの詩『歓喜に寄せて』の合唱を入れた交響曲第9番『合唱つき』を初演。80人をこえるオーケストラ、4人の独唱者、約100人の合唱団によって、希望と歓喜の歌が歌い上げられると、聴衆は熱狂して立ち上がりアンコールをさけんだが、その声は彼の耳に届かなかった。

その後も弦楽四重奏曲などの作曲をつづけ、1827年、56歳で亡くなった。モーツァルトやハイドンが確立した古典派音楽を頂点まで高めて、「楽聖」とあがめられ、のちの音楽家たちに大きな影響をあたえた。

▲交響曲第9番の楽譜　初版。

ベートーベンの一生

年	年齢	主なできごと
1770	0	12月16日、ボンで生まれる。
1784	14	ボンの宮廷オルガン奏者の助手となる。
1792	22	ウィーンに出てハイドンらに学ぶ。
1798	28	このころからじょじょに耳が聞こえなくなる。
1799	29	ピアノソナタ『悲愴』を発表。
1804	34	交響曲第3番『英雄』を完成。
1808	38	交響曲第5番『運命』、第6番『田園』を初演。
1810	40	『エリーゼのために』を作曲。
1824	54	交響曲第9番『合唱つき』を初演。
1827	56	3月26日、ウィーンで亡くなる。

※年齢は満年齢であらわしている

ベクレル，アントワーヌ・アンリ 学問

🌐 アントワーヌ・アンリ・ベクレル　1852〜1908年

ウランの放射線を発見した物理学者

19世紀のフランスの物理学者、化学者。

パリに生まれる。父は光化学研究者であり、祖父は電気化学者だった。

エコール・ポリテクニークで自然科学を学び、1895年、母校の教授となる。1896年、前年のレントゲンによるX線の発見にヒントを得て、太陽光をウラン化合物にあてる実験をしていた。曇りの日がつづいたため、ウラン化合物を写真乾板といっしょに机の中にしまっておいたところ、数日後、光をあてていない写真乾板が感光していた。このことから、ベクレルはウランから放射線が出ていることを発見した。

この功績により1903年のノーベル物理学賞を、ピエールとマリーのキュリー夫妻とともに受賞したが、5年後に55歳で放射線が原因と思われる健康障害により急死した。放射能の単位に名をのこしている。　学 ノーベル賞受賞者一覧

ベケット，サミュエル 文学 映画・演劇

🌐 サミュエル・ベケット　1906〜1989年

不条理劇、不条理小説の第一人者

アイルランド生まれのフランスの作家、劇作家。

ダブリン近郊の町に生まれる。裕福な家庭で、きびしく教育された。スポーツとフランス語の得意な少年で、名門トリニティ・カレッジに進学する。芝居見物にも熱中した。

卒業後、パリで高校の英語教師となる。

作家のジェームズ・ジョイスと知り合い、作家をめざす。1931年、ダブリンにもどって母校で教師になるがすぐにやめて、ヨーロッパ各地を旅行する。

1937年からパリに住み、英語とフランス語で書きはじめる。翌年、最初の小説『マーフィ』を出版するが、注目されなかった。1953年に上演した戯曲『ゴドーを待ちながら』が世界中で有名になり、作家としての地位をかためる。

生きる理由を見いだせない現代人の心の内を、ストーリー（条理）をつくらずに表現し、不条理劇、不条理小説の第一人者とよばれる。小説『ワット』『モロイ』などがある。1969年にはノーベル文学賞を受賞した。　学 ノーベル賞受賞者一覧

ベサリウス，アンドレアス 医学

🌐 アンドレアス・ベサリウス　1514〜1564年

解剖学の基礎を築く

ベルギーの医学者、解剖学者。

神聖ローマ帝国の支配下にあったベルギーのブリュッセルの医師の家に生まれる。1528年にルーバン大学に入学しラテン語などを学ぶが、医学をおさめるためパリ大学に移り、その後、イタリアのパドバ大学にて博士号を取得。卒業後は同大学の外科学と解剖学の教授に任命される。当時の解剖学はローマ帝国時代の医学者ガレノスの研究にもとづいており、解剖は理容師（中世ヨーロッパでは理容師は外科医を兼任した）にまかせられていた。ベサリウスはこれに疑問をもち、医学者による解剖を重視した。そして、ガレノス学説の問題点に気づき、みずから解剖学の教科書を書く。心臓の構造をはじめ、現代医学に通じるいくつもの発見をしたが、ガレノス支持派との論争も生んだ。のちに皇帝侍医となり、巡礼の途中でイオニア海のザキントス島にて、49歳で病死した。著書『ファブリカ（人体の構造）』は、後世の解剖学に大きな影響をあたえ、ベサリウスは「近代解剖学の父」とよばれている。

ヘシオドス 古代 詩・歌・俳句

🌐 ヘシオドス　生没年不詳

古代ギリシャ文学に大きな影響をおよぼした

古代ギリシャの叙事詩人。

地方の開拓農家の生まれ。父や弟と農業をいとなみ、のちにホメロスとならんで称される大詩人となった。著書『神統記』によると、ヘシオドスが羊飼いをしていたとき、突然ミューズ（詩の神）があらわれて、彼に詩人になるように命じたという。父の死後、遺産をめぐって弟とあらそう。弟が不正に遺産を相続したのを機に、ヘシオドスは旅に出て、詩人として生活をするようになった。

完全な形でのこる作品は、ギリシャの神々の系譜をあつかった『神統記』と、農民の日常生活をえがいた『仕事と日々』の2つのみ。『仕事と日々』は、怠惰な弟に語りかける形で一般の人間に労働のたいせつさを説き、貴族政を批判する教訓詩でもある。

ペスタロッチ，ヨハン・ハインリヒ 思想・哲学 教育

🌐 ヨハン・ハインリヒ・ペスタロッチ　1746〜1827年

孤児教育や民衆教育の改善につくす

スイスの教育者、教育思想家。

チューリヒで医者の子として生まれる。6歳のとき父を亡くし、

のちに神学を志してカロリナ大学に入学する。思想家のルソーの影響を受け、愛国的、革新的な運動に熱中し、その後、農業改革家をめざした。農業経営のかたわら、農民のこどもたちを教育する「貧民学校」も設立するが、いずれも失敗。やがて情熱は教育に移る。思想と活動の特色は、こどもの自発的活動を尊重し、家庭内ではぐくんだ愛情と信頼からなる諸能力を調和的に発展させることであった。この思想は、ヨーロッパやアメリカ合衆国、さらに日本の初等教育の分野に大きな影響をあたえた。著書に『隠者の夕暮』『リーンハルトとゲルトルート』などがある。

ベスプッチ，アメリゴ

探検・開拓

🌐 アメリゴ・ベスプッチ　　　　1454〜1512年

アメリカ大陸の名前の由来となった

イタリアの航海者、地理学者。フィレンツェに生まれ、メディチ家の銀行員としてはたらく。1491年、スペインのセビリアに派遣されコロンブスの出航準備を支援したことから、新航路の開拓に興味をもったといわれる。

1499年、スペイン王フェルナンドからインド探検航海の参加要請を受け、40代なかばにして初航海に出る。さらに1500年ごろ、すでにインドへの東まわり航路を開拓していたポルトガル王マヌエル1世から、西まわりの新航路の発見を要請される。西へと航海して南アメリカ大陸に達し、大陸にそって南下し、ほとんどマゼラン海峡近くまで到達した。

ベスプッチは、この地がアジアではないと確信し、小冊子『新大陸』と『A・ベスプッチの書簡』で新大陸説をとなえた。これに注目したドイツの地理学者ワルトゼーミュラーは、これまで探索された大陸はアジアではなく新大陸とみとめ、1507年に新たな地図をつくり、アメリゴのラテン名アメリクスにちなんで、アメリカ大陸と命名した。

ペタン，フィリップ

政治

🌐 フィリップ・ペタン　　　　1856〜1951年

対ドイツ協力政策を実行したフランスの国家元首

フランスの軍人、政治家。国家元首（在任1940〜1944年）。陸軍大学教官をつとめたが、戦術論が軍上層部に受け入れられず、昇進がおくれた。第一次世界大戦開戦の1914年に58歳で退役寸前だったが、戦闘で成果をあげ昇進。1916年には第二軍司令官としてベルダンの戦いでドイツ軍をやぶり、国民的英雄となる。フランス軍総司令官をへて、1918年、元帥に就任。第二次世界大戦中の1940年、ヒトラーひきいるナチス・ドイツがフランスに侵攻すると、首相に就任したペタンはドイツと

の休戦協定をむすび、ビシー政権（ビシーはパリがドイツに占領されたあと首都となったフランス中部の町）の国家元首として、対独協力政策を実行した。フランスが解放された戦後の1946年、敵に協力した罪で死刑判決、のちに終身刑となり、服役中に死亡した。　　　　学 主な国・地域の大統領・首相一覧

ベッケンバウアー，フランツ

スポーツ

🌐 フランツ・ベッケンバウアー　　　　1945年〜

ドイツサッカー界で活躍した選手

ドイツのサッカー選手、監督。1960年代なかばから10年以上、世界のサッカー界をリードし、そのプレースタイルから「皇帝（カイザー）」とよばれた。

1954年、ワールドカップ・スイス大会で優勝した西ドイツチームのプレーに感動し、地元ミュンヘンのクラブチームに入団して、本格的にサッカーをはじめる。

1964年にプロ選手となり、1965年には20歳で西ドイツ代表にえらばれる。3度目のワールドカップ出場となった1974年の西ドイツ大会では、キャプテンとしてチームをまとめ、優勝にみちびくなど大活躍した。1972年と1976年にはヨーロッパの年間最優秀選手（バロンドール）にえらばれている。

現役を引退後、1984年に西ドイツ代表チームの監督に就任した。1986年のワールドカップ・メキシコ大会で準優勝、1990年のイタリア大会では優勝をなしとげるなど、監督としてもすぐれた手腕を発揮した。

ヘッセ，ヘルマン

文学　詩・歌・俳句

🌐 ヘルマン・ヘッセ　　　　1877〜1962年

『車輪の下』の作者

ドイツの詩人、作家。南ドイツのカルプ生まれ。父は宣教師で、父方と母方の祖父も宣教師。父の要望で14歳のとき名門神学校に入学するが、詩人を志し15歳で学校を脱走した。町工場ではたらいたあと、書店の店員をしながら詩を書き、22歳で詩集を自費出版したが、評価は得られなかった。1904年、はじめての小説『ペーター・カーメンチント』（日本語訳は『郷愁』）で大成功をおさめ、27歳で作家としての地位を確立した。

人はどう生きればいいのか、個性の尊重をテーマに、『車輪の下』など多くの作品を発表。東洋と西洋の文化の融合をえがいた『ガラス玉遊戯』が高く評価され、1946年にノーベル文学賞を受賞した。　　　　学 ノーベル賞受賞者一覧

ベッセマー，ヘンリー

発明・発見

🌐 ヘンリー・ベッセマー　　　　1813〜1898年

製鉄業に革命をもたらした「転炉製鋼法」の発明者

19世紀のイギリスの発明家、企業家。

イングランド東部のハートフォードシャーに、印刷用活字の鋳造所をいとなむ発明家の子として生まれる。学校を卒業したのち、父の鋳造所ではたらきながら冶金を学び、のちに、真ちゅうをつかった印刷用の金色顔料を発明して富を築いた。1850年代にはクリミア戦争に触発され、大砲の材料としての鋼（鉄に炭素などをまぜた合金）の改良を志して製鉄法の研究に力をそそぐ。1856年には、鉄鉱石を溶融してつくった銑鉄を入れた転炉（鋼をつくるための炉）に空気を吹きこみ、その酸化熱で不純物を焼きはらうことによって鋼を得る「転炉製鋼法」を発表。高品質の鋼を大量かつ安価に生産できる点で、製鉄業において革命的な大発明であった。ベッセマーは、この転炉製鋼法を実用化するためにみずから製鉄業をおこなう決意をし、製鋼所を建設。少しずつ生産を拡大して、非常に安価な鋼を販売できるようになった。

また、切手印刷機や活字鋳造機、印紙プレス機などさまざまな発明をおこない、生涯で120以上の特許を取得した。1879年にはナイトの称号を得て、世界最古の自然科学学会である、ロイヤル・ソサエティ（ロンドン王立協会）のフェローにもなっている。

ヘップバーン，オードリー

映画・演劇

🌐 オードリー・ヘップバーン　　1929〜1993年

永遠の妖精とよばれた女優

アメリカ合衆国の女優。

ベルギーのブリュッセルに生まれる。父親は貿易商、母はオランダ貴族の血をひく。5歳からイギリス、ロンドンの寄宿学校に入る。10歳のときに両親が離婚したため、母とオランダに移り、バレリーナをめざしてレッスンをはじめた。

1948年、イギリスのバレエ学校に入り、プロとなる。映画プロデューサーの目にとまり、ヨーロッパの映画に出演するようになった。女性作家コレットに気に入られて、彼女の原作『ジジ』の舞台で主役を演じる。これがきっかけで映画『ローマの休日』の主役にえらばれ、映画は爆発的にヒットした。以後ずっとトップスターの座にあったが、58歳でユニセフ親善大使に就任してからは、難民の救済のためにつくした。

マリリン・モンローのようなセクシーな女優がもてはやされた時代に、スリムなからだと愛嬌のある顔で「永遠の妖精」とよばれた。代表作に『ティファニーで朝食を』などがある。

べつやくみのる

絵本・児童　映画・演劇

🔴 別役実　　　　　　　　　　1937年〜

人間社会の不条理を前衛演劇で表現

劇作家、評論家、児童文学作家。

満州（現在の中国東北部）生まれ。本姓は別役。早稲田大学中退。1961（昭和36）年、戯曲『AとBと一人の女』でデビューする。演出家の鈴木忠志らと劇団、早稲田小劇場を結成。劇作家のベケットらの不条理劇の影響を受けて、人間社会の不合理をえがき、原爆がテーマの『象』で注目される。『マッチ売りの少女』『赤い鳥の居る風景』で岸田国士戯曲賞を受賞。1972年、劇作家の山崎正和らと「手の会」を結成。1970年代には戯曲『あーぶくたった、にいたった』『にしむくさむらい』などを発表した。評論に『電信柱のある宇宙』（1980年）ほか。こどもむけの童話に『淋しいおさかな』などがある。

ヘディン，スベン

探検・開拓

🌐 スベン・ヘディン　　　　　1865〜1952年

中央アジア探検の先がけ

スウェーデンの地理学者、探検家。

首都ストックホルムに生まれる。父は建築技師。15歳のとき、北極海の探検にむかい消息を絶っていたベガ号が帰還したのをむかえて、極地探検を志した。1885年、高校を卒業後、家庭教師としてカスピ海沿岸のバクーへ行くことになり、ロシア経由でカフカス山脈をこえてバクーまで旅行し、翌年にはペルシア横断の旅に出た。

1886年、ストックホルム単科大学に入学、1888年にウプサラ大学に移り、翌年、ドイツのベルリン大学に留学。ここで中国の調査をおこなった地理学者リヒトホーフェンに学び、アジアの地図の空白部分を自分の足で探検しようと決意した。1890年、スウェーデン王オスカー2世がペルシアに派遣する使節団の通訳としてブハラやカシュガルなどを旅行する。

1893年から1897年の第1回中央アジア探検では、パミール高原やタリム盆地を探検。ホータン近郊で流砂にうまった古代都

市遺跡を発見し、遺品や仏像などをみつけた。

1899年から1902年の第2回探検は、タクラマカン砂漠を横断し、ロプノール（ロプ湖）を調査し、時代によって湖の位置がかわることを発見した。また、楼蘭の都市遺跡を発見し、仏像や木簡、文書など、貴重な資料を発掘した。

1905年から1908年の第3回探検は、それまで探検隊が入ったことのないチベットにむかった。ここではヒマラヤ山脈の北に並行して、カラコルム山脈につらなるトランスヒマラヤ山脈（現在のガンディヤ山脈など）が走っていることを発見した。また、ブラマプトラ川、インダス川、サトレジ川の3つの川の水源を突き止めた。

1927年から1933年の第4回探検は、スウェーデン、デンマーク、ドイツ、中華民国が共同調査団を結成し、モンゴル、新疆省、ゴビ砂漠を中心とする地域の自然、人文、考古学などの分野で総合的な調査をおこなった。つづいて1933年から、中国側の要請で、包頭からウルムチのあいだのシルクロード沿いの道路調査をおこなった。

その後、学術報告書や旅行記『中央アジア探検記』などを執筆し、1952年、87歳で亡くなった。中央アジア探検の先がけとなり、この地域の解明にはたした役割は大きい。

ペテロ　　　　　　　　　　　　　宗 教

🌐 ペテロ　　　　　　　　　　　　?～60?年

キリスト十二使徒の最高位

キリスト十二使徒（弟子）の一人。

ガリラヤ湖（現在のイスラエル北部）で漁師をしていたがイエス・キリストに出会い、弟アンデレとともに弟子となった。本名はシメオン（シモンともいう）。教会の基礎という意味で「ケパ（アラム語で「岩」）」とよばれ、これがギリシャ語訳され「ペトロス」となった。処刑後復活したイエスをみたことから、弟子たちの先頭に立ってエルサレム教会を組織し、キリスト教の布教にはげんだが、ユダヤ王に追われ、ローマ皇帝ネロの迫害によって殉教したという。聖書ではイエスから天国の鍵をさずけられたとされ、多くの宗教画や彫刻で鍵をもった聖人像としてえがかれる。カトリック教会では初代教皇とされる。サンピエトロ大聖堂はペテロの墓と伝えられる場所に建てられた。

学 ローマ教皇一覧

ペトラルカ　　　　　　　　　　詩・歌・俳句

🌐 ペトラルカ　　　　　　　　1304～1374年

ルネサンス期の代表的な文学者

イタリア・ルネサンスの詩人、人文学者。

トスカーナ地方の生まれ。フランチェスコ・ペトラルカともいう。法律家の父はダンテとともにフィレンツェを追われた身で、一家はキリスト教の中心地であった南フランスのアビニョン付近に移る。ボローニャ大学などで法律を学ぶが、父の死後は文学に専念。1330年ごろ聖職につき、ギリシャ・ローマの古典研究と著述にはげむ。古典文芸や聖書にならい人間性の再興をめざす人文

主義の第一人者として知られ、ローマの著作家キケロなどの古典作品も数多く復活させた。

1327年、人妻ラウラと出会い、生涯にわたって彼女への愛をうたう詩を書きつづけた。その詩をまとめた『カンツォニエーレ』は、ダンテやボッカチオの作品とならび称される。ほかに、詩『アフリカ』、物語『偉人伝』、対話集『わが秘密』など。

ベネディクトゥス　　　　　　　　宗 教

🌐 ベネディクトゥス　　　　　480?～547?年

西方教会の修道制度の創始者

イタリアの修道士。

中部のヌルシア生まれ。ローマで哲学と法学を学んだが、中途で退学し、修道生活に入った。スビアコでは3年間の洞窟での生活ののちに修道院で院長をつとめ、529年ごろローマ南方の山中のモンテ・カシノに修道院を設立。540年ごろには序文と73の章からなる戒律（修道会則）を定め、西欧修道院制度の基礎を築いた。この戒律では「祈りと労働」をモットーとし、「清貧、純潔、服従」を理想として共同生活を送るとした。もっとも特徴的なのは、これまでのように宗教関係者以外の世俗勢力に経済的な依存をするのではなく、自給自足をして経済的に自立したことであった。これはのちの修道院のあり方に大きな影響をあたえ、ベネディクトゥスは「西欧修道制の父」と称される。

ヘボン，ジェームス　　　　　宗 教　教 育

🔴 ジェームス・ヘボン　　　　1815～1911年

ローマ字の表記をつくった宣教師

（国立国会図書館）

アメリカ合衆国の宣教師、医師、日本語研究者。

ペンシルベニア州に生まれる。日本名は平文。プリンストン大学卒業後、ペンシルベニア大学で医学をおさめ、1859年に宣教師として来日した。横浜に住み、診療所をひらくかたわら、日本語の研究や英語教育をおこなった。教え子には、大村益次郎、高橋是清など、明治政府のリーダーになった人たちがいた。ヘボン塾が明治学院（現在の明治学院大学）の発足につながるなど、33年間の滞在中に、プロテスタント（キリスト教）の伝道と教育の基礎を築いた。

1867年に日本最初の和英辞典『和英語林集成』を出版。

この第3版（1886年）に使用したローマ字の表記法は、現在、広くつかわれているヘボン式ローマ字つづりのもととなり、その後、日本で普及した。またブラウンらと聖書を和訳し、新約聖書は1880（明治13）年、旧約聖書は1888年に刊行した。

ヘミングウェイ, アーネスト

文 学

🌐 アーネスト・ヘミングウェイ　　　　1899〜1961年

『老人と海』の作者

アメリカ合衆国の作家。

イリノイ州シカゴ郊外のオークパーク生まれ。医者の父親に釣りや狩猟を教わりながら成長した。高校では水泳やボクシングで活躍し、学校新聞に文章を書いた。

高校卒業後、新聞記者となる。第一次世界大戦では赤十字のスタッフとして参加したイタリア戦線で足に重傷を負った。死に直面した体験が、のちの小説に反映されている。その後もスペイン、アフリカなどへ出かけ、雑誌や新聞に記事を送りながら、文章を書く。1926年の小説『日はまた昇る』で注目を集め、『武器よさらば』でアメリカを代表する作家となる。1953年には『老人と海』でピュリッツァー賞を、1954年にはノーベル文学賞を受賞する。しかし健康がすぐれず、1961年、猟銃で自殺した。

感情をおさえた短い文章が特徴で、「ハードボイルド」な文体と称された。釣りや狩猟を楽しむ生き方は、アメリカ男性の理想像とされ、「パパ・ヘミングウェイ」ともよばれる。

🎓 ノーベル賞受賞者一覧

ヘラクレイオスいっせい

王族・皇族

🌐 ヘラクレイオス1世　　　　　　　575?〜641年

ビザンツ帝国の軍管区制度を創設

ビザンツ帝国の皇帝（在位610〜641年）。

カルタゴ（現在のチュニジア）の総督の子として生まれる。610年、暴君フォカス帝をたおして即位した。このころのビザンツ帝国（東ローマ帝国）は国力が落ち、ササン朝ペルシアが領内へ進出をはかっていた。622年から628年にかけてペルシアに遠征し、ササン朝を降服させ、シリア、エジプトなどをとりかえした。しかし、すぐにアラビア半島のイスラム教徒が勢力を拡大。636年、ヤルムークの戦いでやぶれて、ふたたびシリア、メソポタミア、エジプトを失った。これら辺境地の防衛のため、軍人主導型の軍管区制度（テマ）を小アジアに創設した。また公用語をラテン語からギリシャ語へ移行するなど、ギリシャ的な要素を強くした。

ヘラクレイトス

古 代　思想・哲学

🌐 ヘラクレイトス　　　　　　紀元前540ごろ〜?年

万物流転説やロゴスの支配を説いた孤高の哲学者

古代ギリシャの哲学者。

小アジア・イオニア地方の町エフェソスの生まれ。王家の出身とされるが詳細は不明。難解な思想と孤高の生き方から、「闇の人」「泣く哲学者」とよばれた。火を変化の象徴とし、万物の根源（アルケー）と考え、世界はたえず変化しつづけているという思想「万物流転説（パンタ・レイ）」を主張した。また、「上り道も下り道も一つであって同じものである」といい、万物は変化すると同時に対立や矛盾をふくんでおり、その対立の世界を根幹でつなぐのが「ロゴス」（摂理・法則）であるとのべている。『ペリ・フュセオース（自然について）』とよばれる著作は、宇宙、政治、神の3部作に分かれていたということだが、断片しかのこっていない。

ベラスケス, ディエゴ・デ

絵 画

🌐 ディエゴ・デ・ベラスケス　　　　1599〜1660年

17世紀のスペインを代表する画家

スペインの画家。

セビリアでポルトガルの貴族の家系に生まれる。11歳から絵の手ほどきを受け、画家パチェコの工房に弟子入りする。1617年に職業画家として独立し、1623年に国王フェリペ4世の宮廷画家となり、宮廷の装飾絵画や肖像画をえがく。温厚な性格が国王の信頼を得て、王の側近として長くつとめた。

写実的な手法で多くのすぐれた肖像画をえがき、のちに光線の描写などにもとりくんだ。スペインでベルギーの画家ルーベンスと知り合う。イタリアへの旅行をすすめられ、生涯を通じて2度おとずれた。そこでベネツィア派の影響を受け、軽やかで明るい透明感がました画風にかわる。代表作に、ヨーロッパ肖像画の最高傑作とされる『教皇インノケンティウス10世』、集団肖像画の名作『ラス・メニナス（宮廷の侍女たち）』、『ブレダの開城』『フェリペ4世騎馬像』などがある。スペインのバロック絵画における代表的画家といわれる。

ベラフォンテ, ハリー

音 楽

🌐 ハリー・ベラフォンテ　　　　　　　1927年〜

『バナナ・ボート』が世界的なブームに

アメリカ合衆国のフォーク・ポピュラー歌手、俳優、社会運動家。

ニューヨークのハーレムに生まれる。本名はハロルド・ジョージ・ベラフォンテ。少年時代は母の故郷ジャマイカでくらす。1944年、

アメリカ海軍に入隊。第二次世界大戦後は俳優を志し、演劇学校の研究生となり、歌う役がらを演じたことをきっかけに、ジャズクラブで歌手としてデビュー。

1953年に、シングルレコード『マチルダ』をだし、つづくアルバム『ベラフォンテ』『カリプソ』もヒットを記録。カリブ海の音楽をベースにした楽曲を独特の高音で歌い、人気となる。1957年にジャマイカ民謡の労働歌『バナナ・ボート』がミリオンセラーとなり、世界的なブームをまきおこ

した。1960年代以降は、黒人社会の支援運動に力を入れ、1985年にアフリカ飢餓救済チャリティー、USAフォー・アフリカの結成を提唱し『ウィ・アー・ザ・ワールド』の録音を主導する。1960年、1961年には2年連続してグラミー賞を獲得した。

ペリー，マシュー・カルブレイス   幕末

● マシュー・カルブレイス・ペリー　　　1794～1858年

日米和親条約をむすび日本を開国させた

▲マシュー・カルブレイス・ペリー

幕末に来日した、アメリカ合衆国の軍人、東インド艦隊司令長官。

北東部のロードアイランド州に生まれる。1809年、15歳のとき海軍に入り、少尉候補生となった。1812年、イギリスとの米英戦争に参加した。その後、アフリカや西インド諸島、地中海など各地で勤務し、1833年、ブルックリン海軍工廠の造船所長となった。蒸気船による海軍力の強化をとなえて、アメリカ初の蒸気機関で走る軍艦フルトン号を建造し、1837年、その初代艦長に就任。メキシコとの米墨戦争では、1847年にメキシコ湾艦隊副司令官として指揮をとり、「蒸気船海軍の父」とよばれた。

1852年、東インド艦隊司令長官に任じられ、鎖国をしていた日本の開国と通商を求めるアメリカ大統領フィルモアの親書を託されて、アメリカ東海岸のノーフォーク港を出航した。アフリカ南端のケープタウン、シンガポール、香港、上海などをへて、琉球（現在の沖縄県）や小笠原諸島に寄港。太平洋を横断する汽船の補給基地として、琉球と小笠原に貯炭場の用地を確保した。そして1853年、旗艦ミシシッピ号をはじめとする軍艦4

隻をひきいて、浦賀沖（神奈川県横須賀市）に来航した。江戸幕府は江戸湾（東京湾）から退却するよう求めたが、ペリーは拒否。一行は久里浜（神奈川県横須賀市）に上陸し、大統領の国書を手わたして、江戸湾内を測量したのち、いったん退去した。

中国の香港で待機したペリーは、翌年、サスケハナ号を旗艦とした軍艦7隻をひきいて江戸湾の奥深くまで入り、横浜村（横浜市）に上陸し、2月10日から交渉を開始。3月3日、下田（静岡県下田市）、箱館（北海道函館市）の開港、食糧や燃料などの補給、漂流民の保護などを内容とする日米和親条約をむすんだ。そこには通商条項はふくまれていなかったため、交渉は比較的順調に進んだ。また交渉のさなか、将軍へのみやげとして用意した小型の蒸気機関車や電信機を実験してみせて、日本の高官をおどろかせた。

ペリーは箱館、下田をまわって現地調査をしたのち、琉球王国と通商条約をむすび、1855年、帰国した。

その後、公式記録『ペリー日本遠征記』を書き、1858年に亡くなった。

▲軍艦ポーハタン号（左）とサスケハナ号（右）

ペリクレス   古代 政治

● ペリクレス　　　紀元前495?～紀元前429年

アテネ民主政を完成させ、全盛期をつくった

古代ギリシャの政治家。

クレイステネスのめいを母にもつ名門の出身。紀元前462年、貴族派の将軍がスパルタへ出征中に、貴族派の実権をうばって民会や評議会、民衆裁判所をつくり、民主政への道をひらいた。その後、15年連続で将軍職にえらばれ、アテネを指導。ペルシア戦争に勝利したアテネは、「ペリクレス時代」といわれる全盛期をむかえた。ペルシアの脅威がうすれると、デロス同盟（ペルシアの侵攻にそなえて結成された軍事同盟）の盟主であったアテネは、同盟の資金をパルテノン神殿の再建などに流用した。こうした行為にスパルタが反発し、紀元前431年、ペロポネソス戦争がおこる。ペリクレスは戦争のさなか、疫病にかかって死亡した。

弁舌にすぐれた人物で、とくにペロポネソス戦争の戦死者追悼演説は、アテネの民主政治の本質があらわれているとして有名である。

ヘリング, キース

絵画

🌐 キース・ヘリング　　　　　　1958〜1990年

落書きアートで知られる画家

アメリカ合衆国の画家。

ペンシルベニア州リーディングに生まれ、カッツタウンで育つ。技術者の父は漫画をかくのが趣味で、幼いときからいっしょに漫画をかいてすごした。高校卒業後、ピッツバーグの商業美術学校に2年間かよい、はじめての個展をひらく。

1978年、ニューヨークに行って、視覚芸術学校で学ぶ。地下鉄の駅でつかわれていない広告板に白チョークで絵をかきはじめると、乗客のあいだで評判をよび、1981年からはギャラリーでも作品を発表する。1983年には、ブラジルのサンパウロ・ビエンナーレに出品し、世界中で有名になった。

記号を思わせるシンプルな形の人間や動物を特徴とする。路上や地下鉄にかいたことから「グラフィティ（落書き）アート」とよばれる。同性愛者であることをいち早く明らかにし、エイズにかかると、エイズ撲滅運動にも力を入れた。31歳で亡くなった。

ベル, グラハム

学問　発明・発見

🌐 グラハム・ベル　　　　　　1847〜1922年

音声に興味をもち、電話を発明した物理学者

19世紀にアメリカ合衆国で活躍した発明家、物理学者。

イギリス、スコットランドのエディンバラ生まれ。幼少のころから植物標本の収集や実験に熱中。12歳のとき、友人の父親の製粉所を助けるために脱穀機を発明し、謝礼として発明開発の作業場を得た。聴覚障害の母の影響もあり、生涯にわたり音声に興味をもった。父からは聴覚障害者に発音を習得させる「視話法」を習った。

1870年、カナダへわたり、翌年、アメリカに移住、ボストンのろう学校で教職につく。翌年、視話法を教える学校を設立。のちに視覚・聴覚障害者のヘレン・ケラーと出会い、家庭教師サリバンを紹介している。ヘルムホルツの業績にもとづいた電気と音声の研究をつづけ、音声を電気信号にかえて伝送する実験をはじめる。工学の技術をもつトーマス・ワトソンを助手に、1876年、世界初の電話を発明。特許を得て翌年にベル電話社を創

設、ボストンからプロビデンスの間に世界初の電話回線を開通させた。

ベルクソン, アンリ

思想・哲学

🌐 アンリ・ベルクソン　　　　　　1859〜1941年

唯物論に対して、生命の飛躍を主張した生の哲学者

フランスの哲学者。

パリ生まれ。幼少より秀才であり、国立高等師範学校では、のちの政治家ジョレスと首席をあらそった。唯物論に対し、著書『創造的進化』で、生命はたえまない創造的活動として持続し、予測できないような飛躍により進化すると主張。晩年には、それをさらに発展させて『道徳と宗教の二源泉』をしるし、生命の飛躍によって、家族愛や祖国愛にもとづく「閉じた社会」から、人類愛を結合原理とする「開いた社会」へといたることができる（愛の飛躍）と説いた。ほかに『物質と記憶』『笑い』などの著書がある。第一次世界大戦中、外交使節としてスペインとアメリカ合衆国を訪問。国際連盟の国際知的協力委員会の議長もつとめ、1927年、ノーベル文学賞を受賞した。

🎓 ノーベル賞受賞者一覧

ベルサーチ, ジャンニ

デザイン

🌐 ジャンニ・ベルサーチ　　　　　　1946〜1997年

美しいドレスが定評のデザイナー

イタリアの服飾デザイナー。

イタリア北部に生まれる。母がブティックを経営しており、高校卒業後は母の店ではたらいた。

1972年、ミラノに出て、いくつかのブランドでデザインの仕事をする。1978年には、兄のサント、妹のドナテラといっしょにブランドを立ち上げた。着やすく、セクシーでありながらエレガントな婦人服が人気を集め、世界的なブランドに成長した。絶頂期の1997年、自宅で射殺された。

オペラやバレエ、歌手のエルトン・ジョン、マドンナなどのステージ衣装もてがけた。ドレスの美しさでは定評がある。妹のドナテラがあとをついでいる。

ベルセリウス, ヨンス・ヤーコブ

学問　発明・発見

🌐 ヨンス・ヤーコブ・ベルセリウス　　　　　　1779〜1848年

化学表記法の基礎を築いた化学者

19世紀のスウェーデンの化学者、医師。

南部のリンチェーピンで、牧師の子として生まれる。4歳のときに父と死別。医師をめざしてウプサラ大学で苦学したが、学問の関心を医学から化学へと移していった。ラボアジエの体系にもとづく最新の化学を独学し、1802年に、ガルバーニが主張した動物電気の医学への応用の研究で学位をとる。鉱山主でありアマチュア化学実験家のヒージンガーと共同して、塩の電気分解の研究をおこない、原子はプラスならマイナスに、マイナスならプ

ラスにという反対の電荷間の電気的引力により結合して分子を形づくるという、電気的二元論を展開した。1818 年までに、当時知られていた 49 の元素のうち、45 の元素の原子量を決定。また、セリウム、セレン、トリウム元素を発見した。さらに分子の組成を、元素の頭文字と数とであらわす表記法を考案し、化学表記法の基礎をつくり上げた。

ヘルダーリン, フリードリヒ　　文学　詩・歌・俳句

🌐 フリードリヒ・ヘルダーリン　　1770〜1843年

神と人間の関係を詩に

ドイツの詩人、作家。

南ドイツのシュワーベン地方の生まれ。2 歳のときに牧師だった父を亡くした。幼いときから牧師になる道をあゆみ、神学校に進んで、のちの哲学者ヘーゲルたちと親しくなる。

卒業後、住みこみの家庭教師をしながら詩を書いた。1799 年、小説『ヒュペーリオン』を発表して注目される。1802 年ごろから転居をくりかえし晩年はテュービンゲンの山村でひっそりくらした。古代ギリシャが理想とした自由や調和をたたえ、詩『パンと葡萄酒』など神と人の関係を詩に書いた。死後、20 世紀に入って哲学者たちから高く評価されるようになった。

ヘルツ, ハインリヒ・ルドルフ　　学問　発明・発見

🌐 ハインリヒ・ルドルフ・ヘルツ　　1857〜1894年

電磁波があることを証明した物理学者

19 世紀のドイツの物理学者。

ハンブルクの裕福な家庭に生まれる。ノーベル物理学賞を受賞したグスタフ・ヘルツはおい。ドレスデン工科大学で工学、ミュンヘン大学、ベルリン大学で物理学を学ぶ。ヘルムホルツの指導を受けて、1880 年にベルリン大学にて博士号を取得。キール大学の講師をへて、1885 年にカールスルーエ工科大学の教授となる。気象学や力学の研究もおこなったが、電磁気の研究でとくに大きな成果を上げた。1887 年、マクスウェルが予言した電磁波（電気と磁気の両方の性質をもつ波）を確認するため、電磁波の発信と受信の実験をおこない、今日のアンテナの原型を製作した。翌年には、電磁波の存在をはじめて実証した。36 歳の若さで亡くなるが、電磁波や音波の周波数をしめす Hz（ヘルツ）にその名をのこしている。

ベルツ, エルウィン・フォン　　医学

🔴 エルウィン・フォン・ベルツ　　1849〜1913年

明治時代の日本の医学に影響をあたえた

明治時代に来日した、ドイツの医学者。

南部のビーティヒハイムに生まれる。1866 年、チュービンゲン大学医学部に入学、1869 年、ライプツィヒ大学に転じ、在学中にフランスと普仏戦争がおこると、見習い軍医として従軍した。1876（明治 9）年、東京医学校（現在の東京大学医学部）

の教師として日本にまねかれ、生理学、病理学、内科学などを講義した。また、日本に多発していたツツガムシ病やかっけ、ハンセン病などの原因を探究するなど、研究の方法論を教え、「近代日本医学の父」とよばれた。そのほか、温泉療法の効果を説き、皮膚のあかぎれにきく「ベルツ水」を処方するなど、幅広い活動をおこなった。

（東京大学医学図書館）

1902 年、東京帝国大学（東京大学）を退職後、宮内省の御用掛をつとめ、1905 年に帰国した。日本美術や工芸品の収集をし、絵師の河鍋暁斎と親しくつきあった。滞在中に書いていた日記は、のちに『ベルツの日記』として刊行された。

ヘルツル, テオドール　　政治

🌐 テオドール・ヘルツル　　1860〜1904年

シオニズム運動でユダヤ人国家建設をめざす

オーストリアのユダヤ人ジャーナリスト。

ハンガリーのブダペストに生まれ、ウィーン大学で法律を学んだ。新聞記者としてパリに滞在中、1894 年にユダヤ系の陸軍大尉が無実の罪で刑を受けるドレフュス事件がおこった。事件の背後にあるユダヤ人への反発の根強さに衝撃を受けて、ユダヤ人問題を解決するためには、団結してみずからの国をつくるかないと考えるようになった。1896 年、『ユダヤ人国家』を著し、イスラエルにユダヤ人国家をつくろうという「シオニズム運動」をはじめた。1897 年に第 1 回の会議を開催し、議長に就任する。理想のユダヤ人国家をしめし、実際にパレスチナの土地を手に入れるために活動したが、44 歳の若さで亡くなった。イスラエルの建国は、死後 40 年以上たった 1948 年のことになる。

ベルディ, ジュゼッペ　　音楽

🌐 ジュゼッペ・ベルディ　　1813〜1901年

イタリア・オペラ最大の作曲家の一人

イタリアの作曲家。

北イタリアの村ロンコレ生まれ。幼いころから、教会のオルガン奏者のもとで音楽を学ぶ。18 歳のとき、ミラノ音楽院の入学に失敗し、個人教授で作曲を学んだ。1839 年にはじめてのオペラ『オベルト』を発表し、成功をおさめるが、次作は不評で、一時はオペラの作曲を断念する。

その後、友人らにはげまされ『ナブッコ』を書き、1842年にミラノ・スカラ座で初演され、評判となった。劇中の合唱『行け、わが思いよ、黄金の翼に乗って』は、イタリア第2の国歌として現在も親しまれている。以後、『リゴレット』『椿姫』『アイーダ』『オテロ』などの傑作を次々に発表する。

オペラに演劇的な要素をもりこみ、一つの芸術にまとめ上げた。美しくドラマチックな音楽は、多くの人々に愛されている。オペラ以外では、『レクイエム』が非常に有名で、演奏される機会も多い。イタリア・オペラにおける最大の作曲家の一人である。

ヘルトリング, ペーター

文 学 | 絵本・児童

ペーター・ヘルトリング 1933年〜

苦難の中で懸命に生きるこどもをえがく

ドイツの作家、詩人、児童文学作家。

北ドイツのケムニッツ生まれ。新聞社や雑誌社につとめていた1960年代から、詩や小説を書きはじめる。詩人レーナウの半生をえがいた小説『ニーンプルあるいは休止』で作家としての地位を確立。小説家や音楽家などをとり上げた小説で知られる。

1970年ごろから、『ヒルベルという子がいた』など、こどもむけの作品にとりくむ。交通事故や両親の離婚など、苦難をかかえつつ、懸命に生きるこどもをあたたかく見守る作品が多い。代表作に『おばあちゃん』『屋根にのるレーナ』『ヨーンじいちゃん』などがある。

ベルナルダン・ド・サン=ピエール, ジャック=アンリ

文 学

ジャック=アンリ・ベルナルダン・ド・サン=ピエール 1737〜1814年

ナポレオンも愛読した恋愛小説の作者

フランスの作家、博物学者。

ルアーブル生まれ。土木技師になり、ヨーロッパ各地を旅行する。やがて、インド洋のフランス島（現在のモーリシャス島）に3年間滞在する。帰国後、思想家のジャン=ジャック・ルソーの弟子となり、1773年、自身の旅の体験をつづった『フランス島紀行』を出版。さらに、すばらしい描写で自然をえがく『自然の研究』（全4巻）を発表する。

『自然の研究』におさめられた小説『ポールとビルジニー』は、美しい自然の下で育った2人の男女の悲しい恋物語で、当時の大ベストセラーになり、ナポレオン1世も愛読したという。ほかに、『インド人の小屋』『自然の調和』がある。

ベルナルドゥス

宗 教

ベルナルドゥス 1090ごろ〜1153年

教会および修道院の改革者、説教者、著作家として活躍

フランスの修道士、神学者。

「クレルボーのベルナルドゥス」、または「聖ベルナール」ともよばれる。東部のディジョンに近いフォンテーヌで、騎士の父、貴族の娘である母のあいだに生まれる。1112年、兄弟や親族らと

ともにシトー修道院に入り、1115年、クレルボー修道院を設立し、院長に任命された。以降このクレルボー修道院が事実上シトー修道会の中心的な役割をはたすようになる。ベルナルドゥスのすぐれた説教や奇跡的な治癒のうわさが広まり、多くの巡礼者がおとずれ、教皇も助言を求めるようになった。

以後、教皇ホノリウス2世の死去に端を発した教会分裂騒動の収拾をはかり、異端とされたアルビジョワ派（アルビ派、カタリ派）の影響力がおよぶのを食い止め、教皇の願いに応じて十字軍の勧誘演説をおこなうなど、生涯を通じて教会および修道院の改革者、説教者、著作家として活躍し、多くの修道院を設立した。

ベルヌ, ジュール

文 学 | 絵本・児童

ジュール・ベルヌ 1828〜1905年

近未来の冒険をえがいた「SF小説の父」

フランスの作家、SF作家、児童文学作家。

港町ナント生まれ。『ロビンソン・クルーソー』などの冒険小説を読み、海をながめて冒険にあこがれる少年だった。密航しようと、インド行きの船に乗りこんだこともある。

法律家の父の要望にこたえて、大学では法律を学ぶ。作家デュマと親しくなったのをきっかけに、小説家をめざし、卒業後は仕事をしながら、短編や戯曲を書く。すぐれた編集者にめぐまれ、1863年、気球でアフリカを旅する『気球に乗って五週間』を発表、ベストセラーになる。さらに海や空、宇宙を舞台にした冒険小説やSF（空想科学小説）で、大成功をおさめた。

小説では、空想力を生かして近未来の科学技術を予見しているのが特徴。『海底二万マイル』での海底探検や、当時はまだ存在しなかった『月世界旅行』のロケットなど、未来を先取りし、イギリスのウェルズとともに「SF小説の父」とよばれる。ほかに『十五少年漂流記』などがある。

ヘルムホルツ, ヘルマン・フォン

学 問

ヘルマン・フォン・ヘルムホルツ 1821〜1894年

熱力学をはじめ、音響生理学など多分野で業績を上げた

19世紀のドイツの物理学者、生理学者。

ポツダムで哲学教師の子として生まれる。父から自然哲学の教えを受けて育つ。ベルリンの医学校を卒業後、軍医をつとめ、そのかたわら研究を進め、イギリスの物理学者ジュールの実験をもとに、熱力学の第一法則をみちびきだす。1847年、その成果をベルリンの物理学会で発表し、エネルギー保存則の確立者

の一人として知られるようになった。

これらの業績がみとめられ、1849年、ケーニヒスベルク大学の生理学教授に就任。その後、ボン大学、ハイデルベルク大学、ベルリン大学などで教鞭をとり、1887年には、シャルロッテンブルク国立理工学研究所の理事もつとめた。この間、生理光学や音響生理学にとりくみ、色覚や聴覚の研究を進める。さらに電気力学、流体力学などもふくめた幅広い分野で業績をのこした。すぐれた教育者でもあり、電磁波の存在を証明したヘルツなどを育てた。

ベルリオーズ，エクトール
音楽

🌐 エクトール・ベルリオーズ　　　1803〜1869年

『ローマの謝肉祭』を作曲する

フランスの作曲家、音楽評論家。

ラ・コート・サンタンドレの名門の生まれ。幼いころから、父と同じように医師になるための教育を受けていたが、音楽を志し、1826年、パリ音楽院に入学。シェークスピアやゲーテなどの文学にもひかれ、卒業後は作曲、指揮、音楽評論で活躍する。

1830年、失恋をきっかけにつくった『幻想交響曲』を発表する。この作品には、「芸術家の生涯のエピソード」という副題がつけられていて、楽章の内容を説明する題をつけた標題音楽という新しい交響曲の分野を確立した。

大規模なオーケストラ作品が多く、楽器編成にくふうをこらし、きらびやかな音色をつかうなど、ロマン派音楽の表現に新しい可能性をひらいた。代表作に、『ファウストの劫罰』（冒頭の『ラコッツィ行進曲』で有名）、声楽つき劇的交響曲『ロメオとジュリエット』、序曲『ローマの謝肉祭』、宗教曲『死者のための大ミサ曲』などがある。

ベルルスコーニ，シルビオ
政治

🌐 シルビオ・ベルルスコーニ　　　1936年〜

メディア王からイタリアの首相になった政治家

イタリアの政治家、実業家。首相（在任1994〜1995年、2001〜2006年、2008〜2011年）。

ミラノに銀行員の子として生まれる。ミラノ大学法学部を卒業。

1961年に建設会社を設立し、住宅地開発事業で成功した。その後、民放テレビ局を開局、イタリア最大手の出版社モンダドーリなどを傘下におき、「メディア王」とよばれる。政治家としては、1994年に共産主義の排除や自由な経済活動の促進などをかかげる右派政党「フォルツァ・イタリア」を創立し、同年の総選挙で右派連合のリーダーとして勝利、初当選ながら首相に就任した。

汚職疑惑などで辞職に追いこまれたが、2001年、ふたたび総選挙に勝利し、首相に就任。2006年の選挙でやぶれたものの、2008年、3回目の首相となった。しかし、自身の脱税や汚職、女性問題などが発覚、イタリアの経済不安も背景に2011年、退陣した。

スキャンダルも多いが、カリスマ性をもち、戦後最長の首相在任期間を誇る。プロサッカークラブのACミランのオーナーとしても知られた。

📘 主な国・地域の大統領・首相一覧

ベルレーヌ，ポール
詩・歌・俳句

🌐 ポール・ベルレーヌ　　　1844〜1896年

音楽のような詩を生んだ大詩人

フランスの詩人。

北東部のメス市生まれ。軍人の父のもと不自由なく育つ。7歳でパリに移り、寄宿学校に入る。読書が好きで早くから詩を書きはじめた。大学は法学部に進むが、勉強をしないで仲間と酒を飲み、詩をつくる毎日を送った。

1866年に出版した最初の詩集『土星びとの歌』が称賛されて詩人としての地位を確立する。結婚して落ち着いた生活を送っていたが、27歳のとき、家族を捨てて、10歳年下の詩人ランボーと旅に出る。旅先での口論からランボーを傷つけ、刑務所に送られる。この激動の時期に『叡智』『言葉なき恋歌』などの作品を発表した。フランスにおける詩人の最大の名誉「詩王」の称号を得たが、晩年は、酒と極度の貧困のなか、病気のために生涯を終えた。

声にだして読むとリズムや流れがあって心地よく、音楽のような詩だといわれる。

日本では上田敏の翻訳による『よく見る夢』や『落葉』が有名。ベルレーヌの『月の光』に触発されて、作曲家ドビュッシーは2度同名の曲を書いている。

ベルンシュタイン，エドゥアルト

政治　思想・哲学

エドゥアルト・ベルンシュタイン　　　1850〜1932年

革命を否定した修正主義理論を展開した社会主義者

ドイツの社会主義者，政治家。

ベルリンにユダヤ系ドイツ人の鉄道機関士の子として生まれる。16歳で見習いとして銀行に勤務。1872年，ドイツ社会民主労働者党入党。社会主義者鎮圧法下ではスイス，イギリスに亡命，マルクスやエンゲルスと親交をむすぶが，イギリス社会の実情を知り，マルクス主義に疑問をいだく。1899年，マルクス主義の修正をとなえ『社会主義の諸前提と社会民主主義の任務』をしるす。革命を否定し，議会政治による社会主義の実現をめざす修正主義を主張。党内に論争をひきおこした。主張は党に却下されたが，影響は拡大した。1901年，ドイツに帰国，翌年，国会議員に就任。1915年以降は政府の戦争政策に反対した。

ペレ

スポーツ

ペレ　　　1940年〜

「サッカーの王様」とよばれた選手

ブラジルのサッカー選手。

本名はエドソン・アランテス・ド・ナシメント。ペレはこどものころの愛称である。家が貧しく，サッカーボールのかわりに新聞紙をまるめて，はだしでけって遊んでいた。

15歳で名門チーム，サントスFCに入団し，プロデビューした。17歳で出場した1958年のワールドカップ・スウェーデン大会では，4試合で6得点をあげるなどして，ブラジルの初優勝に貢献した。この大会でつけた「背番号10」は，以降のサッカー界で，チームのエースがつける番号になった。

その後もワールドカップに3回出場し，そのうちの2回で優勝した。所属クラブのサントスでも，ブラジルの国内リーグで優勝11回，コパ・リベルタドーレス（南米クラブ選手権）で優勝2回，インターコンチネンタルカップ（クラブチーム世界一決定戦）で優勝2回など，数々の功績をのこす。華麗なプレーで，サッカーにおけるブラジルの黄金期をつくり上げた。

ペレス，シモン

政治

シモン・ペレス　　　1923〜2016年

PLOとの歴史的和解で，ノーベル平和賞を受賞

イスラエルの政治家。首相（在任1984〜1986年，1995〜1996年），大統領（在任2007〜2014年）。

ポーランド生まれ。その後，パレスチナへ移住。パレスチナの独立運動に参加し，1953年，国防省局長，1959年，国会議員となり，以後，国防大臣などを歴任した。1968年の労働党の結成では中心的役割をはたし，1977年に党首となった。1979年のエジプト・イスラエル平和条約の締結を成功させると，1984年から2年間，首相をつとめた。1992年の党首選挙でラビンにやぶれるが，ラビン首相のもと，外務大臣をつとめた。翌年，ノルウェーの仲介により，ラビン首相とともに，パレスチナ解放機構（PLO）との交渉にあたり，イスラエルとPLOの共存をみとめ合うという合意を達成した（オスロ合意）。

1995年，ラビン首相が暗殺されると，首相に就任。翌年に選挙でやぶれて退任し，2005年には，シャロンらと中道政党のカディマを結成，2007年に大統領となった。オスロ合意の功績により，ラビン首相，PLOのアラファト議長とともに，1994年，ノーベル平和賞を受賞した。

学 ノーベル賞受賞者一覧

ペロー，シャルル

文学　絵本・児童

シャルル・ペロー　　　1628〜1703年

『長靴をはいた猫』で知られる

フランスの作家，詩人，批評家。

パリの生まれ。大学で法律を学び，父のあとをついで弁護士となる。その後，国王ルイ14世の財務長官コルベールを助けてはたらきながら，詩人，批評家として活躍した。

また，人々の口から口へと伝わってきた民話を集め，8編の童話に書きのこした。この短い童話には，すぐれた人間観察からみちびかれた生きていくうえでたいせつな教訓がもりこまれている。1697年に『昔むかしの物語ならびに教訓』として刊行された。ほかに詩の形式で書いた3編があり，日本ではこれらを集めて『ペロー童話集』として刊行。有名な『赤ずきん』『長靴をはいた猫』『サンドリヨン』（英語の題は『シンデレラ』）などがおさめられている。この童話集は，幻想文学のはじめとして，またはじめて児童文学や民話をまとめた作品としても知られる。

ヘロデおう

王族・皇族　古代

ヘロデ王　　　紀元前73?〜紀元前4年

ローマに従属し，エルサレム神殿を大増築

古代ユダヤの王（在位紀元前37〜紀元前4年）。

共和制ローマ末期からローマ帝国初期にかけて，ローマの属州となっていたユダヤを統治した。ユダヤ教を信じていたが，ユダヤ人ではなくエドム人（現在のエジプト人）であり，ローマに

忠実な属王で、反抗する者は身内であっても容赦なく弾圧した。ギリシャと東方の文化があわさったヘレニズム文化を保護し、紀元前20年ごろには、ユダヤ教のエルサレム神殿を大増築した。神殿はのちに破壊されたが、のこった西側の壁は「嘆きの壁」とよばれ、現在もユダヤ教徒の聖地になっている。また『新約聖書』には、ヘロデ王が誕生地エルサレムの幼児を皆殺しにしたため、イエス・キリストとその両親はエジプトに避難したと書かれているが、史実としての証拠はない。

ヘロドトス　　　　　　　　　　　古代 ／ 学問

🌐 ヘロドトス　　　　　紀元前484?〜紀元前425?年

ペルシア戦争を題材に『歴史』を著した

古代ギリシャの歴史家。

アナトリア南西部のハリカルナッソス（現在のトルコのボドルム）の名家に生まれる。当時の支配者リグダミスをたおそうとして失敗し、サモス島に亡命した。紀元前455年ごろアテネに滞在し、その後、北は北海、東はバビロニア、西は南イタリア、南はエジプトにいたる大がかりな旅に出た。

諸国をまわって見聞したことを集め、アテネを中心とするギリシャ都市国家連合と、アケメネス朝ペルシアとの戦争（ペルシア戦争）を主題とした『歴史』を著した。本書は、ギリシャをはじめ、諸国の歴史や地理などがもりこまれ、世界最古の本格的な歴史書として名高い。しかし、不確かな伝承を採用するなど、物語的な要素の強い歴史書ともいわれる。それでもなお『歴史』は、後世に大きな影響をあたえ、ローマの弁論家であるキケロは、ヘロドトスを「歴史の父」とほめたたえた。現代においても、古代ギリシャ、オリエント、エジプトの歴史を研究するうえで、重要な書物とされている。

ヘロン　　　　　　　　　　　　古代 ／ 発明・発見

🌐 ヘロン　　　　　　　　　　　　　生没年不詳

ヘロンの公式をのこした数学者

古代ギリシャの工学、数学者。

エジプトのアレクサンドリアで活躍し、蒸気タービン、風力オルガンなど幾何学や力学の成果をもとに、実用的なものを開発した。なかでも「ヘロンの公式」で知られる。「3辺abcの三角形4つを組み合わせた平行四辺形の面積 $4S = \{(a+b+c)(b+a-c)(b-a+c)(a+c-b)\} \times \frac{1}{2}$」と

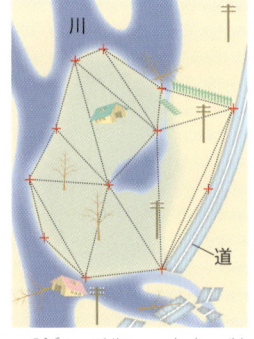

▲洪水で変形した土地の面積を求める

いうものである。この公式は、三角形の面積＝底辺×高さ×$\frac{1}{2}$および三平方の定理からみちびける。abcを40m、30m、20mのとき $4S \fallingdotseq 1160\text{m}^2$ は、40mと30mの長方形をななめにした平方四辺形の面積である。

「ヘロンの公式」をつかえば、たとえばページ左下図のように、洪水でさまざまに変形した土地をはかりやすい三角形にくぎり、巻尺で辺をはかれば面積が求められる。洪水でなやむ土地の測量を革新した実践的な数学がヘロンの公式の精髄である。

ペロン，フアン　　　　　　　　　　　　　政治

🌐 フアン・ペロン　　　　　　　　1895〜1974年

労働者保護政策を打ちだした独裁的政治家

アルゼンチンの軍人、政治家。大統領（在任1946〜1955年、1973〜1974年）。

ブエノスアイレス近郊に、イタリア系移民の子として生まれる。陸軍士官学校、陸軍大学を卒業後、母校で軍事史を教える。1939年、イタリアへわたり、独裁政権を確立したムッソリーニの影響を受けて帰国。その後、日独伊枢軸国派の統一将校団に参加。1943年にクーデターを指導し、その後、労働福祉庁長官、陸軍大臣、副大統領を兼務して実権をにぎり、労働者保護政策を打ちだした。

1945年、一時失脚したが、労働者らの支持を受けて政界に復帰。翌年、大統領にえらばれると、米英系の産業を国有化し、東西陣営に加わらない独自の外交を進めた。1955年、軍のクーデターにより亡命するが、不安定な社会情勢がつづくアルゼンチン国内で、政界復帰を求める声が高まった。1973年の大統領選挙に出馬、大統領に返り咲くが、翌年、78歳で病死。ペロンは労働者層から強い支持を受ける一方、反対派に対する弾圧もおこない、アルゼンチンでも評価は分かれている。

べんけい

弁慶 → 武蔵坊弁慶

ベンサム，ジェレミー　　　　　　思想・哲学 ／ 学問

🌐 ジェレミー・ベンサム　　　　　1748〜1832年

「最大多数の最大幸福」を主張し、功利主義を確立

イギリスの哲学者、法学者。

ロンドンの裕福な弁護士の家に生まれる。12歳でオックスフォード大学に入学、15歳で卒業するなど、天才ぶりを発揮した。1769年に弁護士資格を取得。しかし、弁護士業に興味がもてず、思想書や啓蒙書を耽読した。利己心と慈愛の精神を一致させ

る普遍的原理に興味をもち、人間の行為のもとは快楽の追求にあると考える。さらに、社会全体の幸福を増大させるためには、個人の幸福の総計を増大させることが必要と考え、「最大多数の最大幸福」の実現こそ、道徳や法律の目的であるとした（功利主義）。

また、幸福は快楽を意味するとし、7つの基準により快楽を計量できるとする快楽計算をとなえた（量的快楽主義）。

晩年には哲学的急進派として普通選挙などを方針とする代表民主制を主張。第1回選挙法改正に貢献したが、法案成立の数日前に亡くなった。著書に『政府論断章』『道徳と立法の原理序説』などがある。

ヘン・サムリン 〔政治〕

🌐 ヘン・サムリン　1934年～

ポル・ポト政権を打倒したカンボジアの政治家

カンボジアの軍人、政治家。

コンポンチャーム州生まれ。1959年、革命運動に参加し、共産党軍の軍務についた。1975年以降、ポル・ポト政権でも軍の指揮官をつとめたが、住民の虐殺をおこなう政権に反発し、ベトナムに亡命。1978年、カンボジア救国民族統一戦線を立ち上げ議長に就任、ベトナム軍とともにカンボジアへ侵攻して、ポル・ポト政権を打倒した。1979年に人民革命評議会議長に就任し、カンボジア人民共和国の建国を宣言したが、ソビエト連邦（ソ連）や東欧の社会主義国以外からは承認されなかった。その後、ポル・ポト派、シアヌーク派、ソン・サン派が合同してヘン・サムリンに対抗、新たな内戦となった。1991年、所属する党の実権をフン・センにうばわれ、名誉議長という立場にしりぞいたが、1993年の国連の監視下でおこなわれた、新憲法にもとづく選挙でも当選して、国会議員の座を守った。カンボジア王国成立後は、国民議会議長などをつとめ、来日もしている。

へんじょう 〔詩・歌・俳句〕

🔴 遍昭　816～890年

「六歌仙」「三十六歌仙」にえらばれた僧

平安時代前期の僧、歌人。

桓武天皇の孫にあたる。「遍照」とも書く。844年に仁明天

皇の蔵人（天皇の機密文書などを管理する蔵人所の役人）、849年に蔵人頭（蔵人所の長官）となったが、850年、仁明天皇の死後、比叡山延暦寺（滋賀県大津市）で出家した。円仁、円珍の下で修行し、885年、僧正（僧職の最高位）となる。

（金刀比羅宮所蔵）

歌人として知られ、六歌仙（紀貫之がえらんだ6人の歌人）、三十六歌仙（藤原公任がえらんだ36人の歌人）の一人。天皇や上皇の命によってつくられる勅撰集『古今和歌集』などに約35首がえらばれている。紀貫之は『古今和歌集』の序文で、遍昭の歌を「歌のさまは得たれども、まこと少なし。たとへば絵にかける女をみて、いたづらに心を動かすがごとし」といっている。

「天つ風　雲のかよひぢ　吹きとぢよ　をとめの姿　しばしとどめむ」という歌は、『古今和歌集』にのせられ、のちに藤原定家がまとめた『小倉百人一首』にえらばれている。

📘 人名別　小倉百人一首

ベンツ，カール 〔産業〕〔発明・発見〕

🌐 カール・ベンツ　1844～1929年

世界初の実用自動車を発明した機械技術者

ドイツの自動車技術者、発明家。

南西部のカールスルーエ生まれ。カールスルーエ工業大学で機械工学や内燃機関（自動車のエンジンなどが代表例）を学んだ。1871年にマンハイムで機械の製造販売をはじめ、蒸気機関車に次ぐ新しい乗り物として、自動車をつくることを志した。1878年、ガソリンを燃料に2行程から動力を生みだす、ツーサイクルエンジンを完成させ、1883年にはエンジン製造のための工場を設立した。翌年、4行程で効率よく動力を生むフォーサイクルエンジンを開発。1886年、このフォーサイクルエンジンを搭載した3輪自動車を発表して、特許を取得、これが世界初の実用自動車となった。1893年からは4輪自動車をつくり、改良を重ね、さまざまな種類の自動車をてがけた。

晩年の1926年には、同時期に自動車を開発した、最大のライバルであったダイムラー社と合併した。ダイムラーとともに、自動車の生みの親として知られ、自動車産業の基礎を築いた。

ヘンデル, ゲオルク

音楽

ゲオルク・ヘンデル　　　　　　　1685～1759年

バロック音楽を代表する作曲家

ドイツの作曲家。

ザクセン地方ハレで医師の家に生まれ、早くから作曲とオルガンを学ぶ。大学では法律を学ぶが、1703年、ハンブルクの教会のオルガン奏者となり、作曲をはじめる。1706年にイタリア、1710年にイギリスにわたり、オペラ『リナルド』の公演で成功すると、イギリス王立のオペラ団体の音楽監督につき、『ジュリアス・シーザー』などを発表。1727年、イギリスに帰化し、英語のオラトリオの作曲に力を入れた。

作品は、同い年のバッハが駆使した、2つ以上の旋律を組み合わせる対位法にくらべ和声的で、わかりやすく明快、おおらかな楽曲が多い。代表作に、王室のテムズ川の舟遊びで演奏された管弦楽曲『水上の音楽』や、オラトリオの大作『エジプトのイスラエル人』『メサイア』がある。室内楽曲、宗教曲、歌曲、鍵盤楽器曲など多くの作品をのこす。バッハとならぶバロック音楽の代表的な作曲家。

ベントリス, マイケル

学問

マイケル・ベントリス　　　　　　1922～1956年

線文字Bの解読者

イギリスの建築家、考古学者。

幼少期から語学の才能にすぐれ、少年時代にエバンズの講演を聞いて、ギリシャのピュロスやクレタ島で発見された粘土板に書かれた未解読文字に関心をもつ。英国建築協会付属建築学校で学び建築家となったが、仕事のかたわら、その解読について研究した。未解読文字の一つ、線文字Bは、多くの研究者のあいだでクレタ文明でつかわれた文字の一種と考えられていたが、1952年、ベントリスは研究の結果、古代ギリシャ語の古い形であると証明し、ギリシャ語学者チャドウィックの協力を得てこれがミケーネ文明につかわれた文字だと解明した。翌年には学界に発表し、ミケーネ文明解明に大きく貢献するものと高い評価を受けた。

へんみよう

文学

辺見庸　　　　　　　　　　　　　1944年～

『もの食う人びと』で極限の食を考える

作家、詩人、ジャーナリスト。

宮城県生まれ。本名は辺見秀逸。早稲田大学文学部卒業。共同通信社に入社し、北京、ハノイで特派員をつとめるかたわら、

小説やノンフィクションを発表する。1996（平成8）年からは執筆活動に専念する。

1991年、眠りをテーマにして、仮眠室で社員をおこす「起こし屋」のアルバイトを主人公にした小説『自動起床装置』で芥川賞を受賞。1994年には、『もの食う人びと』で講談社ノンフィクション賞を受賞する。これは世界の紛争や飢え、原発災害にみまわれた地域をたずね、極限で生きる人々は何を食べているのか、あるいは食べられないのかをさぐるルポルタージュで、こどもむけの漫画にもなった。

詩集『生首』（2011年）で中原中也賞、『眼の海』（2012年）で高見順賞を受賞。そのほか『自分自身への審問』『瓦礫の中から言葉を－わたしの〈死者〉へ』『青い花』などがある。

学 芥川賞・直木賞受賞者一覧

ヘンリー, ジョセフ

学問　発明・発見

ジョセフ・ヘンリー　　　　　　　1797～1878年

電磁誘導を発見、アメリカの科学発展に貢献した

19世紀のアメリカ合衆国の物理学者。

ニューヨーク州生まれ。家庭が貧しく、13歳からはたらきはじめる。1819年、オールバニアカデミーに入学し、卒業後、技師見習いなどをへて、同校教授となる。電磁気の研究をおこない、1829年に、絹布によって絶縁した銅線を用いた強力な電磁石を開発。1830年、ファラデーに先んじて電磁誘導（磁界の変化によって電気が流れる現象）を発見したが、発表がおくれたために発見者の栄誉は得られなかった。1835年ごろには、のちにモースによる電信機発明の基礎となった継電器（リレー）を発明した。晩年はスミソニアン協会の会長として科学の発展につとめ、ほかの研究者を援助するため、みずからは特許をとらなかった。電磁気の単位「ヘンリー」に名をのこす。

ヘンリーにせい

王族・皇族

ヘンリー2世　　　　　　　　　　1133～1189年

広大なアンジュー帝国を支配した

イングランド、プランタジネット朝の初代国王（在位1154～1189年）。

父はフランスの有力貴族アンジュー伯。母はイングランド王とノルマンディー公をかねたヘンリー1世の娘。父と母から広大な所領を相続し、さらにフランス王ルイ7世の王妃だったエレア

ノールと結婚して、彼女が相続したアキテーヌ侯領も所領した。即位後はフランスのルイ7世とあらそってブルターニュなどを獲得。イギリスでもウェールズ、アイルランドを攻略し、スコットランドにも勢力をのばして、英仏海峡をまたぐ「アンジュー帝国」とよばれる広大な領土を支配した。内政では財政をととのえ、王の司法権を全国に拡大させて、中央集権を強化した。1164年に制定したクラレンドン法で裁判に陪審制度を導入し、教会の裁判権を制限しようとしたことでカンタベリー大司教トマス・ベケットの抵抗にあい、1170年、彼を暗殺したといわれる。晩年、2人の息子（のちのリチャード1世とジョン王）がフランス王とむすんで反乱をおこし、失意のうちに戦場で亡くなった。

学 世界の主な王朝と王・皇帝

ヘンリーさんせい 王族・皇族

🌐 ヘンリー3世　　　　　　1207〜1272年

イギリス議会制度の起源となるモンフォール議会を承認

イングランド、プランタジネット朝の第4代国王（在位1216〜1272年）。

父の第3代ジョン王の没後、9歳で即位。諸侯の派閥争いもおきたが、父がみとめたマグナ・カルタ（大憲章）にしたがった合議制により大事にはいたらず、1227年から親政をはじめた。父が失った領土の回復をめざしてフランスに侵攻したが失敗。財政難におちいり、マグナ・カルタの規定を無視して重税を課したため、モンフォールらの諸侯・聖職者の反抗をまねく。そこで1258年、オックスフォード条項をみとめ、1265年には諸階級の貴族と諸都市代表からなるイギリス最初の議会（モンフォール議会）を召集した。王の権威をしめすウェストミンスター寺院の大改築などには熱心だったが、長い治世において、めだった成果はみられなかった。

学 世界の主な王朝と王・皇帝

ヘンリーななせい 王族・皇族

🌐 ヘンリー7世　　　　　　1457〜1509年

バラ戦争を終わらせ、絶対王政の基礎を築いた

イングランド、テューダー朝の初代国王（在位1485〜1509年）。

テューダー家のリッチモンド伯エドモンドの子で、ランカスター家の母をもつ。当時イングランドは、ヨーク家とランカスター家の権力闘争（バラ戦争）の渦中にあり、1471年、ヘンリー6世が亡くなってランカスター家の血をひく最後の男子となると、ヨーク家をおそれてフランスへ亡命する。

1485年、フランス王の援助を得て帰国、ヨーク家のリチャード3世をやぶって即位した（ボズワースの戦い）。ヨーク家のエドワード4世の王女と結婚して王位をかため、バラ戦争による混乱を解決し、スペインやスコットランドと姻戚関係をむすんで外圧をふせいだ。事実上破産していたイングランドの財政を立て直し、君主の権力を回復。政治を安定させた。

学 世界の主な王朝と王・皇帝

ヘンリーはっせい 王族・皇族

🌐 ヘンリー8世　　　　　　1491〜1547年

イギリス国教会を創始した

▲ヘンリー8世

イングランド王国、テューダー朝の第2代国王（在位1509〜1547年）。

ロンドン郊外のグリニッジにある宮殿で生まれる。テューダー朝をおこしたヘンリー7世の次男。兄のアーサーが早くに亡くなったため、1509年、18歳のときに父のあとをついだ。また同年、兄の妻だったキャサリン・オブ・アラゴン（スペインの王女）と結婚し、1516年、長女メアリ（のちのメアリ1世）をもうけた。

スペインやローマ教皇とむすんで、フランスを孤立させようとする神聖同盟に加わり、フランスに出兵。スプールの戦いでフランス軍に勝利するが、フランスの王位を継承しようという目的ははたせなかった。また、フランスとむすんで攻めてきたスコットランド軍をやぶり、スコットランド王ジェームズ4世を戦死させた。

1521年、ルターがおこした宗教改革に反対する論文を書くと、ローマ教皇レオ10世から「信仰の擁護者」の称号をさずけられた。その後、王妃キャサリンとのあいだに男子ができず、女官のアン・ブーリンを愛したことから、キャサリンとの離婚を決意。ローマ教皇クレメンス7世に離婚をみとめるよう求めたが、教皇は許可しなかった。そのため1534年、議会に国王至上法を制定させ、イギリス国教会の首長となり、ローマ教皇の支配から独立した教会を誕生させた。つづいて国内の修道院を解散させ、その土地や財産を国有化し、国の財政を安定させた。反ルター派のヘンリー8世は1539年、イギリス国教会の教義を定めた保守的な内容の「6か条法」を成立させ、さらに宗教改革を進めようとする一派の動きをおさえた。一方、王妃となったアン・ブーリンとのあいだに、王女エリザベス（のちのエリザベス1世）が生まれると、ヘンリー8世はアンに密通の罪をきせて処刑。次の王妃ジェーン・シーモアとのあいだに、はじめて王子（のちのエドワード6世）が生まれた。まもなくしてシーモアが亡くなると、その後も3人の王妃をむかえた。国王の権力を強め、イギリス絶対王政のもとを築き、芸術の振興にもつとめ、1547年、55歳で亡くなった。その後、王位は9歳のエドワード6世がついだ。

学 世界の主な王朝と王・皇帝

▲ヘンリー8世と6人の王妃

ほ

Biographical Dictionary 4

ほ

ぼあそな

ボアソナード, ギュスターブ・エミール　学問　教育

🔴　ギュスターブ・エミール・ボアソナード　1825〜1910年

日本の近代法をつくり上げた

（法務省法務図書館）

明治時代に来日した、フランスの法学者。

パリの近郊、バンセンヌに生まれる。パリ大学で法学博士号を取得し、グルノーブル大学教授、パリ大学助教授となる。

1873（明治6）年、欧米諸国との不平等条約の改正をいそいでいた日本政府にまねかれて、48歳で来日。法律家の養成を目的にした司法省法学校（現在の東京大学法学部）をはじめ、和仏法律学校（法政大学）、明治法律学校（明治大学）などで法学を教え、多くの法律家を育てた。また、日本政府の顧問として、司法省、元老院、外務省、法制局などに助言をし、行政や外交の指導をおこなった。江戸時代から受けついできた拷問の廃止を強く求め、1882年に施行される「刑法」「治罪法（現在の刑事訴訟法）」の草案をつくった。つづいて「民法」の草案にも力をそそぎ、1890年に公布となったが、伝統的な国家主義学者や議会の反対にあい、実施されずに終わる。1895年、帰国。日本の国内法の基礎をつくり上げ、「日本近代法の父」といわれている。

ポアンカレ, ジュール・アンリ　学問　発明・発見

🌐　ジュール・アンリ・ポアンカレ　1854〜1912年

「ポアンカレ予想」など斬新な研究で知られる数学者

19世紀のフランスの数学者、物理学者。

北部のナンシー生まれ。理工科学校、パリ国立高等鉱業学校などで学び、のちにカーン大学、ソルボンヌ大学などで教鞭をとった。位相幾何学（連続的に変形ができる図形は、同一のものとする新しい幾何学の分野。トポロジーともいう）で多くの業績を上げ、トポロジー概念の発見、20世紀最大の難問の一つとされる「ポアンカレ予想」の提唱などをおこなう。また、3つの天体が万有引力の影響下でおこなう運動を研究する三体問題がとけないことの証明や、相対性理論の先駆的な研究など、物

理学の分野でも活躍した。

コンピューターのない時代にすでにカオス的な挙動に言及したり、後世でバタフライ効果とよばれた予測不能性にふれたりするなど、つねに先進的な研究をおこなった。その研究成果には、のちに不正確であるとの批判も上がったが、直感を重視する立場からの斬新な研究は、数学や数理物理学、天体力学などで重要な基本原理を生みだした。1900年に王立天文学会ゴールドメダルを受賞。『科学と仮説』（1902年）をはじめとする著作もよく知られている。

ホイットニー, イーライ　発明・発見

🌐　イーライ・ホイットニー　1765〜1825年

綿繰機を発明し、大量生産方式の基礎をつくった発明家

アメリカ合衆国の発明家、機械技術者。

マサチューセッツ州生まれ。エール大学で法律を学び、卒業後、ジョージア州へ移る。1793年、滞在していた農場で、綿繰機を発明。これは綿花の種と、綿繊維を分離させる機械で、手作業とくらべると50倍の綿の生産能力があった。1794年に、この綿繰機の特許を取得したが、単純な構造の機械であったために、無許可で模倣製造され、大きな利益を得ることはできなかった。その後、小銃（ライフル銃）の製造をはじめ、それまで職人が1丁ずつ手づくりしていたものを、規格化した部品をべつべつにつくって組み合わせる方式により、大量生産を可能とした。

ホイットニーの功績の一つは、綿繰機の発明により、綿の生産効率を飛躍的に向上させ、アメリカ南部の綿産業の発展のきっかけをつくったことである。

もう一つは、小銃の部品を互換性をもたせて個別に生産したことで、アメリカ式とよばれる大量生産方式の基礎を築いたことである。

ホイットマン, ウォルト　詩・歌・俳句

🌐　ウォルト・ホイットマン　1819〜1892年

話しことばの自由詩を生みだす

アメリカ合衆国の詩人。

ニューヨーク州ロングアイランド生まれ。父は大工で、生活は

貧しく、11歳で学校をやめ、印刷工などをしてはたらいた。選挙運動をてつだったのをきっかけに政治記者となる。

1855年、詩集『草の葉』の初版を出版。1861年に南北戦争がはじまると、傷病兵の看護に力をそそぐ。そのときの経験をもとに、1865年には詩集『軍鼓の響き』を発表した。

詩集『草の葉』は生涯にわたって書きつがれ、新しい版が出版された。

詩の規則を気にせず、ふだんの話しことばもつかった自由詩を生みだした。平等や平和、民主主義をうたい、もっともアメリカらしい詩人の一人といわれる。日本では夏目漱石によって紹介され、多くの詩人に影響をあたえた。

ホイヘンス，クリスティアーン 学問

🌐 クリスティアーン・ホイヘンス　1629〜1695年

振り子時計を製作、「ホイヘンスの原理」をとなえた

17世紀のオランダの物理学者、天文学者。

ハーグにて名門の政治家一家に生まれる。父は作曲家でもあった。数学と法律を学びライデン大学を卒業した1655年に、自作の望遠鏡で土星の衛星タイタンと輪を発見した。1656年には、ガリレイが考案していた振り子時計を世界ではじめて製作、翌年からパリに移住して、フランス科学アカデミー初の外国人会員となった。1675年、世界初の実用的な機械式時計を製作、また火薬をつかった往復型のエンジンを開発した。

ハーグにもどり、1690年に『光についての論考』を発表して光の波動説を提唱した。また、同年、波の伝播に関する「ホイヘンスの原理」を発表し、この原理にもとづいて光の反射や屈折を説明した。

ボイル，ロバート 学問 発明・発見

🌐 ロバート・ボイル　1627〜1691年

「ボイルの法則」で知られる「近代化学の創始者」

17世紀のアイルランド出身のイギリスの化学者、物理学者。

リズモアで、大地主の伯爵の子として生まれる。イングランドのイートン・カレッジで学んだのち、家庭教師と留学の旅に出て、イタリアではガリレオ・ガリレイにも師事した。

1657年、ゲーリケの空気ポンプに注目し、フックを助手として空気ポンプの製作を開始し、2年後に完成させ、空気に関する実験をはじめた。実験により、空気の体積は空気の圧力に反比例するという「ボイルの法則」を発見。

これはのちに、「シャルルの法則」と組み合わされ、「ボイル＝シャルルの法則」に発展する。ボイルはその後、音の伝播や水の凍結の際の膨張、比重と屈折の関係、結晶、電気、さらに錬金術の研究もおこなった。化学変化は物質を構成する粒子の組みかえにより説明できるとし、それまで科学としての評価の低かった化学の地位を向上させることにつとめ、「近代化学の創始者」ともよばれる。

ボウイ，デビッド 音楽

🌐 デビッド・ボウイ　1947〜2016年

グラムロックの第一人者

イギリスのロック歌手、俳優。ロンドン生まれ。本名はデビッド・ロバート・ジョーンズ。少年のころジャズサックスとギターを習っていたが、1964年に自身の音楽グループを結成し、1966年よりソロ活動をはじめる。1969年の『スペイス・オディティ』のヒットをきっかけに、化粧と衣装にくふうをこらした中性的な雰囲気のグラムロックで第一人者となる。

俳優として、映画『地球に落ちて来た男』や『戦場のメリークリスマス』（大島渚監督）、舞台『エレファントマン』などに出演し好評を得た。また、オーマンディ指揮フィラデルフィア管弦楽団の『ピーターと狼』（プロコフィエフ作曲）のナレーションなど、幅広い分野で活躍した。

ほうじょううじつな 戦国時代

🔴 北条氏綱　1486?〜1541年

北条の姓を名のり、南関東をおさめた

（北条氏綱画像／東京大学史料編纂所所蔵模写）

戦国時代の武将。

伊勢宗瑞（のちの北条早雲）の長男として生まれる。初姓は伊勢。

1518年ごろ、当主の座をつぎ、相模国（現在の神奈川県）の小田原城主となる。トラの印をおした文書で、領民らを直接支配して違法搾取をなくしたり、小田原や鎌倉などで代替り検地を実施したりするなど、新しい統治体制をととのえた。

1524年、上杉朝興をやぶり江戸城（東京都千代田区）を攻略し、北条と改名する。1532年には焼失した鶴岡八幡宮（神奈川県鎌倉市）の再建をはじめて8年後に完成させ、上杉にかわる関東での北条氏の権力を内外にしめした。この間、甲斐国（山梨県）、駿河国（静岡県中部と北東部）を攻め、1537年、武蔵河越城（埼玉県川越市）にて上杉朝興・朝定親子をほろぼし、武蔵国（埼玉県・東京都・神奈川県東部）を征服。翌年には、足利義明を下総国（千葉県北部・茨城県南西部）の国府台にてやぶり、南関東を支配下におさめた。

最後に、後継者である北条氏康に、北条家の主君としての心がまえをしるした家訓「5か条の置文」をのこし、病死する。

ほ

ほうじょ

ほうじょううじまさ　戦国時代

● 北条氏政　　　　　　　　　1538〜1590年

豊臣秀吉の小田原征伐をまねいた

（国文学研究資料館）

戦国時代〜安土桃山時代の武将。

相模国（現在の神奈川県）の小田原城主、北条氏康の子として生まれる。

1554年、相模国の北条氏、甲斐国（山梨県）の武田氏、駿河国（静岡県中部と北東部）の今川氏のあいだでむすばれた甲相駿三国同盟の成立とともに、武田晴信（のちの武田信玄）の娘を正室としてむかえる。1559年に当主の座をつぎ、北条氏の4代目として小田原城主となる。ききんと疫病の対応策として徳政をおこない、貨幣の管理のために「代物法度」を改訂するなど、民政に力を入れた。

その後、武田信玄、上杉謙信、織田信長らと同盟・交戦をくりかえし、北関東の領土拡大をめざした。1580年、子の氏直に当主の座をゆずったあとも、後見人として政務を助けた。その後、天下統一を進める豊臣秀吉から上洛の命令を受けるが、これに応じず、軍備を強化し対立。1590年、秀吉の小田原征伐の際、城を包囲され、開城後、弟の氏照とともに自害を命じられた。

ほうじょううじやす　戦国時代

● 北条氏康　　　　　　　　　1515〜1571年

北関東へと領土を広げ、北条氏を発展させた

（北条氏康画像／東京大学史料編纂所所蔵模写）

戦国時代の武将。

相模国（現在の神奈川県）の小田原城主、北条氏綱の子。北条氏の3代目。

相模国、伊豆国（静岡県伊豆半島）を支配していた北条氏は、氏綱の代から関東中央部への勢力拡大を本格化させていった。関東には古河公方足利氏、関東管領山内上杉氏、扇谷上杉氏などの旧勢力が健在だったが、

氏康は1546年の河越夜戦で、河越城（埼玉県川越市）をかこむ上杉憲政・上杉朝定・足利晴氏の連合軍8万人を8000

人の軍勢でやぶり、あらたな関東の支配者としての地位を確立した。

その後も、甲斐国（山梨県）の武田信玄や駿河国（静岡県中部と北東部）の今川義元と同盟をむすび、北から進出してくる越後国（新潟県）の上杉謙信の侵攻をしりぞけ、上総国（千葉県中部）の里見義弘と戦うなど、関東での勢力拡大、維持につとめた。

また氏康は、領内での検地、伝馬制度、税制、都市整備など、内政分野にもすぐれた手腕を発揮した。

ほうじょうさだとき　貴族・武将

● 北条貞時　　　　　　　　　1271〜1311年

鎌倉幕府の得宗専制体制を確立

（国立国会図書館）

鎌倉時代後期の執権。

北条時宗の子で、北条高時の父。1284年、北条時宗の死後、14歳で執権（鎌倉幕府の政治を統括する職）となる。得宗（北条氏本家の当主）として、内管領（北条氏の家督をついだ得宗家の執事）の平頼綱や母の父で有力御家人（鎌倉幕府の将軍と主従関係をむすんだ武士）の安達泰盛にささえられて政治をおこなった。1285年、安達泰盛が平頼綱に謀反のうたがいをかけられて攻めほろぼされた（霜月騒動）。その後、平頼綱は専制的な政治をおこなったので貞時はその力をおそれた。1293年、頼綱が次男を将軍につかせようとしているという密告があり、貞時はこれを好機として軍をさしむけ頼綱の一族をほろぼして得宗に権力を集中させる得宗専制体制を確立した。このころの御家人たちは、元寇（1274年の文永の役と1281年の弘安の役）のあと、じゅうぶんな恩賞をあたえられなかったことで生活が苦しくなっており、これを救うため、1297（永仁5）年、貞時は御家人たちが売ったり質に入れたりした土地をただでとりもどせるという「徳政令（永仁の徳政令）」をだした。しかし経済は混乱し、幕府の信用は失われていった。

学 鎌倉幕府執権一覧

ほうじょうさねとき

北条実時 → 金沢実時

ほうじょうしげとき　貴族・武将

● 北条重時　　　　　　　　　1198〜1261年

京都の政治安定につとめ、歌人としても知られた武将

鎌倉時代中期の武将。

執権（鎌倉幕府の政治を統括する職）北条義時の子。北

条泰時の弟。1219年、小侍所別当（将軍の側近として警備などをおこなう小侍所の長官）に任命された。1223年、駿河守（現在の静岡県中部と北東部の長官）となり、1230年、六波羅探題（鎌倉幕府が京都においた機関およびその長官）として上洛。その後18年間、京都の政治の安定につとめ西国御家人を統括した。相模国（神奈川県）の有力御家人である三浦氏がほろびた宝治合戦（1247年）のあと、執権北条時頼の要請で鎌倉（神奈川県鎌倉市）にもどり、連署（執権を補佐する役職）についた。1256年に出家し、1259年、真言律宗（空海の真言宗と戒律を重んじる宗派）の寺、鎌倉極楽寺に住んだので極楽寺殿とよばれた。歌人としても知られ、『新勅撰和歌集』『玉葉和歌集』『千載和歌集』などに歌がおさめられている。

（国文学研究資料館）

ほうじょうそううん

● 北条早雲　　1432〜1519年　　戦国時代

関東をおさめる基礎をつくった戦国大名

▲北条早雲　（国立国会図書館）

室町時代〜戦国時代の武将。

備中国（現在の岡山県西部）生まれ。本名は伊勢新九郎盛時で、出家したのちは早雲庵宗瑞と称した。関東の戦国大名、小田原北条氏の初代であるが、実際に北条を名のったのは息子の北条氏綱からであり、早雲自身は名のったことがないという。室町幕府の政所執事役の伊勢氏の出身で、はじめは足利義視につかえていたともいわれている。

1469年、妹が駿河国（静岡県中部と北東部）の守護である今川義忠にとついでいたため、それをたより、京都から駿河へ移った。1476年に応仁の乱で、義忠が戦死したためにおこった今川家のあとつぎ問題をおさめて、妹の産んだ竜王丸（今川氏親）を当主に立てた。その功績によって、興国寺城主となる。

そのころ関東では、大きな勢力をもっていた古河公方の力がおとろえて、山内上杉氏、扇谷上杉氏の2つの上杉氏の争いを中心に、いろいろな勢力の分裂と争いがつづいていた。早雲はその関東へ勢力をのばそうと、まず1493年に堀越公方の足利茶々丸を討って韮山城に移り、伊豆国（静岡県伊豆半島）

を平定。年貢を軽くする政策をとり、農民たちに受け入れられた。『北条記』によると、早雲はあるとき、ネズミが2本のスギの大木をかじってたおし、その後、トラに姿をかえた夢をみて、ネズミを子年の自分自身に、2本のスギを山内と扇谷の2つの上杉氏になぞらえて、めでたいとよろこんだという。

その後、大森氏から小田原城をうばう。山内・扇谷上杉氏、古河公方、武田氏とも戦い、ときに敗北もしながら東へ進んでいった。1512年、相模守護家の三浦氏を攻めて岡崎城から追いだし、鎌倉に入る。鎌倉の北西に玉縄城を築いて三浦、江戸、さらには関東制圧の拠点とした。2年後には、三浦氏を新井城でほろぼして、相模国（神奈川県）を平定。1518年に当主の座を息子にゆずると、翌年に韮山城で亡くなり、箱根湯本の早雲寺にほうむられた。『早雲寺殿廿一箇条』という基本的な生活の心得が早雲の家訓として伝えられている。

室町幕府が衰退する中であらわれた、戦国大名の先がけであり、小田原北条家発展の基礎をつくった人物である。北条家はその後、5代にわたって小田原を中心として関東をおさめ、とくに、3代北条氏康のときに全盛を誇った。

▲ 2016年に改修された小田原城

ほうじょうたかとき

● 北条高時　　1303〜1333年　　貴族・武将

政治に関心がなく、田楽にふけった執権

（北条高時画像／東京大学史料編纂所所蔵模写）

鎌倉時代後期の執権。北条貞時の子。1311年、父貞時の死後、9歳で最後の得宗（北条氏本家の当主）となり、1316年、執権（鎌倉幕府の政治を統括する職）についた。幼いころより病弱だったが、外戚（母方の親戚）の安達氏と有力御家人の長崎高綱・長崎高資親子の補佐で政治がおこなわれた。1324（正中元）年、後醍醐天皇が幕府を討とうと計画したが失敗した（正中の変）。1326年、病気のため26歳で執権をしりぞいて出家したあとも得宗であったが、政治に関心がなく、田楽（笛や鼓を演奏しながら舞いおどる芸能）にふけったという。

1331（元弘元）年、後醍醐天皇がふたたび討幕計画を立てたが失敗し、幕府は天皇を隠岐（現在の島根県隠岐諸島）

に流罪とした（元弘の変）。1333 年、鎌倉幕府が新田義貞軍に攻められて滅亡したとき、鎌倉（神奈川県鎌倉市）の東勝寺で一族とともに自害した。

学 鎌倉幕府執権一覧

ほ

ほうじょ

ほうじょうときふさ
貴族・武将

● 北条時房　　　　　　　　1175〜1240年

北条泰時の補佐役として政治を助けた

鎌倉時代前期の武将。

北条時政の子。北条義時、北条政子の弟。武蔵守（現在の埼玉県・東京都・神奈川県東部の長官）となり新田開発をおこなった。1189 年、奥州藤原氏を討つ合戦に加わった。1213 年、和田義盛の乱をしずめるために出兵した。後鳥羽天皇がおこした承久の乱（1221 年）のとき、おいの北条泰時とともに京に攻めのぼった。その後、六波羅探題（鎌倉幕府が京都においた機関およびその長官）として京都の政治安定につくした。1224 年、兄の北条義時の死後、泰時とともに鎌倉（神奈川県鎌倉市）にもどり、執権となった泰時の連署（執権の補佐役）になって政治を助けた。

学 源氏・平氏系図

ほうじょうときまさ
貴族・武将

● 北条時政　　　　　　　　1138〜1215年

鎌倉幕府初代執権となって政治の中心に立つ

（伊豆の国市　願成就院所蔵）

平安時代後期〜鎌倉時代前期の武将。

北条氏は伊豆国田方郡北条（現在の静岡県伊豆の国市）を本拠地とした豪族。平氏政権の下で在庁官人（各国の役所で国司にしたがい実務をおこなった地方役人）をつとめ、平治の乱（1159 年）で伊豆に流罪となった源頼朝の監視役を命じられた。1177 年ころ、娘の北条政子が熱愛する頼朝と結婚することをみとめた。

1180 年、以仁王の平氏打倒のよびかけに応じて挙兵した頼朝にしたがって活躍した。1185 年、京都に行って京都守護（京都の警備や朝廷との連絡にあたる役職）となり、頼朝が守護、地頭を全国に設置する朝廷の許可を得た。1189 年、奥州藤原氏追討を祈願して願成就院（伊豆の国市）を建立した。1199 年、頼朝の死後、2 代将軍源頼家の親裁（みずから政治をみること）をみとめず、合議制をおこなう 13 人の有力御家人（将軍につかえる武士）の一人となった。

その後、頼家や頼家の外戚（母方の親戚）の比企能員と対立し、1203 年、比企氏一族を討ったあと将軍頼家をやめさせ、頼朝の子、源実朝を第 3 代将軍に立てた。そうしてみずから

初代執権（鎌倉幕府の政治を統括する職）となって幕府の実権をにぎり政治の中心に立った。1205 年、有力御家人の畠山重忠を謀反のうたがいがあるとして軍をさしむけて殺害。同年、後妻の牧の方とともに、実朝を暗殺して平賀朝雅（牧の方の娘婿）を将軍に立てようと計画して失敗し、子の北条義時と北条政子により出家させられ、伊豆（伊豆半島）に隠居した。

学 源氏・平氏系図　　学 鎌倉幕府執権一覧

ほうじょうときむね

北条時宗 → 34 ページ

ほうじょうときゆき
貴族・武将

● 北条時行　　　　　　　　?〜1353年

鎌倉幕府を再興しようとした

鎌倉時代後期〜南北朝時代の武将。

鎌倉幕府最後の得宗、北条高時の次男に生まれる。1333 年、幕府が滅亡したとき、諏訪盛高に保護されて鎌倉を脱出し、信濃国（現在の長野県）の諏訪頼重のもとにかくまわれた。

1335 年、幕府と縁が深かった西園寺公宗は、時行や北条泰家らとむすんで、建武の新政の打倒、鎌倉幕府再興をくわだてた。しかし 6 月に計画が発覚、公宗らが逮捕されたので、時行は 7 月に信濃で兵をあげて、鎌倉へと進撃。その途中、女影原（埼玉県日高市）、小手指原（埼玉県所沢市）、府中（東京都府中市）で足利尊氏の弟、足利直義の軍をやぶり、ついに鎌倉を奪還した。

その後、京からくだってきた尊氏の軍に連敗し、結局、鎌倉は奪回された（中先代の乱）。1337 年、後醍醐天皇のゆるしを得て南朝方となり、北畠顕家の鎌倉攻めや、青野原の戦いに加わり、足利方をやぶる。1352 年に新田義宗が鎌倉に攻めいったときも参戦、鎌倉を奪還したが、翌年、尊氏にとらえられ、竜口（神奈川県藤沢市）で殺された。

ほうじょうときより
貴族・武将

● 北条時頼　　　　　　　　1227〜1263年

得宗による専制政治をおし進めた鎌倉幕府執権

（建長寺蔵）

鎌倉時代中期の執権。

北条時氏の子。北条時宗の父。1246 年、兄の北条経時が重病になり 20 歳で執権（鎌倉幕府の政治を統括する職）をゆずられた。同年、北条氏一族の名越光時と鎌倉幕府の前将軍藤原頼経らが時頼をしりぞけて実権をにぎろうとはかったが、これをおさえ関係者を追放した。1247 年、対立していた有力御

家人の三浦泰村が反乱をくわだてたとしてほろぼし、得宗（北条氏本家の当主）による専制政治をおし進めた。1249年、評定衆（執権の下で裁判や政務をおこなった役職）の下に引付衆（所領関係の裁判をおこなった役職）をおいて裁判の公正をはかった。1252年、第5代将軍藤原頼嗣をやめさせ、京都から後嵯峨天皇の子宗尊親王をむかえて第6代将軍とした。

禅宗（座禅による修行を重んじる仏教の宗派）を信仰した時頼は、1253年、中国の宋から高僧の蘭渓道隆をまねき、鎌倉（現在の神奈川県鎌倉市）に建長寺を建立した。1256年、30歳で一族の北条長時に執権をゆずり、出家して最明寺入道と称したが政治の実権はにぎりつづけた。

時頼には、身分をかくして諸国の実情をさぐり、貧しい御家人（将軍につかえた武士）などを救ったという伝説がある。なかでも室町時代に謡曲（能）となった『鉢の木』の物語が有名である。

学 鎌倉幕府執権一覧

ほうじょうながとき

貴族・武将

● 北条長時　　　　　　　　　1230～1264年

北条時宗が成人するまでの代役として執権となった

（浄光明寺蔵／鎌倉国宝館提供）

鎌倉時代中期の執権。北条重時の子。1231年、六波羅探題（鎌倉幕府が京都においた機関およびその長官）となった父にしたがい京都に行く。1247年、父のあとを受けて六波羅探題となった。1256年、父が出家したので鎌倉（現在の神奈川県鎌倉市）にもどり、評定衆（政治を統括する執権の下で裁判や政務をおこなった職）となり、次いで北条時頼から執権をゆずられたが時頼の子の時宗が成人するまでの代役で、実権は時頼がにぎっていた。1264年、同じく代役として指名された北条政村に執権をゆずり病気で亡くなった。

学 鎌倉幕府執権一覧

ほうじょうまさこ

貴族・武将

● 北条政子　　　　　　　　　1157～1225年

北条氏の執権体制確立につくした尼将軍

鎌倉時代の鎌倉幕府初代将軍源頼朝の妻。北条時政の娘で、源頼家、源実朝の母。北条義時、北条時房の姉。伊豆国（現在の静岡県伊豆半島）に流罪となり、父の時政に監視されていた源頼朝と知り合い、1177年ごろ頼朝への熱愛を父にみとめられて結婚した。

1180年、平氏打倒の兵をあげた頼朝にしたがって鎌倉（神奈川県鎌倉市）に入り、頼家や実朝を生んだ。1195年、頼朝

にしたがって京にのぼり東大寺（奈良市）再建法要などに参加した。1199年、頼朝が急死すると弔いのために髪をおろして尼となったが、父の時政、弟の義時とともに北条氏による政治の中心に立った。

その後、第2代将軍となった頼家や頼家の外戚（母方の親戚）の比企能員と対立し、1203年、比企氏一族を討ったあと将

▲北条政子　　（安養院）

軍頼家をやめさせ、頼朝の子実朝を第3代将軍に立てて将軍後見役となった。1205年、父時政が後妻の牧の方とともに実朝を暗殺して平賀朝雅（牧の方の娘婿）を将軍にしようとはかったとき、これをおさえて時政を伊豆に追放。弟の義時が執権（鎌倉幕府の政治を統括する職）となった。

1219年、実朝が公暁に暗殺されると、幕府は後鳥羽上皇（譲位した後鳥羽天皇）に対し「源氏の子孫がとだえたので皇族を将軍としてもむかえたい」と要望したが拒否されたので、幕府は摂関家（摂政・関白をつぐ家）から当時2歳の藤原頼経をあとつぎの将軍としてむかえ、弟の義時とともに政治をみたので尼将軍とよばれた。

1221（承久3）年、後鳥羽上皇は「執権北条義時を討て」と幕府打倒の兵をあげた（承久の乱）。これに対するため鎌倉に召集された御家人（将軍につかえる武士）たちは、朝廷軍と戦うことをためらった。

このとき、尼姿の政子は御家人たちに対し、「皆の者、考えてもみよ。その昔、おまえたちは京の朝廷につかえるため、苦労して京に上がったではないか。ところが、頼朝公が鎌倉に幕府をひらいてからは京での宮仕えもなくなり、領地もあたえられた。頼朝公から受けた恩は山よりも高く、海よりも深いはず。その御恩にむくいる気はないのか。ただちに都へむかい戦うがよい」とよびかけた。これを聞いた御家人たちは涙を流して忠誠を誓い合った。

▲蛭ヶ島公園にある源頼朝と北条政子の像　（伊豆の国市観光協会）

圧倒的な戦力の幕府軍は上皇の軍を1か月足らずでやぶり、幕府は上皇を隠岐（島根県隠岐諸島）に流罪とした。1224年、執権義時が亡くなると、政子は義時の子泰時に執権をつがせ、義時の弟時房を連署（執権の補佐役）とするなど北条氏の執権体制確立につくした。

学 源氏・平氏系図

北条時宗

元軍の襲来をふせいだ執権

■第8代執権になる

鎌倉時代中期、鎌倉幕府の執権。

鎌倉幕府の第5代執権北条時頼の子として生まれた。1263年、13歳のとき時頼が亡くなり、翌年第6代執権の北条長時が病気になった。時宗は若かったので一族の長老の北条政村が第7代執権となり時宗は連署（執権を補佐する役職）となった。

▲北条時宗像　（円覚寺蔵）

1268年、モンゴル帝国を築いたチンギス・ハンの孫で第5代皇帝のフビライ・ハンが、日本に使者を送ってきた。国交を求める使者だったが、武力によって日本をしたがわせて属国にしようというものだった。この事態に立ちむかうため、18歳の時宗が第8代執権となった。フビライはその後も使者を送ってきたが、時宗は要求を無視して使者を送りかえした。

■文永の役

1271（文永8）年、フビライは国名を元とあらため、使者を送ってきて武力をつかうと警告したが拒否した。時宗は九州の守護（諸国の軍事、警察を担当する役職）に対し、御家人（家臣）を動員して北九州海岸の防備をおこなうよう命じた（異国警固番役のはじまり）。

1274年10月、フビライの元軍と元の属国となった朝鮮半島の高麗の軍3万が対馬・壱岐（ともに長崎県）をおそったあと博多（福岡市）に上陸した。日本軍は元軍の集団戦法や火薬をこめた「てつはう」という武器に苦戦して大宰府（福岡県太宰府市）まで退却した。しかし翌日元軍は博多湾からみえなくなっていた。原因は不明だが、指揮官や多くの兵が負傷したとも食料がつきたともいわれている。この戦いを「文永の役」という。

■弘安の役

1275年、日本に降伏を求める使者がやってきたが、時宗は使者を刀で切り、断固として元と戦う決意をしめした。1276年、

▼元軍（左）との戦い　『蒙古襲来絵詞』より。　（宮内庁三の丸尚蔵館）

博多湾沿岸に石塁（石垣）を築かせた。

1281（弘安4）年5月、元からの10万と高麗からの4万の軍が日本におしよせた。しかし、高麗の軍は石塁や日本軍の攻撃で博多への上陸をはばまれた。7月、元軍が北九州に到着して全面攻撃をしようとしたとき暴風雨がおそった。元軍の多くの船は沈没して兵を失い、日本軍の追い打ちにあってしりぞいた。この戦いを「弘安の役」といい、2度にわたる元の襲来を「元寇」という。

▲文永の役の地図

▲弘安の役の地図

■元との戦いに命をかけた時宗

時宗は元の3度目の攻撃にそなえなければならなかった。また、御家人たちに恩賞をあたえなければならなかったが領土を得たわけではないので重い課題となった。こうしたなやみをもった時宗の心のささえとなったのが中国の宋からまねいた禅僧、無学祖元だった。1282年、無学祖元のために鎌倉（神奈川県鎌倉市）に円覚寺を建立し戦死者の供養をおこなった。2年後、時宗は心労のため34歳の若さで亡くなった。

📖 鎌倉幕府執権一覧

▲石塁跡　元軍の襲来にそなえ、博多湾沿岸に高さ約3m、延長約20kmにわたって築いた。　（福岡市）

北条時宗の一生

年	年齢	主なできごと
1251	1	北条時頼の子として生まれる。
1268	18	元（蒙古）の国書が届く。執権となる。
1271	21	北九州に異国警固番役をおく。
1274	24	元軍が襲来するがしりぞける（文永の役）。
1281	31	元軍が襲来するが嵐で壊滅する（弘安の役）。
1282	32	鎌倉に円覚寺を建立する。
1284	34	病気で亡くなる。

※年齢は数え年であらわしている

ほうじょうもりとき 貴族・武将

● 北条守時 ？〜1333年

鎌倉幕府最後の執権

鎌倉時代後期の執権。

足利尊氏の妻の兄。赤橋守時ともいう。1311年、評定衆（政治を統括する執権の下で裁判や政務をおこなった職）に加わり、1319年、武蔵守（現在の埼玉県・東京都・神奈川県東部の長官）となり、1326年、北条高時が出家したあとを受けて執権についた。

しかし政治は得宗（北条氏本家の当主）専制の時代で、得宗の北条高時が実権をにぎっていた。1333年、新田義貞が鎌倉（現在の神奈川県鎌倉市）を攻めたとき、洲崎ではげしく戦ったのち自害した。　　学 鎌倉幕府執権一覧

ほうじょうやすとき 貴族・武将

● 北条泰時 1183〜1242年

御成敗式目を制定した鎌倉幕府の執権

鎌倉時代中期の執権。

北条義時の子で、北条重時の兄。北条時頼の祖父。1218年、侍所別当（御家人の統率や軍事・警察をおこなう侍所の長官）、1219年、武蔵守（現在の埼玉県・東京都・神奈川県東部の長官）に任じられた。後鳥羽上皇（譲位した後鳥羽天皇）が討幕の兵をあげ承久の乱（1221年）をおこすと、執権（鎌倉幕府の政治を統

▲北条泰時 （国立国会図書館）

括する職）義時の命令で、幕府軍の大将としておじの時房とともに東海道から京都へ攻めのぼり、後鳥羽上皇の軍をやぶって京都に入った。泰時はそれまでの京都守護（京都の警備や朝廷との連絡をおこなう役職）にかわり、六波羅探題（鎌倉幕府が京都においた機関）を設置して初代長官となり乱後の処理をおこなった。

1224年、父義時の死により鎌倉（神奈川県鎌倉市）にもどり執権をつぎ、連署（執権の補佐役）をもうけ、おじの北条時房を京都からよびかえして連署に任命した。1225年、幕府の中心にいた北条政子が亡くなると、有力御家人による合議制の評定衆（執権の下で裁判や政務をおこなった職）を設置し、執権中心の政治体制を確立した。

1232（貞永元）年、幕府の基本法となる御成敗式目（貞永式目）を制定し公平な成敗（裁判）をするための基準とした。

それまでは朝廷が定めた律令（法律）があったが公家（貴族）の社会にむけたもので武士の生活には合わないものだった。そこで武士の社会の道理とされてきた常識や先例などから裁判の基準となるものをえらんで51か条の法律とした。

「将軍からあたえられた領地は、本所（私有地として荘園を支配した貴族や寺社）のうったえがあっても権利をうばわれることはない。」「夫婦に子がなく夫が亡くなった場合、妻が養子をむかえて領地をつがせることができる（律令では女性が養子をむかえることをみとめていない）」「争いのもとになる悪口は禁止する。重大な悪口をいったものは流罪とする」「文書はたいせつなものだから書類を偽造したら領地を没収する」などで、武士たちにむけて、たとえ無学だとしてもわかるように書かれていた。御成敗式目はその後も追加、修正がおこなわれたが、室町幕府の法令や戦国大名たちの分国法（家法）に大きな影響をあたえた。　　学 鎌倉幕府執権一覧

▲『御成敗式目』 （明治大学博物館）

ほうじょうよしとき 貴族・武将

● 北条義時 1163〜1224年

執権として姉の北条政子とともに鎌倉幕府の政治をみた

鎌倉時代前期の執権。

北条時政の子。北条政子の弟。北条時房の兄。北条泰時の父。源頼朝の義弟。

1180年、源頼朝が平氏打倒の兵をあげたとき、父時政にしたがって活躍し、頼朝に信頼された。鎌倉幕府初代将軍となった頼朝の死後、1199年、13人の有力御家人（将軍につかえる武士）の一人として合議制をおこない、御家人たちの訴訟をあつかった。1205年、父時政が第3代将軍源実朝を暗殺して平賀朝雅（時政の後妻牧の方の娘婿）を将軍にしようとしたはかりごとを知り、姉の政子とともに父を追放し、執権（鎌倉幕府の政治を統括する職）となった。

1213年、有力御家人和田義盛と対立したが、義盛を挑発して合戦をおこない義盛一族をほろぼしたあと、義盛にかわり侍所別当となった。1219年、実朝が公暁に暗殺されたのち、姉の政子とともに幕府の政治をみた。承久の乱（1221年）のとき、御家人たちの軍を指揮して後鳥羽上皇（譲位した後鳥羽天皇）の軍をやぶり、上皇を隠岐（現在の島根県隠岐諸島）に流罪とした。

また、子の北条泰時を六波羅探題（鎌倉幕府が京都においた機関の長官）とし、朝廷に対する鎌倉幕府の支配的立場を明らかにした。　　学 源氏・平氏系図　学 鎌倉幕府執権一覧

ほうねん

<blockquote>宗 教</blockquote>

● 法然　　　　　　　　　　　　　　　1133〜1212年

浄土宗をひらいた僧

▲法然
（知恩院所蔵／京都国立博物館提供）

平安時代後期に浄土宗をひらいた僧。

源空、黒谷上人、吉水上人ともいう。美作国（現在の岡山県北東部）の押領使（盗賊をとりしまり反乱をしずめる役人）漆間時国の子として生まれる。1141年、預所（領主にかわって荘園を管理する役人）に一家がおそわれ、9歳で父を亡くした。1145年、比叡山延暦寺（京都市・滋賀県大津市）にのぼり、1147年に受戒（僧になるための戒律をさずかること）した。1150年、延暦寺西塔の黒谷に住んで、叡空の弟子となり法然房源空と名のって学問修行し、「知恵第一の法然房」とよばれるほどの学識を身につけた。

黒谷では平安時代に恵心僧都（源信）が広めた浄土教（阿弥陀仏を信じ、念仏をとなえれば極楽浄土に生まれかわるという教え）がさかんで法然もこれを深く学んだ。1175年、中国浄土教の僧、善導が著した『観無量寿経疏』を読んで専修念仏（ひたすら念仏をとなえること）がすべてであるとさとると、延暦寺をおりて東山吉水（京都市）に草庵といわれる草ぶきの小さな家をいとなんで浄土宗をひらいた。専修念仏をおこなえば阿弥陀仏に救われると説いて多くの信者を得た。弟子には、のちに浄土真宗をひらいた親鸞がいる。また、後白河法皇（譲位後に出家した後白河天皇）や公家の高官の九条兼実などが信者となった。1181年、東大寺（奈良市）復興のための寄付を集める大勧進職におされるが辞退し、東大寺の重源を推薦した。1198年、浄土宗の教えを説いた『選択本願念仏集』を著した。

しかし、専修念仏が広まることをよく思わなかった旧仏教勢力、とくに延暦寺からはげしく非難されて朝廷にうったえられた。1207年、朝廷から専修念仏禁止令がだされ、また弟子が犯した罪を着せられて土佐国（高知県）に流罪となった。弟子の親鸞も越後国（新潟県）に流罪となった。法然はその年のうち

▲吉水の禅房で念仏の教えを説く法然（『法然上人行状絵図』より）
（知恩院所蔵／京都国立博物館提供）

に罪をゆるされたが京都にもどることはゆるされず摂津国勝尾寺（大阪府箕面市）に仮住まいした。1211年、京都にもどり東山大谷に住んだが翌年80歳で亡くなった。

法然の死後、浄土宗は弟子たちにより全国へ広まり、貴族、武士、庶民などあらゆる人々によって信仰された。

<blockquote>学 日本と世界の名言</blockquote>

<blockquote>文 学</blockquote>

ポー，エドガー・アラン

🌐 エドガー・アラン・ポー　　　　　　1809〜1849年

推理小説、SF小説の元祖

アメリカ合衆国の詩人、作家、評論家。

ボストン生まれ。両親はともに旅役者で、2歳のときに母が亡くなったため、バージニア州リッチモンドの商人ジョン・アランにひきとられる。バージニア大学でギリシャ語やラテン語などを学び、ゲーテやホフマンなどドイツ文学を愛読するが、1年足らずで退学。その後、士官学校に進学するも、なまけていて退学になる。

1831年、ボルティモアのおばの家に移り、詩や短編小説を書く。1833年、雑誌の懸賞に応募した『壜のなかの手記』で賞をとり、それを機に雑誌の編集者の仕事についた。

雑誌社を転々とするあいだに長編小説『アーサー・ゴードン・ピムの物語』や、幻想小説『アッシャー家の崩壊』などを発表。1841年の『モルグ街の殺人』は世界初の推理小説とされ、探偵物語の先がけともいわれる。その後『黄金虫』をはじめとする怪奇小説や幻想小説、推理小説、冒険小説、SF（空想科学小説）など、70編もの短編小説を書き上げた。

1845年、物語詩『大がらす』が大評判となり、ボードレールをはじめフランスの象徴派詩人に大きな影響をあたえる。妻の病死（1847年）により、悲しみのあまり酒びたりになりながらも、翌年、物質的な宇宙と精神的な宇宙についての論考という副題をつけた散文詩『ユリイカ』を発表。その2年後、酒場の近くで行き倒れになり、40歳で亡くなった。

<blockquote>学 問</blockquote>

ボーア，ニールス

🌐 ニールス・ボーア　　　　　　　　　1885〜1962年

量子力学を確立した物理学者

20世紀のデンマークの物理学者。

コペンハーゲン生まれ。コペンハーゲン大学で学んだあと、イギリスに留学、キャベンディッシュ研究所やラザフォードの研究所で原子に関する研究をはじめる。コペンハーゲン大学にもどり1913年に「ボーアの原子模型」を発表。1921年に理論物理

学研究所（のちのニールス・ボーア研究所）を開設。研究所は世界の量子力学の中心地となり、ハイゼンベルク、仁科芳雄らのすぐれた学者を育てた。1922年、原子物理学への貢献により、ノーベル物理学賞を受賞した。また、アインシュタインとの論争により、量子力学が発展していったことも有名である。一方、世界平和の維持のため、原爆の国際管理をうったえた。量子力学の育ての親として知られる偉大な科学者で、ミクロスケールの長さの単位である「ボーア半径」や、107番元素の「ボーリウム」に名をのこしている。

学 ノーベル賞受賞者一覧

ボーイング，ウィリアム　産業

🌐 ウィリアム・ボーイング　　　1881〜1956年

世界有数の航空機メーカーを設立した航空機製作者

アメリカ合衆国の航空機製作者、企業家。

デトロイト生まれ。父は山林や鉱山を所有し、家庭は裕福であった。エール大学工学部で学び、1916年に航空会社を設立。水上機、小型輸送機などを製造し、アメリカの航空開発の波に乗って事業を拡大した。1927年には、自社製の輸送機をつかい、シカゴとサンフランシスコのあいだで郵便物をはこぶ、輸送サービス業にも進出した。しかし、独占禁止政策により、航空機製造業と輸送業とを並行して経営することができなくなり、1934年に航空業界から引退した。その後もボーイング社は発展をつづけ、第二次世界大戦中はB-29などの爆撃機を量産し、戦後はジェット機や大型旅客機の開発、製造をおこない、世界有数の航空機メーカーとなった。

ホーキング，スティーブン　学問

🌐 スティーブン・ホーキング　　　1942年〜

ブラックホールの理論などで知られる物理学者

イギリスの理論物理学者。

イングランド東部のオックスフォード生まれ。17歳でオックスフォード大学へ入学し、卒業後、ケンブリッジ大学大学院に進む。1963年、「筋萎縮性側索硬化症」と診断され、のちに車いすでの生活を余儀なくされる。1965年、一般相対性理論が破綻する特異点の存在証明を物理学者のペンローズと共同で発表。時空、とくにブラックホールの理論の研究を進め、1974年にロンドン王立協会フェローにえらばれた。1977年にはケンブリッジ大学教授となり、2年後に同大学ルーカス教授職につく。文才にもめぐまれ、1988年に一般むけ書籍『ホーキング、宇宙を語る』が世界中で1000万部をこえるベストセラーとなった。

1991年には「時間順序保護仮説」を提唱して、タイムトラベルが不可能であると主張した。2009年、規定によりケンブリッジ大学を退任するが、ひきつづき応用数学と理論物理学部の研究責任者をつとめる。この年、アメリカ合衆国より、大統領自由勲章を受けた。「車いすの天才」ともよばれ、現代を代表する科学者の一人である。

ホーキンズ，ジョン　政治

🌐 ジョン・ホーキンズ　　　1532〜1595年

アルマダの海戦で大活躍

イングランドの航海者、軍人。

南西部のプリマスで、商人の子に生まれる。イギリスで最初に奴隷貿易をおこなったといわれ、1562年、西アフリカのギニア海岸でポルトガル商人の奴隷船をおそい、うばった奴隷をスペイン領のアメリカ植民地で売って、大きな利益を得た。奴隷貿易や海賊行為をつづけて富を得たのち、1572年に国会議員となり、経験を生かして海軍を整備。1588年にスペインの無敵艦隊と戦ったアルマダの海戦では、司令官の一人として参加し、いとこのドレークとともにスペインをしりぞけた。

1595年には、ドレークとスペイン領南アメリカの略奪にむかったが、船の中で死亡した。

ホーソーン，ナサニエル　文学　絵本・児童

🌐 ナサニエル・ホーソーン　　　1804〜1864年

『緋文字』の作者

アメリカ合衆国の作家、児童文学作家。

マサチューセッツ州生まれ。4歳で父を亡くし、母に育てられた。大学を卒業後、小説家をめざし、ひたすら創作をつづけた。1837年に出版したはじめての短編集がみとめられる。結婚後は生活のために税関につとめながら『おじいさんの椅子』などの児童文学を書いた。やがて仕事をやめて、書くことに専念し、1850年に長編小説『緋文字』を発表し、高い評価を得て、一流作家の仲間入りをはたした。

人の心にひそむ明暗を象徴的にえがく作品が多く、代表作には『雪人形』『七破風の屋敷』などがある。児童文学では、ギリシャ神話やローマ神話を読みやすくした『ワンダー・ブック』や『タングルウッド物語』が有名である。

ボーダン，ジャン　政治

🌐 ジャン・ボーダン　　　1530?〜1596年

ユグノー戦争をおさめようとした法学者

フランスの政治家、思想家。

アンジェに生まれ、トゥールーズ大学で法学を学び、パリで高等法院付弁護士になった。1576年にはブロワの三部会に第三身分（平民）の代表として出席する。キリスト教の宗派の争いによって、フランスは国を2つに分けての内乱状態（ユグノー戦

争）となっていたため、弾圧への反対と、宗教の自由をうったえた。また『国家論』を刊行し、主権という考えをはじめて用いて、主権は無条件に王にあると説き、絶対な権力をもつ王を中心とすることによって、混乱をおさめようとした。1587年に代表から引退。経済では重商主義をとなえた。魔女狩りを肯定した『悪魔憑き』なども著している。

ほ

ほーちみ

ホー・チ・ミン

政治

🌐 ホー・チ・ミン　　　　　1890〜1969年

ベトナム建国の父

ベトナムの独立運動指導者。ベトナム民主共和国初代大統領（在任1945〜1969年）。

フランスの植民地だったベトナム中部のゲアン省キムリエン村の、貧しい儒学者の家に生まれる。幼名はグエン・シン・クン、のちにグエン・タット・タインと名のる。1905年、フエのクォックホック（国学）に入学。祖国をフランスの植民地から解放する愛国運動に参加した。

1911年、フランス船の見習いコックとなってフランスにわたり、以後、アフリカや南北アメリカなどをまわり、植民地からの解放に身を投ずることを決意する。1917年からフランスに滞在。第一次世界大戦の結果ひらかれた、1919年のベルサイユ講和会議で「ベトナム人の要求」を、グエン・アイ・クォックの名で提出し、その名を知られるようになる。1920年にフランス共産党の創設に参加、1924年に共産党の国際組織によってモスクワでひらかれたコミンテルン第5回大会に参加し、常任委員にえらばれた。

コミンテルンから中国に派遣され、1925年、広州でベトナム青年革命同志会を、1930年には香港でベトナム共産党を結成した。第二次世界大戦がはじまると、30年ぶりにベトナムに帰りベトナム独立同盟（ベトミン）を結成、侵入してきた日本軍と戦った。1945年、日本軍が撤退すると、ベトナム民主共和国の独立を宣言し、初代大統領に就任した。その後、植民地の復活をめざして侵略してくるフランス軍と戦い（インドシナ戦争）、1954年、ディエン・ビエン・フーの戦いで決定的な勝利をおさめ、ジュネーブ休戦協定をむすんで、独立を達成した。しかし、ベトナムは南北に分かれ、南ベトナムにアメリカ合衆国が介入すると、祖国の統一をうったえて戦いをつづけた。1965年からアメリカ軍が本格的な北爆（北ベトナムへの爆撃）を開始すると、「独立と自由ほど尊いものはない」と、国民をはげました。国民からは「ホーおじさん」とよばれて親しまれ、1969年9月2日、79歳で亡くなった。

その後、後継者たちは戦闘をつづけ、1976年、南北ベトナ

ムは統一され、ベトナム社会主義共和国が成立した。南ベトナムの首都だったサイゴンは、彼の名にちなんで、ホーチミンとあらためられた。

ボードレール, シャルル

詩・歌・俳句

🌐 シャルル・ボードレール　　　1821〜1867年

近代詩の基礎を築いた

フランスの詩人、美術批評家、文明批評家。

パリの裕福な家庭に生まれる。5歳のとき政治家だった父が亡くなり、母は軍人と再婚した。成績優秀で、大学の法学部に進学するが、友人と遊びまわっていた。

21歳で父の遺産を相続するが、借金がふえ、母に遺産を管理される。お金の必要から、美術評論の仕事をはじめた。1857年、詩集『悪の華』を出版する。社会の風紀を乱すとして罰せられたが、詩人のユゴーに評価され注目を集めた。その後も、放埓な生活を送り、麻薬を吸ったりしながら詩や評論を発表する。ベルギーへの講演旅行中にたおれ、46歳で亡くなった。死後、散文詩『パリの憂鬱』が出版された。

都会を題材にして汚れたものや悪いものに美を見いだし、時代をうつした詩で近代詩の基礎を築いた。また、画家のドラクロアや音楽家のワーグナーをいち早く評価するなど、美術批評や文明批評に重要な業績をのこした。

ホーネッカー, エーリヒ

政治

🌐 エーリヒ・ホーネッカー　　　1912〜1994年

国内の民主化の要求に対応できなかった

ドイツ民主共和国（東ドイツ）の政治家。国家評議会議長（在任1976〜1989年）。

南西部ザール地方の炭坑夫の子として生まれる。1929年、ドイツ共産党に入党。1946年、ドイツ社会主義統一党幹部会員になったのち、要職を歴任。1971年、共産党第一書記にえらばれた。

1976年以降は国家元首である国家評議会議長を兼務する。1987年、ドイツ連邦共和国（西ドイツ）への訪問を実現し、東西ドイツの関係に新局面をひらいたが、国内の民主化の要求に対応できず、1989年に解任された。同年、東西ドイツ分断の象徴であるベルリンの壁が崩壊するとモスクワへのがれるが、ソビエト連邦（ソ連）崩壊後の1992年、ドイツへ護送され、ベルリンの壁の越境者への殺人命令などの容疑で告発された。1994年に病死。

共産主義の旧体制の象徴的な人物として知られている。

ボーボワール, シモーヌ・ド

文学

シモーヌ・ド・ボーボワール　　　1908〜1986年

女性の解放を求めて活動

フランスの作家、思想家。

パリ生まれ。ボーボアールとも書く。弁護士の父と銀行家の娘を母に、裕福なこども時代をすごす。10代から小説家をめざし、パリ大学で哲学を学ぶ。卒業後は、教師をしながら小説を書く。1943年、『招かれた女』で作家としてデビュー。1954年の『レ・マンダラン』で、フランスの有名な文学賞、ゴンクール賞を受賞し、作家としての地位を確立した。

第二次世界大戦中は、ドイツに対する抵抗運動（レジスタンス）に参加。また、フランスからの独立を求めるアルジェリアとの戦争（1954〜1962年）では、独立を支援し、世界各地の戦争反対運動に参加するなど、政治問題にも積極的にかかわった。1949年に女性について論じた『第二の性』を発表してからは、女性の解放を求めて発言しつづけた。哲学者サルトルとは、結婚をせずに対等なパートナーとして生涯をともにし、男女の新しい関係のあり方をしめした。

ボーマルシェ, ピエール

映画・演劇

ピエール・ボーマルシェ　　　1732〜1799年

『セビリアの理髪師』の作者

フランスの劇作家、実業家。

パリで、裕福な時計師の息子に生まれ、22歳で王室御用達の時計職人となった。音楽が得意で、ルイ15世の王女たちにハープを教えた。29歳で国王秘書官になると、お金で貴族の地位を手に入れた。国王の密使としても活躍し、アメリカ独立戦争では、武器や物資を提供して独立軍を応援した。

仕事のあいまに趣味で戯曲を書き、『セビリアの理髪師』と『フィガロの結婚』では、ストーリー展開のはやさとおもしろさで成功をおさめた。『セビリアの理髪師』はロッシーニが、続編の『フィガロの結婚』はモーツァルトがオペラとして作曲して、世界中の音楽ファンに愛されている。

ボーリズ, ウィリアム・メレル

産業　医学　郷土

ウィリアム・メレル・ボーリズ　　　1880〜1964年

社会事業に力をそそいだアメリカ人

明治時代〜昭和時代に来日した、キリスト教伝道家、社会事業家。

アメリカ合衆国カンザス州に生まれる。はじめ建築家をめざすが、キリスト教の伝道を志す。1905（明治38）年に来日し、滋賀県立商業学校（現在の八幡商業高等学校）の英語教師となる。しかし、生徒の聖書の学習が親の反対にあい、2年後に解職される。1909年、京都に建築設計事務所をひらき、各地の教会や大学などさまざまな建築設計をおこなった。

（財団法人近江兄弟社）

1910年、伝道のために、近江ミッション（現在の近江兄弟社）という組織を結成した。1918（大正7）年、近江療養院（結核の療養所、ヴォーリズ記念病院）を開院した。近江セールズ株式会社を設立し、塗り薬のメンソレータム（現在はメンターム）を販売した収益で、伝道をつづけた。のちに、日本国籍を得て、一柳米来留と改名した。教育にも力を入れ、近江兄弟社学園（ヴォーリズ学園）などを設立した。

1958（昭和33）年、医療、福祉、教育への功績により、近江八幡市（滋賀県）名誉市民第1号となった。

ボール, ジョン

政治

ジョン・ボール　　　1338?〜1381年

ワット・タイラーの乱の思想的な指導者

イングランドの農民一揆指導者、聖職者。

前半生はほとんどわかっていないが、長く説教師としてイングランド各地をまわっていた。宗教改革の先駆者とされる神学者ウィクリフの思想の影響を受けたとされ、階級のない社会をうったえ、被支配層の農民や労働者に大きな影響をあたえた。中世イギリスの代表的農民一揆であるワット・タイラーの乱の思想的な指導者とされる。「アダムがたがやし、イブがつむいだとき、だれが領主だったのか」ということばは有名。最初の人間であるアダムとイブのころ、領主はいただろうかという意味で、人間には領主や地主などは必要ないと主張した。

ボールの思想と影響力をおそれたイングランド政府にとらえられて投獄され、教会からも破門されたが、1381年にタイラーひきいる一揆軍に救出され、その先頭に立って一揆軍をはげました。その後反乱は鎮圧されてとらえられ、農民一揆の再発をおそれた王族や教会によって処刑されたが、この反乱によって農奴解放の流れがつくられていった。

ボガート，ハンフリー

映画・演劇

ハンフリー・ボガート　　　　1899〜1957年

ハードボイルド映画のヒーロー

アメリカ合衆国の映画俳優。「ボギー」の愛称でよばれる。ニューヨークに生まれる。高校を中退して1918年に海軍に入隊し、3年後に除隊した。俳優をめざして、ブルックリンの劇場の舞台に立った。1936年に出演した舞台劇『化石の森』が、翌年に映画化され、ギャング役を演じて好評を博した。その後、約5年間に30本近くの映画に出演し、悪役を演じた。1941年、『ハイ・シエラ』で人気スターとなり、同年、ジョン・ヒューストン監督の『マルタの鷹』でハードボイルド（非情な探偵を主人公とする推理小説のジャンル）の探偵役を演じて、苦みばしったヒーローのイメージが定着する。

1942年、第二次世界大戦下のラブロマンス『カサブランカ』でもクールで強い男を演じ、大ヒットした。1951年、『アフリカの女王』で、アカデミー賞主演男優賞を受賞。1956年、『殴られる男』を最後に、翌1957年に死去した。

ぼくあんべんぎゅう

郷土

牧庵鞭牛　　　　1710〜1782年

盛岡から宮古への街道をひらいた僧

江戸時代中期の僧。

陸奥国東閉伊郡和井内村（現在の岩手県宮古市）の農家に生まれた。22歳のときに僧となり、38歳で橋野村（岩手県釜石市）の林宗寺の住職となった。

そのころ盛岡から宮古への道は、谷沿いで危険なところが多く、人馬がたびたび犠牲になった。道づくりに一生をかけると決意し、一人で工事をはじめ、岩を切りくずしていった。いぶかしくみていた村人たちも、てつだいはじめた。最難関の工事では、かたい岩の上に薪を積んで、火をつけて焼き、水をかけて、岩をもろくしてくだく画期的な方法を考えた。

1762年、閉伊街道（現在の国道106号のもとの道）が完成した。その後、浜街道、釜石街道などにもとりくみ、道路の総延長は約400kmになるという。

ぼくえいこう（パクヨンヒョ）

政治

朴泳孝　　　　1861〜1939年

朝鮮の近代化をめざした

朝鮮、李朝（李氏朝鮮）末期の政治家。

朝鮮の京畿道に生まれる。金玉均らと、政治結社である開化派（独立党）を結成し、近代的改革運動をはじめる。1882（明治15）年、修信使（朝鮮から日本への外交使節）として来日し、日本の近代化を視察。福沢諭吉らと親交を深める。帰国後、1884年に金玉均らとクーデターを引きおこす（甲申政変）が、失敗して日本に亡命する。1894年、日清戦争開戦後に帰国し、内務大臣となって、近代化改革（甲午改革）を進めるが、主導権争いなどにやぶれ、ふたたび日本に亡命する。日露戦争後の1907年に帰国し、宮内大臣となったが、総理の李完用と対立し、同年、大臣暗殺をくわだてたとして、済州島に1年間流刑となった。

1910年、日韓併合に協力し、日本から侯爵をさずかり、貴族院議員となる。そののち、日本統治下の朝鮮における要職を歴任し、朝鮮独立のための改革の実現をめざして力をつくしたが、かなわなかった。

ぼくし

思想・哲学

墨子　　　　紀元前480？〜紀元前390？年

無差別の愛と平和論を説いた中国の思想家

中国、春秋〜戦国時代の思想家、墨家の始祖。

魯（現在の山東省）の生まれ。翟が名。宋につかえたといわれるが、詳細は不明。若いころから、儒家に学び、その思想を受けつぎながら、独自の説を展開した。墨子は、孔子のとなえる仁は、親に対する愛と他人に対する愛に差があり、差別的であると批判し、自分を愛するのと同様にすべての人を愛することがたいせつだとする兼愛説をとなえた。

また、民を苦しめる戦争を悪として「非攻（侵略戦争をしないこと）」を主張した。墨子の思想を受けついだ人たちを墨家という。戦国時代に、兼愛と非攻を説いた墨家は人気をよび、国を守る集団として歓迎された。しかし、統一国家の秦が誕生すると、勢いを失った。墨子と墨家の学説を集めた『墨子』が現存している。

学 世界の主な王朝と王・皇帝

ぼくせいき

朴正煕 → 朴正煕

ぼくとつぜんう

王族・皇族

冒頓単于　　　　?〜紀元前174年

モンゴル高原を統一した匈奴国全盛期の王

匈奴の単于（君主）（在位紀元前209〜紀元前174年）、匈奴国の建国者。

遊牧騎馬民族、匈奴の単于、頭曼単于の子として生まれる。当初は後継者とされていたが、父の後妻が男子を産んだことでないがしろにされるようになった。敵対していた月氏に人質として送られるが、逃亡し帰国。紀元前209年には父の頭曼を殺して単于の地位についた。その後、東の東胡、西の月氏を打ちやぶり、ほかの遊牧民族たちをも征服して、モンゴル高原を統

一 一レアジア史上初となる一大遊牧国家を打ち立てた。

紀元前200年には、前漢の劉邦を白登山で包囲して追いつめるものの、漢出身の妻の言によってこれを助け、漢と和親条約をむすんだ。この条約は匈奴に有利なもので、前漢は毎年匈奴に貢ぎ物をせねばならず、匈奴は財力をたくわえていった。死後は子が単于の地位をひきついでいたが、前漢の武帝が匈奴に有利な状況をかえるために匈奴戦争を開始し、衛青や霍去病を送りこんで、約60年間の隆盛の時代も終わりをむかえた。

ぼくれつ

● 朴烈 ➡ 朴烈（パクヨル）

ほししんいち

● 星新一　　　　　　　　　　1926〜1997年

ショートショートの名手

昭和時代〜平成時代の作家。東京生まれ。本名は親一。父は薬科大学と製薬会社の創設者だった。両親や弟妹とはなれた部屋で祖父母とともにくらし、孤独なこども時代を送る。東京大学農学部に入学し、1950（昭和25）年に大学院を修了する。

父の会社を受けついだ時期もあったが、1957年にSF（空想科学小説）の同人誌『宇宙塵』に参加し、短編『セキストラ』で作家としてデビューした。

ショートショートとよばれる4000字ほどの短編小説を得意とし、ショートショートの神様とよばれた。小松左京、筒井康隆とならび代表的な日本SF作家とされる。具体的な時代や場所を特定せず、読みやすい表現の文章が特徴で、意表をつく発想やユーモア、ときには批判や風刺などをもりこんだ作品を多数発表した。

死後、日本SF大賞特別賞（1998年）が贈られた。

主な作品に、『ボッコちゃん』『気まぐれ指数』『気まぐれロボット』『ようこそ地球さん』、日本推理作家協会賞の『妄想銀行』などがある。

ほしであきひこ

● 星出彰彦　　　　　　　　　　1968年〜

船外活動の日本人最長記録をもつ宇宙飛行士

宇宙飛行士。

東京生まれ。慶應義塾大学理工学部を卒業後、1992（平成4）年から宇宙開発事業団（現在のJAXA、宇宙航空研究開発機構）に勤務。H-IIロケットの開発監督などの「ものづ

くり」にたずさわったあと、2001年から宇宙飛行士としての活動をはじめた。2008年、国際宇宙ステーション（ISS）の組みたてミッションに参加。アメリカ合衆国のスペースシャトル・ディスカバリーによる日本実験棟「きぼう」の運搬と設置にたずさわり、日本人宇宙飛行士としてははじめて、ISSのロボットアームを操作した。2012年7月から、ISSに124日間滞在、船外活動の合計時間である21時間23分は、日本人では最長記録となっている。

ほしとおる

● 星亨　　　　　　　　　　1850〜1901年

政党政治をめざして手腕をふるった

（国立国会図書館）

明治時代の政治家、弁護士。江戸（現在の東京）の左官屋に生まれ、星家の養子となる。横浜（神奈川県）へでて、貧しい中で苦学しながら英学を学び、英語教師として生計を立てた。

明治維新後、当時、神奈川県令（神奈川県知事）だった陸奥宗光におされて明治政府に入り、1874（明治7）年、横浜税関長となるが、半年で免職となる。同年、法律の研究のためイギリスに留学し、1877年、日本人として最初のバリスター・アット・ロー（イギリスの法廷弁護士）の資格を取得した。帰国後、司法省付属の代言人（弁護士）の第1号となる。

1882年、自由党に入り、藩閥政府を批判し、1888年には官吏侮辱罪や出版条例違反などの罪で投獄された。翌年釈放後欧米に遊学した。1892年、衆議院議長となるが、翌年反対派により追放される。1900年、伊藤博文を立て、政党、立憲政友会を結成し、第4次伊藤内閣の逓信大臣（総務大臣）に就任するが、東京市会の汚職事件により辞任する。その後も政友会院内総務として力をふるうが、1901年、東京市会議長の在職中に刺殺される。

ほしなまさゆき

● 保科正之　　　　　　　　　　1611〜1672年

徳川家綱の補佐役として、幕政にたずさわる

江戸時代前期の大名。

江戸幕府第2代将軍徳川秀忠の子。第3代将軍徳川家光の弟。徳川秀忠の4男として生まれる。しかし、正室の江（崇源院）の子ではなかったため、江戸城の外で育てられ、1617年、7歳のとき信濃国高遠藩（現在の長野県伊那市）の藩主、保科正光の養子になり、1631年、21歳で保科家をつぎ、高遠藩

（保科正之画像／東京大学史料編纂所所蔵模写）

3万石の藩主になった。

その後、徳川家光と対面して実弟としてみとめられ、1636年、出羽国山形藩（山形市）20万石をあたえられ、1643年、33歳のとき陸奥国会津藩（福島県西部・新潟県東部）23万石の藩主になった。

家光に信頼されて、1651年、死期をさとった家光から子の徳川家綱のことをまかされ、第4代将軍家綱の補佐役になった。

1657（明暦3）年、明暦の大火で江戸城の大半が焼失した。老中から天守閣再建案がだされると、「平和な時代に天守閣は必要ない」といってしりぞけ、橋のなかった隅田川下流に両国橋を建設するなど江戸の町の復興につくした。また、主君の死を追って自害する殉死を禁止するなど、さまざまな政策を打ちだした。

ほとんど江戸住まいだったが、国元の家老（藩主を補佐して政治をおこなう役職）を指揮して家臣団の統制や教育につとめ、また、農民にウルシやろうの生産をすすめるなど藩政の基礎を築いた。

1668年、藩の「家訓」を定めた。これは、「徳川家に忠勤をはげむこと」にはじまる15か条からなる教えで、代々の藩主、藩士によって忠実に守られた。

幕末に最後の藩主になった松平容保は、この家訓を守って反幕府勢力と最後まで戦った。

ほしのてつろう　音楽

● 星野哲郎　　1925〜2010年

歌謡曲、演歌の名曲を作詞

昭和時代〜平成時代の作詞家。

山口県生まれ。本名は有近哲郎。高等商船学校（現在の東京海洋大学）卒業。こどものころから船員にあこがれ、商船学校卒業後は、漁業会社のトロール船で勤務していたが、腎臓結核で闘病生活を送ることになり、同人誌や文芸誌への投稿活動をはじめる。1952（昭和27）年、

雑誌に投稿した歌詞が入選、『チャイナの波止場』としてレコードが発売される。その後も『むすめ巡礼』『浜っ子マドロス』など公募への応募作品の入選がつづき、作詞家としての道に進む。

1958年、レコード会社と専属契約をむすび、歌謡曲の作詞を担当。『アンコ椿は恋の花』や『三百六十五歩のマーチ』『男はつらいよ』『風雪ながれ旅』『みだれ髪』など、ヒット曲を次々と送りだす。

生涯で4000以上の歌謡曲や演歌をつくった。日本音楽著作権協会会長、日本作詩家協会会長などをつとめ、歌謡曲の振興に力をつくす。1986年、紫綬褒章受章。

ほしのみちお　写真

● 星野道夫　　1952〜1996年

アラスカを拠点に動物写真を撮りつづけた写真家

昭和時代〜平成時代の写真家。

千葉県生まれ。1971（昭和46）年、慶應義塾大学に入学、探検部に入る。在学中、写真集でみたアメリカ合衆国アラスカ州のシシュマレフ村にひかれ、同地でイヌイットとともにひと夏をすごす。1976年に卒業したあと、約2年間、動物写真家の田中光常の助手をつとめる。1978年から4年間、アラスカ大学の動物管理学部に留学した。

その後は、アラスカを中心にグリズリー（ハイイログマ）やカリブー（トナカイ）などの野生動物や風景、その地に住む人々の写真を撮り、1986年、アニマ賞を受賞した。1990（平成2）年には、雑誌に連載された『Alaska　風のような物語』などで木村伊兵衛写真賞を受賞した。1996年、テレビ番組の撮影のためにおとずれたロシアのカムチャツカ半島で、ヒグマにおそわれて亡くなった。『星野道夫の仕事』などの写真集のほか、エッセー集も多くのこした。

ボシュエ　宗教

● ボシュエ　　1627〜1704年

王権神授説を主張した聖職者

フランスの聖職者、神学者。

東部のディジョン生まれ。幼いころから聖職者となるべく教育され、パリで神学を学ぶ。30歳のとき、ルイ13世のきさきであるアンヌ・ドートリッシュの前でおこなった説教で「王の説教師および助言者」とみとめられ、宮廷に入った。1670年にルイ14世の皇太子の家庭教師となる。

1681年、モー（北部の都市）の司教に任命。同年、『世界史論』で神学上の理念として王権神授説と専制政治を支持した。

また1682年にルイ14世が司教任命権問題でローマ教会と対立した際には、フランスのカトリック教会はローマ教皇から独立すべきだというガリカニスムの立場から、教皇の優越権を否定し、国王を支持した。

ホスローいっせい

王族・皇族

🌐 ホスロー1世　　　　　　　　　　　？～579年

ササン朝ペルシア最盛期の王

イラン、ササン朝ペルシアの王（在位531～579年）。

カバード1世の子。皇太子のとき、社会の混乱をおさめるために、新興宗教のマズダク教をきびしく弾圧した。531年に即位すると、税制、軍制、官僚制を改革して、財政を安定させ、中央集権化を進めた。また、交通網や都市の整備をおこなった。対外的には、ビザンツ帝国のユスティニアヌス帝との戦いを有利に進め、559年ころ、中央アジアの遊牧国家エフタルをほろぼして領土を拡大し、その後イエメンも征服した。一方で、閉鎖されたアテネのアカデメイア（プラトンが設立した学園）からのがれてきた学者たちを保護し、高等な教育機関をつくって、古代ギリシャやサンスクリットの学術を多く翻訳させるなど、学問を奨励した。

ほそいじゅんこ

郷土

🔴 細井順子　　　　　　　　　　　1842～1918年

福井の織物業発展につくした機業家

明治時代の技術者、機業家。

越前国六條村（現在の福井市）に生まれた。こどものころから手先が器用で、手織り機で布を織ることが得意だったといわれる。

呉服商の細井萬次郎と結婚し、1876（明治9）年、35歳のとき、織物産業をさかんにしようと計画した福井県から機織りの技術をみこまれて、

（福井市立郷土歴史博物館）

バッタン機（足ぶみ式の織機）の伝習生にえらばれた。バッタン機はフランスから輸入した最新鋭の織機で、当時福井でつかわれていた織機の4倍の能力をもっていた。京都の工場に派遣された順子は、熱心に学んで、1年でバッタン機の操作を習得した。

のちに福井にもどって、福井織工会社の教師になった。順子の指導により、バッタン機をあつかえる織工がふえていき、バッタ

ン機は県内に普及した。その後、福井県の羽二重（絹織物の一種）の生産は急速にのびた。

ほそいわきぞう

文学

🔴 細井和喜蔵　　　　　　　　　　1897～1925年

劣悪な労働環境に苦しむ女工をえがく

明治時代～大正時代の作家。

京都府生まれ。両親の離婚ののち、母と祖母の死により、小学校を中退し、大阪の紡績工場ではたらいた。そこで労働組合「友愛会」に参加して、会社を追われる。その後、東京に出て、織物工場ではたらくかたわら、文学の同人誌『種蒔く人』に参加し、小説を発表する。

（日本近代文学館）

やがて、労働運動で知り合った高井としをと結婚する。1925（大正14）年、妻と自分の体験をもとに、紡績工場の女子工員の劣悪な労働条件や生活の実情を取材し、『女工哀史』を書き上げ、大ベストセラーとなる。

しかし、刊行の翌月、病気のために死去、死後に自伝『奴隷』『工場』が出版された。

その後、妻の高井としをは、貧しい生活の中でこどもを育てながら、日雇い労働者の社会保障を求める運動をおこない、『わたしの「女工哀史」』に著した。

ほそかわかつもと

貴族・武将

🔴 細川勝元　　　　　　　　　　　1430～1473年

応仁の乱の東軍をひきいた

室町時代中期の武将。

室町幕府の管領（将軍を補佐する役職）を代々つとめる細川京兆家、細川持之の子に生まれる。13歳で家をつぎ、土佐国（現在の高知県）、讃岐国（香川県）、摂津国（大阪府北西部・兵庫県南東部）、丹波国（京都府中部・兵庫県東部）の守護となった。16歳で管領に任命され

（龍安寺）

る。その後、室町幕府の第8代将軍足利義政の下、20年ものあいだ、計3度管領をつとめ、幕府の政治を主導した。

そのころ、有力守護の斯波氏、畠山氏、さらには将軍の足利氏でも後継者をめぐる内紛がおこっていた。勝元は争いに介入し、解決しようとしたが、幕府はしだいに分裂していく。勝元は、

自身の妻の父、山名持豊（山名宗全）を代表とする一派と対立することになった。1467（応仁元）年、この対立は応仁の乱へと発展。京都を舞台に、勝元の東軍と宗全の西軍が10年にわたり戦いをつづけたが、勝元は戦いの途中の1473年に病死した。

和歌や絵画に親しんだ文化人としても有名で、禅宗を信仰し、龍安寺（京都市）を建てた。　学 室町幕府執事・管領一覧

ほそかわガラシャ
戦国時代

● 細川ガラシャ　　　　　　1563〜1600年

悲劇の運命をたどった戦国武将の妻

▲京都府勝竜寺城公園の細川忠興（左）、ガラシャ（右）の銅像

戦国時代のキリシタン。明智光秀の次女として、越前国（現在の福井県北東部）に生まれる。本名はたま。

織田信長の命により、15歳で細川忠興の妻となる。1582年の本能寺の変で、父の光秀が信長を殺害したことから、豊臣秀吉の怒りをおそれた夫の忠興に離縁され、丹後国（京都府北部）味土野に幽閉される。その後、徳川家康のとりなしで秀吉にゆるされ、2年後、夫のもとにもどる。高山右近の影響でキリスト教に興味をもち、1587年、忠興の九州出陣中に洗礼を受けて、洗礼名をガラシャと名のった。

1600年の関ヶ原の戦いで、忠興は家康側の東軍についた。そのため、敵対する西軍の石田三成は、忠興が上杉氏との合戦へ出陣中、妻子を人質にとろうとしたが、ガラシャはこれを拒否。自殺を禁じたキリスト教の教えを守り、家老に胸をつかせて命を絶ったといわれている。この最期については明らかではなく、忠興の命によるなど、さまざまな説がある。

ほそかわしげかた
江戸時代

● 細川重賢　　　　　　1720?〜1785年

熊本藩の財政を立て直した

（国立国会図書館）

江戸時代中期の大名。肥後国熊本藩（現在の熊本県）の藩主、細川宣紀の子として江戸（東京）に生まれる。1747年、28歳のとき兄の宗孝が亡くなったため、あとをついで藩主になった。当時の熊本藩は、多額の借金をかかえて財政難に苦しんでいた。重賢はまず藩士に倹約をすすめるとともに、役人の不正をいましめ、

1752年、中級武士の堀平太左衛門を責任者に抜てきして藩政改革をおし進めた。ハゼやコウゾを専売制（領民が生産した特定の産物を藩が独占的に買い上げ売りさばく政策）としたほか、土地の調査をおこなって隠田（農民がかくして耕作していた田）をみつけだし、年貢のとり方をくふうして収入をふやした。また、藩校時習館や医学校再春館を設立し、領民の子弟にも入学をゆるして、人材の育成につとめた。

こうした改革により藩財政を立て直し、出羽国米沢藩（山形県南部）藩主の上杉治憲、出羽国秋田藩（秋田県）藩主の佐竹義和とともに名君といわれた。

ほそかわただおき
戦国時代

● 細川忠興　　　　　　1563〜1645年

信長、秀吉、家康につかえた文武両道の武将

戦国時代〜江戸時代前期の武将。

室町幕府の第13代将軍足利義輝の家臣である長岡藤孝（細川幽斎）の長男として、丹後国（現在の京都府北部）に生まれる。足利義輝の命により、細川輝経の養子となった。

織田信長につかえ、織田信忠から1字をあたえられて忠興と名のる。信長の家臣である明智光秀の娘、たま（細川ガラシャ）と結婚。1580年には、数々の戦いでの成果をみとめられ、父の幽斎とともに丹後国宮津城に入り、12万石をあたえられる。1582年の本能寺の変で、妻の父、光秀が信長に謀反をおこすが、光秀のさそいをことわり、羽柴秀吉（のちの豊臣秀吉）にしたがった。1600年の関ヶ原の戦いでは、徳川家康方の東軍につき、妻のガラシャを失うも、勝利。豊前国（福岡県東部・大分県北部）・豊後国（大分県）の一部をあたえられ、豊前中津城に入る。翌年、豊前小倉城に移り、小倉藩の初代藩主となった。その後、病気のため隠居し、出家して三斎宗立と称した。茶人としても有名で、千利休の門下七哲の一人に数えられる。

ほそかわはるもと
戦国時代

● 細川晴元　　　　　　1514〜1563年

室町幕府の実権をにぎった最後の管領

室町時代〜戦国時代の武将。

阿波国（現在の徳島県）の守護、細川澄元の子として生まれる。幼名は聡明丸。通称は六郎。

1520年、父が急死したため、7歳で家をつぎ、家臣の三好元長の下で育った。7年後、元長とともに和泉国（大阪府南西部）に兵を進め、1531年の天王寺の戦いで、父の敵でもあった管領の細川高国をほろぼした。その後、細川惣領家をついで、畿内を支配した。元長とは対立するようになり、翌年には顕本寺の戦いにて、元長を自害に追いやった。

1536年には管領となり、以後16年間室町幕府の政権をにぎった。しかし1549年、高国の養子である細川氏綱、元長の子で

ある三好長慶らとの戦いにやぶれ、京を追放される。第12代将軍足利義晴、その息子の足利義輝とともに近江国（滋賀県）にのがれた。抗争をつづけたが、政権をとりもどすことはかなわず、出家して、摂津国（大阪府北西部・兵庫県南東部）の富田に隠居した。晴元は、実権をにぎった最後の管領となった。

学 室町幕府執事・管領一覧

ほそかわまさもと
戦国時代

● 細川政元　　　　　　　　　　1466〜1507年

室町幕府の半将軍とまでいわれた管領

（龍安寺）

室町時代〜戦国時代の武将。

室町幕府の管領、細川勝元の嫡男として生まれる。幼名は聡明丸。通称は九郎。

1473年、応仁の乱で父が亡くなったため、7歳で当主の座をつぐ。細川政国に助けられ、摂津国（現在の大阪府北西部・兵庫県南東部）、丹波国（京都府中部・兵庫県東部）、讃岐国（香川県）、土佐国（高知県）の守護に就任。1486年以降は3度、短期間の管領となる。1493（明応2）年、日野富子とともに権力をふるっていた管領の畠山政長を自害に追いこみ、室町幕府の第10代将軍足利義材（のちの足利義稙）を追放。足利義澄を第11代将軍とした（明応の政変）。みずからは管領として13年間幕府の実権をにぎり、半将軍とまでいわれた。

しかし、修験道などに熱中し、独身で子もいなかったため、養子にした澄之、澄元、高国のあいだに相続争いがおこる。家臣団も分裂し、政元は、澄之派の香西元長、薬師寺長忠らにより、自宅の浴室で暗殺された。これにより、管領を受けついできた細川京兆家はとだえることになる。

学 室町幕府執事・管領一覧

ほそかわもりひろ
政治

● 細川護熙　　　　　　　　　　　　1938年〜

細川忠興の子孫の内閣総理大臣

政治家。第79代内閣総理大臣（在任1993〜1994年）。

東京生まれ。細川忠興の子孫で、近衛文麿の孫。旧熊本藩主細川家の第18代当主。

1963（昭和38）年に上智大学法学部卒業後、朝日新聞記者をへて、1971年、自由民主党から参議院議員に初当選。1983年に熊本県知事となる。

1992（平成4）年に日本新党を結成し、代表に就任。同年、参議院議員に、さらに翌年、衆議院議員に当選した。この選挙で非自民・非共産連立内閣が誕生し、内閣総理大臣となる。新進党、民政党、民主党の結成にかかわったあと、1998年に政界を引退。その後は、陶芸家・茶人として活動。細川家当主として、永青文庫の理事長もつとめる。2014年には小泉純一郎の推薦で、東京都知事選挙に出馬。原発ゼロをかかげたが、落選した。

学 歴代の内閣総理大臣一覧

ほそかわゆうさい
戦国時代　詩・歌・俳句

● 細川幽斎　　　　　　　　　　1534〜1610年

戦国の世を生きぬいた武将であり文化人

戦国時代〜安土桃山時代の武将、歌人。

丹後国（現在の京都府北部）に生まれる。本名は藤孝。和泉国（大阪府南西部）守護の細川元常の養子となり、1554年、元常の死後、家をついだ。室町幕府の第12代将軍足利義晴、第13代将軍足利義輝、織田信長につかえ、1580年、丹後国の宮津城主となる。1582年の本能寺の変で出家、子の細川忠興に当主の座をゆずり、田辺城に移った。その後、豊臣秀吉、徳川家康の下で重臣として活躍。文化人としても有名で、千利休から茶を、三条西実枝から古今伝授を受けて歌を学ぶ。1600年の関ヶ原の戦いで家康方につき、田辺城にこもって石田三成方に攻められるが、歌道が絶えることをおそれた後陽成天皇の勅命で和解。『衆妙集』『百人一首抄』など、多数の和歌集をのこした。

ほそかわゆきたか
郷土

● 細川行孝　　　　　　　　　　1637〜1690年

日本最古の上水道をつくった大名

（宇土市教育委員会）

江戸時代前期の大名。戦国時代の武将、細川忠興の孫として生まれる。1646年、10歳で肥後国熊本藩（現在の熊本県）の支藩、宇土藩（宇土市）の初代藩主になった。

宇土半島のつけ根にある宇土の城下町は、地下水の水質が悪く、飲み水にめぐまれなかった。行孝は、城下の南西にある轟水源から取水し、城下まで地下に土管をうめて水をひく計画を立てた。

1663年、轟水源から城下まで全長約4.8kmの上水道、轟泉水道が完成し、武家屋敷や各町内に井戸を設置して、水を送った。轟泉水道は、それから100年後、水道管の水もれがひどくなったために改修工事がおこなわれ、土管を領内で産出する馬門石でつくった石管にとりかえた。現在も市内の約100戸の家庭で利用され、上水道としては日本最古といわれている。

ほそかわよりゆき

貴族・武将

● 細川頼之　　　　　　　　　　1329〜1392年

室町幕府の成立に力をつくした管領

（国立国会図書館）

南北朝時代の武将。

三河国（現在の愛知県東部）に細川頼春の子として生まれる。幼名は弥九郎。父とともに室町幕府の初代将軍となる足利尊氏にしたがい、南朝軍と戦った。

1352年、父の死後、あとをついで阿波国（徳島県）の守護となる。数々の戦いで功績をあげて、多くの国を支配下においた。第2代将軍足利義詮の遺言により、1367年からは幕府の管領（将軍を補佐する役職）となり、幼少の第3代将軍足利義満を助けた。管領をつとめた12年のあいだに、将軍家の権威を拡大させたり、寺院の統制を強めたりするなど、室町幕府の権力確立に力をつくした。

一方、細川家の地位が高まると、諸大名から反発が強まった。1379年、管領を斯波義将にとってかわられると、髪をそり落として四国にくだる。しかし義満の要望もあり、幕府の政治に復帰、養子の細川頼元が管領となった。1391（明徳2）年におきた明徳の乱を翌年しずめることに成功したが、まもなく病死した。頼之は和歌や連歌、詩文を楽しみ、禅宗もあつく信仰していた。

学 室町幕府執事・管領一覧

ポター，ビアトリクス

絵本・児童

● ビアトリクス・ポター　　　　1866〜1943年

『ピーターラビット』の作者

イギリスの絵本作家。

ロンドン生まれ。弁護士を父に、美術学校校長を祖父にもちめぐまれた家庭に育つ。こどものころは内気で、家ですごし、1885年ころまで家庭教師に教育を受けた。観察力と絵の才能を生かし、家族でおとずれたいなかでは動植物をスケッチした。15歳のころから独特の暗号をつかった日記を書いた。

1902年、知人のこどもに書いた絵入りの手紙をきっかけに、ウサギが主人公の『ピーターラビットのおはなし』を出版する。ピーターラビットは大人気となり、絵本キャラクターとして有名になった。ほかに『グロースターの仕たて屋』『こねこのトムのおはなし』などがある。動物を主人公にして、ユーモアと軽い風刺をまじえ、

日々の生活を繊細な絵であらわした。自然を愛し、みずから農場でくらしながら自然保護活動に協力した。死後、遺言にしたがい、出版で得た広大な土地は自然保護団体のナショナルトラストに寄付された。

ぼだいせんな

宗教

● 菩提僊那　　　　　　　　　　704〜760年

東大寺の大仏の開眼供養をおこなった

▲婆羅門僧菩提僊那坐像
（霊山寺）

奈良時代に来日した、インドの僧。天竺（インド）の司祭階級である、バラモンの出身。婆羅門僧正とよばれた。

インドから中国の唐に行き、日本から唐にわたった留学僧らの要請で、弟子でチャンパー（林邑国）（現在のベトナム中部）の僧、仏哲や唐の僧、道璿らとともに、日本に帰国する遣唐使船に乗り、736年、九州の大宰府にたどりついた。奈良の大安寺に住み、751年、僧正（仏教界をまとめる最高位の僧）に任命された。翌年、9年をかけて造立された奈良の東大寺の大仏開眼供養会では、大仏のひとみを入れる開眼師をつとめた。華厳経をつねに読み、呪術にもすぐれていたといわれている。

ボッカチオ，ジョバンニ

文学

● ジョバンニ・ボッカチオ　　　1313〜1375年

イタリアのトスカーナを代表する文学者

イタリアの作家。

トスカーナ地方の出身。ボッカッチョとも書く。8歳から教師について読み書きをならう。この教師の影響で、作家ダンテにあこがれる。

1325年、商業の修業のためナポリに出る。そこで知識人と出会い、古典文学に親しんで詩を書きはじめた。フィレンツェにもどったあと、1348年、ヨーロッパをおそったペストで父を亡くす。それをきっかけに、男女10人が1日1話ずつ物語を語る『デカメロン』（10日間の物語という意味）のアイディアを思いついた。

『デカメロン』は、イタリア・ルネサンスの散文小説の最高傑作ともいわれる。これにより、短い話を積み上げて一つの物語にする方法を確立した。ほかに、ギリシアの詩人ホメロスの『イーリアス』を紹介した功績でも知られる。ダンテを尊敬し、伝記や

『神曲』の注釈を書いた。ダンテ、ペトラルカとともに、トスカーナを代表する文学者として名高い。

ホックニー，デイビッド

絵画

🌐 デイビッド・ホックニー　　　　　　1937年〜

新しいポップアートの画風でえがく画家

イギリス出身の画家。

ヨークシャー州に生まれる。1953〜1957年に地元の美術学校で、1959〜1962年にはロンドン王立美術学校で学ぶ。1961年にニューヨークをおとずれ、アメリカ合衆国のアイオワ、コロラド、ロサンゼルス、カリフォルニアの大学で指導にあたる。1963年より、生活の拠点をアメリカにおいている。

身近な人物や風景を、明るい色彩をつかって、ポップアート風に表現した。スナップ写真の手法で、日常生活の一場面を細かく切りとり、アクリル絵の具でえがいた。絵画でもイラストでもない画風は、新しいアートとして一世を風靡した。アメリカに移住してからは、プールや青い空や芝生などをえがいて話題をよんだ。一方で、オペラの舞台美術もてがけ、写真家としても活躍した。作品に『大きな水しぶき』『ヘンリー・ムーア』などがある。

ほっけん

宗教

🌐 法顕　　　　　　　　　　　　　　337〜422年

『仏国記』を著した僧

中国、東晋の僧。

平陽府武陽（現在の山西省）生まれ。俗姓は龔。幼くして出家。戒律の原典をさがすため、慧景、慧応、慧嵬、道整らの僧とともに399年長安を出発、陸路でインドへむかった。すでに60歳をこえていた。敦煌から沙河とよばれる砂漠で流砂をわたり、パミール高原からカラコルム山脈にかけての葱嶺とよばれた山々をこえ、北インド（パキスタン北部）に入った。インダス川上流の懸度とよばれる難所をぬけ、ガンダーラやペシャワールの国々をまわった。

インドでは仏教聖地をめぐって仏教研究と写経をし、ガンジス川中流のパータリプトラ（パトナ）で3年、河口のタームラリプティ（タムルーク）で2年、仏典を収集。その後、師子国（スリランカ）に2年滞在し『五分律』などを入手。東南アジアをまわる海路で帰途につき、412年、漂着に近い形で帰国した。14年間27か国という旅で、その旅行記を『仏国記』（『法顕伝』）としてまとめた。しかし長安に帰ることはかなわず、荊州（湖北省）の辛寺で亡くなった。

ほったまさとし

江戸時代

🔴 堀田正俊　　　　　　　　　　　1634〜1684年

徳川綱吉の政治を助けた

江戸時代中期の大名。

老中堀田正盛の子。江戸幕府第3代将軍徳川家光の命令で、家光の乳母で曽祖母の春日局の養子になり、1641年、家光の長男徳川家綱の小姓になった。

第4代将軍になった家綱に重用され、1679年、老中になる。翌年、こどもがいなかった家綱のあとつぎ問題がおこると、家綱の弟徳川綱吉をおし、大老（将軍を補佐した幕府の最高位の役職）酒井忠清と対立した。

綱吉が第5代将軍になると、その功績によって下総国古河藩（現在の茨城県古河市）9万石をあたえられ、大老にとりたてられた。以後、綱吉を補佐して政治を主導し、大名の改易（領地を没収すること）や、不正をおこなっていた代官の処罰などをおこなって、「天和の治」といわれる綱吉の初期の政治をささえた。しかし、1684年、若年寄の稲葉正休に江戸城中で刺殺された。その理由は正俊の専制への批判とも、正休個人のうらみともいわれるが、正休がその場で殺害されたため、はっきりした理由はわかっていない。

学 江戸幕府大老・老中一覧

ほったまさよし

幕末

🔴 堀田正睦　　　　　　　　　　　1810〜1864年

開国を進めた老中

（国立国会図書館）

幕末の江戸幕府の老中。

下総国佐倉藩（現在の千葉県佐倉市）の藩主の次男として生まれる。幼名は左源治、初名は正篤。1825年、16歳のときに藩主となった。1833年、藩政改革に乗りだし、藩士に倹約をすすめるとともに文武を奨励。ヨーロッパの兵制やオランダ医学をとり入れた。農家には子育てを奨励し農村人口を回復させ、ききんにそなえて社倉（倉庫）を建てた。

幕政では寺社奉行、大坂城代などを歴任し、1841年、老中（将軍を補佐して政治をおこなう役職）に就任。水野忠邦の天保の改革を補佐した。1855年、ふたたび老中に任じられ、アメリカ合衆国の総領事ハリスとの交渉にあたった。「外国との通商を拒否することは不可能、積極的に開港すべきだ」という考えに立ち、1858年、孝明天皇の勅許（許可）を得ようと京都にのぼったが、勅許は得られなかった。将軍のあとつぎ問題では、徳川慶喜をおしたが、大老井伊直弼が、紀伊藩主の徳川慶福（のちの徳川家茂）を将軍にし、堀田は老中をやめさせられた。

学 江戸幕府大老・老中一覧

ほったよしえ
文学

● 堀田善衛　　　　　　　　1918〜1998年

国際的な視点に立った文明評論を書く

昭和時代の作家。

富山県生まれ。慶應義塾大学仏文科卒業。国際文化振興会に勤務し、中国の上海で第二次世界大戦の敗戦をむかえる。帰国後、本格的に作家活動をはじめ、アガサ・クリスティの翻訳もしていた。1948（昭和23）年、小説『波の下』でデビューし、『広場の孤独』と『漢奸』で1952年に芥川賞を受賞。

現代の社会や人々がかかえる問題と積極的にむきあう第二次戦後派の作家の一人といわれる。『インドで考えたこと』『上海にて』など、国際的な視野に立った文明評論などでも知られる。主な作品に『海鳴りの底から』『方丈記私記』、評伝『ゴヤ』（1977年大佛次郎賞）などがある。　　学 芥川賞・直木賞受賞者一覧

ボッティチェリ, サンドロ
絵画

● サンドロ・ボッティチェリ　　1445?〜1510年

イタリアのルネサンス期を代表する画家

▲ 『東方三博士の礼拝』にえがかれた自画像（右下）

イタリアの画家。

フィレンツェ生まれ。本名は、アレッサンドロ・ディ・マリアーノ・フィリッピ。父は皮なめし業をいとなんでいた。1462年ころから画家フィリッポ・リッピの工房で絵の修業をはじめる。1470年、写実的作品『堅忍』をかく。

1472年には、フィレンツェの画家組合に加盟して工房をかまえ、聖母子像や『東方三博士の礼拝』などをえがいた。1481年には、システィナ礼拝堂の壁面装飾のために、トスカーナやウンブリアの画家たちとともにローマに行き、モーセとイエス・キリストの物語3場面と数人の教皇像をえがいた。美しい輪郭をもつ優雅で繊細な画風が特徴で、盛期ルネサンス絵画のような端正な構図を確立した。富豪のメディチ家の援助を受け、神話を題材にした名作や、ダンテの『神曲』のさし絵などをのこした。代表作に『春』『ビーナスの誕生』『マルスとビーナス』などがある。

ホッブズ, トーマス
思想・哲学

● トーマス・ホッブズ　　　　1588〜1679年

近代民主主義の基礎となる社会契約説をとなえた思想家

イギリスの哲学者、政治学者。

イングランドのウィルトシャー州生まれ。オックスフォード大学卒業後は貴族の家庭教師となり、その家族にともなってフランス、

イタリアなどをまわり、幾何学、哲学、政治思想、自然科学思想などを学んだ。天文学者のケプラーやガリレイ、哲学者のデカルトらとも交流した。絶対王政を支持する立場であったため、1640年にピューリタン革命がはじまると、身の危険を予測してフランスへ亡命。代表作となる『リバイアサン』を完成させた。利害が対立して「万人の万人に対する闘争」となることをさけるために、人々は社会契約をむすび、主権者に政治をまかせ、各人の生命や自由を保障する平和な政治社会を築くべきであると主張した。

契約によって成立した国家に人々はしたがうべきだという主張は、絶対王政や独裁者を擁護するという批判もあったが、神学の伝統からはなれた最初の政治論であり、この社会契約説は近代民主主義の基本原理となった。

ほづみのぶしげ
学問

● 穂積陳重　　　　　　　　1856〜1926年

民法の起草に指導的役割をはたした法学者

明治時代〜大正時代の法学者。

宇和島藩（現在の愛媛県宇和島市）の藩士の子として生まれる。憲法学者の穂積八束は弟。1870（明治3）年、大学南校（現在の東京大学の前身）に学んだ。1876〜1881年、ヨーロッパに留学し、イギリスの法曹学院で学んで法廷弁護士の称号を受け、その後、ドイツのベルリン大学で学んだ。帰国後、東京大学法学部講師をへて1882年、27歳の若さで法学部教授兼法学部長となった。加藤弘之総長とドイツ法を広めることに力をそそぎ、現行民法の起草にあたり指導的役割をはたした。また、商法、民事訴訟法、刑法など多くの立法にもたずさわった。

ほづみやつか
学問　**教育**

● 穂積八束　　　　　　　　1860〜1912年

西洋的な民法への反対者

明治時代の憲法学者。

宇和島藩（現在の愛媛県宇和島市）の藩士の子として生まれる。法学者、穂積陳重の弟。1883（明治16）年に東京大学を卒業する。翌年、井上毅の推薦でドイツに留学し、法学者ラーバントに、国法学を学ぶ。

1889年に帰国し、帝国大学で憲法学の教授となり、日本法律学校（現在の日本大学）の設立にかかわる。天皇を主権とする保守的な君主絶対主義の立場から憲法をとなえ、1891年には、フランス人法学者、ボアソナードがつくった民法の草案に

（国立国会図書館）

反対し、『民法出でて忠孝亡ぶ』という論文を発表し、民法典論争を展開した。そのかたわら、法制局参事官、枢密院書記官、貴族院議員、宮中顧問官などを歴任する。中等学校の教科書を執筆するなど、政界、教育界で大きな発言力をもった。1912年には、美濃部達吉らが主張した「主権は国家にあり、天皇は国家の一機関にすぎない」とする天皇機関説を批判し、新聞に攻撃文を掲載した。

ほてい 宗 教

🌐 布袋 ?～917?年

笑顔で太鼓腹の姿で親しまれている禅僧

中国、唐末期の禅僧。

明州（現在の浙江省寧波市）に実在した伝説的な禅僧。本来の名は釈契此。いつも大きな袋を背負っていたことから、布袋師とよばれた。大きなおなかをだして歩き、人の運命や天候を予知したといわれる。中国では中世以降、弥勒菩薩の化身として信仰されている。

日本では、室町時代後期に成立した七福神に組み入れられ、福をまねく神の一柱として信仰を集めるようになった。ふくよかなからだつきの布袋は、寛大な心や円満な人格、富、繁栄をつかさどるものと考えられ、背負っている袋は堪忍袋ともいわれる。現在でも、笑い顔で太鼓腹、大きな布袋を背負い、つえをついて歩く姿で親しまれ、画題としても好まれている。

ボナール，ピエール 絵 画

🌐 ピエール・ボナール 1867～1947年

色彩を効果的につかい表現した画家

フランスの画家。

パリ郊外のフォントネー・オ・ローズで役人の家に生まれる。1886年、大学で法律を学んでいた時期に、私立美術学校で絵を習いはじめ、国立美術学校に入学する。ゴーガンを通して日本の浮世絵の影響を受け、その手法を用いて世紀末のパリでの生活をえがいた。舞台装置やポスター、さし絵、版画や、ついたての制作に情熱をかたむけた。

明るい色彩で、人物のいる室内や庭の情景、裸婦などを主題にえがいたが、とくに室内の裸婦が多かったことから、アンティミスト（親密派）とよばれた。

1909年、南フランスのサントロペの目がくらむような色彩にかこまれた土地に滞在してからは、その地の風景や、牧歌的な風景のほか、ありふれた日常生活のモチーフを、色彩を効果的につかい、大胆に表現した。代表作に『浴槽の裸婦』『逆光の裸婦』『午睡』などがある。

ボニファティウスはっせい 宗 教

🌐 ボニファティウス8世 1235?～1303年

対聖職者課税に反対した教皇

ローマ教皇（在位1294～1303年）。

イタリアのアナーニの貴族階級出身。本名はベネデット・カエターニ。1276年、ローマ教皇庁に入る。枢機卿になると教皇特使としてイタリア半島各地やフランスなどで活躍。ケレスティヌス5世のあとに教皇となった。

教皇至上主義者であり、戦費調達のためキリスト教会に課税しようとしたフランス国王フィリップ4世と対立。王権の教会への関与を非難し、教皇権の絶対を主張した。1303年、ローマ郊外のアナーニに滞在中、王権側のローマ法学者ギヨーム・ド・ノガレに襲撃され、退位をせまられた（アナーニ事件）。3日間の監禁ののち、ローマからの援軍に救出されたが、精神的打撃を受けて1か月後に急死。持病が死因であるとされているが、「憤死」と表現され、アナーニ事件は教皇権力の衰退を象徴するものとなった。

学 ローマ教皇一覧

ホフマン，テオドール・エドゥアルト 医学

🔴 テオドール・エドゥアルト・ホフマン 1837～1894年

医学教師として来日したお雇い外国人

明治時代に来日した、ドイツ（プロイセン）の軍医。

ブロツワフ大学（現在のポーランド西部にある）やベルリン大学で学び、内科学をおさめた。卒業後、プロイセン海軍の軍医となりフランスとの普仏戦争に従軍した。ドイツ医学の採用を決めた明治政府からまねかれて、1871（明治4）年、ドイツの医学者ミュラーとともに来日し、大学東校（現在の東京大学医学部）で内科学や病理学、薬物学などを講義した。日本ではじめて肋骨を切除する手術をおこなった。また、かっけに注目して研究をおこない日本に栄養学をもたらすなど、日本の近代医学のいしずえを築いた。1874年、宮内省御雇をつとめ、翌年、帰国した。

ホメイニ，ルーハッラー

政治 宗教

ルーハッラー・ホメイニ　1900〜1989年

イラン革命を先導したイランの最高指導者

イランのイスラム法学者、宗教家。最高指導者。

日本では「ホメイニ師」として知られる。イラン中部のホメイン村生まれ。神学校で学び、1961年にシーア派の高位のイスラム教学者の地位を得る。1963年、白色革命といわれた西欧化政策を断行するパフレビー国王を批判して逮捕された。釈放後も反対運動をつづけたため、翌年、国外へ追放。その後も国王への批判をつづけ、ホメイニの主張に先導されて、1979年、イラン革命がおこり、国王と家族は外国へのがれた。同年にフランスから帰国、革命によって誕生したイラン・イスラム共和国の最高指導者となる。

イスラム原理主義にもとづく国家建設を進め、宗教的独裁の傾向を強めた。イラクと領土問題で対立、1980年からイラン・イラク戦争がおこった。ホメイニを危険視したアメリカ合衆国をはじめとする欧米諸国はイラクを支援、戦争は長期化した。1988年に国連の停戦決議を受け入れ、翌年、最高指導者の地位のまま死去。イラン革命の象徴的存在として知られる。

ホメロス

古代 詩・歌・俳句

ホメロス　生没年不詳

『イリアス』と『オデュッセイア』の作者

古代ギリシャの詩人。

古代ギリシャの二大英雄叙事詩『イリアス』と『オデュッセイア』の作者といわれている。ホメロス自身についてはわからないことが多く、2つの叙事詩が書かれた年代が紀元前8世紀後半とされていることから、そのころの人物だと考えられている。しかし、作者が複数いるという説や、実在の人物ではないという説もある。

『イリアス』は、紀元前12世紀ごろのトロヤ戦争を舞台に、英雄たちの活躍をえがいたもの。『オデュッセイア』はその続編であり、戦争を勝利にみちびいた英雄オデュッセウスが、さまざまな冒険をして祖国に帰るまでの話をつづっている。これらの物語のもとは、紀元前13世紀ごろのミケーネ文明時代までさかの

ぼり、人から人へと伝えられ、ホメロスが文章にしたといわれている。

古代から高い評価を受けている詩人であり、中世、近世の文学や芸術にも大きな影響をあたえつづけた。

ホラティウス

古代 詩・歌・俳句

ホラティウス　紀元前65〜紀元前8年

古代ローマを代表する詩人

古代ローマの詩人。

南イタリアのウェヌシア（現在のベノーザ）に生まれる。ローマで教育を受けたのち、アテネに留学した。その当時、カエサル暗殺後の内乱がギリシャまでおよび、ホラティウスは、共和政を支持するブルートゥスの陣営に入った。軍の司令官としてアントニウスの軍と戦ったが、負けてローマに帰った。それからは詩の創作活動をはじめる。

詩人ウェルギリウスと親交をむすび、文学者の支援者であるマエケナス、皇帝アウグストゥス（オクタウィアヌス）とも親しくなった。ホラティウスの詩は、格調が高く、技巧にすぐれ、中世、近世の文学にも影響をあたえた。また『詩論』は、近世まで作詩法の手本とされた。代表作は、ローマ人を風刺した『風刺詩』や『書簡詩』など。

ほりうちせいいち

絵本・児童

堀内誠一　1932〜1987年

雑誌のデザインと絵本で活躍

昭和時代の絵本作家、グラフィックデザイナー。

東京生まれ。日本大学付属第一商業高等学校中退。図案家（デザイナー）である父の影響を受け、14歳で伊勢丹百貨店宣伝課の装飾係員となる。その後、広告デザイン会社をへてフリーとなり、雑誌『an・an』『Olive』などのアートディレクターをつとめる。絵本の世界では『くろうまブランキー』（作・伊東三郎）、『ぐるんぱのようちえん』（作・西内ミナミ）、『たろうのばけつ』（文・村山桂子）などの創作絵本のほか、『ほね』『ちのはなし』などの科学絵本をてがけた。また、『マザー・グースのうた』（谷川俊太郎訳）、アンデルセン童話など、世界の名作のさし絵もえがいている。

ほりえけんいち

探検・開拓

堀江謙一　1938年〜

港に立ちよらず、ヨットで世界一周した

海洋冒険家。

大阪府生まれ。高校ではヨット部に所属。1962（昭和37）年、23歳のときに日本人初の太平洋単独横断に成功した。兵庫県西宮市とサンフランシスコのあいだを、小型ヨット「マーメイド号」で94日かけて航海した。当時、ヨットで日本を出るのは密出国にあたるとニュースになったが、サンフランシスコで名誉市民とし

て受け入れられ、帰国後は起訴猶予となった。この航海体験談を『太平洋ひとりぼっち』に著し、翌年、市川崑監督、石原裕次郎主演の映画にもなった。

1974年には単独無寄港で世界一周を達成。その後も、ソーラーパワーボートや全長2.8mの超小型ヨット、足こぎボート、ステンレス製ビールだるとペットボトルを再利用したヨットで、単独航海を成功させている。2008（平成20）年には、波の力だけで動くウェーブパワーボートで、ハワイと和歌山県沖の単独航海を成功させた。風、太陽、人力、波、それぞれの力をつかった航海を成功させたのは、世界でただ一人である。

ほりかわてんのう

王族・皇族

● 堀河天皇　　　　　　　　1079～1107年

末代の賢王といわれた

平安時代後期の第73代天皇（在位1086～1107年）。白河天皇の子。即位する前は善仁親王とよばれた。1086年、8歳で皇太子となり、その日に白河天皇から譲位されて、堀河天皇として即位した。その後の政治の実権は、上皇（譲位した天皇）となった父がにぎり、上皇が政治をみる院政のはじまりといわれている。

しかし成長するにつれて上皇と対立。やがて関白の藤原氏や、大江匡房らに補佐されて、みずから安定した政治をおこなうようになった。和歌や管絃などの文芸を重んじて、自身も笛や笙（竹製の管楽器）の演奏にすぐれた能力を発揮したといわれている。多くの臣下にしたわれ、末代の賢王とたたえられた。堀河天皇につかえた藤原長子は『讃岐典侍日記』をのこしている。

学 天皇系図

ほりぐちだいがく

詩・歌・俳句

● 堀口大学　　　　　　　　1892～1981年

すぐれた訳詩で大きな影響をあたえた

大正時代～昭和時代の詩人、仏文学者、翻訳家。

東京生まれ。慶應義塾大学中退。与謝野鉄幹と与謝野晶子の新詩社に参加して和歌や詩をつくる。外交官だった父九萬一とともに、19歳から10年あまりを外国ですごす。そのあいだにフランス文学などにふれ、コクトー、ジャン・ジュネらの作品を翻訳する。また、知性と人間性にあふれる都会的で新鮮な詩をつくり、詩集『月光とピエロ』『砂の枕』『人間の歌』などをのこした。

帰国後の1925（大正14）年に訳詩集『月下の一群』を刊行。名訳として多くの読者を得て、昭和時代の詩に大きな影響

をあたえた。また、翻訳にフランスの作家ポール・モランの『夜ひらく』、メーテルリンク『青い鳥』、サン＝テグジュペリ『夜間飛行』などがある。1979（昭和54）年に文化勲章受章。

学 文化勲章受章者一覧

ほりたつお

文 学

● 堀辰雄　　　　　　　　　1904～1953年

『風立ちぬ』の作者

（日本近代文学館）

昭和時代の作家。

東京生まれ。東京帝国大学（現在の東京大学）国文科卒業。旧制第一高等学校時代に翻訳家となる神西清と知り合い終生の友となる。室生犀星、芥川龍之介に師事し、大学時代に中野重治らと同人誌『驢馬』を創刊する。近代フランス文学に強い関心をもち、コクトーやアポリネールらの翻訳をしながら、日本の古典や王朝文学とフランス文学をとり入れた新しい芸術としての文学をめざした。

1929（昭和4）年に翻訳『コクトオ抄』を、翌年には初の短編集『不器用な天使』を発表する。さらに、自身の恋愛をもとに心理をえがいた小説『聖家族』で作家としてみとめられた。その後、結核の療養におとずれた軽井沢などでの体験をつづった『美しい村』や婚約者との愛をえがいた代表作『風立ちぬ』などを書く。また、雑誌『四季』により、詩人の育成に力をつくした。作品にはほかに『かげろふの日記』『曠野』『菜穂子』、エッセー集『大和路・信濃路』などがある。

ボリバル，シモン

政 治

● シモン・ボリバル　　　　　1783～1830年

ラテンアメリカ独立の指導者

ベネズエラの軍人、政治家。当時スペイン領だったベネズエラの都市カラカスの富裕なスペイン人の家に生まれる。1799年、16歳のとき、スペインに行き、そこで教育を受け、スペインからの独立の意思をかためた。1807年、ベネズエラにもどり、独立運動に参加。ベネズエラは1811年、スペインからの独立を宣言するが、翌年、ふたたびスペインの支配下におかれると、コロンビアへのがれ独立運動をつづけた。1814年、カラカス解放に成功するが、スペイン軍の

反撃にあい、一時ジャマイカに亡命した。

1819年、コロンビアを解放し、その年の12月、ベネズエラ、コロンビア、エクアドルを統合した大コロンビア共和国の独立を宣言。初代大統領にえらばれた。さらに1825年、アンデスの山岳地帯のアルトペルーを支配していたスペイン軍をやぶり、この地は彼にちなんで「ボリビア」と名づけられた。その後、南アメリカのスペイン系諸国の国際会議をひらき、ラテンアメリカの連帯につとめるが、内部対立などにあい、失意の中、死去した。

ポリビオス 〔古代〕〔学問〕

🌐 ポリビオス　　　　紀元前200?〜紀元前120?年

古代ローマの歴史を記述した

古代ローマのギリシャ人歴史家。

ギリシャのペロポネソス半島の出身。当時ギリシャでは、さまざまな勢力が対立しており、ポリビオスは、メガロポリスなどで結成されたアカイア同盟の将軍をつとめていた。紀元前168年、第3次マケドニア戦争に関しての疑惑から、人質としてローマに送られる。しかし、ローマでは執政官の小スキピオからあつい保護を受け、彼がローマ軍を指揮した第3次ポエニ戦争にも従軍。カルタゴの滅亡を目にする。そして、ローマが短期間で強大になったことに関心をもち、その経過や理由を研究して、全40巻の『歴史』を書いた。これは、紀元前220年の第2次ポエニ戦争前後から紀元前146年までをあつかう貴重な資料で、自身の歴史観もあらわしている。

ボルグ，ビョルン 〔スポーツ〕

🌐 ビョルン・ボルグ　　　　　　　　　1956年〜

つねに冷静沈着だったテニス選手

スウェーデンのプロテニス選手。

1974年に当時の最年少記録の18歳で、テニスの四大大会の一つ、全仏オープンに初優勝した。1976年にウィンブルドン選手権に初優勝し、以後1980年まで5年連続で優勝した。とくに1980年のジョン・マッケンローとの3時間55分におよぶ決勝戦はテニス史にのこる名勝負として語りつがれている。四大大会通算11勝（全仏6回、ウィンブルドン5回）はロッド・レーバーとならぶ男子歴代4位タイ記録である。当時異色だったボールを下から上へ回転をかけて打つ「トップスピン」主体のストロークを得意とした。試合中はつねに冷静沈着で、「アイスマン」ともよばれた。1983年、26歳で現役を引退した。

ボルジア，チェーザレ 〔政治〕

🌐 チェーザレ・ボルジア　　　　　　1475〜1507年

イタリア統一をもくろんだ野心家

イタリアの政治家、軍人。

教皇アレクサンデル6世の子。1493年に教皇に次ぐ地位の枢機卿となったが、世俗の権力を望むようになり、1498年に還俗して、フランス王ルイ12世によりバレンティノ公に任命される。父である教皇とルイ12世のあとおしで、1499年から中部イタリアの中小領主を次々に攻略し、自分の王国を建設するほどに領土を広げた。しかし、王国建設まぎわに父が亡くなり、新しい教皇ユリウス2世によって権力をうばわれる。スペインに追放され、その後戦死した。政治学者マキアベリは新時代の君主として高く評価したが、イタリア統一という目的のためには手段をえらばず、権力のために近しい人を暗殺するような残忍な面もあった。

ポルシェ，フェルディナント 〔産業〕〔発明・発見〕

🌐 フェルディナント・ポルシェ　　　　1875〜1951年

フォルクスワーゲンやポルシェを設計・開発した技術者

ドイツの自動車設計技師。

ボヘミア（現在のチェコ西部）生まれ。板金や電気工学を学び、自動車製造会社に入社した。1906年、ダイムラー社に移り、エンジン開発などにとりくみ、設計したレーシングカーが何度も優勝するという実績をあげ、取締役となる。ダイムラー社とベンツ社合併後の1928年に退職、3年後に息子らと自動車設計事務所を設立した。1934年、ドイツの政権をにぎったヒトラーから、国民車として小型自動車の設計を命じられ、カブトムシの形をしたフォルクスワーゲンを設計した。第二次世界大戦中、ドイツ軍の軍用車開発にかかわったことやヒトラーとの関係のため、戦後、戦争犯罪人として逮捕、抑留された。

1948年に釈放されると、息子とともにスポーツカー製造のための会社を設立。1951年には自社の車「ポルシェ356」がル・マン24時間耐久レースでクラス優勝をとげた。しかし、これをみることなく死去。現在も、フォルクスワーゲン、ポルシェなど名車の設計者として、広く知られている。

ホルスト，グスタブ 〔音楽〕

🌐 グスタブ・ホルスト　　　　　　　1874〜1934年

組曲『惑星』で有名

イギリスの作曲家、トロンボーン奏者。

イングランド南西部チェルトナム生まれ。1893年、ロンドンの王立音楽学校に入学して作曲を学ぶ。卒業後はオーケストラに所

属し、トロンボーン奏者として活動した。1905年ころ、女子校の音楽教師になり、1919年、王立音楽大学とレディング大学で教授に就任。

教育者としてつとめながら作曲をおこない、200以上の作品をのこす。シンプルな主旋律に特徴がある。東洋思想に関心をもち、インド神話を題材とした作品もある。代表作である組曲『惑星』は、占星術がヒントとなった。弦楽合奏曲『セント・ポール組曲』のほか、吹奏楽曲や多くの合唱曲がある。

ボルタ，アレッサンドロ 発明・発見

🌐 アレッサンドロ・ボルタ　1745〜1827年

ボルタ電池を発明した物理学者

イタリアの物理学者。

北部のコモに生まれる。1774年、コモ王立学院の物理学教授となり、静電気をためる電気盆を考案した。1779年には、パビア大学の実験物理学教授に就任し、以後25年にわたってつとめた。解剖学者ガルバーニが見いだした、動物の体内に電気を発生させるしくみがあるとする「動物電気」の研究をおこなうが、のちにこれを否定。電気のもとは動物の体内にあるのではなく、ことなる2つの金属の接触にあるとした。さらに1800年、最初の電池である「ボルタの電堆」を発明、翌年、ナポレオンの前で電池の公開実験をおこなった。電圧の基本単位ボルトは、ボルタの名にちなむ。

ホルティ・ミクローシュ 政治

🌐 ホルティ・ミクローシュ　1868〜1957年

ハンガリー革命をくつがえし、独裁政治をおこなった

ハンガリーの政治家、軍人。

海軍兵学校を卒業後、海軍に入る。第一次世界大戦末期の1918年に、オーストリア・ハンガリー帝国の艦隊司令官に昇進し、水兵の反乱の鎮圧で有名になった。ハンガリーに帰国すると、1919年、クン・ベラが革命で打ち立てた共産主義政権をたおした。王政を復活させたが、ハプスブルク家のカール4世の復位は実現せず、国王が存在しないハンガリー王国の摂政となって、独裁をおこなった。

第二次世界大戦ではファシスト陣営につくが、戦争末期はドイツに占領される。1944年にはソビエト連邦（ソ連）との休戦を計画するが失敗し罷免されると、ほかの政党に権力をゆずって監禁された。戦後、アメリカ軍につかまるが、1951年、ポルトガルに亡命した。

ボルテール 思想・哲学

🌐 ボルテール　1694〜1778年

フランス革命の理論的支柱となった啓蒙思想家

フランスの啓蒙思想家、作家。

パリ生まれ。本名はフランソワ・マリ・アルエ。父の希望で法

律を学ぶが、文学の道に移る。摂政オルレアン公を風刺した文を書き、1717年、バスティーユ牢獄に約1年間入獄した。獄中で書いた戯曲『エディプ』が評判になり、以後、ボルテールと名のり、戯曲、詩、哲学、歴史など幅広い分野で著作を発表した。特権階級が優遇されるフランスをきらい、1726年、イギリスへわたり、シェークスピア劇を学び、作家のスウィフトらと交流した。キリスト教に対する批判は痛烈で、聖書は原始文明の産物で、宗教を過度に信じることは不幸のみなもとと主張した。これはのちの唯物論や無神論に影響をおよぼした。晩年は、スイス国境に近い寒村フェルネでくらし、土地開発事業、農奴解放、司法や宗教上の犠牲者の救済運動などにかかわり、「フェルネの長老」と尊敬された。作品に、小説『カンディード』、フランス批判の『哲学書簡』、歴史書『ルイ14世の世紀』、戯曲『イレーヌ』などがある。

ホルバイン，ハンス 絵画

🌐 ハンス・ホルバイン　1497?〜1543年

北方ルネサンス美術の画家

ドイツの画家。

アウクスブルクに生まれる。画家の父の下で絵の修業をする。1515年、バーゼルに行き、最初は裕福な市民の肖像画や宗教画をかいていた。しかし、ルターによる宗教改革がはじまったのをきっかけに、肖像画に力を入れるようになる。

1526年、イギリスにわたり、知人で学者であるエラスムスの紹介で、政治家トマス・モアの肖像画をかく。しばらくくらしたあとバーゼルにもどるが、1536年にふたたびイギリスに行く。以後はヘンリー8世の宮廷画家をつとめた。ロンドンで大流行したペストにかかり、生涯を終えた。

得意とする肖像画は、人物の性格まで伝わってくるほどの表現力をもち、北方ルネサンス美術を代表する画家とされる。『バーゼル市長ヤーコプ・マイヤーの聖母』、『ロッテルダムのエラスムス』、『ヘンリー8世』などが名高い。エラスムスの著書『愚神礼賛』のさし絵もてがけたといわれる。

ボルヘス，ホルヘ・ルイス

文学

ホルヘ・ルイス・ボルヘス　　　1899〜1986年

20世紀のもっともすぐれた短編小説家の一人

アルゼンチンの作家、詩人、評論家。

ブエノスアイレス生まれ。裕福な家庭で、イギリス文学に親しんで育つ。ヨーロッパで教育を受け、帰国後、『ブエノスアイレスの熱狂』（1923年）、『サン・マルティンの手帖』（1929年）により、詩人としてみとめられる。1930年代から短編小説を書きはじめ、驚異的な知識と、自由な想像による幻想的な物語を生みだした。悪人の列伝である『汚辱の世界史』（1935年）、夢と現実のあいだの迷宮をえがく『伝奇集』（1944年）、ヤマタノオロチや一角獣など不思議な生き物や話題を集めた『幻獣辞典』（1967年）などを発表し、ラテンアメリカ文学の第一人者とされる。

1961年に国際出版社賞（フォルメントール賞）を受賞。20世紀のもっともすぐれた短編小説家の一人とされる。

ポル・ポト

政治

ポル・ポト　　　1925?〜1998年

カンボジアを大きく混乱させた

カンボジアの政治家。民主カンボジア政府の首相（在任1976〜1979年）。

コンポン・ソム州出身。プノンペンの技術学校を卒業し、1949年から政府の奨学金でパリに留学した。1952年、フランス共産党員となり、帰国後は政治運動に参加。

1963年から、カンボジア共産党書記長などを歴任し、民主カンボジア政府の首相となる。親中国路線をとり「都市から農村へ」という毛沢東主義を手本に、強制的に都市住民を移住させ、また反対派や知識階級など何百万人ともいわれる大量虐殺をおこなった。

国際社会からのはげしい批判をあび、1978年には国内に親ベトナムの救国民族統一戦線が生まれ、これを支援するベトナム軍が侵攻、首都を追われた。

長らく消息不明だったが、1997年に内部対立により逮捕され、翌年、死亡した。

ポロック，ジャクソン

絵画

ジャクソン・ポロック　　　1912〜1956年

アクション・ペインティングで知られた画家

アメリカ合衆国の画家。

ワイオミング州に生まれ、アリゾナ州やカリフォルニア州で育った。1930年からニューヨークに移り、美術学校で画家ベントンの弟子となる。シュールレアリスム（超現実主義）の影響を受け、伝統的な絵のえがき方に疑問をいだく。1940年代よりオートマティスム（自動筆記法）を発展させた前衛的な作品を発表したが、交通事故で命を落とした。

ネイティブアメリカンの砂絵をヒントに、床に広げたキャンバスの上にみずから入り、缶に入った絵の具を直接たらして飛びちらすドリッピングの方法を確立した。キャンバスの上でおどるように絵をかく画家の姿と、その動きがつくる軌跡が話題となり「アクション・ペインティング」とよばれた。

主な作品に『カット・アウト』『ワン：ナンバー31,1950』『緑、黒、黄褐色のコンポジション』などがある。アメリカ抽象表現主義の代表的作家といわれる。

ボロディン，アレクサンドル

音楽

アレクサンドル・ボロディン　　　1833〜1887年

ロシア国民楽派「五人組」の一人

ロシア帝国の作曲家、化学者。

サンクトペテルブルクに生まれる。若いころから音楽と化学を学び、生涯を通して、化学者と作曲活動を並行してつづけ、「日曜日の作曲家」といわれた。1862年、バラキレフの指導を受け、ロシア国民楽派「五人組」に参加する。

交響詩『中央アジアの草原にて』や、オペラ『イーゴリ公』の中の曲『ダッタン人の踊り』など、民族音楽のような力強く叙情的な作品が有名。『イーゴリ公』の作曲は、1869年にはじめたが、未完のままボロディンが急死したため、リムスキー=コルサコフとグラズノフが完成させた。ほかに弦楽四重奏曲、交響曲などがある。

ホロビッツ，ウラディミール

音楽

ウラディミール・ホロビッツ　　　1903〜1989年

20世紀、最高のピアニスト

ロシア出身のアメリカ合衆国のピアニスト。

ロシア帝国のキエフ生まれ。母からピアノの手ほどきを受け、1912年にキエフ音楽院に入学。1920年、キエフでデビューして大成功をおさめる。1925年にドイツのベルリンに移り、翌年からヨーロッパ各地で演奏活動をおこない、高い評価を得た。1928年にアメリカへ進出して、爆発的な人気を得る。1933年に指揮者トスカニーニと共演、同年末にはその娘ワンダと結婚し、その後、アメリカの市民権を得て、晩年までニューヨークですごした。

20世紀最高のピアニストとして名声を得て、広いレパートリーをもち、とくにショパン、シューマン、スクリャービン、ラフマニノフを得意とした。「リストの再来」とよばれた抜群の技量に加えて個性豊かな表現力をそなえ、作曲家によってひびきや叙情をひ

き分けるなど、けんらん豪華な音色で楽しませた。1983（昭和58）年から2度来日し、活発な演奏活動を披露した。

ホワクオフォン
華国鋒 → 華国鋒

ホワンシン
黄興 → 黄興

ほんあみこうえつ
工芸

● 本阿弥光悦　　　　　1558〜1637年

多方面の作品で、新しい流れを生んだ芸術家

▲本阿弥光悦　　　（光悦寺）

　安土桃山時代〜江戸時代前期の芸術家。
　室町時代から刀剣の研磨や鑑定を家業とする、本阿弥家の長男として京都に生まれた。家業をつぐ一方で、多くの芸術家、文化人と交流し、絵画、蒔絵（漆で模様をえがき、その上に金粉、銀粉などをまいて模様を浮き立たせる漆工芸）、陶芸、作庭など多方面に才能をあらわした。

　書道にもすぐれ、装飾性豊かな独自の書体をくふうして光悦流をおこし、僧の松花堂昭乗、公家の近衛信尹とともに寛永の三筆（寛永年間のすぐれた3人の書家）といわれた。
　1602年、45歳のとき広島藩（現在の広島県）の藩主、福島正則に依頼されて厳島神社（広島県廿日市市）の「平家納経」（平清盛が奉納した装飾経）の修復をおこなった。その際、画家の俵屋宗達の才能を見いだし、以後、宗達の下絵の上に光悦が三十六歌仙（平安時代の36人のすぐれた歌人）の和歌を書いた『鶴下絵三十六歌仙和歌巻』などをてがけた。
　また、嵯峨（京都市）に住む角倉素庵（角倉了以の子）の協力を得て、デザインや料紙（和紙）をくふうした嵯峨本とよばれる古典（『伊勢物語』『徒然草』など）を出版した。
　豊臣秀吉、徳川家康などから重く用いられ、1615年、58歳のとき、家康から鷹ヶ峰（現在の京都市北区鷹峯）に約9万坪（約30ha）をあたえられた。そこに、一族や豪商の茶屋四郎次郎、尾形宗柏（尾形光琳・尾形乾山兄弟の祖父）など仲間の芸術家たちと移り住

▲『舟橋蒔絵硯箱』
（東京国立博物館 Image:TNM Image Archives）

んで芸術村をつくり、80歳で亡くなるまで制作に専念。さまざまな芸術作品を世に送りだした。代表作に国宝の『舟橋蒔絵硯箱』や楽焼茶碗『不二山』などがある。

ホンギョンネ
洪景来 → 洪景来

ホンタイジ
王族・皇族

🌐 ホンタイジ　　　　　1592〜1643年

国号を清にあらためた

　中国、清の第2代皇帝（在位1626〜1643年）。
　太宗ともいう。後金（のちの清）を建国した初代皇帝ヌルハチの第8子として生まれる。1619年のサルフ（遼寧省撫順の東にある山）の戦いで戦功をあげるなど、武勇にすぐれていた。1626年、父が後継者を決めずに亡くなったため、有力者たちの会議でえらばれて、後金のハンの位についた。即位後、明にならって六部（6つの官庁）を設置し、征服した異民族の領地を管理する理藩院をもうけるなど、行政制度をととのえて支配体制をかためた。
　1629年に北京を攻めて明と講和をむすぼうとしたが、失敗した。1635年、モンゴル高原をまわって明に攻めこもうと、内モンゴルに侵入して平定する。元の玉璽（皇帝の印）を手に入れ、1636年、あらためて皇帝の位につき、国号を中国風の清へとかえた。その後、朝鮮に出兵し服属させると、明への進出を試みたが、はたせなかった。

学 世界の主な王朝と王・皇帝

ほんだこうたろう
学問

● 本多光太郎　　　　　1870〜1954年

世界初の人工磁石「KS鋼」を発明した物理学者

　明治時代〜昭和時代の物理学者、金属工学者。
　愛知県生まれ。1894（明治27）年に東京帝国大学理科大学（現在の東京大学理学部）物理学科に入学。卒業後にドイツ、イギリスへ留学し、1911年、東北帝国大学（東北大学）理科大学の物理学科教授に就任。1916（大正5）年、世界初の人工磁石であり、当時世界最強の永久磁石鋼であった「KS鋼」を発明して注目を集めた。

（東北大学史料館）

「KS」は、研究を援助していた住友財閥の住友吉左衛門の頭文字である。その後、東北帝国大学附属鉄鋼研究所（のちの金属材料研究所）の初代所長をつとめ、同研究所が世界有数の研究拠点に発展する基礎をつくった。

1931（昭和6）年に東北帝国大学総長となっても研究をつづけ、KS鋼をこえる磁石鋼であるMK鋼が開発されたあとの1934年に、ふたたび世界最強となる新KS鋼を開発。1937年、文化勲章を受章した。1949年、東京理科大学初代学長に就任、1951年には文化功労者に選出された。きわめて熱心な研究家であると同時に、後進の育成にも心をくだいて、多くのすぐれた研究者を育てた。

学 文化勲章受章者一覧

ほんだそういちろう

産業　郷土

● 本田宗一郎　　　　　　　　　1906〜1991年

世界的なオートバイ・自動車メーカーを築いた技術者

▲本田宗一郎　　　　（本田技研工業）

昭和時代の技術者、企業家。

静岡県で鉄加工業をいとなむ家に生まれる。高等小学校卒業後、1922（大正11）年、東京の自動車修理工場「アート商会」（現在のアート金属工業）に入社、6年間の勤務で自動車のメカニズムに精通し、浜松市に支店を設立して独立。その後、自動車部品製造をおこなう「東海精機重工業」（東海精機）の社長となるが、理論的な知識不足を感じ、浜松高等工業学校（現在の静岡大学工学部）機械科聴講生となって学んだ。

1946（昭和21）年、浜松市で本田技術研究所を立ち上げて所長に就任。オートバイの開発にとりくみ、翌年、自転車用補助エンジンの生産を開始。1948年に本田技研工業株式会社を設立し、代表取締役となる。翌年、のちの副社長で、ともにホンダを世界的大企業に育てる藤沢武夫が、経営担当として参加した。

その後、自社設計のフレームを用いたオートバイの生産を開始し、1958年に発売した「スーパーカブC100」が世界的ベストセラーとなる。アメリカ合衆国やヨーロッパに現地法人を設立して国際的企業となり、1963年にホンダ初の四輪車を発売した。

モータースポーツの世界でも躍進し、1959年、オートバイでイギリスのマン島レースに出場、1964年には、自動車のF1レースに参加した。1969年、量産オートバイとしては、はじめての4気筒エンジンを搭載した「ドリームCB750FOUR」を発売。四輪でも画期的なCVCCエンジンなどを発表、世界トップクラスの

メーカーに成長した。

1973年、宗一郎は社長を退任し、取締役最高顧問に就任。研究所所長は継続し、開発にかかわる姿勢はみせたが、事実上、第一線からしりぞいた。のちに取締役もやめ、終身最高顧問となる。1989（平成元）年、アジア人として初のアメリカの自動車殿堂入りをはたし、2年後、84歳で死去した。

▲ホンダが1958年8月に発売した初代のスーパーカブC100

根っからの技術者であり、よい製品を生みだすために容赦なく社員をどなりつけるなど、熱血漢として知られた。一方で、つねに社員とユーザーに気をくばる人がらが尊敬を集め、周囲から「オヤジ」としたわれた。2010年、出生地の浜松市に、「本田宗一郎ものづくり伝承館」が開設されている。

学 日本と世界の名言

ほんだただかつ

江戸時代

● 本多忠勝　　　　　　　　　　1548〜1610年

勇猛な徳川四天王の一人

安土桃山時代〜江戸時代前期の大名。

平八郎ともいう。三河国（現在の愛知県東部）に生まれ、幼いころから徳川家康につかえた。1560年、13歳で初陣をかざって以来、1570年の姉川の戦い、1575年の長篠の戦い、1584年の小牧・長久手の戦いなど50回以上戦場に出陣して戦功を立てた。勇将として知られ、武田信玄との戦いでは信玄の側近に「家康にすぎたるものが2つあり、唐の頭（家康の兜）に本多平八」といわれた。1590年、家康が関東に移ると、上総国大多喜（千葉県大多喜町）に10万石をあたえられ大多喜城を築いたが、1601年、伊勢国桑名城（現在の三重県桑名市にあった城）に移った。酒井忠次、榊原康政、井伊直政とともに「徳川四天王」といわれる。学 江戸幕府大老・老中一覧

ほんだとしあき

思想・哲学

● 本多利明　　　　　　　　　　1743〜1821年

交易などによる富国を説いた江戸時代の思想家

江戸時代後期の思想家、経世家（政治経済論を語る人）。

越後国（現在の新潟県）出身といわれる。1760年、18歳のとき江戸（東京）に出て、和算（日本独自の数学）や天文学などを学び、その後、諸国をめぐって地理や物産などを調査した。また、蘭学の知識も学び、西洋の事情についても研究した。24歳のとき、江戸の音羽に和算と天文学の塾をひらいた。1809年から1年半ほど加賀藩（石川県）につかえたほかは浪人で、門人の教育と著作にはげんだ。門人には蝦夷地の探検をおこなった最上徳内などがいる。

この間の1787年、東北地方を旅して天明のききん（1782〜1787年）に苦しむ農村の惨状をみた。また、ロシアの南下による北方問題に強い関心をもち、国を豊かにして農民を救うためには、諸外国との交易、蝦夷地（北海道）の開発、鉱山開発などが必要だと説いた。『経世秘策』『西域物語』『蝦夷道知辺』など多くの著作がある。

ほんだまさずみ 江戸時代

● 本多正純　　　　　　　　　　1565〜1637年

家康にあつく信頼された

▲ 『釣天井宇都宮綺談』より
（栃木県立図書館）

安土桃山時代〜江戸時代前期の大名。

本多正信の子。少年のころから徳川家康につかえ、1600年の関ヶ原の戦いにも参加した。家康にもっとも信頼された側近の一人で、将軍職をしりぞいて大御所とよばれるようになった家康のそばでつかえ、その右腕として権勢をふるった。1607年、下野国小山藩（現在の栃木県小山市）3万3000石をあたえられる。家康が亡くなると、葬儀や日光東照宮の造営を指揮し、その後2代将軍徳川秀忠につかえて、1619年、宇都宮藩（宇都宮市）15万5000石の藩主になった。1622年、改易（領地を没収すること）された出羽国山形藩（山形県）の藩主最上氏から山形城を受けとるため、山形にむかったところ、突然改易され、出羽国横手（秋田県横手市）に流された。改易の原因は、家康の威光を背景に思い上がった態度をとりつづけたことだといわれている。[学] 江戸幕府大老・老中一覧

ほんだまさのぶ 江戸時代

● 本多正信　　　　　　　　　　1538〜1616年

家康の政治をささえた

安土桃山時代〜江戸時代の大名。

三河国（現在の愛知県東部）に生まれる。徳川家康につかえるが、1563年、家康支配下の三河で一向宗（浄土真宗）の門徒による一向一揆がおこると、一揆勢に加わって家康と敵対した。その後、ふたたび家康につかえて、多くの合戦に出陣した。1590年、家康が関東に入ると、相模国玉縄（神奈川県鎌倉市）に1万石の領地をあたえられ大名となった。その後、第2代将軍になった徳川秀忠につかえ、将軍職をしりぞいて大御所となった家康の側近として駿府（静岡市）にいる息子の本多正純とともに、幕府の中枢で徳川政権をささえた。武人としてよりも行政面で才能を発揮し、「家康の知恵袋」といわれた。
[学] 江戸幕府大老・老中一覧

ぼんちょう 詩・歌・俳句

● 凡兆　　　　　　　　　　　　?〜1714年

『猿蓑』を編集した芭蕉の弟子

江戸時代前期の俳諧師。

野沢凡兆ともいう。本名は允昌。加賀国金沢（現在の石川県金沢市）出身。京都に出て医者を開業した。1688年ごろ、俳人の松尾芭蕉と京都で出会い、妻の羽紅とともに俳諧（こっけいみをおびた和歌や連歌、のちには俳句）の指導を受けた。1690年、向井去来とともに芭蕉と門人の俳諧集『猿蓑』の編集を命じられた。『猿蓑』には門人の中ではもっとも多い44句の作品がおさめられ、これにより名前が広く知られるようになった。のちに芭蕉からはなれ、俳諧活動から遠ざかった。晩年は大坂（阪）でひっそりと生活したとされる。代表作に「下京や　雪つむ上の　夜の雨」がある。

ポンピドゥー，ジョルジュ 政治

🌐 ジョルジュ・ポンピドゥー　　1911〜1974年

ド・ゴールの政策を継承しつつ、近代化を進めた大統領

フランスの政治家。大統領（在任1969〜1974年）。

高等師範学校卒業後、アンリ4世校の教職につき、1944年からド・ゴール首相の補佐官をつとめる。ロスチャイルド銀行頭取などをへて、1958年、ド・ゴール政権の官房長に就任、アルジェリア戦争の終結に貢献した。1962年、首相に選出され、ド・ゴール大統領の政治の中心的役割をはたすが、1968年、解任される。

ド・ゴール退陣後の1969年の大統領選挙で大統領に就任。1973年の中華人民共和国（中国）訪問など、アメリカ合衆国に追随しない、ド・ゴールの政策を継承しつつ、通貨のフラン切り下げやイギリスのヨーロッパ共同体（EC）加入の承認など、新たな状況にも対応した。1974年、現職のまま病死。

彼の名をとったポンピドゥー・センターは、パリの観光名所にもなっている総合文化施設。[学] 主な国・地域の大統領・首相一覧

ポンペイウス 古代　政治

🌐 ポンペイウス　　紀元前106〜紀元前48年

スパルタクスの乱をしずめた

古代ローマの政治家、軍人。

10代で軍人になり、権力者スラのもとで力をのばした。スラの死後も軍事の才能を発揮し、イベリア半島でおこった反乱をしずめ、奴隷のスパルタクスひきいるスパルタクスの乱も平定した。紀元前70年には、クラッススとともに執政官（コンスル）にえらばれる。その後、地中海の海賊を一掃し、シリアやパレスチナを征服して、ローマの東方支配を確立した。紀元前60年、カエサルやクラッススとともに、第1回三頭政治をはじめた。しかし、クラッススの戦死後は、民衆派のカエサルと対立。元老院の保

ほ

ぽんぺい

守派とむすんで、カエサルに対して戦いをおこしたが、紀元前48年にやぶれてローマから逃亡。エジプトで暗殺された。

ほんまみつおか

郷土

🔴 本間光丘　　　　　　　1732〜1801年

酒田発展のもとを築いた商人

（本間家旧本邸）

江戸時代中期〜後期の商人。出羽国酒田（現在の山形県酒田市）の豪商、本間家に生まれた。19歳のとき、姫路（兵庫県姫路市）の豪商奈良屋へ見習いに行き、商売を学んだ。22歳で酒田に帰り、家をつぎ、商業、金融業をいとなんだ。年間100万両の売り上げ記録もある財力で、庄内藩（山形県北西部）藩主の酒井家を援助した。

1767年、藩への献金などの功績により、御小姓格という武士の身分をあたえられた。1772年、酒井家の江戸藩邸が大火で焼失すると、引き締め予算で財政難を切りぬけた。1783年からはじまった天明のききんでは、藩におさめた2万4000俵の備蓄米が農民を救った。光丘は、砂が飛ぶ害から町を守るために、1758年から能登（石川県の能登半島地域）からとりよせた200万本のクロマツの苗を植えて、松林が完成した。事業は子孫に受けつがれ、酒田市街を砂や潮風からふせぎ、松林の東側一帯は庄内米の産地となった。

ま

Biographical Dictionary **4**

マーインチウ

馬英九 → 馬英九

マーシャル, ジョージ

政治

🌐 ジョージ・マーシャル　　　　1880〜1959年

マーシャルプランでノーベル平和賞をとった

アメリカ合衆国の軍人、政治家。

ペンシルベニア州に生まれる。1901年にバージニア陸軍学校卒業後、陸軍大学校に進む。第一次世界大戦ではヨーロッパ派遣参謀長、参謀本部作戦部長をつとめた。第二次世界大戦では参謀総長となり、1944年、北フランスへの上陸作戦（ノルマンディー上陸作戦）を成功させた。ヤルタ会談やポツダム会談などの重要な国際会議にも参加し、陸軍元帥に昇進する。戦後、中国で内戦の調停にあたるが失敗。1947年、トルーマン大統領の下で国務長官となり、共産主義勢力をおさえこむ「封じ込め政策」や、ヨーロッパの経済復興をめざすマーシャルプランを進めた。1950年に国防長官となる。1953年には、ヨーロッパ復興の功績で、ノーベル平和賞を受賞した。

学 ノーベル賞受賞者一覧

マータイ, ワンガリ

政治

🌐 ワンガリ・マータイ　　　　1940〜2011年

「もったいない」を世界に紹介した環境活動家

ケニアの環境活動家、政治家。中部のニエリに生まれる。アメリカ合衆国へ留学し、ピッツバーグ大学で生物学などを学んだ。当時、アメリカでおきていた公民権運動や女性解放運動に影響を受けた。

帰国後、ケニアのナイロビ大学で家畜解剖学の教授に就任。1977年、貧しい農村の女性を植林活動に参加させることで、技術や教育をあたえて生活向上をはかる、非政府組織（NGO）「グリーンベルト運動」を創設。運動はアフリカ各地に広まり、これまでに約5100万本の木が植えられた。

1981年からはケニア女性国民会議の議長となり、独裁的なモ

イ政権により弾圧を受けるが、2002 年に国会議員に当選、その後、環境・天然資源副大臣として活躍した。2004 年、環境保護と民主化、人権問題へのとりくみにより、アフリカの女性として初のノーベル平和賞を受賞。また、日本語の「もったいない」を、ごみをへらす環境保護の精神をあらわすことばとして、世界中に紹介した。

学 ノーベル賞受賞者一覧

マードック，ルパート 産業

🌐 ルパート・マードック　　　　　1931年〜

アメリカのメディア王

アメリカ合衆国の実業家。

オーストラリアのメルボルンに生まれる。少年時代はなまけ者だったという。1950 年にイギリスのオックスフォード大学に進学するが、1952 年に父の急死により、オーストラリアに帰り、父が経営していた地方新聞社の経営をひきついだ。1970 年代には、国内有数のメディアグループとなり、企業買収をくりかえして海外にも事業を広げ、1979 年に持株会社ニューズ・コーポレーションを設立した。イギリスの名門『タイムズ』紙や、アメリカの映画会社 20 世紀フォックスを買収して世界的なメディア複合企業となった。1986 年にはアメリカ国籍を取得して帰化。映画、放送、新聞、出版などさまざまなマスメディアを傘下におさめ、「メディア王」とよばれた。

2015 年に最高経営責任者（CEO）を息子にゆずり、会長となった。日本でも、1996 年にソフトバンクと組んでテレビ朝日の株を一部取得し、翌年、朝日新聞社が買いもどしたことで注目を集めた。

マームーン 王族・皇族 宗教

🌐 マームーン　　　　　　　　　786〜833年

「知恵の館」を設立したカリフ

アッバース朝第 7 代カリフ（在位 813 〜 833 年）。

父は第 5 代カリフ（ムハンマドの後継者でイスラム国家の宗教的最高指導者）のハールーン・アッラシード。母はイラン系の奴隷だった。809 年に第 6 代カリフとなった異母弟アミーンとの後継者をめぐる争いで、813 年首都バグダッドを包囲陥落させ、カリフの位についた。

開明的な君主であり、学芸を奨励し、バグダッドに「知恵の館（バイト・アルヒクマ）」という図書館を設立。この研究機関には天文台も併設されていたといわれる。多くの翻訳官や写字生を集め、とくにギリシャ文献の収集とそのアラビア語への翻訳に力をそそぎ、イスラム文化の隆盛期をつくりだした。

マーラー，グスタフ 音楽

🌐 グスタフ・マーラー　　　　1860〜1911年

大規模な交響曲に独自の世界

オーストリアの作曲家、指揮者。ボヘミア（現在のチェコ）生まれ。ユダヤ系の商人の家に生まれ、2 歳で数百の民謡をおぼえるなど、音楽的才能にすぐれ、15 歳でウィーン音楽院に入学。卒業後は歌劇場の指揮者として活躍し、1897 年にウィーン国立歌劇場監督、翌年ウィーン・フィルハーモニー管弦楽団指揮者などをつとめる。

1907 年、反ユダヤ主義からのがれてアメリカ合衆国にわたり、晩年はメトロポリタン歌劇場でも演奏した。

代表作は、11 の交響曲（第 10 番は未完）で、ほとんどに『巨人』や『復活』などの表題があり、合唱つきが多い。めずらしい楽器をふくむ大規模なオーケストラと複雑な楽章構成で、演奏は 1 時間をこえる。主旋律は、民謡の素朴なモチーフもとり入れ、劇的に変化するのが特徴。ほかに歌曲集『亡き子をしのぶ歌』『さすらう若人の歌』、カンタータ『嘆きの歌』などがある。

マーリー，ボブ 音楽

🌐 ボブ・マーリー　　　　　1945〜1981年

ジャマイカ音楽のレゲエを世界に広める

ジャマイカのレゲエ歌手。

カリブ海の島国ジャマイカの生まれ。本名はロバート・ネスタ・マーリー。14 歳で家を出て、首都キングストンのスラム街でくらし、1962 年ごろから音楽活動をはじめる。ボーカルグループのウェイラーズに参加して人気をあつめた。

1972 年、イギリスのレコード会社と契約し、アルバム『キャッチ・ア・ファイアー』で世界にデビュー。当時、ジャマイカ生まれの音楽であるレゲエが注目され、その代表的なミュージシャンとして国際的な人気を得た。アメリカ合衆国で大ヒットしたアルバム『ラスタマン・バイブレイション』などが有名。

社会への批判など主張の強い歌詞から、黒人社会の精神的リーダーともいわれた。労働者と農民から生まれた宗教思想をも

ち、独立したばかりのジャマイカの政治活動にも参加した。脳腫瘍のため36歳の若さで、アメリカのフロリダで死去。祖国ジャマイカでは国葬がとりおこなわれた。

マイヤー，ユリウス・ロベルト・フォン

学問　発明・発見

● ユリウス・ロベルト・フォン・マイヤー　1814〜1878年

エネルギー保存則を発見した物理学者

19世紀のドイツの物理学者。

北西部のハイルブロンに生まれる。テュービンゲン大学で医学を学んだ。1840年に船医として航海中、採血した船員の血液から、熱と運動の関係性についての着想を得る。翌年、これについて論文を執筆するが受理されず、大幅に修正した論文が1842年に雑誌『薬学および化学年報』に掲載されるが、注目されなかった。

その後、娘の死や周囲の無理解などから精神を病み、1850年、自殺をはかる。命はとりとめたが障害を負い、研究活動も中断した。しかし1850年代のなかば以降、ヘルムホルツやティンダルらの活動により、マイヤーの業績が広く知られ、1871年、ロイヤル・ソサエティ（ロンドン王立協会）から、科学分野で功績のあった者に贈られるコプリメダルを受けた。現在では、1842年の論文で熱の仕事当量をあつかったことからエネルギー保存則の発見者の一人として高く評価されている。

マイヨール，アリスティード

彫刻

● アリスティード・マイヨール　1861〜1944年

生命感あふれる女性像を制作した彫刻家

フランスの彫刻家。

南フランスに生まれる。1881年、画家をめざして国立美術学校を受験するが不合格となり、4年かかって、1885年にようやく入学をはたした。ゴーガンに影響を受け、彼を支持する若い画家グループと親交を深める。しかし、40歳を前に目をいためたことから、画家としての道をあきらめ、彫刻家に転身した。

古代ギリシャ彫刻の伝統を現代に生かした作風で、おおらかな生命に満ちあふれた女性像を数多くつくった。なめらかな表面とはっきりした形、調和のとれた大きさで表現している。1902年に最初の個展をひらき、ブロンズの裸婦像『レダ』がロダンから賞賛される。1905年、サロン・ドートンヌ展に『地中海』を出品し、ジッドなどの文化人からの支持を得て、現代彫刻家としての名声を確立した。ほかに『イル・ド・フランス』などの作品がある。

まえかわかずお

絵本・児童　漫画・アニメ

● 前川かずお　1937〜1993年

『ズッコケ三人組』のさし絵で愛された

▲前川かずお

昭和時代〜平成時代の漫画家、絵本作家、さし絵画家。

大阪市生まれ。本名、前川一夫。大阪市立工芸高等学校建築科を1年で中退後、林田けんじ、東大助の名で貸本漫画をえがいていたが、馬場のぼるをしたって上京した。少年誌、学習誌、新聞などにユーモアあふれる漫画をえがき、1960（昭和35）年には花登筐原作の『番頭はんとでっちどん』、1961年『崑ちゃん捕物帳』を連載し、ほのぼのとした明るい作風で人気作家となる。1965年、『パキちゃんとガン太』『マーちゃんミーちゃん』で第11回小学館漫画賞を受賞。後者は自身の双子の娘をモデルとしていた。1970年代からは主に絵本作家として活動し、1974年からやなせたかしや手塚治虫らと漫画絵本の原画展を開催。代表作に『くものぴかごろう』『おやこおばけ』などがある。1978年からは那須正幹作の『ズッコケ三人組』シリーズのさし絵を担当し、内容のおもしろさはもちろん、さし絵のユニークさでも広く愛された。シリーズ途中で病死したが、その後、さし絵は高橋信也がひきついでいる。

▲『ズッコケ三人組』の表紙
（ポプラ社）

まえがわさだごろう

郷土

● 前川定五郎　1832〜1917年

定五郎橋をかけた農民

（鈴鹿市教育委員会）

江戸時代後期〜明治時代の農民、社会事業家。

伊勢国鈴鹿郡甲斐村（現在の三重県鈴鹿市甲斐町）の農家に生まれた。村人は付近を流れる鈴鹿川を徒歩でわたっていたが、1896（明治29）年におきた洪水で川底が深くなり、老人やこどもはわたるのが困難になった。定五郎は小舟を買い入れ、無料で人々をわたした。

その後、舟ではこぶより、橋をわたすほうがよいと考え、村人たちから寄付をつのり、幅約 30cm、長さ約 120m の板橋をかけたが、大水で流された。翌年、私財を投じ、村人の寄付金で幅約 1m、長さ約 120m の橋が完成し、ウマなども通れるようになった。しかし、交通量がふえると、この橋でも不便になったため、鈴鹿郡の役人に橋のかけかえの必要をうったえた。その結果、1908 年に幅約 3m、全長約 250m の橋が完成し、定五郎橋とよばれた。現在、定五郎橋はコンクリートの橋にかわっている。

まえがわぶんたろう　　　郷土

● 前川文太郎　　　1808〜1882年

鳴門ワカメの製法を改良した農民

江戸時代後期〜明治時代の農民、ワカメ製造業者。

阿波国板野郡里浦（現在の徳島県鳴門市）の農家に生まれた。家は、農業のあいまに鳴門ワカメの製造、販売をしていた。そのころは採集したワカメを日干しにするだけだったので、梅雨時などは湿気を吸って色がかわり、貯蔵もできなかった。くふうを重ねた結果、灰をまぶしてほすと、梅雨時でも長持ちすることがわかった。しかし、灰がついたままのワカメは、見た目が悪く、売れなかった。1854 年、讃岐国（香川県）へ行商に行ったとき、売れのこったワカメを小川であらってほしたところ、思いがけず色つやや手ざわりのよいワカメができた。さらに研究し、灰ぼし、塩ぬき、あらい方やたばね方までくふうをこらし、長持ちするワカメをつくった。そうして「さらしワカメ」と名づけて売りだしたところ、たいへん好評だった。文太郎の製法でつくった鳴門ワカメは、県の特産品となった。

まえじまひそか　　　政治

● 前島密　　　1835〜1919年

日本近代郵便の父といわれる、1円切手の顔

▲前島密　　　（郵政博物館所蔵）

明治時代の官僚、実業家、政治家。

越後国（現在の新潟県）の豪農、上野助右衛門の次男として生まれ、幼いころの名は房五郎、通称は来輔。父が亡くなったあと、母方のおじである糸魚川藩の医師、相沢文仲の下で育った。10 歳で高田藩儒、倉石典太の塾に入り、12 歳で江戸（東京）に出て、苦労をしながら医学や蘭学、英語を学ぶ。ペリー来航に衝撃を受け、国防強化の必要性を痛感し、全国の砲台や港をまわって、砲術や機関学などを学び、その後箱館（函館）で航海術や測量術を、開成学校で英語も学んだ。

1866 年に幕臣の前島家の養子となり、あとをつぐ。明治維新後は新政府につかえ、いち早く東京遷都を大久保利通にすすめた。このころに、名前を密とあらためた。

民部省や大蔵省につとめて、郵便事業を提唱し、郵便制度の調査にイギリスにわたる。1871（明治 4）年に帰国後、駅逓頭となって、それまでの飛脚にかわる国営の郵便事業を創業して近代的郵便制度の確立に力をつくした。郵便切手の発行や郵便ポストの設置、全国均一料金などを実施し、その後、郵便為替事業、郵便貯金もはじめた。現在つかわれている「郵便」「切手」「はがき」という名前も、彼が考案したものである。また、飛脚屋には通運会社への転換をすすめて、日本通運株式会社の前身となる陸運元会社を設立するほか、日本郵船株式会社の前身の会社をおこして近代海運の発展にもつとめた。

1881 年に官僚をやめ、翌年、大隈重信が結党した立憲改進党に加わる。東京専門学校（現在の早稲田大学）の創立にも参画した。1887 年には校長となって経営の改善にあたり、その後も学校の発展につくした。同年、関西鉄道会社社長、翌年には 53 歳で逓信次官に任命されて電話交換事業の創始に貢献するなど、さまざまな事業を進めた。退官後は北越鉄道会社社長となり、直江津〜新潟間を開通、1902 年には男爵となり、その後、貴族院議員もつとめた。

晩年は、三浦半島の浄土宗寺院の浄楽寺の境内にあった如々山荘ですごし、84 歳で永眠。また、教育の普及のために漢字を廃止してひらがなにすべしとの、国字改良論者としても知られる。縁の下の力持ちになるという信条どおり、日本の近代化のために、多くの分野で功績をのこした。

▲ 1 円普通切手 前島密
（郵政博物館所蔵）

まえたいほう　　　郷土

● 前大峰　　　1890〜1977年

輪島塗の新技法を考案した工芸家

（石川県立工業高等学校）

明治時代〜昭和時代の工芸家。

石川県町野村（現在の輪島市）の農家に生まれた。17 歳のとき、沈金の名工といわれた橋本雪洲に入門した。

沈金とは、漆器（漆をぬった器）に、のみで絵をほり、金箔や金粉をうめて模様をえがく技法で、輪島塗（石川県輪島市

で生産されている漆器）によくつかわれている。

雪洲のもとで、のみのもち方から、沈金の技術までを熱心に学んで、1912（大正元）年、23歳のときに独立した。当時の沈金は主に線によって表現されていたが、立体感を表現するためにくふうをこらし、点彫りという新しい彫り方を考案し、沈金の表現を芸術にまで高めた。

1955（昭和30）年、国の重要無形文化財保持者（人間国宝）に認定された。

まえだげんい

● 前田玄以　　　　　　　　　　　　　1539〜1602年　[戦国時代]

織田家につかえたのち、豊臣政権の五奉行となる

（前田玄以［基勝］画像（法体）
／東京大学史料編纂所所蔵模写）

戦国時代〜安土桃山時代の武将。

美濃国（現在の岐阜県南部）に生まれる。名は宗向。若いころは孫十郎基勝と称し、のちに出家したとされる。

織田信長の命令で、当主の座をついだ信長の子、織田信忠につかえる。1582年の本能寺の変で信忠が自害すると、信忠の子である三法師（のちの織田秀信）を託され、京都から脱出して、尾張国（愛知県西部）の清洲に送り届けた。1583年からは、信長の次男である織田信雄のもとで京都奉行となり、民政や社寺の管理などに力をつくした。

豊臣秀吉に政権が移ったのちもそのまま政務を担当し、秀吉からあつく信頼される。1585年に丹波国（京都府中部・兵庫県東部）亀山城主となり、1588年には、後陽成天皇の聚楽第行幸をしきり、朝廷との交渉役としても活躍した。1598年、豊臣政権の五奉行の一人に任命される。1600年、関ヶ原の戦いでは石田三成側の西軍についたが、一方では東軍の徳川家康に内通していたとされ、戦後、家康から所領をゆるされている。

まえだせいそん

● 前田青邨　　　　　　　　　　　　　1885〜1977年　[絵画]

近代日本画の発展に大きく貢献した画家

大正時代〜昭和時代の日本画家。

岐阜県生まれ。本名は廉造。1901（明治34）年に上京し、尾崎紅葉の紹介で日本画家の梶田半古に入門した。同じ塾には2年先輩の小林古径がいた。1902年、日本絵画協会と日本美術院の連合共進会に出品した『金子家忠』が初入選した。出品に際して、半古から青邨の画名をもらう。1907年、安田靫彦、今村紫紅らの紅児会に入会した。

1912年、岡倉天心の助言を受けて制作した『神輿振』を

文部省美術展覧会（文展）に出品し、3等賞を受賞した。1914（大正3）年、再興日本美術院の第1回展に『竹取物語』『湯治場』を出品してみとめられ、同人におされる。

▲前田青邨

1922年、日本美術院の留学生として小林古径とともにヨーロッパにわたり、翌年には、ロンドンの大英博物館で古代中国の『女史箴図巻』を模写した。留学中、イタリアのアッシジでみた中世後期の画家ジョットの壁画に、日本画と共通するものを感じとり、日本画家として進む自信を得る。

帰国後は『羅馬使節』（1927年）、『罌粟』（1930年）など、桃山時代の障壁画（障子絵や屏風絵などの総称）や、大和絵を思わせる傑作を発表するとともに、『伊太利所見』（1925年）や『漢水の夕・漢江の朝霧』（1926年）などの水墨画を発表し、多彩な画風をみせた。1929（昭和4）年の第16回院展に出品した『洞窟の頼朝』が、翌年、第1回朝日賞を受賞した。1935年に帝国美術院会員、1944年に皇室に制作を奨励される帝室技芸員となる。

第二次世界大戦後は、1951年から1959年まで東京藝術大学教授をつとめ、後進を指導した。文化行政面でも、1950年に文化財保護委員会専門審議会委員となり、1967年に法隆寺金堂壁画再現模写事業、1973年には高松塚古墳壁画模写事業をそれぞれ監修、監督した。

▲模写された高松塚古墳壁画

作品の主題は、武者絵などの歴史画のほか、風景画、肖像画、花鳥画など、あらゆる分野におよび、再興日本美術院の中心人物として活躍した。1955年、文化勲章を受章した。

学 文化勲章受章者一覧

まえだつなのり

● 前田綱紀　　　　　　　　　　　　　1643〜1724年　[江戸時代]

約80年にわたって加賀藩をおさめ、最盛期を築いた

江戸時代前期〜中期の大名。

加賀藩（現在の石川県・富山県）の藩主、前田光高の嫡男として生まれる。幼名は犬千代。初名は綱利。

1645年、3歳で当主となり、加賀藩第5代藩主となる。はじめは祖父である前田利常が後見するが、1658年に利常が没し

たのちは、妻の父で江戸幕府の大老、保科正之の後見を得て、領地をおさめた。

家臣たちの職制や軍制などを整備し、新田開発を進め、利常がおこなった「改作法」という農政大改革のあとをついで、藩政改革を進める。

ききんの際には貯蓄米で対応し、生活にこまった人や病人を助けるための施設（非人小屋）をつくった。また、加賀象眼や蒔絵などの工芸産業の振興を助け、学問を推奨した。木下順庵、室鳩巣、稲生若水らの学者をまねいて和漢古典の収集、保存につとめ、『歴代叢書』『庶物類纂』などの刊行もおこなう。約80年にわたって加賀の発展につくし、名君として名をのこしている。

まえだとしいえ　戦国時代
● 前田利家　　1538〜1599年

織田・豊臣につかえ、加賀百万石の基礎をつくった

▲外濠公園の銅像
（写真提供：金沢市）

安土桃山時代の武将。

尾張国（現在の愛知県西部）の荒子城主である前田利春の次男として生まれる。幼名は犬千代、通称は孫四郎、または又左衛門。

幼いころより織田信長につかえ、1560年の桶狭間の戦いをはじめ、1570年の姉川の戦い、1575年の長篠の戦いなど、数々の戦いで活躍。長槍であばれまわったため、「槍の又左衛門」とよばれ、おそれられた。

1581年には能登国（石川県能登半島）の七尾城主となり、23万石を支配した。1582年の本能寺の変で信長が急死すると、翌年の賤ヶ岳の戦いでは、はじめは柴田勝家についたが、途中で豊臣秀吉につく。

柴田氏が滅亡すると加賀国（石川県南部）の2郡をあたえられ、金沢尾山城へ移る。その後も1584年の小牧・長久手の戦いや、1590年の小田原征伐、1592（文禄元）年の文禄の役などに参戦し、秀吉の天下統一を助けた。そののちは、五大老の一人として政権をささえ、秀吉の次男である豊臣秀頼の後見人となり、豊臣家につくした。

人望もあつく、加賀百万石の基礎をつくった。正室まつとのあいだに2男9女がいる。

まえだのぶえもん　郷土
● 前田伸右衛門　　1732〜1811年

大日村の水不足を解消した武士

江戸時代中期〜後期の武士。

肥前国塩田津（現在の佐賀県嬉野市）に生まれた。幼いこ

ろに父を亡くし、13歳のころから家業だった米の検査役としてはたらいた。やがて、経理や土木技術の才能をみこまれて佐賀藩（佐賀県）の支藩、蓮池藩（佐賀県神埼市）につかえた。領内にある大日村や納手村（佐賀県武雄市）を流れる潮見川は、水量が少ないうえ、塩分をふくんでいたため、農業用水に利用できなかった。

（大日区長古川正明氏蔵／武雄市教育委員会）

伸右衛門は、となりの武雄領（武雄市）の領地にある水の豊富な池ノ内溜池（池ノ内湖）に注目し、溜池の堤防を高くして、多くの水をため、村まで水をひく計画を立てた。

武雄領の家老（藩主を補佐して政治をおこなう役職）から許可を得て、1808年に堤防のかさ上げ工事に着手し、1年6か月後、堤防を完成させて、池ノ内溜池から大日村や納手村に水をひいて水不足を解消した。

まえだまさとし　郷土
● 前田正甫　　1649〜1706年

富山の薬売りの基礎を築いた大名

（富山市郷土博物館）

江戸時代前期の大名。

越中国富山藩（現在の富山県富山市）初代藩主前田利次の子として生まれた。1674年、26歳で藩主になり、新田の開発や、領内の産業をさかんにすることにつとめた。医薬品に関心があり、家臣に薬草を集めさせたり、みずから調合したりした。1690年、江戸城（東京）に登城したとき、ある大名が腹痛に苦しみだしたので、常備薬の「反魂丹」を飲ませたところ、たちまち回復した。これにより反魂丹の評判が高まったため、商人の松井屋源右衛門に反魂丹をつくらせ、全国に売り歩かせた。

源右衛門は、「用を先に利を後にせよ（先に利用してもらい、あとで利益を得よ）」という正甫の教えにしたがって、置き薬商法をはじめ、得意客をふやした。

これは得意客に薬をあずけて定期的にまわり、つかった分だけ代金を集め、未使用の薬は新しい薬におきかえる方法で、現在までつづいている富山の薬売りのはじまりといわれている。

まえだゆうぐれ

詩・歌・俳句

● 前田夕暮　　　　　　　　1883〜1951年

自然主義の歌人として活躍

明治時代〜昭和時代の歌人。

神奈川県生まれ。本名は洋造。1904（明治37）年に旧制中学校を中退後、上京して歌人尾上柴舟に師事する。1906年、短歌結社「白日社」を設立し、翌年『向日葵』を発刊した。1910年には最初の歌集『収穫』を発表した。また、翌年には雑誌『詩歌』を創刊し、没年まで主宰して多くの歌人を育てた。

自由な感情の表現をめざして浪漫主義をかかげる与謝野鉄幹らの『明星』に対抗して、若山牧水とともに自然のままの真実をえがく自然主義の歌人として活躍する。

1924（大正13）年には北原白秋らと『日光』を創刊して、随筆でも筆をふるった。

定型にこだわらない口語自由律短歌を提唱、歌集『水源地帯』などをのこす。

まえのりょうたく

医　学

● 前野良沢　　　　　　　　1723〜1803年

『解体新書』を翻訳した蘭学者、医者

（早稲田大学図書館）

江戸時代中期の蘭学者、医者。

幼いころに両親を亡くし、山城国淀藩（現在の京都府京都市）につかえる藩医のおじに育てられた。のちに豊前国中津藩（大分県中津市）藩医前野家の養子になり、江戸（東京）に出た。

40歳をすぎてから蘭学（西洋の知識や技術、文化を研究する学問）を志し、青木昆陽にオランダ語を学び、さらに1770年、長崎に遊学してオランダ通詞（通訳）から教えを受けた。

1771年、杉田玄白、中川淳庵とともに江戸の小塚原刑場でおこなわれた死刑囚の腑分け（解剖）に立ち会ったことをきっかけに、オランダ語の人体解剖書『ターヘル・アナトミア』の翻訳を決意した。築地鉄砲洲（東京都中央区）にある中津藩邸内の自宅で翻訳にとりくみ、1774年、杉田玄白らと『解体新書』を著した。

しかし、『解体新書』には良沢の名前はしるされなかった。その完成度に満足しなかった良沢が、名前をだすことを拒否したためといわれている。その後もオランダ語の研究にはげみ、蘭学者の大槻玄沢らを育てた。

まえはたひでこ

スポーツ

● 前畑秀子　　　　　　　　1914〜1995年

日本女性初の金メダリスト

昭和時代の水泳選手。

和歌山県生まれ。幼いころから水泳で好成績をあげる。高等小学校卒業後は、水泳をやめて家業をてつだうはずだったが、選手としての素質に期待した人々の後援を受け、名古屋市の椙山女学校（現在の椙山女学園）で水泳をつづけた。

1932（昭和7）年のロサンゼルスオリンピックでは200m平泳ぎで1位と0.1秒差の2位になる。そのくやしさを胸に、国民の大きな期待を背負って出場した1936年のベルリン・オリンピックでは、強敵ゲネンゲルと息づまる熱戦をくり広げて、ついに優勝し、日本女性として初の金メダルを獲得した。NHKラジオで実況中継した河西三省アナウンサーの「前畑がんばれ」の声援は、有名である。

1937年、結婚して兵藤姓となる。引退後は「ママさん水泳教室」をひらくなど水泳の普及に貢献した。1990（平成2）年に日本女子スポーツ界からはじめて文化功労者にえらばれた。

学 オリンピック日本代表選手 メダル受賞者一覧

まえばらいっせい

幕　末

● 前原一誠　　　　　　　　1834〜1876年

倒幕に活躍、新政府には萩の乱で対抗

（国立国会図書館）

幕末の志士、明治時代の政治家。

長州藩（現在の山口県）の藩士の子として生まれる。旧姓は佐世。名は八十郎、のちに彦太郎。1857年、吉田松陰の松下村塾に入り、のちに長崎で洋学を学んだ。1863年、八月十八日の政変で、京都を追われてきた三条実美ら7人の公家たちをむかえ、次いで四国連合艦隊との戦いに参加した。1864年、高杉晋作の挙兵に応じて藩内の保守派を追いだした。その後、藩の要職を歴任し、第2次長州征討で幕府軍と戦った。1868年の戊辰戦争では、軍の参謀となり長岡城の攻防戦に参加した。明治新政府では、参議（左大臣、右大臣に次ぐ官職）、兵部大輔（軍事をつかさどる役所の次官）などを歴任するが、政府の方針と合わず辞

任し、長州に帰った。1874（明治7）年、士族がおこした佐賀の乱の説得にあたったが、1876年、熊本で神風連の乱がおこると、これに応じて萩で挙兵。数日で幕府軍に鎮圧され、同志とともに処刑された。

マオツォトン

毛沢東 → 毛沢東

マカートニー，ジョージ 政治

ジョージ・マカートニー　　1737～1806年

清との国交樹立につとめた大使

イギリスの外交官。

アイルランドに生まれる。ロンドンで法律を学び、駐ロシア大使や下院議員などを歴任し、西インド諸島の植民地やインドのマドラス（現在のチェンナイ）の知事などをつとめた。中国の清との国交を樹立し自由な通商関係をむすぼうというイギリス政府の要望を受けて、1792年、清に派遣された。中国沿岸を北上し、航路の測量をしながら渤海湾に入り、北京を経由して、1793年、熱河（河北省承徳）で避暑中の第6代皇帝乾隆帝に謁見を求めた。

清は、3回ひざまずき、そのたびに3回、頭を地面にすりつける「三跪九叩頭の礼」をするよう要求した。ねばり強く折衝した末、ヨーロッパ風に片ひざをついて礼をすることになったが、寧波や天津などの開港、北京に駐在員をおくことなど、すべての要求は拒否された。帰りは陸路を通り広東に出て、その間の詳細な日記をのこした。

その後、南アフリカのケープ植民地の総督をつとめた。

マキアベリ，ニコロ 思想・哲学

ニコロ・マキアベリ　　1469～1527年

『君主論』を著したルネサンス期の政治思想家

ルネサンス期イタリア・フィレンツェの政治学者、外交官。

前半生は不明。1494年、権力をにぎっていたメディチ家が追放され、フィレンツェが共和政になると、1498年に第2書記局長に任命され、軍事・外交の担当としてフランス、神聖ローマ帝国、ローマなどに足をはこんだ。こうした活動の中で、金銭で雇用された傭兵隊が中心のイタリアの軍隊制度を批判するようになり、農民からなる新しい軍隊の創設につとめた。1512年、メディチ家がフィレンツェに復帰すると職を追われ、翌年、陰謀のうたがいで投獄される。その後、郊外で不遇な生活を送りながらも、軍事、政治論、劇作などの執筆活動をおこなった。

1513年ごろ書かれ、没後1532年に刊行された『君主論』の中で、「危機を目前にしては、君主は目的達成のために、ときには反道徳的手段をつかうことも必要である」と説いた。この考えはマキアベリズムとよばれ、目的達成のためには手段をえらばない権謀術数の代名詞となった。

まきいずみ 幕末

● 真木和泉　　1813～1864年

王政復古を行動でしめした

（水天宮提供）

幕末の神官、志士。

筑後国久留米藩（現在の福岡県久留米市）の水天宮の神官の家に生まれる。名は保臣、和泉は通称。11歳のときに父が亡くなり、家督をついだ。1844年、江戸（東京）に出て、水戸で会沢正志斎とまじわった。帰国後、尊王攘夷派（天皇をうやまい外国勢力を追いはらおうという考えの人々）の天保学連を結成。藩主の有馬頼永に建白書を提出し、藩政改革をくわだてるが、1852年、保守派により蟄居（外出を禁じ一室にとじこもること）を命じられた。その間に、「天皇が諸大名をひきいて江戸に攻めのぼり将軍を追いはらう」という王政復古をえがいた『大夢記』を執筆した。1863年、京都にのぼり、公家の三条実美に信任され、天皇が攘夷を祈願する大和行幸を画策したが、八月十八日の政変で京都から追放され、三条ら7人の公家とともに長州藩（山口県）にのがれた。1864年、浪士隊をひきいて長州藩士とともに京都にのぼり、幕府軍と戦った（禁門の変）が、やぶれて自害した。

まきのとみたろう 学問

● 牧野富太郎　　1862～1957年

1500種以上の新種を発見し、植物学の普及に尽力

（国立国会図書館）

明治時代～昭和時代の植物学者。

土佐国（現在の高知県）に生まれる。12歳で新制の小学校に入学、2年で課程を終えて退学したのちは、幼いころから興味をもっていた植物学を独学した。しだいに植物学の研究者とのかかわりを深め、1884（明治17）年から東京大学の植物学教室で学外者として研究活

動をゆるされた。1887年に『植物学雑誌』を創刊し、翌年には『日本植物志図篇』を刊行、新種の植物の発見や国際的な学名の命名などをおこなった。その後、東京帝国大学（現在の東京大学）の助手、講師などをつとめ、植物分類学の第一人者として活躍する。また、植物採集会の指導など、植物学の知識を一般に広めることに尽力した。『牧野日本植物図鑑』など多くの著作がある。

近代的な植物学の基礎を築いた功績により、日本学士院会員（1950年）、文化功労者（1951年）、東京都名誉都民（1953年）にえらばれ、1957（昭和32）年、没後に文化勲章が贈られた。

学 文化勲章受章者一覧

まきののぶあき

政治

● 牧野伸顕　　　　　　1861～1949年

昭和天皇の側近として信頼された政治家

（外務省外交資料館）

明治時代～昭和時代の外交官、政治家。

薩摩国（現在の鹿児島県西部）生まれ。大久保利通の次男として生まれたが、牧野家の養子となる。1871（明治4）年、11歳で実父や実兄とともに岩倉具視の遣欧使節団に同行し渡米、フィラデルフィアの中学にかよった。その後、外務省書記生としてロンドンでつとめているときに、伊藤博文にみとめられ、帰国後は県知事や文部次官、イタリアやオーストリアの公使などをつとめた。1906（明治39）年、第1次西園寺公望内閣で文部大臣となり、義務教育の年限の延長や、文部省美術展覧会の開催をした。その後、枢密顧問官、第2次西園寺内閣の農商務大臣、第1次山本権兵衛内閣の外務大臣などを歴任した。1919（大正8）年、第一次世界大戦後のパリ講和会議に次席全権大使として出席。その後は宮内大臣や内大臣に就任し、1935（昭和10）年まで昭和天皇の側近としてあつい信頼を得ていた。翌年、親英米派として二・二六事件で襲撃されるが、一命をとりとめた。

マクシミリアン，フェルディナンド

王族・皇族

● フェルディナンド・マクシミリアン　　1832～1867年

ハプスブルク家出身のメキシコ皇帝

メキシコの皇帝（在位1864～1867年）。

オーストリア・ハンガリー帝国皇帝フランツ・ヨーゼフ1世の弟として、ハプスブルク家に生まれる。オーストリア海軍司令長官となり、ベルギーの王女と結婚。1861年、フランスのナポレオン3世は、帝政復活を望むメキシコの保守派とむすび、メキシコに出兵。メキシコに帝国を築こうとするナポレオン3世のたのみを

受け、マクシミリアンはメキシコ皇帝となる。自由主義的で理想的な君主政治をめざすものの、メキシコの人々には受け入れられなかった。南北戦争後のアメリカ合衆国の反対で、ナポレオン3世はフランス軍を撤退させられたが、マクシミリアンは皇帝として残留。自由派のフアレスの勢力が広がると、1867年に処刑されて、ハプスブルク家の悲劇といわれた。

マクスウェル，ジェームズ

学問

● ジェームズ・マクスウェル　　1831～1879年

電磁気学の基礎を築いた物理学者

イギリスの物理学者。

スコットランドのエディンバラに、弁護士の子として生まれる。早くから学才をあらわし、1847年、16歳でエディンバラ大学に入学、のちにケンブリッジ大学で学ぶ。1856年にファラデーの提唱した磁気力線に関する論文を発表。気体の分子運動論や電磁気の研究をおこない、1864年、古典電磁気学の基礎方程式であるマクスウェルの方程式を発表、電気と磁気が一体となって伝わる電磁波という波が存在し、光はその一種であることを予言した。1871年にケンブリッジ大学で実験物理学の初代教授に就任。その後、キャベンディッシュ研究所設立に尽力して初代所長となるが、48歳の若さでがんにより亡くなった。

マクドナルド，ラムジー

政治

● ラムジー・マクドナルド　　1866～1937年

イギリス初の労働党の首相

イギリスの政治家。首相（在任1924年、1929～1935年）。

スコットランドに生まれる。ロンドンでジャーナリストなどをへて、1900年、労働代表委員会が成立すると書記長となった。1906年には委員会が労働党となり、下院議員となる。1911年、党首となるが、第一次世界大戦の参戦に反対し、その地位をしりぞいた。1922年に、下院にも党首にも復帰すると、2年後、イギリス史上初の労働党内閣を組織。首相と外務大臣をかね、フランスのルール撤兵などにかかわり、国際平和に貢献した。内政においても福祉政策などを実現したが、まもなく辞職。1929年にはふたたび首相となって、ロンドン海軍軍縮会議などを主宰した。世界恐慌による空前の財政難のなか、失業手当を削減し、党と対立して総辞職となる。その後ただちに自由党と挙国一致内閣を立ち上げ、労働党からは除名されたが、総選挙では内閣は圧倒的な支持を得た。その後、1931年のウェストミンスター憲章によるイギリス連邦の発足や、国際会議などでも活躍した。

学 主な国・地域の大統領・首相一覧

マクミラン，ハロルド

政治

ハロルド・マクミラン　　　　　　1894〜1986年

東西冷戦の緩和につとめた

イギリスの政治家。首相（在任 1957 〜 1963 年）。

大手出版社の経営者の家に生まれる。オックスフォード大学を卒業後、第一次世界大戦に従軍した。家業にたずさわったのち、1924 年に保守党下院議員になる。第二次世界大戦中は軍需供給省政務官、植民地省次官などに就任した。戦後は国防大臣、外務大臣、財務大臣などを歴任し、1957 年に首相となると、外交では、アメリカ合衆国と協力して東西冷戦の緩和に力をつくした。1959 年、アメリカ、イギリス、フランス、ソビエト連邦（ソ連）の 4 か国会議を実現し、イギリスの権威をしめした。一方、経済を拡大しようとヨーロッパ経済共同体への参加を交渉するが失敗。政府の力が落ちる中で、大臣のスキャンダルなどもあり、1963 年に辞職した。　　🎓 主な国・地域の大統領・首相一覧

マグリット，ルネ

絵画

ルネ・マグリット　　　　　　　　1898〜1967年

「イメージの魔術師」とよばれる画家

ベルギーの画家。

ベルギー西部に生まれる。10 歳ごろから絵をかきはじめる。1916 年から 2 年間、ブリュッセルの美術学校で学んだ。はじめは未来派やキュビスム（立体派）の影響を受けた作品をつくっていたが、1922 年にキリコの作品『愛の歌』をみて衝撃を受ける。1924 年、1927 年にパリで、文学者のアンドレ・ブルトンやポール・エリュアールらに協力して、1929 年シュールレアリスム（超現実主義）の正式メンバーとなった。

写実主義の画風を受けつぎながらも、独自の幻想的な絵画の世界をつくりだした。作品の多くに、たくさんの白い雲、すきとおったような青空が登場する。また、ことばとイメージの問題を追い求めたため、とまどいを感じさせるような題名がつけられた作品も多い。ポップアートや広告デザインにも大きな影響をあたえた。代表作に『大家族』『光の帝国』『アルンハイムの領土』『凌辱』などがある。

まごろくかねもと

工芸

孫六兼元　　　　　　　　　　　　生没年不詳

多くの武将が愛用した刀をつくった刀工の2代目

室町時代の刀工。

関の孫六とよばれ、同じく関の和泉守兼定とともに、関かじの代表格としてその名が伝わっている。美濃国（現在の岐阜県南部）の関は、備前国（岡山県南東部）の長船とならび、南北朝時代のころから日本を代表する刀剣の生産地となり、関かじとよばれる刀工を多く輩出した。

刀工としての兼元の名は代々受けつがれていたが、とくに室町時代後期、戦国時代の大永年間（1521 〜 1527 年）前後に活躍した 2 代目孫六兼元のことをさすのが通例となっている。刀の切れ味がすぐれ、切刃の名工として有名で、武田信玄、豊臣秀吉ら多くの武将が 2 代目兼元の刀を愛用していた。

「三本杉」とよばれる刃文（刀身部分の波模様）の形に特徴があり、鋭利さと実用性にすぐれていた。中でも戦国時代の武将、青木一重の刀は「青木兼元」とよばれ、孫六がつくった刀剣の最高傑作である。

▲兼元作「孫六の三本杉」の刃文
（関市観光協会提供）

マザー・テレサ

宗教

マザー・テレサ　　　　　　　　　1910〜1997年

貧しい人々のために生涯をささげた

インドで活動したカトリック修道女。

マケドニアのスコピエに生まれる。本名はアグネス・コンジャ・ボワージュ。両親とも敬虔なカトリック教徒。14 歳のころ、修道女になってインドに行きたいという希望をもち、18 歳で高校を卒業すると、アイルランドのロレット修道女会に入り、その後、インドにわたった。

ヒマラヤのふもとのダージリンにある修道会の学校や病院で修練をおこなった。2 年後、コルカタ（カルカッタ）のロレット修道会付属の聖マリア学院で歴史や地理を教え、シスター・テレサとよばれてしたわれた。第二次世界大戦がはじまると、町は貧しい人たちであふれ、さらにききんがおそい、飢えた人が路上で息をひきとる光景を目の当たりにした。1946 年、年に一度の黙想のため、ダージリンにむかう途中、神から「もっとも貧しい人々のためにつくしなさい」というお告げを受け、修道院を出てスラム街ではたらくことを決意した。

1948 年、インド国籍を取得。青い 3 本の線で縁取った白い木綿のサリー（インドの女性が着る民族衣装）をまとって、ただひとり修道院を出て、聖家族病院で看護の方法を学んだあと、スラム街で貧しい家庭のこどもたちに読み書きを教えた。やがて、女学校の教え子たちがいっしょにはたらくようになり、しだいにその数はふくらんでいった。1950 年に神の愛の宣教者会を創立。ローマ教皇ピオ 12 世から新しい修道会としてみとめられ、以後、「マザー・テレサ」とよばれた。

死にかけている人を看護する「死をまつ人の家」や、身寄りのない乳幼児の世話をする「孤児の家」、ハンセン病患者のための「平和の村」などを次々にひらいた。活動はベネズエラ、スリランカなど、インド国外にも広まり、1975年の創立25周年のときには、修道院の施設はインド国内に61、海外に27、修道女の数は1135人にのぼった。

1979年にノーベル平和賞を受賞。授賞式にサリーとサンダルという身なりで出席、「私個人はこの賞に値しませんが、世界中の貧しい人々にかわって、よろこんでお受けします」「晩さん会はいりません。そのお金を貧しい人たちのためにつかってください」とのべた。その後、日本にも3度おとずれ、歓迎を受けた。心臓発作のため87歳で、コルカタで亡くなった。2016年、ローマカトリック教会により、聖人に認定された。

学 ノーベル賞受賞者一覧

まさおかしき

● 正岡子規　　　　　　　　　　　　1867〜1902年

詩・歌・俳句

近代俳句や短歌の改革者

（日本近代文学館）

明治時代の俳人、歌人。伊予国松山藩（現在の愛媛県松山市）の藩士の家に生まれる。本名は常規。別号は獺祭書屋主人など。5歳のとき父を亡くし、母がぬい物を教えて一家の生計を立てた。

17歳のとき大学予備門（現在の東京大学教養学部）に入り、詩歌や俳句の創作をはじめる。夏目漱石、山田美妙らと知り合い、親交を深めた。このころはじめての喀血におそわれ、血をはくまで鳴くといわれるホトトギスにちなみ、俳号をその別名である「子規」と決めた。

1890年に、東京帝国大学（現在の東京大学）文科に入学する。翌年から俳諧の研究「俳句分類」に着手した。1892年、日刊『日本』紙で評論集『獺祭書屋俳話』の連載をはじめ、発行元の日本新聞社に入社する。大学は進級試験に失敗したことをきっかけに退学した。1894年、台東区根岸に子規庵をもうけ、そこで本格的な創作活動に入った。

1895年、日清戦争に従軍記者としておもむくが、帰国時に喀血して病が悪化した。帰京後、脊椎カリエスによりほとんど病床ですごす生活となる。しかし、俳句雑誌『ホトトギス』での俳句指導や、歌論集『歌よみに与ふる書』で短歌への革新的な考えを提唱するなど、亡くなる直前まで意欲的に活動し、近代俳句や短歌に大きな影響をあたえた。　学 切手の肖像になった人物一覧

まさきじんざぶろう

● 真崎甚三郎　　　　　　　　　　　1876〜1956年

政治

皇道派の中心人物

大正時代〜昭和時代の軍人。佐賀県生まれ。陸軍大学校在学中に日露戦争に従軍し、卒業後の第一次世界大戦中には、久留米俘虜収容所長をつとめた。その後は陸軍の幹部、軍の教育関係の仕事につく。1926（大正15）年、陸軍士官学校の校長となり、日本本来の精神を重視した教育をとなえ、高い評価を受ける。

1932（昭和7）年に参謀次長に就任したころから、政財界を排除して天皇親政をおこなおうとする皇道派の中心人物となり、政財界とむすんで国家建設をはかろうとする統制派と対立するようになる。

1934年、教育総監に就任すると、日本は天皇主権・中心の国家であるという国体明徴運動を推進して、天皇機関説を攻撃した。翌年、林銑十郎陸軍大臣により教育総監を罷免され、そのことが相沢事件、三月事件、十月事件のきっかけとなった。1936年の二・二六事件に関与した容疑で逮捕されるが、その後、無罪となる。第二次世界大戦後、A級戦犯容疑者となるが、極東国際軍事裁判（東京裁判）で不起訴となり釈放された。

まさきひろし

● 正木ひろし　　　　　　　　　　　1896〜1975年

政治

首なし事件を告発した、人道主義をつらぬいた弁護士

昭和時代の弁護士。東京生まれ。本名は昊。東京帝国大学（現在の東京大学）法学部在学中から英語教員として千葉県佐倉中学校、ついで長野県飯田中学校に勤務し、1923（大正12）年、卒業。1927（昭和2）年、弁護士事務所を開業した。

民事弁護士として成功をおさめるが、その生活にあきたらず、1937年、「みずからの公共心と社交性の満足」のため個人雑誌『近きより』を創刊した。東条英機首相をはげしく弾劾するなど、しだいに時局への痛烈な批判をもりこむようになり、たび重なる廃刊要請を無視して1949年10月の終刊まで月刊ペースで発行しつづけた。

1944 年、警察の取り調べ中の拷問による殺害事件を告発（首なし事件）。第二次世界大戦後は、食糧メーデーの際のプラカード事件の弁護団に加わって、反天皇制主義の姿勢を明らかにした。その後も三鷹事件、八海事件、菅生事件、丸正事件などの多くの冤罪事件の弁護を担当。一貫して人道主義の立場に立ち、権力悪と対決した。

まさむね 工芸

● 正宗　　　　　　　　　　　　　生没年不詳

豊臣秀吉の時代に高い評価を得た刀工

　鎌倉時代後期の刀工。
　岡崎正宗ともいう。相模国鎌倉（現在の神奈川県鎌倉市）出身。鎌倉幕府御用の刀工（刀剣を製作する人）だったと伝えられる。硬軟の鉄の地金を混合して、刀に浮きでる大きな模様（刃文）を特徴とした刀剣を製作し、のちの豊臣秀吉の時代に高い評価を得て有名になった。
　現在、国宝や重要文化財に十数点が指定されている。

▲ 『無銘正宗』（国宝）　　　（東京国立博物館 Image:TNM Image Archives）

まさむねはくちょう 文学

● 正宗白鳥　　　　　　　　　　1879〜1962年

虚無的な人生観がただよう独自な作風

（国立国会図書館）

　明治時代〜昭和時代の小説家、劇作家、評論家。
　岡山県生まれ。本名は忠夫。東京専門学校（現在の早稲田大学）文学科卒業。生家は大地主で、幼いころは病気がちで、生への不安と恐怖からキリスト教に関心をもつ。後年の虚無的な人生観や小説の作風もこの体験によるといわれる。キリスト教の夏期学校で内村鑑三に学び、19 歳で洗礼を受ける。
　島村抱月の指導で評論を書きはじめ、卒業後は大学の出版部から新聞社に入社し、演劇や文芸の評論を書く。小説では、1904（明治 37）年に最初の小説『寂寞』、1907 年に短篇集『紅塵』をだし、翌年『早稲田文学』に連載した『何処へ』によって作家としてみとめられた。あらゆる美化をさけて自然のままの真実をえがく自然主義の作家として知られ、多くの小説や戯曲を書いた。

昭和時代には評論に力をそそいだ。小林秀雄との思想と実生活をめぐる論争は有名。ほかに『泥人形』『死者生者』などの小説や、評論『自然主義盛衰史』などがある。1950（昭和 25）年に文化勲章受章。
学 文化勲章受章者一覧

マザラン，ジュール 政治

● ジュール・マザラン　　　　1602〜1661年

ルイ14世の宰相として絶対王政の基礎をかためた

　フランスの政治家。
　イタリア中部のペシナに生まれる。1623 年に教皇庁の軍隊の隊長となるが、教皇ウルバヌス 8 世から外交手腕をみとめられ、1634 年、大使としてパリに派遣された。そこで枢機卿リシュリューの信頼を得て、1641 年、枢機卿になった。
　1643 年に国王ルイ 13 世が亡くなり、ルイ 14 世が 4 歳 8 か月で即位すると、摂政となった王母アンヌ・ドートリッシュの信任を得て宰相となる。王権の強化や増税を進めるマザランに対して、1648 年、パリの高等法院を中心に貴族が反乱（フロンドの乱）をおこすと、ルイ 14 世の家族とともに一時パリをのがれた。やがて貴族の抵抗がおさまると、1653 年、パリにもどり、ふたたび実権を手にした。
　外交ではドイツの三十年戦争を終わらせて、ドイツ国境のアルザス地方を獲得するなど、領土を拡大した。さらにルイ 14 世とスペインの王女マリア・テレサとの結婚を実現させ、フランス絶対王政の基礎がためにつとめた。

ましたながもり 戦国時代

● 増田長盛　　　　　　　　　　1545〜1615年

太閤検地もおこなった、豊臣家の五奉行の一人

（国会国会図書館）

　戦国時代〜江戸時代前期の武将。
　尾張国（現在の愛知県西部）に生まれる。通称は仁右衛門。
　28 歳のころから羽柴秀吉（のちの豊臣秀吉）につかえ、1584 年の小牧・長久手の戦い、1590 年の小田原征伐、1592 年からの朝鮮出兵（文禄・慶長の役）などで戦功をあげる。また、京都鴨川に三条大橋をかけ、長束正家らとともに諸国の検地（太閤検地）を実施するなど、行政でも活躍した。1595 年、大和国（奈良県）に 20 万石をあたえられ、郡山城主となる。1598 年には、豊臣氏五奉行の一人となり、秀吉のあとつぎである豊臣秀頼の補佐にあたった。
　1600 年の関ヶ原の戦いでは、石田三成方の西軍につくが、参戦はせず、大坂（阪）城の留守を守る。一方では保身のた

め東軍の徳川家康に大坂城内のようすを伝えていたが、戦後、家康からはゆるされず、領地を没収され、高野山に追放となる。のちに武蔵国（埼玉県・東京都・神奈川県東部）岩槻に追放され、大坂夏の陣で子の盛次が豊臣方の大坂城に入ったことを責められ自害させられた。

ますいみつこ 　学問

● 増井光子 　　　　　　　　　　1937〜2010年

日本の女性獣医師、動物園長の草分け

昭和時代〜平成時代の獣医師。

大阪府で生まれる。幼少のころから生き物に関心をもち、動物画家にあこがれ、小学生のとき、獣医師になることを決意。1959（昭和34）年、麻布獣医科大学（現在の麻布大学）を卒業し、恩賜上野動物園に勤務した。

1985年には日本初のジャイアントパンダの人工繁殖チームに参加し成功。その後、井の頭自然文化園園長、多摩動物公園園長、恩賜上野動物園園長および日本動物園水族館協会会長などを歴任する。1999（平成11）年には、よこはま動物園ズーラシアの初代園長となる。また、兵庫県立コウノトリの郷公園園長（非常勤）もつとめ、コウノトリの野生復帰にとりくむなど多方面に活動。一方、動物の本の著者としても知られ、『動物と話す本』『動物の親は子をどう育てるか』などの著書もある。

学生時代から親しんだ馬術競技でも活躍し、2006年にはウマのスピードと耐久力を試すエンデュランス競技で、世界馬術選手権の日本代表になる。

しかし、イギリスで参加した馬術大会の競技中に落馬、73歳で亡くなった。

ますかわとしひで 　学問

● 益川敏英 　　　　　　　　　　1940年〜

「小林・益川理論」でノーベル賞を受賞した物理学者

理論物理学者。

愛知県で家具製造業をいとなむ家に生まれる。名古屋大学理学部を卒業後、同大学大学院に進み学位を取得。同大学の助手などをへて、1970（昭和45）年、京都大学理学部の助手となる。

1973年、名古屋大学の後輩にあたる小林誠と共同で、素粒子物理学における「小林・益川理論」を発表。クォーク（陽子、中性子などを構成する素粒子）が3世代6種類以上あることを

予言した。1995（平成7）年、6種類目のクォークがアメリカ合衆国で確認されたことにより、2008年、ノーベル物理学賞を受賞。その後、名古屋大学特別教授、素粒子宇宙起源研究機構長となり、2010年に日本学士院会員に選出される。

名古屋市科学館名誉館長もつとめ、一般向けの科学普及書も数多く執筆している。

学 ノーベル賞受賞者一覧 　学 文化勲章受章者一覧

ますだこうぞう 　伝統芸能

● 升田幸三 　　　　　　　　　　1918〜1991年

「新手一生」の名言をのこした棋士

昭和時代の将棋棋士。

広島県生まれ。14歳のときに日本一の将棋さしをめざして、木見金治郎八段に入門した。1934（昭和9）年に初段となり、1948年、名人戦挑戦者決定戦で終生のライバルとなる弟弟子・大山康晴と戦い、敗退したが、激闘ぶりが語りつがれた。1951年に名人木村義雄をやぶり、王将位を獲得する。1956年に九段戦、1957年に名人戦を制覇し、初の三冠王となる。大山・升田の名人戦は、歴代最多の9回の名勝負をくり広げ、一つの時代を築いた。

魅せる将棋をつらぬき、定跡にとらわれない新手を数多くだし、「新手一生」の名言をのこした。

1979年、順位戦A級在籍のまま現役を引退した。名人・A級に連続31期在籍し、歴代3位だった。生涯成績は、544勝376敗で、A級での勝率0.724（139勝53敗1持将棋）は、2015（平成27）年現在でも歴代A級棋士の中の最高勝率である。1973年、紫綬褒章を受章した。1988年に実力制第4代名人の称号がさずけられた。

ますだしんぞう 　郷土

● 桝田新蔵 　　　　　　　　　　1817〜1904年

北条砂丘を開発した農民

江戸時代後期〜明治時代の農民、開拓者。

伯耆国八橋郡東園村（現在の鳥取県北栄町）の庄屋（村の長）の家に生まれ、久米郡江北村（北栄町）の祖母の家の養子となった。1836年、この地方で大ききんがおこり、農民に餓死者が出た。新蔵は、村の付近を流れる天神川の河口に広がる北条砂丘の砂山をくずして、水路を通し、海岸付近の土地を開拓して、田畑をふやそうと計画した。1856年、鳥取藩（鳥

取県）に工事の許可を願いでた。

藩からは工事費の負担を条件に許可がおり、1858 年から工事にかかった。

天神川中流にひかれていた北条用水から分水し、約 8km の用水路をひいたが、北条用水の下流では水不足になった。問題を解決するには、天神川から直接水をひかなければならないが、資金がつきた。

藩に開発をひきついでもらい、1861 年、新蔵一家は開拓地に移住した。翌年、21 戸の農家が加わり、新しい集落、西新田が生まれ、北条砂丘の耕地化が進められた。

ますだときさだ

益田時貞 → 天草四郎

ますとみまたざえもん　　　　郷土

● 益富又左衛門　　　　生没年不詳

クジラ漁の利益で新田を開発した漁民

▲鯨漁のようす（『勇魚取繪詞』より）
（国立国会図書館）

江戸時代中期の漁民。

肥前国平戸（現在の長崎県平戸市）に生まれた。1725 年、生月島（長崎県平戸市）でクジラ漁をおこなう組織、鯨組をつくってクジラ漁をはじめた。

最初はもりでつく突取り法をおこなっていたが、捕獲数は少なかった。やがて、網の中にクジラを追いこんでもりでつく「網取り法」に漁法をかえて、捕獲数をふやし、1736 年には 51 頭を捕獲するまでになった。その後、漁場を広げて、五島列島、壱岐島などでクジラ漁をおこない、従業員 3000 人、持ち船 200 隻以上を数えた。

クジラ漁で得たばく大な富で堤防を築き、新田を開発したので、平戸藩（長崎県平戸市）の藩主から益富の姓をあたえられ、藩士にとりたてられた。

ますながござえもん　　　　郷土

● 増永五左衛門　　　　1871〜1938年

福井県の眼鏡産業の父

明治時代〜昭和時代の実業家。

越前国麻生津村（現在の福井市）の裕福な農家に生まれた。貧しい村人の暮らしをよくしたいと思った五左衛門は、村に農業以外で収入が得られる産業を定着させようと、福井県ではじめて、眼鏡枠（フレーム）づくりをはじめた。

1905（明治 38）年、眼鏡づくりがさかんだった大阪から職人をまねき、村人に眼鏡枠の製造技術を習わせた。その後も技術の向上につとめて、1911 年、国内の博覧会で有効一等賞金杯を受章した。

やがて、五左衛門のもとで技術を習得した職人たちが独立して開業し、村をはじめ、鯖江市など福井県内に眼鏡枠の工場がつくられた。

（増永眼鏡株式会社）

福井県の眼鏡産業の基礎を築いた五左衛門は「眼鏡産業の父」とよばれている。

マスネー，ジュール　　　　音楽

🌐 ジュール・マスネー　　　　1842〜1912年

近代フランス・オペラの名作を作曲

フランスの作曲家。

モントー生まれ。9 歳でパリ音楽院に入学する。1862 年、芸術を学ぶ学生の登竜門だったローマ賞を受賞し、3 年間ローマへ留学した。帰国後、オペラ、宗教曲、歌曲などを次々に発表し、人気を集めた。1878 年からは、パリ音楽院で指導者として後進の指導にあたる。

代表作に、オペラの名作『マノン』『ウェルテル』などがある。『タイス』の第 2 幕の間奏曲『タイスの瞑想曲』は、名曲としてバイオリンなどの単独で演奏されることが多い。作風は、あまく美しいメロディーが特徴で、フランス語の語りのような歌曲に独自の領域を切りひらいた。

マズロー，エイブラハム　　　　学問

🌐 エイブラハム・マズロー　　　　1908〜1970年

人間の欲求を5段階に分けて理論化した心理学者

アメリカ合衆国の心理学者。

ニューヨークで、ユダヤ系ロシア人移民の子として生まれる。1928 年ウィスコンシン大学入学、のちに心理学の博士号を取得した。

ブルックリン大学をへて、1951 年、ブランダイス大学教授となる。人間の欲求を 5 段階に分け、下位の欲求が満たされると、さらにその上の欲求を満たそうとする「欲求段階説」を発表。また、従来の心理学は動物の行動や精神疾患の解明に重点をおいていたが、健康な人間の生き方について研究することの重要性を主張。

自己実現や創造性、至高体験など人間的な研究に道をひらいた。1967 年、アメリカ心理学会会長に就任。主な著書に『人間性の心理学』『可能性の心理学』などがある。

マゼラン，フェルディナンド

探検・開拓

🌐 フェルディナンド・マゼラン　　1480?〜1521年

はじめて世界一周の航海へ

ポルトガルの航海者、軍人。

ポルトガル語ではマガリャンイス。ポルトガルの下級貴族出身。インドへの航海などで航海技術を学ぶ。すぐれた船乗りで、見習い士官から船長になった。国王に西まわり航路を提案したが却下され、ポルトガルを去る。

スペインのカルロス1世（カール5世）の支援を受け、1519年に西まわり航路で、香料が産出されるモルッカ諸島（インドネシア）へむかって、5隻の船で出航。途中、スペイン人乗組員の反乱で2隻の船を失ったが、1520年11月には南アメリカ南端部とティエラ・デル・フエゴ島を分ける海峡（マゼラン海峡）を発見し、太平洋へ出た。太平洋を横断し、1521年3月にはグアム島をへてフィリピン諸島につくが、先住民とあらそって殺された。

マゼランの死後、のこった乗組員はモルッカ諸島で香料を手に入れ、翌年9月に帰国。約3年の大航海は、食料不足や病気、悪天候に苦しめられ、帰国できたのは1隻と、わずか18人の乗組員だけだった。最初の世界一周航海であった。

まついいわね

政治

🔴 松井石根　　1878〜1948年

南京攻略の指揮官

明治時代〜昭和時代の軍人。愛知県生まれ。陸軍大学校在学中に日露戦争に従軍、卒業後は陸軍参謀本部に配属され、1907（明治40）年、みずから志願して、中国の清に赴任する。辛亥革命では孫文を支援し、後継者の蔣介石による国民革命（中国統一）も支援するかわりに、日本の満州（中国東北部）における地位と特殊権益をみとめさせようとしていた。しかし1928（昭和3）年、張作霖爆殺事件がおきて、1931年に満州事変が勃発、満州国が建国されたため、蔣介石からの信頼は失われ、日中関係は悪化する。

1937年、日中戦争がはじまると、予備役から復帰して、上海派遣軍司令官として参戦した。上海に上陸後、南京を攻略して占領したが、軍の統制がとれずに、南京大虐殺といわれる民間人殺害事件をまねいたとされる。独自の和平交渉も決裂し、1938年、更迭され帰国。引退して、日中双方の犠牲者をとむらっていたが、第二次世界大戦後、極東国際軍事裁判（東京裁判）で南京大虐殺の責任を問われ、A級戦犯として処刑された。

まついごろべえ

郷土

🔴 松井五郎兵衛　　1570〜1657年

松井用水をつくった武士

安土桃山時代〜江戸時代前期の武士。日向国飫肥藩（現在の宮崎県日南市）の藩士。名は儀長で、五郎兵衛は通称。領内の清武郷（宮崎市）は水の便が悪く、農民たちは毎年のように干害に苦しんでいた。

これを知った五郎兵衛は、清武郷の水不足を解消するため、藩から資金を借りて、清武川（宮崎市を流れ日向灘にそそぐ川）の水をひく計画を立てた。しかし、工事がむずかしいとされたため、許可を得ることができなかった。

五郎兵衛は工事が失敗した場合は、責任をとって切腹すると断言した。五郎兵衛の熱意に動かされた藩が許可したので1639年、70歳で工事をはじめた。翌年の1640年、全長11kmの用水が完成し、松井用水とよばれ、農民たちは干害から救われ、445haの水田がひらかれた。

まついすまこ

映画・演劇

🔴 松井須磨子　　1886〜1919年

多くの主演で人気を博した新劇の女優

（国立国会図書館）

明治時代〜大正時代の俳優。

長野県生まれ。本名、小林正子。父の死後、姉をたよって上京、戸板裁縫学校へ入学する。離婚を経験したのち、1908（明治41）年に同郷の前沢誠助と再婚する。翌年、坪内逍遙の文芸協会演劇研究所の第1期生となり、演劇に専念するためふたたび離婚した。

1911年、帝国劇場での文芸協会第1回公演『ハムレット』のオフィーリア役や、次いで演じた『人形の家』のノラが大反響となり、彼女の名声を決定的なものにした。1913（大正2）年、恋愛事件で文芸協会の幹事を除名された島村抱月とともに芸術座を結成、以後数年間は『モンナ・バンナ』『サロメ』『カルメン』『闇の力』などに主演した。とくに1914年の帝劇公演『復活』のカチューシャ役は、劇中で歌った主題歌『カチューシャの唄』とともに人気を博し、

新劇の大衆化への道をつくった。抱月がスペインかぜで急逝した2か月後、芸術倶楽部の舞台裏で、あとを追って自殺。32歳の若さだった。著書に『牡丹刷毛』がある。

まついどうちん　郷土

● 松井道珍　生没年不詳

奈良で高品質の墨づくりをはじめた墨工

戦国時代〜江戸時代前期の商工業者。

大和国大和十市城（現在の奈良県橿原市）の城主中原遠忠につかえていたが、遠忠の死後、奈良に移り住み、16世紀後半に墨づくりをはじめたといわれている。墨は7世紀に中国から伝えられ、宮中や寺社でつかわれていた。道珍のころ、日本の墨はマツの木を燃やし、そのすすを原料としてつくる「松煙墨」だったが、中国（明）では植物油のすすからつくる「油煙墨」がつくられていた。輸入された油煙墨は貴重なもので、日本では興福寺（奈良市）が製造していた。道珍は、興福寺の墨づくりを学び、墨の製法について書かれた文献を研究して、高品質の油煙墨づくりに成功した。1603年、朝廷にこの墨を献上し、「土佐掾」という名誉官職をあたえられた。

その後、代々の子孫は「古梅園」という名で、油煙墨を改良、製造、販売して、奈良墨の評価を高めた。現在、日本で生産される墨の約9割は奈良で製造されている。

まついひでき　スポーツ

● 松井秀喜　1974年〜

日米で活躍したプロ野球の強打者

プロ野球選手。

石川県生まれ。小学5年から野球を本格的にはじめた。星稜高校では1年から4番打者をつとめた。甲子園に4回出場して大活躍し、「20年に一人の怪物」といわれた。

1993（平成5）年にドラフト1位で読売ジャイアンツに入団し、長嶋茂雄監督の下、ジャイアンツの4番打者として日本のプロ野球を代表する強打者に成長していった。1998年、2000年、2002年には本塁打王と打点王の2冠を達成、2001年には首位打者のタイトルを獲得した。豪快なバッティングとその容姿から「ゴジラ」の愛称で親しまれた。

2003年にメジャーリーグのニューヨーク・ヤンキースへ移籍し、数々の故障に苦しみながらも中心選手として活躍した。2009年のワールドシリーズでは、ヤンキースの優勝に貢献し、MVP（最優秀選手）にえらばれた。2012年に現役を引退し、翌

2013年、恩師である長嶋茂雄とともに国民栄誉賞を受賞した。

学 国民栄誉賞受賞者一覧

まつうらたけしろう　探検・開拓

● 松浦武四郎　1818〜1888年

北海道の名づけ親

江戸時代後期の探検家。

伊勢国須川村（現在の三重県松阪市）に生まれ、1833年、16歳のころから日本各地をめぐった。1845年に蝦夷地（北海道）へわたり、樺太、千島列島の国後島、択捉島を探検して『蝦夷日誌』などを著した。その実績が幕府の目にとまり、1855年、蝦夷地御用掛に任命されて蝦夷地を調査し、『東西蝦夷山川地理取調日誌』『東西蝦夷山川地理取調図』などを完成させた。しかし、松前藩（北海道南部）や商人によるアイヌ民族への過酷なあつかいの記録がとり上げられず、出版もゆるされなかったため、1859年、辞職した。1869（明治2）年、明治政府が設置した開拓使（北海道の開発・経営をおこなう行政機関）の開拓判官に任じられ、北海道の名づけ親になったが、新政府のアイヌ政策に反発して辞任した。探検家以外でも、作家、画家、古物収集家としても知られる。

まつおかえいきゅう　絵画

● 松岡映丘　1881〜1938年

大和絵の復興につとめた日本画家

大正時代〜昭和時代の日本画家。

兵庫県生まれ。本名は輝夫。民俗学者の柳田国男の弟。幼いころから絵に親しみ、はじめ狩野派の橋本雅邦に入門したが、のちに大和絵を志し、土佐派の山名貫義に入門する。1904（明治37）年、東京美術学校（現在の東京藝術大学）を首席で卒業した。高等女学校などの教師をつとめたあと、1908年に母校の助教授となり、1918（大正7）年から1935（昭和10）年まで教授をつとめる。

1914年に文部省美術展覧会（文展）に出品した『夏立つ浦』は、大和絵による風景画という新分野をひらき、注目された。1916年、結城素明、平福百穂らと絵画グループの金鈴社を結成。1919年の第1回帝国美術院展覧会（帝展）から審査員をつとめる。1921年に新興大和絵会、1935年には国画院を創立し、大和絵の復興による日本画の革新につとめた。1937年に帝国芸術院会員になる。代表作に『室君』『千草の丘』『右大臣実朝』などがある。

まつおかようすけ

政治

● 松岡洋右　　　　　　1880〜1946年

日独伊三国同盟を締結した外務大臣

（国立国会図書館）

明治時代〜昭和時代の外交官、政治家。

山口県に生まれる。家は何代もつづく廻船問屋であったが、11歳のときに倒産。1893（明治26）年に13歳でアメリカ合衆国へわたった。寄宿しながら小学校にかよいはじめ、最後には苦労してオレゴン州立大学を卒業した。

帰国後の1904年に外務省に入り、外交官として、中国、ロシア、アメリカなどに勤務。1918（大正7）年、日本がロシア革命に干渉したシベリア出兵の際には、内閣総理大臣の寺内正毅と外務大臣の後藤新平の秘書官をつとめていた。1921年に外務省をやめ、日本の満州（中国東北部）への進出の足がかりである南満州鉄道（満鉄）の理事となる。1927年の田中義一内閣のときには副総裁に任命された。満州と内蒙古を中国と切りはなして日本の支配下におくという満蒙分離政策を支持して計画を進めていたが、内閣がたおれたため実現しなかった。

1930（昭和5）年、立憲政友会から衆議院議員選に出馬して当選。幣原喜重郎外務大臣のヨーロッパやアメリカとの協調外交を批判した。満州国建設のきっかけとなった満州事変後の1933年に、首席全権としてジュネーブでの国際連盟総会に出席し、1時間以上にわたる演説をおこなった。しかし、満州事変は日本軍の自衛行為ではなく、満州国も中国人によって自発的に成立されたものではないとするリットン調査団の報告が採択されたために、それに抗議して退場、日本の国際連盟脱退につながった。

1935年に満鉄にもどり総裁に就任すると、軍部とむすんで華北の侵略を進めた。

1940年、第2次近衛文麿内閣の外務大臣となる。政府は、前年におきた第二次世界大戦に介入しない方針をとり、イギリスやアメリカとの関係を改善しようとしていたが、陸軍は南方進出のためにドイツ側につこうとしていた。松岡も大東亜共栄圏をとなえ、日独伊三国同盟を締結。これによって、アメリカとの対立が決定的なものとなった。翌年には日独伊三国同盟にソビエト連邦を加えようと、日ソ中立条約を締結した。

戦後A級戦犯に指名されたが、極東国際軍事裁判（東京裁判）中に病死した。

語学と弁舌にすぐれ、国際連盟での演説は当時の国民に好意的に受けとめられたが、その外交の結果は、日本を国際的に孤立させていった。

まつおかよしただ

郷土

● 松岡好忠　　　　　　1612〜1694年

松岡堰を築いた武士

江戸時代前期の武士。

陸奥国盛岡藩（現在の岩手県中北部、青森県東部）の藩士。水がとぼしく、作物が育たない和賀川北方の台地に用水をひいて、新田を開発しようと計画した。1668年、堅川目村猿田から黒沢尻（ともに岩手県北上市）にいたる延長約20kmの松岡堰（水量を調節する施設、この場合は用水路）を完成し、345haの新田を開発した。新田からは3800石あまりの米が収穫できたので、村の人々から尊敬されたという。藩主からの信頼もあつく、この功績により、200石をあたえられた。

まつおたせこ

幕末

● 松尾多勢子　　　　　1811〜1894年

尊皇攘夷の志士を助けた女性運動家

（国立国会図書館）

幕末の志士。

多勢ともいう。信濃国伊那郡山本村（現在の長野県飯田市）の豪農竹村家に生まれる。12歳のとき、歌人の北原因信の下で読み書きや和歌を学んだ。19歳のとき、供野村（長野県豊丘村）の名主で製糸業をいとなんでいた松尾佐治右衛門と結婚。4男3女を育てるかたわら、国学者平田篤胤門下の岩崎長世に国学や歌道を学んだ。1862年、52歳のとき、京都にのぼり、和歌を通して尊皇攘夷派（天皇をうやまい外国勢力を追いはらおうという考え）の志士や公家の岩倉具視らと親交をむすんだ。1863年、京都の等持院にあった足利将軍3代の木像が賀茂川の河原にさらされる事件に関与して、長州藩（山口県）の藩邸にのがれた。

その後、帰郷し、1864年、水戸藩（茨城県中部と北部）の尊王攘夷派である天狗党が通過する際の手助けをした。1868年、ふたたび京都にのぼり、岩倉家の「女参事」として家事全般をとりしきった。晩年は故郷で農業をしてくらした。

まつおばしょう

松尾芭蕉 → 76ページ

マッカーサー，ダグラス

政治

● ダグラス・マッカーサー　　　　1880〜1964年

戦後日本の民主化改革を指揮

アメリカ合衆国の軍人、日本占領時の連合国軍最高司令官。

アーカンソー州生まれ。父親は南北戦争の英雄アーサー・マッカーサー・ジュニア。父親が軍人であったため、幼少期は各地の兵営ですごす。ウェストポイント陸軍士官学校を首席で卒業。父親が当時アメリカの統治下にあったフィリピンと深いかかわりが

あったことから、フィリピンで勤務したのち、日露戦争視察のため、1905（明治38）年、来日した。第一次世界大戦では自分が創案した「レインボー（虹）」師団の参謀長として、多くの功績をのこした。

その後、ウェストポイント陸軍士官学校の校長をつとめ、1930年には、史上最年少の50歳で陸軍参謀総長に就任。1935年、友人であるフィリピン自治政府初代大統領ケソンにまねかれ、フィリピン国民軍の創設にあたる。

1941年、太平洋戦争開戦時のアメリカ極東陸軍司令官としてフィリピンで日本軍と戦ったが、マニラを占領され、その後、バターン半島での抵抗をへて、1942年、オーストラリアに撤退した。同年、連合国軍南西太平洋軍司令官となり、1944年、対日反攻作戦を指揮、「アイ・シャル・リターン（私はもどる）」の宣言どおり、フィリピンをうばい返した。

1945（昭和20）年8月15日の日本敗戦とともに連合国軍最高司令官となり、8月30日、厚木基地に到着。東京・日比谷におかれた連合国軍最高司令官総司令部（GHQ）から、日本の非軍事化、民主化改革を指揮した。国民主権や平和主義などをうたった日本国憲法の制定（マッカーサー草案）、農地改革、財閥解体、教育改革、女性解放などを占領軍の力を背景に進めた。しかし、冷戦がはげしくなると、反ソ反共の立場から改革に歯止めをかけた。

1950年、アメリカの影響下にある大韓民国（韓国）に対して朝鮮民主主義人民共和国（北朝鮮）軍が侵攻し朝鮮戦争がおこると、国連軍最高司令官をかねて作戦の指揮にあたった。仁川奇襲上陸を成功させたが、トルーマン大統領の政策に反対して中国本土爆撃など強硬策を主張したため、1951年に解任された。解任後、議会で「老兵は死なず、ただ消え去るのみ」と演説し、大統領選挙の出馬を模索して全国をまわったが、支持を得られず断念。1964年、84歳で死去した。

強烈な個性をもった誇り高い軍人で、終戦直後の日本では絶対的統治者である一方、日本国民から絶大な人気があった。

マッカーシー，ジョゼフ

政治

● ジョゼフ・マッカーシー　　　　1908〜1957年

「赤狩り」を主導

アメリカ合衆国の政治家。

ウィスコンシン州出身。第二次世界大戦後、共和党から立候補し、1947年、上院議員となる。1950年に「国務省の官僚に多くの共産主義者がいる」と演説。根拠はなかったが、戦後の国際的な共産勢力拡大の中で、国民の不安をあおり、自身を反共産主義者の英雄にしたて上げた。1953年、共産主義活動調査委員長として共産主義者とその同調者に対するはげしい攻撃や中傷をする「赤狩り」をおこなった。これにより多くの良心的、進歩的な政治家、作家、芸術家らが社会的に追放された。しかし、1954年、陸軍に矛先をむけると、中傷と虚偽の告発が国民の反感を買い、アイゼンハワー政権とも対立。上院で批判を受けて、権勢を失った。

まつかたまさよし

政治

● 松方正義　　　　1835〜1924年

財政に大きな功績をのこした内閣総理大臣

明治時代〜大正時代の政治家。第4、6代内閣総理大臣（在任1891〜1892年、1896〜1898年）

薩摩藩（現在の鹿児島県西部）の下級藩士の家に生まれる。1881（明治14）年に大蔵卿（財務大臣）となり、翌年、日本銀行を設立する。1884年、同額の金や銀と引きかえることのできる兌換銀行券を発行する

（国立国会図書館）

など、大規模な紙幣整理を進め、軍拡のための増税を強行し、金融制度の確立をめざした。

しかし、「松方財政」といわれるこの政策は物価の急落をまねき、景気は一気に下降し、多くの農民が土地を失った（松方デフレ）。

1885年、内閣制度の発足と同時に成立した第1次伊藤博文内閣に入り、以降6年間大蔵大臣をつとめる。1891年、1896年の2度にわたり、内閣総理大臣と大蔵大臣を兼任し、貨幣の価値の基準を金とする金本位制の実施などをおこなった。松方内閣は、内部の分裂と混乱により、2度とも総辞職となったが、日本赤十字社社長、枢密顧問官、内大臣などを歴任し、後年も元老として政界に強い影響力をもちつづけた。

学 歴代の内閣総理大臣一覧

松尾芭蕉

新しい俳諧をつくった俳人

■藤堂氏につかえ俳諧に親しむ

江戸時代前期の俳人。伊賀国上野（現在の三重県伊賀市）の有力農民松尾与左衛門の子として生まれた。幼名を金作といい、のちに宗房と名のった。19歳のとき伊賀国（三重県西部）を支配していた藤堂氏一族の藤堂良忠につかえて俳諧に親しみ、貞門派（京都の松永貞徳がはじめた俳諧の一派）の俳人北村季吟に学んだ。

■伊賀から江戸に出て俳諧師になる

23歳のとき主人の良忠が亡くなり武家奉公をやめた芭蕉は、俳諧で身を立てようと決心し1672年、29歳で江戸（東京）に出た。そのころ江戸では奇抜な発想と軽妙ないいまわしを特色とする談林派（大坂（阪））の西山宗因がはじめた俳諧の一派）の俳諧がさかんだった。芭蕉も談林派の俳諧に親しみ、35歳で宗匠（俳諧を教える先生）となり門人に教えた。

1680年、37歳のとき門人の杉山杉風の世話で江戸郊外の深川（東京都江東区）の草庵に移り住んだ。門人が庭にバショウの木を植えたことから芭蕉庵とよばれるようになり、みずからも俳号を芭蕉と名のるようになった。

■日本各地を旅して紀行文をあらわす

やがて、談林派の俳諧にもの足りなさを感じるようになった芭蕉は、わび・さび（かざりやおごりのない、ひっそりしていて深みのある味わい）をたいせつにして人の心にふれる俳諧をつくろうと志した。

1684年、41歳のとき芭蕉は旅に出た。故郷の伊賀上野の家族をたずね、奈良、京都、大津（滋賀県）などをめぐり、西行（平安時代後期の僧で歌人）の草庵跡などをたずねた。旅のようすは翌年、紀行文『野ざらし紀行』にまとめられた。その後も旅から旅への暮らしをつづけ、『笈の小文』や『更科

▲旅姿の松尾芭蕉（左）と門人の曽良
門人の森川許六がえがいた芭蕉の姿。
（天理大学附属天理図書館）

▲江戸深川の芭蕉庵　草庵での暮らしは芭蕉にとって修業でもあった。（『江戸名所図会』より　早稲田大学図書館）

▲立石寺　「閑さや　岩にしみいる　蟬の声」の句をよんだ。

紀行』などの紀行文を著した。

43歳のとき有名な「古池や　蛙とびこむ　水の音」の句をつくり、新しい俳諧の世界をひらいた。

1689年、門人の曽良をともない東北から北陸地方をまわる旅に出た。旅の目的は、歌枕（和歌によまれた名所や旧跡）をたずねて古典の世界にふれることで、約5か月かけて2400kmを歩いた。立石寺（山形市山寺）では「閑さや　岩にしみいる　蟬の声」の句をよんだ。この旅は紀行文『おくのほそ道』にまとめられた。

■最後の旅

1694年、九州にむけて旅立った芭蕉は、名古屋、伊賀上野、京都をまわって句会をひらき門人たちを指導したが、大坂で病気になり51歳で亡くなった。最期の句は「旅に病んで夢は枯野を　かけめぐる」だった。

芭蕉は生涯独身で家庭にはめぐまれなかった。しかし、榎本其角や服部嵐雪、向井去来などすぐれた俳人を育てた。

学 日本と世界の名言

松尾芭蕉の一生

年	年齢	主なできごと
1644	1	伊賀国上野に生まれる。
1662	19	このころ藤堂氏につかえる。
1666	23	主人が亡くなり武家奉公をやめる。
1672	29	江戸に出て俳諧師になる。
1678	35	俳諧の宗匠になる。
1680	37	深川に移り住み、芭蕉と名のる。
1684	41	最初の旅『野ざらし紀行』の旅に出る。
1687	44	『笈の小文』『更科紀行』の旅に出る。
1689	46	『おくのほそ道』の旅に出る。
1694	51	最後の旅に出て大坂で亡くなる。

※年齢は数え年であらわしている

まつきしょうざえもん

郷　土

● 松木庄左衛門　　　　　　　　1625～1652年

若狭国の農民一揆の指導者

（若狭町歴史文化館）

江戸時代前期の農民。若狭国遠敷郡新道村（現在の福井県若狭町）の庄屋（村の長）の家に生まれた。小浜藩（福井県小浜市）では、城主京極高次が小浜城の築造をはじめて、多くの農民を動員した。さらに、ダイズをおさめる年貢をふやし、領民の生活が苦しくなった。1634年に藩主となった幕府の大老（将軍を補佐した最高位の役職）酒井忠勝も年貢を元にもどさず、領民の不満が高まった。1640年、若狭国内の252の村の庄屋が集まり、郡の代官所に年貢引き下げをうったえることになった。この年に庄屋になった16歳の庄左衛門らが総代となり、何度も直訴すると、1652年にとらえられ、拷問を受けた。ほかの総代はあきらめるなかで、庄左衛門は年貢引き下げをうったえつづけた。おどろいた藩は、年貢を元にもどすことにしたが、そのかわりに庄左衛門は処刑された。1933（昭和8）年、庄左衛門を祭る松木神社（若狭町熊川）が建立された。

マッキンリー，ウィリアム

政　治

● ウィリアム・マッキンリー　　1843～1901年

アメリカ帝国主義を進めた大統領

アメリカ合衆国の第25代大統領（在任1897～1901年）。オハイオ州出身。南北戦争に参加したのち、弁護士となる。1876年に共和党下院議員になると、1890年、保護関税を支持してマッキンリー関税法を成立させた。2年後からオハイオ州知事を2期つとめたあと、共和党の候補として大統領選に出馬し、当選した。外交では、スペインからの独立を望むキューバの反乱を助け、1898年のアメリカ・スペイン戦争で勝利。その結果、キューバの独立が承認されて、アメリカはフィリピン、プエルトリコ、グアムを領有し、同年、ハワイも併合。帝国主義政策を実現していった。国内では、ディングリー関税法で関税をひき上げ、産業資本家を守る政策をとった。1900年に大統領に再選されたが、半年後、アナキスト（無政府主義者）に暗殺された。

📗 アメリカ合衆国大統領一覧

まつくらかついえ

江戸時代

● 松倉勝家　　　　　　　　　　1597～1638年

島原・天草一揆の原因をつくった大名

江戸時代前期の大名。
島原藩（現在の長崎県島原地方）の藩主松倉重政の子。

1630年に藩主となる。1637年、勝家が江戸（東京）に在勤していたとき、領地の3万数千人の農民などによる島原・天草一揆がおこった。一揆の原因は父の重政や勝家が幕府のキリスト教禁止令に応じてこの地方に多かったキリスト教信者たちをはげしく弾圧したこと、毎年の凶作にもかかわらず農民から重い年貢をとりたてて苦しめ、おさめられないものに残酷な拷問をおこなったことなどがあげられる。翌年、一揆は幕府軍によって鎮圧されたが、勝家は農民たちに対する悪政の責任を問われて所領を没収され、打ち首となった。

まつくらしげまさ

江戸時代

● 松倉重政　　　　　　　　　　?～1630年

島原・天草一揆のきっかけをつくった

戦国時代～江戸時代前期の大名。
戦国時代の武将筒井順慶の家臣の子として生まれ、のちに順慶の養子につかえ、豊臣氏の家臣となる。1600年、関ヶ原の戦いの功績により大和国五条（現在の奈良県五条市）に1万石をあたえられた。1616年、大坂の陣の戦功で、肥前国島原藩（長崎県島原市・南島原市）4万石の藩主になった。島原はもともとキリシタン大名有馬晴信の領地で、キリスト教の信者が多かったが、幕府がキリスト教を禁止すると信者たちをはげしく弾圧した。また、島原城を築くため農民から重い年貢をとりたて、年貢をおさめられない者に対し残酷な拷問をするなど悪政をおこなって領民を苦しめた。1630年、キリシタン弾圧のアピールであるルソン攻略の遠征準備中に急死する。死後の1637年におきた島原・天草一揆の原因となったとされる。

まつしたこうのすけ

産　業

● 松下幸之助　　　　　　　　　1894～1989年

「経営の神様」として知られる実業家

▲松下幸之助　　（パナソニック）

大正時代～昭和時代の実業家。
和歌山県に、裕福な農家の8人兄弟の末子として生まれる。父親が米相場に失敗したため、小学校を中退し、9歳で大阪の商家へ奉公に出た。1910（明治43）年、奉公先をやめて、電気関係の会社に就職。はたらきながら、電気部品のソケットの改良にとりくみ、1917（大正6）年に退職して、ソケットの製造をはじめた。当初は売れなかったが、扇風機の部品などが好調で、翌年には松下電気器具製作所を創立、妻と義弟の3人で配線器具の生産にあたった。売

上げが順調にのび、従業員がふえると、工場を建てるなど事業を拡大して、自転車ランプ、手提げ電灯、アイロン、ラジオなどを次々に生産、販売した。ラジオの生産では、生産のさまたげになっていた特許を所有者から買いとり、ほかのメーカーにも無料で公開し、業界全体を活気づかせた。このころから、商品に「ナショナル」のブランド名を用いるようになる。

1935（昭和10）年には、従業員約3500人の企業に成長した会社を、松下電器産業（現在のパナソニック）として株式会社化し、600種類をこえる製品を整理して事業別に子会社化するなどの、当時としては斬新な組織改革をおこなった。第二次世界大戦がはじまると、軍需品の製造にもたずさわった。

戦後は連合国軍最高司令官総司令部（GHQ）から企業の活動に制限を受け、危機的状況になったが、ねばり強く抗議をくりかえし、制限の解除にむすびつけた。その後、戦後復興のために、家電製品を大量生産、大量販売し、洗濯機、冷蔵庫、テレビなどを家庭に普及させた。一方で、積極的に海外視察に出むき、海外の電気メーカーと提携するなどして、「ナショナル」の市場を世界に広げた。

1961年、65歳で社長を退任したあと、会長、相談役となり、産業界全体のリーダーとして存在感をしめし、アメリカ合衆国の有力雑誌の『タイム』や『ライフ』でも紹介された。製品の開発、製造、人材の育成、組織運営などの総合的な経営手腕で、「経営の神様」と称された。「企業は社会の公器（公共のための機関）である」とし、その繁栄によって人間の幸福と平和に貢献するべきだという考え方から、PHP研究所（出版事業を主としている出版社）を立ち上げ、また、私財70億円を投じて政治や経済の指導者育成のための松下政経塾をひらくなど、文化的な活動でも足跡をのこした。　　　　学 日本と世界の名言

まつだいらかたのぶ　　　　江戸時代

● 松平容頌　　　　1744〜1805年

財政を立て直した会津の名君

（土津神社蔵／会津若松市提供）

江戸時代中期の大名。
陸奥国会津藩（現在の福島県西部・新潟県東部）の藩主、松平容貞の子として生まれる。
1750年、父のあとをついで9歳で藩主になった。1781年、窮乏していた藩財政を立て直すため家臣の田中玄宰を家老にとりたてて藩政改革にとりくみ、天明のききん（1782〜1787年）で荒廃した農村の復興や殖産興業（生産をふやし産業をさかんにすること）につとめて養蚕、漆器、酒造業などを藩の産業として育成した。1803年、人材を育成するため藩校日新館を創設し、藩士の子弟に剣術や弓

術などの武芸のほか、儒学、医学、天文学など幅広い教育をほどこした。また、こどもたちのために会津藩独自の道徳の教科書『日新館童子訓』を編さんした。55年間藩主の座にあり、会津藩初代藩主、保科正之以来の名君といわれる。

まつだいらかたもり　　　　幕末

● 松平容保　　　　1835〜1893年

京都守護職として朝廷と幕府のあいだをとりもった

▲松平容保　　　（国立国会図書館）

幕末の会津藩主、京都守護職。
美濃国高須藩（現在の岐阜県海津市）の藩主、松平義建の子として生まれる。通称は銈之允。
1846年、12歳のとき、会津藩（福島県西部）の藩主、松平容敬の養子となり、1852年、会津藩23万石をついだ。1853年、アメリカ合衆国の使節ペリーが来航したとき、「国防が不十分なため開国はやむなし」と幕府に答申した。1860年、桜田門外の変で大老井伊直弼が水戸藩（茨城県中部と北部）の浪士に暗殺されると、容保は幕府と水戸藩の調停にあたった。京都で尊王攘夷運動（天皇をうやまい外国勢力を追いはらおうという運動）がはげしくなると、1862年、京都の治安を守り朝廷の警備にあたる京都守護職が新設され、容保はその役職に任じられた。

1863年、薩摩藩（鹿児島県）とむすんで、八月十八日の政変をおこし、急進派の公家三条実美や長州藩（山口県）の尊王攘夷派を京都から追放した。そして公武合体派（朝廷と徳川将軍家がむすぶことをのぞむ人々）の一橋慶喜（のちの徳川慶喜）、松平慶永、伊達宗城、山内豊信、島津久光らと朝議に参与することを命じられたが、この参与会議は2か月あまりで解体した。1864年、長州藩の急進派が京都に攻めのぼると、会津や薩摩、桑名（三重県北部）の藩兵をひきいて蛤御門で戦い（禁門の変）、長州藩を敗走させた。その勢いで長州藩の尊攘派を一挙にたたこうと、朝廷から第一次長州出兵の勅許（許可）を得て、長州に兵を出した。

1866年、第二次長州出兵の軍をおこすが、江戸幕府第14代将軍徳川家茂が亡くなったため休戦になり、また同年、容保を信頼していた孝明天皇が亡くなり、大きな痛手を受けた。

▲容保が籠城して戦った鶴ヶ城
（写真提供：会津若松市）

1868年、会津と桑名の藩兵をひきいて京都郊外の鳥羽・伏見で薩摩・長州を中心とする新政府軍と戦う（鳥羽・伏見の戦い）がやぶれて江戸（東京）にのがれ慶喜に再挙をすすめたが受け入れられず、会津に帰り、東北と越後（新潟県）の諸藩からなる奥羽越列藩同盟を組織し、新政府軍に対抗したが、各藩とも次々に降伏。容保は鶴ヶ城に籠城して戦ったが、1か月後に降伏してとらえられた。1872（明治5）年、釈放され、1880年、日光東照宮の宮司となり、1893年、59歳で亡くなった。

まつだいらさだのぶ

● 松平定信　　　　　　　　　　江戸時代　1758〜1829年

寛政の改革を進めた老中

▲松平定信
（松平定信画像／東京大学史料編纂所所蔵模写）

江戸時代後期の大名、老中。

御三卿（徳川氏の一族で田安、一橋、清水の3家）の一つ、田安家当主、田安宗武の子で、江戸幕府第8代将軍徳川吉宗の孫。江戸（現在の東京）に生まれ、幼いころから学問を好み、すぐれた才能をあらわした。1774年、17歳のとき、幕府の命令で陸奥国白河藩（福島県白河市）の藩主、松平家の養子となり1783年、26歳で藩主になった。

天明のききん（1782〜1787年）により白河藩も大きな被害をだしたが、定信は率先して質素倹約につとめ、大坂（阪）などから食料を買い入れて領民にあたえ、ききんを乗りこえた。その後、殖産興業（生産をふやし産業をさかんにすること）を進めて財政の立て直しに成功し、名声を高めた。

そうした実績を評価され、田沼意次失脚後の1787年、老中に就任し、寛政の改革にとりくんだ。まず、借金に苦しむ旗本や御家人を救済するため、棄捐令をだして借金を帳消しにした。

また、災害にそなえて、江戸の町入用（町費）を節約させ、節約した金のうち7分（7割）を積み立てさせる「七分積金」をはじめた。ききんで荒廃した農村の復興にもとりくみ、幕府領の農村に「囲米」を命じて米を貯蔵させたり、都市で出かせぎをしていた農民に資金をあたえて、帰村をすすめたりした。

一方で、物価上昇の原因が町人のぜいたくな生活にあると考えた定信は、ぜいたくな着物や料理などの販売を禁止した。さらに出版物をきびしくとりしまり、風紀を乱す本や幕府政治を批判する本の出版を禁止した。昌平坂学問所（幕府直轄の学問所）では、上下関係を重んじる朱子学を学ばせ、それ以外の学問を異学とし禁じた（寛政異学の禁）。

また、火付盗賊改（放火や強盗などをとりしまる役職）の長谷川平蔵の進言により、村を捨てて無宿人（江戸時代の戸籍、人別帳から名前をはずされた人）になった者を収容し、職業訓練をほどこす施設「人足寄場」を隅田川河口に設置した。

こうして次々と政策を打ちだしたが、きびしすぎる改革に人々の不満が強まり、1793年、老中をやめさせられた。その後は白河藩主として藩政に専念し、藩士や領民の教育に力をそそぐ一方、自叙伝『宇下人言』などを著した。1801年には、日本最古の公園とされる南湖（南湖公園）（福島県白河市）を領民に開放した。

▲南湖公園にある翠楽苑
（白河観光物産協会）

🎓 江戸幕府大老・老中一覧

まつだいらしゅんがく

松平春嶽 ➡ 松平慶永

まつだいらただなお

● 松平忠直　　　　　　　　　　江戸時代　1595〜1650年

幕府に不満をもち、改易となった

（浄土寺蔵／大分市歴史資料館提供）

江戸時代前期の大名。

徳川家康の次男、結城秀康の子。父の秀康は、下総国結城（現在の茨城県結城市）の結城晴朝の養子となって結城家をつぎ、関ヶ原の戦いののち、福井藩68万石をあたえられた。

1607年、秀康が34歳で亡くなると、13歳で福井藩（福井県北部）68万石の藩主になった。1615年、大坂夏の陣に出陣し、豊臣方の武将真田幸村を討ちとるなどのめざましい戦功をあげた。しかし、期待した恩賞をあたえられなかったことに不満をいだき、酒におぼれるようになり、暴虐なふるまいもあったという。家康の死後、江戸（東京）への参勤もおこたるようになったため、1623年、改易（領地を没収されること）になり、豊後国萩原（大分県大分市）に流された。

まつだいらのぶつな

● 松平信綱　　　　　　　　　　江戸時代　1596〜1662年

「知恵伊豆」とたたえられた

江戸時代前期の大名、老中。

徳川家康の家臣、大河内久綱の子。おじの松平正綱の養子になったが、幼いころから才気煥発で、1604年に徳川家光が誕生すると小姓になり、そば近くにつかえた。家光に重用され、1633年、堀田正盛（堀田正俊の父）らとともに六人衆となったのちに老中になり、武蔵国忍藩（現在の埼玉県行田市）3万

石をあたえられた。1637年、島原・天草一揆を幕府の指揮官として鎮圧し、その功績をみとめられて川越藩（川越市）の藩主になった。

家光の死後は、幼い4代将軍徳川家綱を補佐して政治をととのえ、1651（慶安4）年の由井正雪の乱（慶安事件ともいう）や、1657（明暦3）年の明暦の大火の復興にあたるなど、幕府政治の中心に立って活躍した。一方で、武蔵野新田、玉川上水の開発や大火後の川越城下の再建など、領地川越の繁栄にも力をつくした。その賢明な人がらをたたえられ、官職の伊豆守にちなんで知恵伊豆とよばれた。

▲伝・木造松平信綱坐像
（平林寺所蔵）

学 江戸幕府大老・老中一覧

まつだいらやすひで
● 松平康英　　　　　　江戸時代　1768〜1808年

フェートン号事件の責任をとって自害

江戸時代後期の幕臣、長崎奉行。

高家旗本前田清長の子。1777年に松平康彊の婿養子となり、旗本松平家をつぐ。1807年、長崎の行政・司法、貿易の管理、キリスト教の取り締まりをおこなう長崎奉行となる。1808年、イギリスの軍艦フェートン号が敵国のオランダ船をとらえるため、オランダ国旗をかかげて長崎港内に侵入し、出島（長崎市）のオランダ商館員2人を人質にして燃料や食料を要求する事件がおきた（フェートン号事件）。康英ははじめフェートン号の打ちはらいを命じるが、人質の生還を望むオランダ商館長の説得と、鍋島藩の兵力削減などによる兵力不足が明らかになり、要求を受け入れ、人質を助けた。

しかし、フェートン号が長崎を去ったあと、フェートン号の侵入をふせげなかった責任をとって自害した。

▲フェートン号図
（長崎歴史文化博物館）

まつだいらよしなが
● 松平慶永　　　　　　幕末　1828〜1890年

幕末期の難局にあたり徳川家の存続をはかった

幕末の福井藩（現在の福井県東部）の藩主、幕府の政事総裁職。

徳川将軍家と近親にあった御三卿の田安家に生まれる。春嶽は通称。1838年、11歳で福井藩主となった。藩政改革を進め、財政の再建、西洋式兵制による軍事力の強化、藩校明道館や洋書習学所の設立、種痘法の導入などをおこない、名君とよばれた。徳川斉昭らと親交をむすび、1853年、アメリカ

合衆国の使節ペリーが来航すると、幕府に海防の強化などを建言した。1858年、大老井伊直弼が独断で日米修好通商条約をむすび、徳川慶福（のちの徳川家茂）を将軍にしたことに抗議すると、慶永は隠居・謹慎（部屋にとじこめること）処分を受けた。1862年、幕政への参加をゆるされ、政事総裁職に任じられ、一橋慶喜（徳川慶喜）とともに国政改革を進め、雄藩による諸侯会議を提案するなど、朝廷と幕府のあいだに立って難局にあたった。明治新政府では議定に任命され、民部卿（租税・民政をあつかう役所の長官）、大蔵卿（大蔵省の長官）などをつとめるかたわら、徳川家の存続に力をつくした。1870（明治3）年、公職をしりぞき、以後、文筆活動に専念した。

（福井市立郷土歴史博物館）

まつたにみよこ
● 松谷みよ子　　　　　絵本・児童　1926〜2015年

民話の研究と童話に力をそそぐ

昭和時代〜平成時代の児童文学作家、民話研究家。

東京生まれ。本名は美代子。父は弁護士で、社会運動家の与二郎。東洋高等女学校（現在の東洋女子高等学校）卒業。太平洋戦争中、疎開先の長野県で知り合った坪田譲治に指導を受ける。1951（昭和26）年、最初の作品集『貝になった子供』で日本児童文学者協会新人賞を受賞する。民話の研究にも力をそそぎ、信州に伝わる伝説などをもとにした童話『龍の子太郎』（1960年）で、国際アンデルセン賞優良賞などを受賞。民話の採訪に力をそそぎ、現代の社会で生まれつづける民話を集めた『現代民話考』などを出版する。

主な作品に赤ちゃん絵本の『いないいないばあ』『もうねんね』（ともに絵・瀬川康男）などや、ロングセラーとなっている童話『モモちゃんとアカネちゃんの本』（全6巻）、『オバケちゃん』シリーズ、戦争の悲劇をテーマにとり上げた『ふたりのイーダ』などがある。

マッツィーニ，ジュゼッペ
● ジュゼッペ・マッツィーニ　　　　　政治　1805〜1872年

「イタリア統一の三傑」の一人

イタリアの革命運動家、思想家。

ジェノバ出身。1827年にジェノバ大学を卒業し、弁護士とな

るとともに、秘密結社カルボナリ党に入った。警察にとらえられるが、マルセイユに亡命。しかし、国民感情を理解しないカルボナリ党を離党した。亡命先で青年イタリア党をつくり、統一、独立、共和制をめざす。その後、反乱計画が発覚したため、スイスに移り、1834年に青年ヨーロッパ党を結成。これもスイス当局に追われ、ロンドンに亡命した。

1848年の革命で帰国し、ローマ共和国を打ち立て、三頭執政の一人にえらばれる。共和国崩壊後は亡命し、外国から革命運動を指導。1861年に成立したイタリア王国は、マッツィーニの理想とはほど遠く、ローマの解放と共和制実現のために活動をつづけた。

一方、第一インターナショナルにも参加したが、資本家と労働者の友愛的連合をとなえたため、社会主義のマルクスやバクーニンと対立。晩年、シチリアで反乱を計画し逮捕されるが、恩赦を受けて、ピサで亡くなった。カブール、ガリバルディとならんで「イタリア統一の三傑」と称された。

まつどかくのすけ

郷土

● 松戸覚之助　　　　　　1875〜1934年

二十世紀梨を発見した果樹栽培家

（松戸雅男所蔵／松戸市立博物館提供）

明治時代〜昭和時代の農民、果樹栽培家。

千葉県八柱村（現在の松戸市）の農家に生まれた。11歳のころ、父親が新しくナシの栽培をはじめたので、ナシに興味をもった。14歳のとき、親類の家のごみすて場に芽をだしているナシの苗木をみつけた。

この苗木をゆずってもらい、ナシ畑に植え、くふうして栽培したところ10年後に実がなった。その果実は緑色で形もよく、あまくてみずみずしかった。このナシは関係者のあいだで評判となり「二十世紀梨」と名づけられた。それまで普及していたナシは皮が茶色の「赤ナシ」だったが、二十世紀梨の出現によって、全国のナシづくりの農家から新種の苗木を求められた。覚之助は、毎年数千本の苗木を育てて各地に配布し、共同で販売する体制をととのえた。二十世紀梨の全国への普及に生涯をささげ、二十世紀梨を鳥取県の特産品に育てた。果樹園を経営していた北脇永治も1904（明治37）年、覚之助から苗木を買った一人である。

まつながていとく

詩・歌・俳句

● 松永貞徳　　　　　　1571〜1653年

貞門俳諧を流行させた

安土桃山時代〜江戸時代前期の歌人、俳人。

京都に連歌師の子として生まれる。連歌は、短歌の上の句（五・七・五）と下の句（七・七）を、何人かで順番につくっていく文芸で、室町時代に流行した。幼いころから、九条植通や細川幽斎に、和歌、歌学などを学び、里村紹巴に連歌を学ぶなど、多くのよい師匠にめぐまれて学問を

（妙満寺）

つづけた。20歳のころ、関白豊臣秀吉の祐筆（書記）になり、文化人と交流した。その後、歌人として活躍する一方で、私塾をひらき、古典の研究と普及につとめた。

晩年には、狂歌や俳諧（こっけいみをおびた和歌や連歌、のちの俳句など）に興味をもつ。ことばのおかしみを重視する貞門俳諧という一派をつくり、庶民のあいだに流行させ、全国の俳人の中心となった。弟子に松尾芭蕉の師匠の北村季吟などがいる。

まつながひさひで

戦国時代

● 松永久秀　　　　　　1510〜1577年

三好三人衆と対抗して、東大寺の大仏殿を焼きはらった

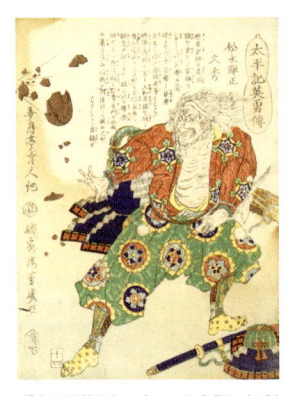

『太平記英勇伝　十四　松永弾正久秀』
／東京都立中央図書館特別文庫室）

戦国時代の武将。

室町幕府の管領、細川氏の家来だった三好長慶につかえた。長慶が細川氏をたおし、京都周辺を支配する戦国大名に成長すると、久秀も三好氏の重臣として京都の政治に大きな影響力をもった。長慶の死後の1565年、三好三人衆とよばれる三好氏の一族や重臣が、室町幕府第13代将軍足利義輝を暗殺したが、このときには久秀の子、久通がこれに加わっている。その後、京都の支配をめぐって三好三人衆と対立すると、1567年、久秀は東大寺に陣をはった三好三人衆を攻撃して、大仏殿を焼きはらった。1568年、新興勢力である織田信長が京都を支配すると、信長に降伏した。久秀は、信長から大和国（奈良県）の支配をまかされるが、信長が周辺の諸大名と対立するようになると信長からの離反をくりかえし、1577年、ついに信長軍に居城の信貴山城を攻められ自害した。

久秀は、茶の湯や学問に造詣が深く、居城に壮麗な天守閣をもうけるなど、一級の文化人としても知られる。

まつまえのりひろ 〔江戸時代〕

● 松前矩広　　　　　　　1660～1721年

シャクシャインの乱をしずめた

江戸時代前期の大名。

アイヌとの交易を独占していた松前藩（現在の北海道南部）の藩主松前高広の子として生まれ、1665年、父のあとをついで6歳で藩主になった。1669年、アイヌの首長シャクシャインのよびかけで各地のアイヌがいっせいに立ち上がり、商船などを攻撃して多くの和人（本州の日本人）を殺害する事件がおきた（シャクシャインの乱）。矩広が幼かったので、幕府から派遣された一族の旗本、松前泰広が補佐して反乱をしずめた。

まつまえよしひろ 〔江戸時代〕

● 松前慶広　　　　　　　1548～1616年

蝦夷地の交易で栄えた松前藩主

（阿吽寺蔵／松前町提供）

戦国時代～江戸時代前期の大名。

戦国武将、蠣崎季広の子として徳山城（現在の北海道松前町にあった城）に生まれ、1582年、家をついだ。1592（文禄元）年、文禄・慶長の役がおこるとただちに肥前国名護屋（佐賀県唐津市）の豊臣秀吉の陣中にかけつけ、翌年、秀吉から朱印状を得て渡島半島南部の領有と蝦夷地（北海道）の支配をみとめられた。1599年、名前を蠣崎から松前にあらためた。1604年には徳川家康よりアイヌとの交易独占権をみとめられ、黒印状を得て松前藩（北海道松前町）の初代藩主になって近世大名としての地位を確立した。「松前」はアイヌ語「マトマエ」由来の地名。

まつむらげっけい

松村月溪 → 呉春

まつむらりへえ 〔郷土〕

● 松村理兵衛　　　　　　1721～1785年

天竜川に堤防を築いた村役人

江戸時代中期の村役人。

信濃国前沢村（現在の長野県中川村）に生まれ、15歳で田島村（中川村）の名主（村長）、松村家の養子になった。天竜川と前沢川が合流するこの地域は、大雨のたびに川がはんらんした。理兵衛は洪水から村を守るため、堤防を築く決意

をした。1750年、幕府の許可を得ると、私財を投じて、工事をはじめた。むずかしい工事だったが、尾張国（愛知県西部）から堤防づくりにすぐれた石工（石を加工する職人）をまねいて、工事を進めた。工事は理兵衛の死後もつづけられ、着工から58年後の1808年、長さ約180mの堤防が完成し、理兵衛堤防とよばれた。

まつもとじいちろう 〔政治〕

● 松本治一郎　　　　　　1887～1966年

「部落解放の父」とあおがれた指導者

大正時代～昭和時代の社会運動家。

福岡県生まれ。被差別部落に生まれ、土建業をいとなみながら部落解放運動の指導者として活動。1911（明治44）年、土建業松本組を創設。1921（大正10）年には筑前叫革団を結成した。1923年、全九州水平社を結成し委員長となると、2年後には全国水平社中央委員長に選出され、委員長職をつとめた。1936（昭和11）年からは衆議院議員として活躍。3回の当選をはたした。第二次世界大戦後の1947年には日本社会党から参議院議員に当選、初代参議院副議長に選出された。

また1946年に部落解放全国委員会（現在の部落解放同盟）の委員長にえらばれ、以降20期連続でつとめた。1953年には日中友好協会初代会長に就任。亡くなるまで部落解放運動の中心人物で「部落解放の父」と敬愛された。

まつもとしゅんすけ 〔絵画〕

● 松本竣介　　　　　　　1912～1948年

都会的な風景や人物をえがいた画家

昭和時代の洋画家。

東京生まれ。旧姓は佐藤。幼少期を岩手県ですごす。14歳のときに聴覚を失い、中学校を中退した。1929（昭和4）年に上京し、太平洋画会研究所に入って洋画を学ぶ。1935年、NOVA展に出品して同人となり、二科美術展覧会（二科展）に初入選した。1940年に『都会』、1941年に『画家の像』を出品して、会友となる。翌年、代表作の一つ『立てる像』を発表した。1943年、戦争に協力する美術界に対抗して、靉光らと新人画会を結成した。第二次世界大戦後は、戦争に疲れた美術界を活性化するため、美術家組合の結成をうったえた。都会的な風景と人物像を重ねあわせた、抒情的な作品で知られる。

まつもとじょうじ 〔学問〕

● 松本烝治　　　　　　　1877～1954年

戦後の憲法草案を作成

昭和時代の商法学者。

東京生まれ。1900（明治33）年、東京帝国大学法科大学（現在の東京大学法学部）卒業後、農商務省参事官をへて、1910年母校の教授となり、商法や民法の講座を担当した。1913

（大正 2）年より法制局参事官を兼任し、商法の標準的教科書のほか多くの論文を著した。1919 年に大学を退職し、南満州鉄道株式会社理事、同副社長、法制局長官、関西大学長、商工大臣を歴任。1945（昭和 20）年には幣原喜重郎内閣の国務大臣として憲法改正草案を作成したが、連合国軍最高司令官総司令部（GHQ）に拒否された。弁護士としても活躍し、手形法や小切手法、有限会社法の立案と制定、1938 年の商法改正などを指導した。そのほか著書、論文も多数。今日の日本における商法解釈学は、彼によって確立されたといえる。

まつもとせいちょう　　　文学

● 松本清張　　　　　　　　1909〜1992年

昭和を代表する社会派推理小説家

昭和時代〜平成時代の作家。

福岡県生まれ。本名は清張。生活は苦しく、高等小学校を卒業後すぐにはたらきはじめ、さまざまな仕事についた。1939（昭和 14）年に、朝日新聞西部本社広告部の嘱託となり、34 歳でようやく正社員として採用された。同じ年に第二次世界大戦の召集を受け、衛生兵として朝鮮半島におもむく。終戦後、復員して新聞社の仕事に復帰した。

1950 年、『週刊朝日』が募集していた懸賞小説に応募した『西郷札』が 3 等に入賞、1951 年上期の直木賞候補にえらばれた。これをきっかけに、1952 年には『或る「小倉日記」伝』を発表し、芥川賞を受賞して、文筆活動に専念する。

以後、『点と線』『目の壁』『わるいやつら』『ゼロの焦点』『けものみち』などを次々と発表し、ベストセラー作家となる。つねに政治や社会の問題を問いかけ、社会派推理作家としての地位を不動のものにした。

ほかに第二次世界大戦後の混乱期におきた事件の背後にある真実を追求したノンフィクション『日本の黒い霧』、戦争や差別などの苦難を生きた人々をえがいた『砂の器』などの作品がある。1967 年、吉川英治文学賞、1970 年、菊池寛賞を受賞。

学 芥川賞・直木賞受賞者一覧

まつもとはくおう　　　伝統芸能

● 松本白鸚　　　　　　　　1910〜1982年

演劇やテレビでも活躍した歌舞伎俳優の初世

昭和時代の歌舞伎俳優。

東京生まれ。本名は藤間順次郎。屋号は高麗屋。7 世松本幸四郎の次男で、兄は 11 世市川団十郎、弟は 2 世尾上松

緑である。1925（大正 14）年に松本純蔵を名のり、『奴凧』の太鼓持順孝で初舞台をふむ。1928（昭和 3）年から初世中村吉右衛門に師事し、5 世市川染五郎をへて、1949 年に 8 世幸四郎を襲名した。1981 年、長男の 6 世市川染五郎に松本幸四郎をゆずり、初世松本白鸚を襲名した。

歌舞伎のほかに、シェークスピアの『オセロ』などの演劇や、映画、テレビなどに活躍の場を広げた。当たり役に『仮名手本忠臣蔵』の大星由良助、『元禄忠臣蔵』の大石内蔵助（大石良雄）、『勧進帳』の弁慶などがあり、テレビ番組『鬼平犯科帳』でも人気を得た。1975 年に重要無形文化財保持者（人間国宝）に認定され、1981 年に文化勲章を受章した。長男は 9 世松本幸四郎、次男は 2 世中村吉右衛門である。

学 文化勲章受章者一覧

まつもとれいじ　　　漫画・アニメ

● 松本零士　　　　　　　　1938年〜

『宇宙戦艦ヤマト』など、壮大なSF作品の生みの親

漫画家。

福岡県生まれ。本名、晟。幼少期にみたアニメーション映画に影響を受け、映画や漫画にのめりこむ。1954（昭和 29）年に雑誌『漫画少年』に投稿した『蜜蜂の冒険』が新人王にえらばれ、高校 1 年生でデビュー。上京後、『週刊少年マガジン』に掲載した『男おいどん』で講談社出版文化賞を受賞した。

1974 年からテレビ放映された SF（空想科学）アニメ『宇宙戦艦ヤマト』では作品に深くかかわり、キャラクター設定をはじめ監督もつとめる。映画化もされ、多くのファンを獲得し、社会現象にもなった。その後は自身の漫画を原作とした SF アニメ『銀河鉄道 999』『宇宙海賊キャプテンハーロック』が立てつづけに放映され、松本零士ブーム、ひいてはアニメブームをまきおこす。『銀河鉄道 999』では小学館漫画賞も受賞。

壮大なスケールで宇宙をえがく SF 作品で絶大な人気を誇り、国内外で高く評価され、2001（平成 13）年に紫綬褒章、2010 年に旭日小綬章、2012 年にフランス芸術文化勲章の第 3 階級シュバリエなど、数々の賞を受賞している。

まつらしげのぶ

🔴 松浦鎮信　　　　　　　　　　　1549〜1614年

貿易の窓口、平戸の繁栄の基礎をつくった

（松浦鎮信画像／東京大学史料編纂所所蔵模写）

戦国時代〜江戸時代前期の大名。

戦国大名松浦隆信の子として平戸（現在の長崎県平戸市）に生まれる。1587年、父隆信とともに豊臣秀吉の九州平定にしたがい、その功績によっての肥前国（佐賀県・長崎県）北部と壱岐国（長崎県壱岐）の領有をみとめられた。1599年、平戸城（平戸市にあった城）を築き、城下町を整備した。1600年、関ヶ原の戦いがおこると徳川家康の東軍に味方して戦い、戦後、平戸藩6万3000石の初代藩主になった。同年、オランダ船リーフデ号が臼杵湾（大分県臼杵市）に漂着したとき、オランダ人のために帰国の船を建造し、家康の親書と、日本との貿易の振興をうったえることを依頼した。その結果1609年、平戸に使節がおとずれ、オランダ商館が開設された。1613年にはイギリス商館も平戸にひらかれ、平戸が外国貿易の窓口として繁栄する基礎を築いた。

まつらたかのぶ

🔴 松浦隆信　　　　　　　　　　　1529〜1599年

平戸で南蛮貿易をおこない、北松浦半島を征服した

（松浦史料博物館所蔵）

戦国時代〜安土桃山時代の武将。

肥前国（現在の佐賀県・長崎県）の平戸城主、松浦興信の子として生まれる。通称は源三郎。1541年、父の死により13歳で家をついだ。

1550年にポルトガル船を平戸にむかえて南蛮貿易をはじめ、鉄砲の用法や、大砲、弾丸の製法などを積極的にとり入れる。一方でキリシタンを弾圧し、1558年には、宣教師ガスパル・ビレラを領内から追放した。これにより、ポルトガル船はキリシタン大名の大村純忠が開港した長崎に出入りするようになり、平戸での貿易は終わった。しかし、南蛮貿易でたくわえた資金で軍備を拡大し、1566年までには大村湾一帯を、1570年ころには北松浦半島を制圧した。1568年に出家して道可と称し、当主の座を子の鎮信にゆずるが、その後も実権はにぎりつづけた。

1587年、豊臣秀吉の九州出兵では、船団をひきいて島津征

伐で功をあげ、1589年の肥後国（熊本県）での国人一揆では、加藤清正らとともに鎮圧にあたった。

マティス，アンリ

🌐 アンリ・マティス　　　　　　　1869〜1954年

色面を組み合わせた画風で知られる画家

フランスの画家。

北フランスに生まれる。1887年、パリ大学で法律を学び、翌年、法科資格試験に合格する。故郷に近い町の法律事務所に就職するが、途中で虫垂炎になり、1年ほど療養生活を送った。そのあいだ、母から贈られた絵の具で絵をかきはじめ、画家を志すきっかけとなった。

1892年よりパリの美術学校でモローに絵画を学び、1896年、サロンで入選する。ルオー、ブラマンクらとともにフォービスム（野獣派）運動をはじめる。あざやかな色彩を、大胆な筆づかいで表現し、純粋に色の美しさを追求したため、「色彩の巨匠」とよばれた。1930年代以降、平らな色面を組み合わせた作品が主流となり、晩年はその手法に切り絵（パピエ・コレ）をつかった。20世紀絵画を代表する独自の芸術をつくり上げた。代表作に『オダリスク』『川辺の娘たち』『ダンス』やバンスのドミニコ修道院の礼拝堂大壁画などがある。

マテオ・リッチ

🌐 マテオ・リッチ　　　　　　　　1552〜1610年

イエズス会最初の中国伝道者

イタリアのイエズス会士。

中部のマチェラータ生まれ。中国名は利瑪竇。1571年、カトリック修道会のイエズス会に入会。1578年、インドでの宣教を志し、ポルトガル領のゴアに上陸。4年後にはマカオにわたる。イエズス会で初の中国における伝道者として、南部の都市をまわりながら中国文化の研究と布教につとめ、1595年『天主実義』（キリスト教の教え）を刊行。現地の文化を尊重する順応政策にしたがって、儒学者の服をまとい、中国式の生活をした。1601年、北京にて万暦帝に拝謁、自鳴鐘（機械じかけで鐘が鳴る時計）や西洋琴などを贈った。定住をゆるされ、北京に天主堂（カトリック教会）を建設することをみとめられ、数年で約200人の信者を得た。

1602年に『坤輿万国全図』（世界地図）を、1607年には

徐光啓と協力して『幾何原本』（ユークリッドの『幾何学』の前半部分の翻訳）を中国語で刊行するなど、西洋科学を中国に伝え、中国の知識階級に影響をおよぼすとともに、ヨーロッパに中国文化を紹介した。

マデロ，フランシスコ
政治

🌐 フランシスコ・マデロ　　　1873〜1913年

メキシコ革命の指導者

メキシコの政治家。大統領（在任 1911 〜 1913 年）。

コアウイラ州の富裕家庭に生まれる。ブルジョア民主主義思想を学び、アメリカ合衆国、フランスへの留学経験をもつ。1904 年より、ディアス大統領の独裁政治に反対して、貧困層の救済をかかげた政治活動をはじめ、新聞やパンフレットを発行した。

1910 年の大統領選挙に出ようとするが、反乱容疑で逮捕されたため、アメリカへ亡命。亡命先のテキサス州で、武装蜂起をよびかけて多数の賛同者を得て、これがメキシコ革命の発端となる。1911 年 5 月に反乱軍と合流し、ディアス大統領を辞任に追いこむと、10 月におこなわれた大統領選挙に当選し、大統領となる。しかし農地改革の公約をはたさずに農民層などの反発を受け、旧支配層である議会や軍隊の権利や利益を守ったことから革命派の中で分裂もまねいた。反乱があいつぎ、1913 年にディアスの残党とむすんだ政府軍司令官ウエルタのクーデターにより失脚。刑務所への移送中に暗殺された。

まどみちお
詩・歌・俳句

🔴 まど・みちお　　　1909〜2014年

人間味あふれる詩で知られる

昭和時代〜平成時代の詩人。山口県生まれ。本名は石田道雄。10 歳から日本が植民地支配していた台湾でくらす。台湾の工業学校を卒業して台湾総督府につとめた。1934（昭和 9）年、雑誌『コドモノクニ』に投稿した童謡が北原白秋にみとめられ、詩や童謡の創作をはじめた。第二次世界大戦では、台湾で招集されて、シンガポールで終戦をむかえる。1946 年に日本に帰還して、2 年後に婦人画報社に入社し『チャイルドブック』の創刊にたずさわる。以後、発行元がかわっても同誌の編集を

10 年以上担当した。

1968 年にだした最初の詩集『てんぷらぴりぴり』で野間児童文芸賞を受賞。やさしいことばで人間味あふれる詩を次々に発表し、多くのファンを集めた。だれからも口ずさまれる童謡『ぞうさん』『一ねんせいになったら』など数多くの詩や童謡をのこす。『まめつぶうた』『いいけしき』などの童謡集もある。1994（平成 6）年、国際アンデルセン賞を受賞。

まなべあきふさ
江戸時代

🔴 間部詮房　　　1666〜1720年

徳川家宣の政治をささえた

江戸時代中期の大名。

甲斐国甲府藩（現在の山梨県甲府市）の藩士の子として生まれる。能役者喜多七太夫の弟子となり、能役者の道をあゆんでいたが、1684 年、甲府藩主徳川家宣の小姓としてめしだされた。1709 年、家宣が江戸幕府第 6 代将軍になると、老中格の側用人（将軍のそば近くにつかえ、将軍の命令を老中に伝えたりする役職）にとりたてられた。翌年、上野国高崎藩（群馬県高崎市）5 万石の大名になった。2 年後、家宣が亡くなると、第 7 代将軍徳川家継を補佐し、新井白石とともに正徳の治とよばれる安定した政治を主導した。しかし、1716 年に家継が亡くなり、徳川吉宗が第 8 代将軍になると、政治の世界から遠ざけられた。領地も越後国村上（新潟県村上市）に移され、その地で亡くなった。

📘 江戸幕府大老・老中一覧

マニ
宗教

🌐 マニ　　　216?〜274?年

マニ教の開祖

バビロニアの宗教家。

ササン朝ペルシアの時代のバビロニア（現在のイラク）に生まれる。両親は貴族出身。12 歳のときに 1 回目、24 歳のときに 2 回目の啓示を受け、父が所属していたエルカサイ教団（洗礼派、グノーシス洗礼教団）をはなれ、ゾロアスター教の善悪二神の対立を基本とし、キリスト教や仏教や種々の神話をとり入れた新しい宗教であるマニ教を創始した。バビロニア、ペルシアから北西インド、中央アジア地方へと伝道の旅をし、バビロニアにもどってシャープール 1 世兄弟を改宗させたが、次のバーラーム 1 世の治下ではゾロアスター教の僧侶たちの憎悪を受け、投獄、処刑された。マニ教はササン朝ペルシアでは禁止されたが、中国（唐）などに伝わった。

マネ，エドワール
絵画

🌐 エドワール・マネ　　　1832〜1883年

近代絵画の創始者、印象派の祖

フランスの画家。

パリに生まれる。父は司法省の高官だった。16 歳のときに海

軍兵学校を受験するが、2度とも失敗。画家の道をめざし、18歳のときに画家のアトリエに入って学ぶ。そのあいだに、イタリアやオランダ、ドイツ、オーストリアなどを旅行し、巨匠の作品を模写して研究した。

▲エドワール・マネ

1859年、フランスでもっとも権威のある王立アカデミー主宰の展覧会に『アブサンを飲む男』を送る。

明暗の強いコントラスト、力強い筆づかいなどスペイン絵画の影響がみられる作品で、落選したが、詩人のボードレールらに絶賛された。

1863年、サロンで落選した作品だけを集めた展覧会がひらかれ、ここに『草上の昼食』を出品した。服を着た紳士と裸の女性が野外で食事をしているところをえがいた作品で、批評家たちは「道徳的によくない」とはげしく非難した。その2年後、イタリアの画家ティツィアーノの『ウルビーノのビーナス』をもとにした横たわった裸の女性をえがいた『オランピア』を出品。この作品も批評家から攻撃された。美術界は、神話の世界の裸婦は問題にしないが、同時代の現実にいる裸の女性を表現することに違和感をおぼえたのだった。

1866年、『笛をふく少年』を出品した。スペインの画家ベラスケスや日本の浮世絵版画の影響を受けた単純で平たんな背景の中から、明るくえがかれた軍楽隊の少年がいまにも飛びだしてきそうな作品で、これも落選すると、作家のゾラが「マネこそ、ルーブルに入るべき画家だ」と弁護した。

「自分の時代のものをえがくこと」を信条としたマネは、現実に真正面からむき合い、感じたこと(自分の印象)を絵にしてきた。マネのまわりには画家のモネや、ルノアール、ドガらが集まり、彼らはのちに「印象派」とよばれるグループを形成した。1882年に最後の大作『フォリー・ベルジェールのバー』をサロンに出品した。おおぜいの客たちでにぎわうさかり場を背景に、うつろな表情をした給仕娘をえがいた作品で、都会のはなやかな夜に広がる疎外感を、スナップ写真のようにあざやかに切りとった。のちの印象派やキュビスムなど、新しい芸術の道をひらいた。

▲『フォリー・ベルジェールのバー』

マハービーラ

マハービーラ → バルダマーナ

マハティール・モハマド 政治

🌐 マハティール・モハマド　　　1925年〜

日本をモデルに経済発展にとりくんだマレーシアの首相

マレーシアの政治家。首相(在任1981〜2003年)。

マレー半島のケダ州生まれ。シンガポールの医科大学で学びながら、政治活動に参加した。卒業後、医務官、医師の職をへて、1964年に与党から選挙に立候補し、国会議員に初当選した。1969年の総選挙では落選、選挙の敗北について首相を批判して、統一マレー国民組織(UMNO)を除名された。1972年にUMNOに復帰、1974年、下院議員となる。その後、教育相や副首相をへて、1981年、首相に就任。

日本人の勤勉性や、個人より集団の利益を優先する考え方に感銘をおぼえ、就任後は、日本など東アジアの発展に学べというルックイースト政策を打ちだした。

また、2020年までの先進国入りを目標にかかげ、ITや自動車産業などの工業発展を実現した。22年間首相をつとめ、2003年に引退、22年間の長期政権はマレーシア史上最長である。また、自国にとどまらずアジアの国々の地位向上を主張して、「アジアのリーダー」とよばれた。

マフディー

マフディー → ムハンマド・アフマド

マフムード 王族・皇族

🌐 マフムード　　　971〜1030年

ガズナ朝最盛期の王

アフガニスタン、ガズナ朝の王(在位998〜1030年)。

ガズナ朝は、サーマーン朝のマムルーク(軍人奴隷)がアフガニスタン地方に建てたトルコ系イスラム王朝。

父王サブクティギーンの死後、弟イスマーイールをたおして権力をにぎる。アッバース朝カリフ(イスラム国家の宗教的最高指導者)によって、ホラーサーンとガズナの統治権を直接に任命され、「ヤミーヌ・アッダウラ(王朝の右手)」の称号を受けた。軍隊を整備し、アフガニスタンからイラン、パキスタン、北西インドにまで領土を拡大。

とくにインド遠征は十数回におよび、インドのイスラム化の道をひらいた。イスラム世界史において、偉大な統治者の一人といわれている。文化の保護者でもあり、みずからも詩作をし、学芸、技術を奨励した。

マフムトにせい

王族・皇族

🌐 マフムト2世　　　　　1784〜1839年

近代化改革をおこなったスルタン

オスマン帝国の第30代スルタン（イスラム国家の政治的最高権力者）（在位1808〜1839年）。

第27代スルタン、アブデュルハミト1世の子。14世紀にもうけられた歩兵軍団イェニチェリの反乱の中、兄にかわって即位。第28代スルタンのセリム3世のあとをつぎ、近代化の改革をおこなう。イェニチェリをほろぼし、西欧式常備軍をつくったのち、中央集権化も実現。しかし、1827年にギリシャ戦争に大敗して、ギリシャの独立を承認。2年後、セルビアが自治を実現、翌年、アルジェリアがフランスに占領された。エジプト総督ムハンマド・アリーとの戦争により、列強諸国の干渉を受けることになり、これがオスマン帝国衰退をしめす東方問題につながった。

その後、イギリスとむすんだ不平等な通商条約のため、帝国はほぼ植民地化された。

📗 世界の主な王朝と王・皇帝

マホメット

マホメット → ムハンマド

まみやりんぞう

探検・開拓

🔴 間宮林蔵　　　　　1775?〜1844年

間宮海峡を発見した

（茨城県つくばみらい市立間宮林蔵記念館）

江戸時代の探検家。

常陸国筑波郡（現在の茨城県つくばみらい市）の農民の子として生まれる。利根川の改修事業で幕府の役人に数学の才能をみとめられ、江戸（東京）に出て地理学を学んだ。1799年、はじめて蝦夷地（北海道）にわたり、翌年、幕府の役人、蝦夷地御用掛雇となった。この年、蝦夷地を測量中の伊能忠敬に出会い、測量術を学んだ。1808年には、松田伝十郎とともに幕府から樺太探検を命じられる。当時、樺太は大陸と陸つづきであると考えられていたが、海岸線にそって北上をつづけ、樺太と大陸とのあいだに海峡があることを確認し、さらに海峡をわたって中国の黒竜江（アムール川）下流域を調査して、樺太が島であることを明らかにした。

その後も蝦夷地にとどまって測量をつづけ、伊能忠敬の『大日本沿海輿地全図』の完成に協力した。晩年は、幕府の隠密としてはたらき、密貿易の情報などを収集した。1828年におきたシーボルト事件の密告者ともいわれる。林蔵が発見した海峡は、のちにシーボルトによって間宮海峡と名づけられ、ヨーロッパに紹介された。

まゆずみとしろう

音楽

🔴 黛敏郎　　　　　1929〜1997年

オペラ『金閣寺』の作曲

昭和時代〜平成時代の作曲家。

神奈川県生まれ。早くから音楽の才能を発揮し、7歳で作曲をはじめる。1951（昭和26）年に東京音楽学校（現在の東京藝術大学）の研究科を修了、パリ国立音楽院に留学する。

帰国後、團伊玖磨、芥川也寸志とともに自作を発表する「三人の会」を結成し、作曲活動をはじめる。1953年に『ミュージック・コンクレートのためのX・Y・Z』を作曲、電子音楽という新しい音楽のジャンルをとり入れる先がけとなった。また、仏教や日本の伝統音楽を題材にした『涅槃交響曲』や『舞楽』などの代表作も書いている。1976年に三島由紀夫の小説をもとにしたオペラ『金閣寺』を発表して、海外から高い評価を得る。ストラビンスキーの音楽に傾倒し、ビートルズを高く評価するなど、つねに新しい音楽を追い求めた。また、テレビで音楽番組の司会を長年つとめ、浪花節からベートーベン、ケージの前衛まで幅広い音楽を紹介した。

まゆむらたく

文学

🔴 眉村卓　　　　　1934年〜

SF小説『司政官』シリーズの作者

作家。

大阪府生まれ。本名は村上卓児。大阪大学卒業。高校時代は俳句部に入り、句誌『馬酔木』に投稿していた。卒業後、会社員をしながら小説を書きはじめる。1961（昭和36）年、SF小説『下級アイデアマン』が日本SFコンテストに入選し、作家としてみとめられる。人類が進出した惑星に派遣された司政官が活躍する『司政官シリーズ』が代表作。その1冊である『消滅の光輪』は1979年に泉鏡花文学賞と星雲賞を受賞。10代むけに書かれたSFでは、『なぞの転校生』『ねらわれた学園』が大ベストセラーとなる。ほかに『夕焼けの回転木馬』、福島正実との共作『飢餓列島』などがある。

マラー，ジャン＝ポール

政治

🌐 ジャン＝ポール・マラー　　　　　1743〜1793年

フランス革命でジャコバン派を指導

フランス革命期の医師、政治家。

スイス西部のヌーシャテルの医師の家庭に生まれる。フランスのボルドー、次いでパリに出て医学を学び、1767年、イギリス

にわたって、医者を開業した。

1777年、フランスに帰国、アルトア伯（のちのシャルル10世）の侍医をしながら、自然科学の研究や著作にはげんだ。1789年にフランス革命がはじまると、新聞『人民の友』を刊行。民衆の立場から宮廷や貴族を批判した。1792年、国民公会の議員となり、パリ民衆の支持を得た急進的共和派の山岳派（ジャコバン派）の指導者の一人として活躍。国王の処刑や穏健共和派のジロンド派の追放など恐怖政治をおこなった。入浴中、ジロンド派の女性によって刺殺された。

マラドーナ，ディエゴ　　スポーツ

ディエゴ・マラドーナ　　1960年〜

アルゼンチンの国民的英雄

アルゼンチンのサッカー選手、監督。

幼いころから天才サッカー少年として知られ、9歳でアルヘンティノス・ジュニオールズの少年チームに入団した。1976年にアルゼンチンリーグ史上最年少の15歳11か月でプロデビューし、翌年にはアルゼンチン代表にえらばれる。

ワールドカップには、4回出場した。とくに1986年のメキシコ大会では「マラドーナのための大会」といわれるほど大活躍し、アルゼンチンを優勝にみちびいた。準々決勝のイングランド戦での「神の手」とよばれたゴールや、5人の選手をかわして決めた「5人ぬきゴール」は有名である。MVP（最優秀選手）にえらばれ、アルゼンチンの国民的英雄となった。

1991年に麻薬使用のうたがいで逮捕され、その後もドーピングで禁止薬物が発見されるなど、何度も事件をひきおこし、1997年に現役を引退した。それでも多くの国民に愛され、2010年のワールドカップ・南アフリカ大会では代表監督をつとめた。

マララ

マララ → ユスフザイ，マララ

マラルメ，ステファヌ　　詩・歌・俳句

ステファヌ・マラルメ　　1842〜1898年

フランス象徴派の詩人の始祖

フランスの詩人。

パリ生まれ。本名はエティエンヌ。父は高級官吏。5歳で母を亡くし、祖父母にひきとられ、少年時代を寄宿学校ですごす。孤独の中で詩を書き、作家ポーにあこがれ、ボードレールの詩集『悪の華』を読んで、詩人を志す。はじめ地方の高等中学校で英語を教えながら、詩を書いた。1876年に出版した『牧神

の午後』（『半獣神の午後』ともいう）により、多くの詩人におどろきをあたえた。音楽家の創造力も刺激し、作曲家ドビュッシーが、『牧神の午後への前奏曲』を作曲した話は有名である。

ことばの意味よりも音やひびきを重視し、象徴によって主観を表現する象徴派の詩人とよばれる。バレリーやポール・クローデルら次の世代の芸術家たちとも交流し多くの影響をあたえた。

マリア　　宗教

マリア　　生没年不詳

キリスト教で信仰の対象となったキリストの母

イエス・キリストの母とされる女性。

聖母マリアともいう。新約聖書によると、ナザレの大工、ヨセフとの婚約中、大天使ガブリエルのお告げを受け、精霊により処女のまま子を身ごもった。

信心深かったヨセフは、夢にあらわれた天使によって、受胎は精霊によるものであり、その子は救い主となることを告げられ、すべてを受け入れて結婚した。そして夫婦でベツレヘムへ行ったとき、イエスを産んだとされる。イエス・キリストの母という存在は、のちのキリスト教社会の民衆からしたわれ、しだいに信仰の対象となっていった。それにともなって聖母像や聖母子像が数多くつくられるようになり、絵画、彫刻、音楽、詩などいろいろな芸術の題材となっている。

マリア・テレジア　　王族・皇族

マリア・テレジア　　1717〜1780年

オーストリアを再興させた国母

オーストリア大公・ハンガリー国王（在位1740〜1780年）。

オーストリア・ハプスブルク家の神聖ローマ皇帝カール6世の長女として生まれる。1740年に父が亡くなると、ハプスブルク家の全所領をひきついだ。これに反対するプロイセンやバイエルン選帝侯、フランス、スペインとのあいだでオーストリア継承戦争がおこった。その結果、プロイセンにシュレジエン地方（現在のポーランド南部）をうばわれたが、ほかの領土と夫フランツ1世の神聖ローマ皇帝の位を確保できた。

その後、有能な人材を登用して、軍制や行政、財政など国政改革にとりくみ、中央集権化を進めた。1765年、夫が亡くな

ると、息子ヨーゼフ2世を神聖ローマ皇帝に就任させ、オーストリアの共同統治をおこなった。産業の育成、農民の保護、学制の改革など近代化を進めた。シェーンブルン宮殿内では、マリー・アントワネットら16人のこどもの母として家庭を重視し、国民からも国母として敬愛された。 学 世界の主な王朝と王・皇帝

マリー・アントワネット

王族・皇族

🌐 マリー・アントワネット　　　1755〜1793年

断頭台で処刑された王妃

フランス王国、ブルボン朝の国王ルイ16世の王妃。

オーストリアのウィーンに生まれる。父はハプスブルク家の神聖ローマ皇帝フランツ1世、母は皇妃（女帝）のマリア・テレジア。幼少のころからバレエをならい、ハープやチェンバロに熱中し、活発な少女時代をすごした。

1770年、14歳のときにフランスの王太子ルイと結婚し、パリから20kmほどはなれたベルサイユ宮殿でくらす。1774年に夫がルイ16世として即位すると王妃となり、その後、2人の王子と2人の王女にめぐまれた。

結婚したころは、軽率で無分別な行動も多く、宮廷内でひんしゅくを買うこともあった。また、宮廷のぜいたくな浪費生活の象徴とされ、オーストリアをよく思わない貴族や国民の反感を買った。中でも1785年、アントワネットの名をかたって宝石商から高価な首かざりをだましとる詐欺事件がおこったとき、アントワネットはかかわっていないにもかかわらず、世間から非難をあびた。

1789年7月にフランス革命がはじまると、反革命勢力の中心となって王権を守ろうとした。10月、武装したパリの女性たちにベルサイユからパリにもどるようせまられると、夫やこどもたちとパリ市内のテュイルリー宮殿に移った。民兵から監視されることになったが、家族のつながりは緊密になり、息子を王位継承者として育てなければと決意。立憲君主制（憲法にもとづく君主制）をとなえるミラボーに接近する。ミラボー亡きあとの1791年6月、家族と国外脱出をはかるが、国境の近くでとらえられ（バレンヌ逃亡事件）、国民の信頼を失った。さらに1792年、兄の神聖ローマ皇帝レオポルド2世にフランスを攻めさせると、パリの民衆は8月10日、テュイルリー宮殿をおそい、王政は廃止された。

その後、アントワネットたちはタンプル塔にとじこめられ、1793年1月、ルイ16世が処刑された。アントワネットは8月、コンシェルジュリーの独房に移されたのち、敵国とはかって反革命運動をおこしたとして法廷で裁判にかけられ、10月16日、断頭台で処刑された。37歳だった。最後まで王妃としての威厳をたもち、のちに人々の同情を集めた。 学 世界の主な王朝と王・皇帝

マリーニ，マリノ

彫刻

🌐 マリノ・マリーニ　　　1901〜1980年

ウマの作品で知られる現代彫刻家

イタリアの彫刻家。

トスカーナ州に生まれる。16歳でフィレンツェの美術学校に入学し、絵画と彫刻を学ぶ。28歳でパリに出た。イタリアにもどると、1929年からモンツァにある美術学校の教師をしながら、彫刻制作をはじめる。最初は肖像や群像といった作品をてがけたが、1930年代なかばからウマをテーマに制作して注目される。1952年、イタリアの美術展ベネチア・ビエンナーレで彫刻大賞を受賞し、世界でみとめられる彫刻家となった。

古代ローマ以前のエトルリア美術の影響を受け、素朴だが生命力を感じさせる独自のスタイルを生んだ。代表作は『馬と騎手』のシリーズで、同じテーマで版画も制作している。

マリウス，ガイウス

古代　政治

🌐 ガイウス・マリウス　　　紀元前157?〜紀元前86年

古代ローマの平民派を代表する政治家

古代ローマの政治家、軍人。

平民出身の軍人。北アフリカのヌミディア王がおこしたユグルタ戦争に従軍して勝利し、北方のキンブリ人、テウトニ人の撃退にも成功した。そのあいだ、軍事改革をおこない、徴兵制を廃止して、職業軍人制をとり入れた。また、生涯を通して、執政官（コンスル）に7度えらばれ、平民派の代表的な存在となった。

紀元前91年から紀元前88年の同盟市戦争で軍の指揮をとっていたころから、閥族派のスラと対立。ミトリダテス戦争のときは、スラのクーデターからアフリカにのがれた。その後、ローマで平民派がクーデターをおこすと、ローマにもどり、スラ派を処刑して権力を回復した。その翌年、病死した。

まるおぶんろく

郷土

🔴 丸尾文六　　　1832〜1896年

牧野原に茶園をつくった実業家

（御前崎市教育委員会）

明治時代の実業家。

遠江国池新田村（現在の静岡県御前崎市）に生まれた。幼いころから学問を好み、国学（日本の古典を研究し日本人の精神を明らかにする学問）と和歌を学び、村役人になった。

1870（明治3）年、大井川に渡し船ができた。そのために失業した金谷宿、島田宿（とも

に静岡県島田市）で肩や蓮台に人を乗せて川をわたすことを職業とした川越人足を救うため、牧ノ原の台地（静岡県牧之原市）を開墾し、チャの栽培をおこなって、大茶園をつくった。

その後、アメリカ合衆国向けの製茶輸出会社を設立して、茶の輸出をはじめ、静岡県茶業組合連合会会長などを歴任した。

まるきいり　[絵画]

● 丸木位里　　　　　　　　　　1901～1995年

社会に目をむけてえがいた日本画家

昭和時代の日本画家。

広島県生まれ。1923（大正12）年に上京し、日本画家の田中頼璋の天然画塾に一時入門するが、ほとんど独学で絵を学ぶ。関東大震災で広島にもどり、のちにふたたび上京し、1936年から1938年まで、川端龍子の青龍社展に出品する。1941年、洋画家の赤松俊子（丸木俊）と結婚した。

1945年8月、広島に原子爆弾が投下されると、肉親の安否をたしかめるため現地にむかう。悲惨な状況をまのあたりにしながら、俊と救援活動をした体験をもとに、俊と共同で『原爆の図』の制作を開始した。1950年、第1部『幽霊』を第3回アンデパンダン展に出品し、大きな反響をよぶ。以後、第2部『火』、第3部『水』とえがき、1953年には国際平和文化賞を受賞した。1982年までに全15作が完成した。そのほか、俊と共同で『南京大虐殺の図』『アウシュビッツの図』『水俣の図』など、社会に目をむけた作品を発表しつづけた。

マルキ・ド・サド　[文学]

🌐 マルキ・ド・サド　　　　　　　1740～1814年

牢獄の中で背徳的な小説を書く

フランスの作家。

パリ生まれ。マルキ・ド・サド（サド侯爵）は通称。本名ドナシャン・アルフォンス・フランソワ・ド・サド。サド家はプロバンス地方の名門貴族。当時の道徳で批判されるスキャンダルをおこし、牢獄で人生の3分の1をすごす。フランス革命で釈放されるが、反革命派のうたがいで、ふたたび投獄される。さらに作品が問題になり、精神病院に監禁される。

作品は、獄中で書かれた。美徳を信じる主人公が不幸な人生を送る『ジュスチーヌあるいは美徳の不幸』、悪の哲学を信じる主人公が不思議な体験をする『ジュリエット物語あるいは悪徳の栄え』などが有名。作品は久しく無視されていたが、20世紀になり文学としての価値をみとめられるようになった。

まるきとし　[絵画]

● 丸木俊　　　　　　　　　　1912～2000年

原爆をテーマに絵本をえがいた画家

昭和時代の洋画家、絵本作家。

北海道生まれ。旧姓は赤松、本名は俊子。1933（昭和8）年、女子美術専門学校（現在の女子美術大学）を卒業し、千葉県の小学校の代用教員となる。1937年から1年間、モスクワに留学し、帰国後、二科美術展覧会（二科展）に初入選した。

1941年にシュールレアリスムの芸術集団の美術文化協会に参加する。この年、丸木位里と結婚した。1945年8月、位里の両親が住む広島に原爆が投下されると、すぐに現地に入り、惨状をまのあたりにする。その体験を主題に、1950年から共同で連作『原爆の図』を制作し、海外でも大きな反響をよんだ。

1966年に埼玉県東松山市に移り住み、翌年には自宅のとなりに「原爆の図丸木美術館」をひらいた。絵本も数多くてがけ、位里とともにえがいた『日本の伝説』は、1971年プラチスラバ国際絵本原画展でゴールデンアップル賞を受賞した。また絵本『ひろしまのピカ』は、世界各国で読まれている。

マルクス，カール　[思想・哲学]

🌐 カール・マルクス　　　　　　1818～1883年

労働者階級の解放をうったえ、科学的社会主義を創始

▲カール・マルクス

ドイツの経済学者、哲学者、革命運動の指導者。

西部のラインラントのトリアーで生まれる。父はユダヤ系ドイツ人で弁護士をしていた。1835年、ボン大学法学部に入学、ベルリン大学へ移り、歴史学、哲学などを学び、とくにヘーゲルやフォイエルバッハの研究を深めた。

ボン大学で哲学の学位を得て、大学教授をめざすが、政府による言論統制が強まったため、教員への道をあきらめた。1842年、急進的な『ライン新聞』の編集者になり、政治や経済問題について批判的な記事を書いたため、政府から発行を禁止された。1843年に結婚し、妻とパリへ移り、社会主義者たちと交流をもち、労働者階級による解放運動を進める。

1845年、パリを追放されてベルギーのブリュッセルに行き、エ

ンゲルスと共著で『ドイツ・イデオロギー』を執筆。労働者階級が政権をとることが歴史の必然であるとする科学的社会主義（マルクス主義）の道をしめした。その後、共産主義者同盟に加わり、1848年、ロンドンでひらかれた大会で『共産党宣言』を発表。「万国の労働者よ、団結せよ」とよびかけた。

フランスのパリで二月革命、つづいてドイツで三月革命がおこると、ドイツにもどり『新ライン新聞』を発刊、革命のあとおしをした。革命が失敗すると、ドイツを追放され、1849年、ロンドンに亡命。家族をかかえてどん底の暮らしをしながら、アメリカ合衆国の新聞に政治や経済の時事評論を書き、大英博物館にかよって経済学の研究に没頭。その間、エンゲルスが生活費を送り、マルクスの研究をささえた。

1864年にロンドンで第一インターナショナル（国際労働者協会）が創設されると、宣言文をおこすなど、中心となって活動した。また、1871年にパリで民衆が自治政府（パリ・コミューン）をつくると、支援活動をおこなった。

資本主義経済のしくみと矛盾を説いた『資本論』第1巻を1867年に刊行。第2巻と第3巻は死後（1883年に64歳で死去）、エンゲルスによって刊行された。マルクスは資本主義社会を分析し、資本主義が誕生して、発展、やがて没落、社会主義へ移行すると主張した。労働者が団結して平等な社会をつくろうというマルクスの思想は、ロシア革命や中国革命など、社会主義をめざす労働者階級の理論的支柱となった。

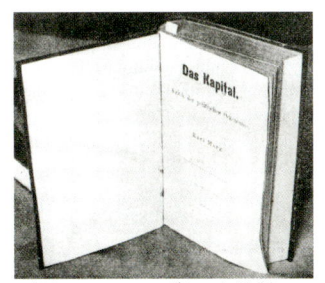

▲最初のドイツ語版『資本論』のとびらページ

マルクス・アウレリウス・アントニヌスてい
王族・皇族　古代
マルクス・アウレリウス・アントニヌス帝　121〜180年

五賢帝の最後の皇帝

ローマ帝国の皇帝（在位161〜180年）。

スペインの名家の出身。ハドリアヌス帝の意向で、次のアントニヌス・ピウス帝の養子となって政治を補佐し、その死後、帝位を継承する。義弟のルキウス・ウェルスを共同皇帝とした。このころから東方のパルティア、北方のゲルマン人の侵攻がはげしくなり、その対応に追われ、みずからも何度も出征する。パルティアとの戦いでは勝利したが、ペストがローマ領内で流行し、多数の命が失われた。北の国境では、周辺民族との戦いが長きにわたり、また部下が反乱をお

こすなど、ローマ帝国の衰退がめだつようになる。そうしたなか、実子のコンモドゥスを後継者に指名し、自身は出征中に亡くなった。養子に帝位を継承する五賢帝の慣例は、終わりを告げた。ローマ帝国最盛期の名高い5人の皇帝、五賢帝最後の一人。若いころからギリシャ・ストア哲学を学ぶ哲学者であり、それゆえに「哲人皇帝」といわれる。陣中で書いた『自省録』は、ストア哲学の代表作となった。

マルグレーテ
王族・皇族
マルグレーテ　1353〜1412年

北欧3国連合の基礎を築いた

デンマークの実質的な女王。

デンマーク王バルデマー4世の次女。10歳でノルウェー王ホーコン6世と結婚。1375年、父が男子のないまま急死すると、5歳の息子をオーロフ2世としてデンマーク王に即位させ、摂政となる。1380年に夫が亡くなると、オーロフ2世はノルウェーの王位も継承し、その摂政もおこなった。1387年、オーロフ2世が17歳で急死。当時北欧では女性の王位継承権はなかったが、デンマークとノルウェー両国で国全体の後見人にえらばれ、称号はないが実質的な女王となる。姉の孫、6歳のエーリヒを養子にしてノルウェー王とする。1389年、スウェーデン王アルブレヒトと戦って勝利し退位させ、1396年、エーリヒをデンマークとスウェーデンの王として即位させた。1397年、カルマル同盟がむすばれ、3国の国家連合の支配者となる。マルグレーテの統治は独裁体制であったが、内政に重点をおき、軍による領土の拡張政策はとらず、善政をおこなって3国は繁栄した。

マルコーニ，グリエルモ
産業　発明・発見
グリエルモ・マルコーニ　1874〜1937年

無線通信技術を開発した発明家

20世紀のイタリアの発明家、企業家。

ボローニャ生まれ。少年時代から科学に関心をもった。ボローニャ大学の物理学者、アウグスト・リーギに師事し、電波の発信機と受信機の製作に力をそそぐ。1895年、約1.5kmの距離をへだてた信号の送受信に成功。翌年にはイギリスにわたって出資者をつのり、無線通信の開発

を進める。1897年、ロンドンにマルコーニ無線電信会社を設立、2年後、イギリス・フランス間のドーバー海峡をこえての無線通信に成功。1901年、イギリス・カナダ間の大西洋を横断した無線の送受信にも成功した。

1909年、無線通信発展への寄与により、ノーベル物理学賞を受賞。無線通信は船舶においてさかんに利用され、1912年のタイタニック号の遭難事故では、乗船していたマルコーニ無線電信会社の社員が救難信号を送信し、多くの人命救助につながったと評価された。1914年、元老院議員となり、第一次世界大戦後の1919年には、イタリア全権代表としてパリ平和会議へ出席した。

学 ノーベル賞受賞者一覧

マルコス, フェルディナンド　　政治

フェルディナンド・マルコス　　1917〜1989年

経済発展に貢献する一方、独裁の道をあゆんだ大統領

フィリピンの政治家。第10代大統領（在任1965〜1986年）。ルソン島北部生まれ。夫人はイメルダ。1939年、フィリピン大学法学部卒業、弁護士試験に最高点で合格。第二次世界大戦中、日本軍がフィリピンに侵攻した際には、日本に抵抗して戦ったともいわれる。1946年、ロハス大統領の経済担当補佐官となり、1949年にリベラル党から下院議員に当選、1963年には上院議長に就任。翌年、リベラル党の現職大統領マカパガルと対立し、ナショナリスタ党に移籍。1965年の大統領選挙で勝利し、大統領に就任。経済開発や貿易拡大などで成果をあげた。

一方、大統領権限を強化、1972年には戒厳令をだし、ベニグノ・アキノ上院議員ら政敵を弾圧するなど独裁の道をあゆんだ。1983年、アキノ暗殺事件との関連をうたがわれ、1986年の大統領選挙では不正をおこない、軍部や民衆による反抗を受け、ハワイに亡命した。その結果、アキノ元上院議員の未亡人コラソン・アキノが大統領に就任した。

マルコ・ポーロ

→ 93ページ

マルコ・マリー・ド・ロ　　郷土

マルコ・マリー・ド・ロ　　1840〜1914年

外海地方の人々につくした神父

明治時代に来日した、キリスト教神父。

フランスの貴族の家に生まれた。パリの神学校を卒業後、1868年、キリスト教の布教のために来日し、1879（明治12）年、信仰がさかんだった外海地方（長崎市北西部）に主任司祭とし

て赴任した。この地方は山の斜面にあるため耕地が少なく、村人は貧しい暮らしをしていた。ド・ロ神父は村人の生活を向上させようと私財を投じて、「救助院」を建設した。また、ヨーロッパから機械や器具を購入して、村人にパン、マカロニ、そうめんなどの製法を教え、織物や染色の技術を指導し、製品を販売して収入を得られるようにした。村人に読み書きや算術を教え、診療所をつくって、みずから診療をおこない、亡くなるまで30年以上にわたり、外海地方の人々のために力をつくした。ド・ロ神父が設計し、信者とともに建設した出津教会堂と大野教会堂（ともに長崎市）は国の重要文化財に指定されている。

（お告げのマリア修道会）

マルサス, トーマス　　学問

トーマス・マルサス　　1766〜1834年

貧困はさけることのできない自然現象

イギリスの経済学者。

南部のサリー州の富裕な家に生まれる。ケンブリッジ大学を卒業後、1796年からイギリス国教会の牧師補をつとめ、そのかたわら『人口論』を執筆し、1798年に刊行した。産業革命により多くの労働者が生みだされ、その貧困が問題となっていた時代の中で、マルサスは「人口の増加は食糧の増産をはるかにしのぐので、食糧不足、貧困の増大はさけることのできない自然現象だ」と論じ、社会に大きな衝撃をあたえた。

1805年、東インド会社が設立した大学の経済学教授となり、『経済学原理』などを著した。その説は、変革すべき地主や資本家を擁護していると急進派から批判されたが、20世紀の近代経済学者ケインズにより再評価された。

マルシャーク, サムイル　　絵本・児童　映画・演劇

サムイル・マルシャーク　　1887〜1964年

児童劇『森は生きている』の作者

ソビエト連邦（ソ連）の詩人、作家、児童文学作家。

南ロシアのボローネジ生まれ。化学技師の父をもつ。ユダヤ人という理由で差別を受け、生活は苦しかった。

こどものころから詩の才能にすぐれ、評論家に注目された。1904年に結核をわずらうと、ゴーリキーが救いの手をさしのべた。1912年から3年間、イギリスに留学する。第一次世界大戦中は戦災孤児のためにはたらいた。1917年、ロシア革命後に帰国し、こども劇場を創設、こどもむけの詩や児童劇に力を入れた。

正直で、あたたかい文体を特徴とする。詩集に『おりのなかのこどもたち』『郵便』、物語『しずかなおはなし』などがある。日本では児童劇『森は生きている』で知られる。

マルコ・ポーロ　『東方見聞録』でアジアのようすをヨーロッパに伝えた旅行家

■17歳のとき東方旅行に出発

イタリアのベネツィアの商人、旅行家。

▲マルコ・ポーロ

ベネツィアに生まれる。生まれてまもなく、母が死に、マルコはおじとおばに育てられた。貿易商人だった父ニコロはおじマッフェオとともに、1253年、東方旅行に出発。1264年ごろモンゴル帝国（元）をおとずれ、皇帝フビライ・ハンからローマ教皇への「キリスト教に通じた学者100人の派遣」と「キリストの聖なる油」を求める親書を託されて、1269年に帰国した。

1271年、17歳のとき、父とおじとともに東方への旅に出発。海路でアークル（現在のイスラエル領アッコ）にわたり、エルサレムでキリストの聖なる油を手に入れると、イランのホルムズへとむかった。そこから陸路でアフガニスタンをぬけ、パ

▲ベネツィアを出発するマルコ・ポーロ一行

ミール高原をこえ、タクラマカン砂漠の南側のオアシス都市を通って沙州（敦煌）に入った。

■元の皇帝フビライ・ハンに会う

1274年ごろ、元朝の夏の都がある内モンゴルの上都（張家口）に到着し、フビライ・ハンと会った。フビライ・ハンに気に入れられたマルコは元朝の役人にとりたてられ、南西の雲南省や南の福州など中国各地をめぐり、皇帝に各地のめずらしい文物や情報をもたらしたほか、使節として南ベトナムのチャンパなどもおとずれた。また、行政官として長江下流の揚州に赴任した。

元朝につかえて17年たった1290年、イル・ハン国（モンゴル帝国の西アジアの王朝）の君主アルグン・ハンの下にとつぐ元の王女コカチンの案内役として、泉州を出帆。南シナ海からマラッカ海峡、スリランカ、インド洋をへて、1293年、イランのホルムズに到着。遠征中のアルグンの息子ガザン・ハンのもとに王女を

▲元の皇帝フビライ・ハンと会うマルコ・ポーロ一行

届けた。その後、黒海を通って、1295年、ベネツィアに帰った。約25年にわたる大旅行だった。

■ろう内で東方見聞録を語る

1296年、黒海貿易の主導権をめぐって、ベネツィアとジェノバのあいだで戦いがおこると、マルコはベネツィアに従軍した。ガレー船（オールをこいで進む軍艦）の指揮顧問官として戦ったが、海戦でやぶれてとらえられ、ジェノバのろうにつながれた。その獄中で同室だったピサの作家ルスティケロに、東方で見聞したこと、体験したことなどを口述し記録させた。それが『東方見聞録』（正式名は『世界の記述』）である。そこにはアジア各地の歴史や住民の暮らし、風俗、習慣などについてくわしくえがかれ、日本も「黄金の国ジパング」として紹介された。はじめてアジアの事情をヨーロッパに伝えた貴重な本として、コロンブスをはじめ多くの航海者や貿易商人たちに影響をあたえた。

マルコは1299年、釈放されたのち、ベネツィアで貿易商をいとなみ、成功し財をなした。商人の娘と結婚し、3人の娘にめぐまれ、その後、ベネツィアをはなれることはなかった。

●マルコ・ポーロのおもな行路（推定）

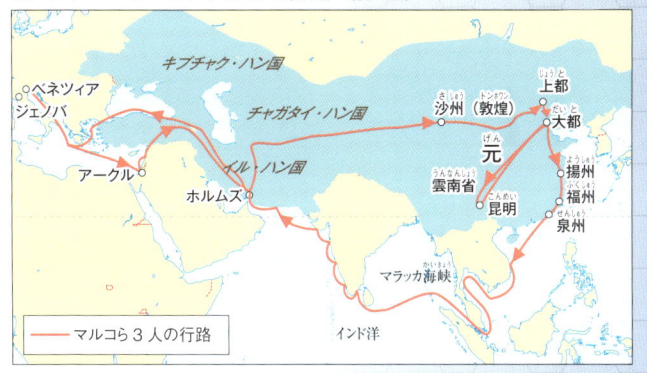

マルコ・ポーロの一生

年	年齢	主なできごと
1254	0	イタリアのベネツィアに生まれる。
1271	17	父やおじとともに東方へ旅立つ。
1274	20	このころ元に入り、皇帝フビライ・ハンと会う。
1290	36	元朝の王女を案内してイル・ハン国にむかう。
1295	41	ベネツィアに帰る。
1298	44	このころ、ジェノバとの戦いに参加、捕虜になる。獄中で『東方見聞録』を口述する。
1299	45	ジェノバのろうから釈放される。
1324	70	ベネツィアで亡くなる。

※年齢は満年齢であらわしている

マルソー，マルセル

映画・演劇

マルセル・マルソー　　　　　　1923〜2007年

パントマイムを世界に広めた俳優

フランスのパントマイム俳優。アルザス地方に生まれる。幼いころからアメリカ合衆国の無声映画に親しむ。第二次世界大戦中、ユダヤ人の父が収容所で殺され、反ナチス運動のレジスタンスに加わった。

喜劇俳優のチャップリンにあこがれ、1944年、俳優になろうと演劇学校に入る。ここで、セリフをいわず、身体の動きだけで表現をするパントマイムも学んだ。1947年にジャン=ルイ・バロー劇団の無言劇でピエロを演じて、パントマイムに自信をもつ。その後、パントマイムの劇団をつくって世界をまわり、1955年にはアメリカのニューヨークで絶賛された。

ピエロの現代版「ビップ」という独自のキャラクターを生みだし、パントマイムをだれもが親しめるものにした功績は大きい。小品の一つ『風にむかって歩く』をヒントに、歌手マイケル・ジャクソンの有名なムーンウォークが誕生したという話は有名である。「パントマイムの神さま」とよばれる。

マルタン・デュ・ガール，ロジェ

文学

ロジェ・マルタン・デュ・ガール　　1881〜1958年

『チボー家の人々』の作者

フランスの作家、劇作家。

パリ郊外で、代々が法律家をつとめる裕福な家に生まれる。10代でトルストイを読み、長編小説を書こうと心に決める。パリ大学文学部を卒業後、古文書学院で学んだ。

25歳ごろから小説にとりくむ。1913年の作品『ジャン・バロワ』が評判をよび、作家としてみとめられた。第一次世界大戦では4年間従軍する。戦場からもどると、1920年から念願の長編『チボー家の人々』にとりかかり、約20年かけて全8巻を完成した。

この小説では、チボー家の2人の息子の成長を、フランス社会や時代の動きとともに、ていねいにえがいている。自由や運命、戦争と平和などの問題をまじえた大河小説として、いまも評価が高い。1937年には、第7巻の『1914年・夏』によりノーベル文学賞を受賞した。

🎓 ノーベル賞受賞者一覧

マルピーギ，マルチェロ

学問・発明・発見

マルチェロ・マルピーギ　　　　　1628〜1694年

顕微鏡による生物研究の先駆者

イタリアの解剖学者、医師。

ボローニャ地方に生まれ、ボローニャ大学で医学を学ぶ。ボローニャ、ピサなどの大学教授をつとめ、イタリアの自然科学の学会アカデミア・デル・チメントに参加した。晩年は、教皇インノケンティウス12世の医師をつとめた。

人間のからだのしくみを知るために、より単純な生物を調べることからはじめ、顕微鏡を用いて肺の毛細血管や、皮膚の感覚器官などを発見した。また、ニワトリの成長の初期段階でえらの痕跡があらわれることを発見した。顕微鏡による生物研究の先駆者として知られ、昆虫の排せつ器官（マルピーギ管）などに、名前がのこされている。

まるやさいいち

文学

丸谷才一　　　　　　　　　　　1925〜2012年

リアルな現実にせまるすぐれた小説家

昭和時代〜平成時代の作家、文芸評論家、翻訳家。山形県生まれ。本名は根村才一。東京大学英文科卒業。大学ではイギリス文学を学び、卒業後は国学院大学で教えるかたわらジョイス『ユリシーズ』（共訳）などの翻訳で注目される。その後、文筆に専念し、1968（昭和43）年に発表した『年の残り』で芥川賞を受賞する。作家自身の経験や心理をありのまま書く日本的な私小説を批判し、現代社会に生きる人々を主人公にして、たくみな構成の小説をめざす。『たった一人の反乱』で谷崎潤一郎賞を受賞するなど、数々の受賞歴をもつ。1993（平成5）年には『女ざかり』がベストセラーとなる。『後鳥羽院』や『忠臣蔵とは何か』などのエッセー集や文章論、評論も多い。2006年文化功労者、2011年には文化勲章を受章。

🎓 文化勲章受章者一覧　　🎓 芥川賞・直木賞受賞者一覧

まるやまおうきょ

絵画

円山応挙　　　　　　　　　　　1733〜1795年

写生にもとづく新しい画風を確立

（国立国会図書館）

江戸時代中期の画家。丹波国穴太村（現在の京都府亀岡市）の農家に生まれた。幼いころより絵が好きだったといわれる。10代のころから京都の商家に奉公した。骨とうや玩具などをあきなう尾張屋ではたらいているときに絵の才能をみとめられ、尾張屋のすすめで狩野派（狩野正信・狩野元信父子にはじまる絵画の流派）の画家石田幽汀に学んだ。

一方で、オランダや中国から伝わった眼鏡絵（のぞき眼鏡に入れてみる、極端な遠近法でえがかれた絵）をてがけ、西洋画の技法を身につけた。また、中国の元や明の画風を研究し、

昆虫や魚、草花、風景などを写生して、写実性に富む新しい写生画を完成した。

応挙の絵は、公家や裕福な商人から支持された。応挙のもとには1000人ともいわれる門人が集まり、門人をひきいて金刀比羅宮（香川県琴平町）や大乗寺（兵庫県香美町）など各地の寺院や神社の障壁画（障子絵や屏風絵などの総称）をてがけた。

▲『牡丹孔雀図』　（宮内庁三の丸尚蔵館）

代表作に、国宝の『雪松図屏風』『牡丹孔雀図』などがある。

幽霊の絵をえがいたことでも知られ、日本でおなじみの足のない幽霊をえがいたのは、応挙が最初だといわれている。

まるやまとくや
郷　土

● 丸山徳弥　　　　　1751～1826年

砂糖の和三盆の製造をはじめた農民

江戸時代中期～後期の農民、製糖業者。

阿波国板野郡引野町（現在の徳島県上板町）の農家に生まれた。村は水の便が悪く、砂の多い土地で、いもやダイズをつくって細々とくらしていた。あるとき旅人から甘蔗（サトウキビ）の話を聞き、村人の貧しい暮らしを救うために、やせた土地でも育つサトウキビを栽培して砂糖をつくろうと考えた。1776年、日向国延岡（宮崎県延岡市）に行き、他国へのもちだしが禁止されていたサトウキビの苗をひそかにもち帰った。植えてみると繁殖したので、1780年、徳弥はふたたび日向に行き、砂糖の製造技術などをおぼえて帰郷した。

苦心を重ねた結果、白砂糖づくりに成功した。大きな盆の上で、作業をくりかえすことから「和三盆（阿波三盆糖）」とよばれた。板野郡を中心に製造が広まり、全国に売りだされた。ほのかな香りと甘みがある和三盆は、現在、徳島県や香川県で生産され、和菓子の高級材料としてつかわれている。

まるやままさお
思想・哲学

● 丸山真男　　　　　1914～1996年

戦後日本の民主主義思想のリーダーとして活躍した

昭和時代～平成時代の政治学者、歴史学者、思想家。

大阪府生まれ。父はジャーナリストの丸山幹治。1937（昭和12）年、東京帝国大学（現在の東京大学）法学部を卒業したのち、同大助教授となり、第二次世界大戦後、同大教授になる。大戦中より、江戸時代の儒学者の荻生徂徠から、国学者の本居宣長にいたる思想展開の過程に、日本近代化の出発点があると、自著の『日本政治思想史研究』において主張した。1946年に「超国家主義の論理と心理」を論文発表し、戦後いち早く、天皇制やファシズムについてするどく論じ、日本の民主主義思想を主導して、平和にむけて積極的に行動した。著作に『現代政治の思想と行動』『日本の思想』『戦中と戦後の間』などがある。

マルレー，デビッド

マルレー，デビッド → マレー，デビッド

マルロー，アンドレ
文　学

🌐 アンドレ・マルロー　　　　　1901～1976年

行動する作家とよばれる

フランスの作家、政治家。

パリの生まれ。4歳のとき両親が離婚し、母と祖母に育てられる。早くから文学や美術、世界の歴史、文化に興味をもつ。大学に行かず、書店の店員をしながら、美術館やさまざまな講座にかよって知識を身につけた。

アジアの美術に関心をもち、22歳のとき、カンボジアの遺跡をおとずれる。遺物をぬすんだうたがいで逮捕されるが、のちに釈放された。この体験をもとに、29歳で小説『王道』を発表し、高く評価される。1925年のベトナムの独立運動を支援し、1936年のスペイン内戦ではみずから戦場に立つ。第二次世界大戦ではドイツに対する抵抗運動（レジスタンス）に加わって活躍。このときともに戦ったド・ゴールが大統領になると、文化大臣などをつとめた。

行動力があり、20人分の人生を生きたといわれる行動する作家。日本の美術や文化も愛し、4回来日した。代表作『人間の条件』で、フランスの文学賞ゴンクール賞を受賞した。

マレー，デビッド
教　育

● デビッド・マレー　　　　　1830～1905年

日本の近代教育行政の基礎づくりに貢献した教育者

アメリカ合衆国の教育者。

マルレーともよばれる。ニューヨーク州生まれ。1852年にユニオン大学を卒業後、オルバニー・アカデミー校長、ラトガース大学の数学天文学の教授をつとめる。駐米外交官だった森有礼の推薦で、1873（明治6）年、日本にまねかれ、1879年まで文部省顧問（いわゆるお雇い外国人）として、教育行政制度の基礎づくりにかかわった。全国の教育管理の権限を文部省に

統一する、という中央集権的な学制の改正案をまとめ、1879年に公布された改正教育令に強い影響をあたえた。また、女子教育や教師の育成を重んじ、東京女子師範学校（現在のお茶の水女子大学）、同校附属幼稚園の創設に協力、東京大学の編成などにもかかわった。

マレービチ，カジミール

絵画

● カジミール・マレービチ　　1878〜1935年

純粋な感性を絶対とした抽象画家

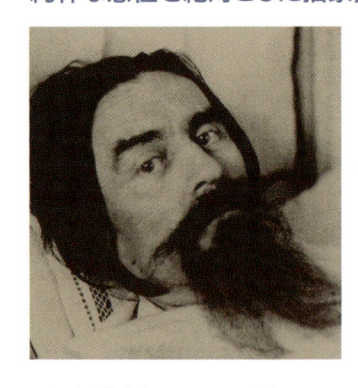

ロシアの画家。

ウクライナのキエフ近郊で生まれる。モスクワで絵画、彫刻、建築を学ぶ。絵画は、印象主義に影響を受けた素朴な作風からはじまったが、1910年代に入ると、キュビスム（立体派）やロシア未来派詩の影響や、画家ラリオーノフの前衛芸術運動への参加を通して、抽象画へとかわっていった。

1915年、白地に一面、正方形を黒くぬった作品『黒の正方形』を発表する。題材をいっさい再現せずに、正方形や長方形、円といった幾何学的な形だけで構成する作品を発表して、純粋な感性を絶対とする抽象の立場「シュプレマティズム（絶対主義）」を提唱した。これは、現代抽象画の一つの出発点ともいわれる。晩年は抽象画に対し、ロシア美術界の評価が得られず、苦難のうちに亡くなった。代表作に『牛とバイオリン』『シュプレマティズム：白の上の白』などがある。20世紀を代表する抽象画家の一人である。

マレンコフ，ゲオルギー

政治

● ゲオルギー・マレンコフ　　1902〜1988年

スターリン主導のもと、大粛清にかかわった政治家

ソビエト連邦（ソ連）の政治家、共産党筆頭書記（在任1953年）。

ロシア南西部オレンブルグ生まれ。1920年、共産党入党。1925年、共産党中央委員会に勤務し、のちに、最高指導者スターリンの秘書局員の責任者となった。1934年からは共産党官僚機構の責任者として人事などにたずさわり、スターリン主導のもと、大粛清（粛清は反対派などを追放すること。スターリンは多数の反対派を処刑した）にもかかわった。1946年、政治局員となり、ソ連閣僚会議副議長（副首相）などを兼務。

1953年3月5日、スターリンが死去した翌日、最高指導者である筆頭書記兼首相に就任したが、同月14日には筆頭書記の地位を失い、1955年に首相も辞任。2年後、フルシチョフの失脚をねらうが失敗し、自分が失脚した。

📗 主な国・地域の大統領・首相一覧

マロ，エクトール

絵本・児童

● エクトール・マロ　　1830〜1907年

『家なき子』の作者

フランスの作家、児童文学作家、評論家。

西部のルーアン市に近いラ・ブイユ村に生まれる。高等中学校に進むと、友人と雑誌をつくり、読書に熱中した。

父のあとをつぐためにパリ大学法学部に進むが、作家をめざすようになる。文芸評論の仕事をしながら、28歳で小説『恋人』を出版し、好評を得る。1867年の結婚をきっかけに、こどもむけの物語『ロマン・カルプリス物語』を書く。これが好評で、出版社からたのまれて児童小説を書くようになった。

日本でもおなじみの、少年レミが生みの母親をさがして旅をする『家なき子』や、少女の成長をえがいた『家なき娘』は、いまも根強い人気をもつ。ほかに戯曲や自伝も書いた。

マロリー，ジョージ

探検・開拓

● ジョージ・マロリー　　1886〜1924年

3度もエベレスト山遠征隊に参加

イギリスの登山家。

チェシャー州に生まれる。学生時代から登山をはじめる。ケンブリッジ大学卒業後、教師となった。1921年、イギリスによる、国をあげてのエベレスト山（中国名チョモランマ）遠征隊にえらばれた。第1回遠征では、登頂の準備のための地図作成やルート探しにとりくむ。翌年の第2回遠征では8225mまで到達した。しかし、1924年の第3回遠征で、パートナーのオックスフォード大学生アービンと、8170m地点の第6キャンプを出発したまま、行方不明となった。1999年に、頂上付近でマロリーの遺体が発見されたが、登頂に成功したかどうかは、いまだにわかっていない。生前、山を登る理由をたずねられて、「そこにそれ（エベレスト）があるから」とこたえたことでも有名。

マン，トーマス

文学

● トーマス・マン　　1875〜1955年

人間の精神的成長をえがく

ドイツの作家、評論家。

北ドイツの都市リューベック生まれ。兄は作家で評論家のハインリヒ・マン、長男は作家のクラウス・マン。生家は大きな穀物商だったが、父が亡くなり破産、家族はミュンヘンに移る。高校を中退し、保険会社の見習い社員をしながらミュンヘン大学で文学や美術史を聴講した。19歳のとき、短編小説『転落』が雑誌にのり、評論

家の目にとまる。1901 年、豪商一家の没落をえがいた長編『ブッデンブローク家の人々』により一躍有名になった。1929 年、ノーベル文学賞を受賞。

第一次世界大戦後、ファシズムを批判する態度を明らかにする。1933 年、ナチス政権に自宅をとり上げられ、アメリカ合衆国へ移住する。晩年はスイスに住んで小説を書きつづけた。

長編『魔の山』をはじめ、人間の精神的成長や生きる意味をテーマにした小説を多く発表した。世界文学史に欠かせない作家の一人である。短編『ベニスに死す』は映画になった。

学 ノーベル賞受賞者一覧

マンサ・ムーサ 王族・皇族

🌐 マンサ・ムーサ　　　　　　　生没年不詳

マリ帝国、最盛期の王

西アフリカ、マリ帝国の王（在位 1312 〜 1337 年）。

マンサは王の称号で、カンカン・ムーサともいう。マリ帝国は西アフリカ内陸部、現在のマリ共和国あたりで 13 〜 14 世紀に栄えた王国。ニジェール川流域の肥沃な土地の農作物と、牧畜を中心とした農牧国家であるとともに、領地内で大量の金を産出していた。敬虔なイスラム教徒だったムーサは、1324 年からイスラム教の聖地メッカへ巡礼しているが、このとき金を積んだ 100 頭のロバがいたという。この豪勢な巡礼のうわさは、遠くヨーロッパまで広まった。首都トンブクトゥは古くからアフリカ内部の交易拠点であり、ムーサがトンブクトゥにあるサンコーレ大学にイスラム法学者、天文学者、占星術師などを中東や北アフリカからまねいたため、イスラム諸学や文化の一大中心地となった。また、トンブクトゥをはじめ、国内に数多くのモスクを建設している。当時マリ帝国をおとずれたアラビア人の旅行家イブン・バットゥータは、ここは安全な国で住民は正義感が強いと称賛している。

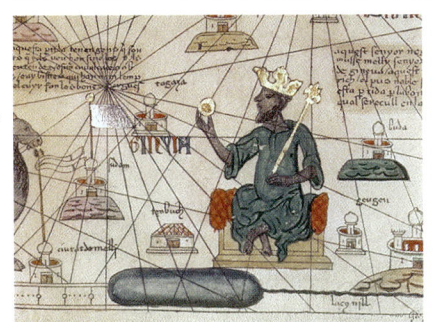

▲カタロニア地図上で金塊を手にするマンサ・ムーサ

マンスール 王族・皇族 宗 教

🌐 マンスール　　　　　　　712?〜775年

バグダッドを建設したカリフ

イスラム帝国アッバース朝の第 2 代カリフ（在位 754 〜 775 年）。

異母弟のサッファーフ（アブー・アルアッバース）をついでカリフ（ムハンマドの後継者でイスラム国家の宗教的最高指導者）となった。ウマイヤ朝の残党やシーア派を弾圧してアッバース家の立場を強固にした。行政機構を整備し、裁判官（カーディー）を直接任命することで司法権を地方総督から独立させ、駅伝制

（バリード）を完備、情報収集機関として利用するなど中央集権化を進め、アッバース朝イスラム帝国の実質的な支配体制をつくった。762 年から 766 年にかけて新都バグダッドを建設。三重の城壁でかこまれた円形の城マディーナ・アッサラーム（平安の都）を築いた。

学 世界の主な王朝と王・皇帝

マンデラ，ネルソン 政 治

🌐 ネルソン・マンデラ　　　　　1918〜2013年

ノーベル平和賞を受賞した黒人解放運動家、大統領

南アフリカ共和国の黒人解放運動家、政治家。大統領（在任 1994 〜 1999 年）。

東ケープ州のテンブ族首長の家に生まれる。大学では法律を学び、1944 年、アフリカ民族会議（ANC）の創設に参加、1950 年に議長となり、人種隔離政策（アパルトヘイト）に対する抵抗運動を指揮。1952 年、白人以外で南アフリカ共和国初の弁護士となるが、逮捕。1962 年、再逮捕され、2 年後、国家反逆罪で終身刑を宣告される。27 年の獄中生活後、1990 年に釈放されると、ANC 副議長、翌年、議長に就任。以後、デクラークと協力して全人種代表が参加した民主南アフリカ会議などをひらき、暫定政府、暫定憲法をつくった。1994 年、新憲法にもとづき、初の全人種参加の選挙がおこなわれ、ANC が第一党となり、大統領に選出され、約 340 年にわたる白人少数支配に終止符を打った。1999 年の第 2 回総選挙には出馬せず、引退を表明した。1993 年、デクラークとともにノーベル平和賞を受賞した。

学 ノーベル賞受賞者一覧

マンデルブロー，ブノワ 学 問

🌐 ブノワ・マンデルブロー　　　1924〜2010年

自然界の形を図形であらわす考えを提唱

アメリカ合衆国の数学者。

ポーランドに生まれ、家族でフランスに移住する。おじの影響で数学者を志し、パリ工科大学やアメリカのカリフォルニア工科大学で学ぶ。1958 年にアメリカに移住し、IBM 研究所の研究員となる。

1977 年に、フラクタル（自己相似性。雲や海岸線のような、拡大しても同じ形があらわれる構造）という考えを提唱し、1982 年に発表した『フラクタル幾何学』で、自然界と人工的な幾何模様のつながりを数式にあらわす方法をしめした。これにより、瞬時に情報を処理するコンピューターをつかって、さまざまな情報を図がら化して伝達するコンピューターグラフィック（数式の映像化）が発展した。

み

Biographical Dictionary **4**

ミース・ファン・デル・ローエ, ルートウィヒ

建築

🌐 ルートウィヒ・ミース・ファン・デル・ローエ　1886〜1969年

20世紀建築界の巨匠の一人

ドイツ出身の建築家。

アーヘンに生まれる。父は石工で、幼いときから仕事をてつだう。工業高校にかよったが、建築の専門教育は受けていない。建築現場や家具づくりの仕事から、知識を身につけた。

1909年、建築家ベーレンスの事務所に入り、建築家として活躍する。1929年、バルセロナ万国博覧会ドイツ館の設計で国際的な評価を得た。1930年にバウハウス（総合造形学校）の３代目校長に就任するが、ナチス政権になると、アメリカ合衆国のシカゴに移住する。イリノイ工科大学教授をつとめながら、シーグラムビルディングをはじめとする数々の高層ビルや、代表作となるファンスワース邸などの個人住宅を設計した。

鉄、ガラス、コンクリートをつかい、シンプルをきわめた建物で、とくに高層ビルは、現在も世界中で手本とされている。バルセロナチェアなど家具の設計でも有名である。20世紀建築界の世界三大巨匠の一人に数えられる。

みうらあやこ

文学

🔴 三浦綾子　1922〜1999年

キリスト教徒として人間の原罪を追求した

昭和時代〜平成時代の作家。

北海道旭川市生まれ。旭川市立高等女学校を卒業後、小学校の教員を７年間つとめる。退職後、結核と脊椎カリエスのため、13年間の療養生活を送り、病床でキリスト教の洗礼を受ける。1962（昭和37）年、雑誌に『太陽は再び没せず』が掲載される。1964年、人間の原罪を追求した小説『氷点』が朝日新聞社の懸賞小説で１位となり、文壇に登場する。生涯を旭川でくらし、北海道の自然や歴史を背景にした作品も多い。人はいかに生きるべきかをテーマに、敬虔なキリスト者としての視点で作品を書きつづけた。ほかに、『積木の箱』『細川ガラシャ夫人』『天北原野』『銃口』などの作品がある。

みうらあんじん

三浦按針 → アダムズ, ウィリアム

みうらごろう

政治

🔴 三浦梧楼　1846〜1926年

護憲三派内閣の成立につくした

（国立国会図書館）

幕末の志士、明治時代〜大正時代の政治家。

長州藩（現在の山口県）の藩士、五十部家の子として生まれ、のちに三浦道庵の養子となった。尊王攘夷運動（天皇をうやまい外国勢力を追いはらおうという運動）に参加し、高杉晋作らが組織した奇兵隊に入り活躍した。明治新政府では兵部省（軍事一般をあつかう役所）に入り、1876（明治9）年、広島鎮台司令官となり、萩の乱や西南戦争などを鎮圧した。その後、陸軍士官学校長、宮中顧問官、学習院院長などをへて、貴族院議員に就任した。1895年、特命全権公使として朝鮮王朝に赴任。皇帝のきさきで親ロシア政策をとっていた閔妃の暗殺にかかわったとされ、一時、広島の刑務所に拘禁された。

1898年、政界に入り、憲政本党に属し、地租（土地に課する税金）の値上げに反対した。1910年、枢密顧問官（天皇に属する機関で重要な国事を審議する枢密院を構成する人）となり、政界の黒幕として活躍。藩閥政治に反対し、憲政会、政友会、革新倶楽部の護憲三派内閣の成立につくした。

みうらせんざぶろう

郷土

🔴 三浦仙三郎　1847〜1908年

広島の名酒を開発した醸造家

（東広島市教育委員会）

江戸時代後期〜明治時代の醸造家。

安芸国加茂郡三津村（現在の広島県東広島市）の雑貨商をいとなむ家に生まれ、商売を広げて財産をつくった。30歳のころ家業を弟にゆずり、酒造業をはじめた。広島の酒は辛口で重く、灘（兵庫県神戸市）や伏見（京都市）の口あたりのよい酒におされて需要がへっていた。仙三郎は灘で酒づくりの技術を学んで帰り、広島の酒の改良をはかったが、うまくいかなかっ

た。あるとき、京都の酒造家の講演を聞き、広島の水は灘や伏見の水と水質がちがい、ミネラル分をあまりふくまない軟質の水だと知り、同じ醸造法ではよい酒ができないとわかった。その後、研究を重ね、軟水による醸造法を開発した。その結果を『改醸法実践録』というパンフレットにして同業者にくばって酒づくりをすすめた。その後、仙三郎が開発した醸造法でつくられた広島の酒は、清酒の品評会などで表彰され、名酒として全国に知られるようになった。

みうらたまき

音楽

● 三浦環　　　　　　　　　　　　1884～1946年

日本初の国際的なプリマドンナ

明治時代～昭和時代のソプラノ歌手。

東京生まれ。旧姓は柴田。1903（明治36）年、在学中の東京音楽学校（現在の東京藝術大学）で、日本人によるはじめてのオペラ上演であるグルックの『オルフェオとエウリディーチェ』でエウリディーチェ役をつとめる。卒業後、母校で教員をつとめたのち、帝国劇場歌劇部の主席歌手として活躍。その後ヨーロッパにわたり、1915（大正4）年、ロンドンでプッチーニのオペラ『蝶々夫人』に出演して大好評を得る。1918年にはニューヨークのメトロポリタン歌劇場で『蝶々夫人』を歌い、国際的歌手としてみとめられると、以後20年間、欧米各国で約2000回以上『蝶々夫人』を演じた。

明るく澄みきった歌声で、作者プッチーニから絶賛されるなど、日本人としてはじめて、オペラのプリマドンナ（主役）を演じて国際的な評価を得る。晩年は日本で演奏や教育活動をおこなう。著書に『世界のオペラ』『お蝶夫人』がある。

みうらてつお

文学

● 三浦哲郎　　　　　　　　　　　1931～2010年

生きる意志を作品にこめる

昭和時代～平成時代の作家、児童文学作家。

青森県生まれ。早稲田大学仏文科卒業。6人兄弟の末子で、兄と姉5人が自殺や失そう、難病をかかえるなどの不幸な生い立ちを思いなやむ青春時代をすごす。大学卒業後、文学を志して、井伏鱒二に師事する。1960（昭和35）年、みずからの学生結婚をもとにした『忍ぶ川』で芥川賞を受賞。その後、一家に遺伝する病気をテーマにえがいた『白夜を旅する人々』で大佛次郎賞を受賞するなど、数々の文学賞を獲得している。不幸つづきの家系にあらがって生きぬく意志を作品にこめた。ほ

かに『じねんじょ』『みのむし』や児童文学『ユタとふしぎな仲間たち』など多くの作品がある。　　　学 芥川賞・直木賞受賞者一覧

みうらばいえん

思想・哲学

● 三浦梅園　　　　　　　　　　　1723～1789年

儒学と蘭学をあわせた条理学をとなえる

（国立国会図書館）

江戸時代中期の思想家、医者。

豊後国富永村（現在の大分県国東市）に医者の子として生まれ、のちに家をついで医者になった。幼いころから、あらゆることに疑問をもつ子だったという。独学で儒学（中国の孔子の弟子によってまとめられた孔子の学問や教え）を学び、また、長崎に遊学（ほかの土地へ行って学ぶこと）して西洋の天文学などにふれた。儒学と蘭学（西洋の知識や技術、文化を研究する学問）の知識をあわせた独自の自然哲学「条理学」をとなえ、『玄語』『贅語』『敢語』などを著した。

豊後国杵築藩（大分県杵築市）などから、仕官のまねきを受けるがすべて辞退し、生涯郷里で医者、学者としてすごした。豊後国出身の麻田剛立や大坂（阪）の懐徳堂（町人のための学問所）の中井履軒とは生涯文通を通して交流した。温厚な人がらで、貧しい人に食料を送ったり、苦しんでいる人にすすんで手をさしのべたりしたので、人々から豊後聖人とよばれて親しまれた。

みうらやすむら

貴族・武将

● 三浦泰村　　　　　　　　　　　? ～1247年

鎌倉幕府評定衆の一人

鎌倉時代中期の武将。

三浦義村の子。三浦義澄の孫。相模国（現在の神奈川県）出身。

承久の乱（1221年）のとき、父の義村とともに北条泰時のひきいる軍に加わって後鳥羽上皇（譲位した後鳥羽天皇）の軍をやぶり京にのぼった。1238年、評定衆（政治を統括する執権の下で裁判や政務をおこなった職）となる。1239年、父の死後、家をついだが、北条氏は泰村の勢力が大きくなることを警戒した。

1246年、北条時頼が執権につくと、有力御家人（将軍につかえる武士）で北条氏一族の名越光時が時頼をたおそうと計画した。この陰謀は失敗したが、弟の三浦光村が深くかかわっていたため時頼に三浦氏を討つ口実をあたえ、翌年、時頼の軍に館をおそわれ一族とともにほろんだ（宝治合戦）。

みうらよしずみ

貴族・武将

● 三浦義澄　　　　　　　　　1127〜1200年

鎌倉幕府をささえた御家人の一人

平安時代後期〜鎌倉時代前期の武将。

相模国三浦郡（現在の神奈川県横須賀市）出身。1180年、平氏打倒の兵をあげた源頼朝にしたがうが、平氏軍にやぶれて安房（千葉県南部）にわたり、のがれていた頼朝と合流した。その後、態勢を立て直した頼朝にしたがい鎌倉（神奈川県鎌倉市）に入った。1184年、源範頼にしたがって平氏追討の軍に加わり、1185年の壇ノ浦（山口県下関市）の戦いで源義経の軍に加わり戦功をあげた。1189年、頼朝が奥州藤原氏追討のために編成した軍に加わって活躍し、頼朝の信任を得た。1199年、頼朝の死後、合議制をおこなう13人の有力御家人（将軍につかえる武士）の一人となって幕府をささえ、その後の三浦氏一族が活躍する基盤を築いた。

(国立国会図書館)

みききよし

思想・哲学

● 三木清　　　　　　　　　　1897〜1945年

反戦容疑で逮捕され、獄死した哲学者

大正時代〜昭和時代の哲学者。

兵庫県生まれ。西田幾多郎の『善の研究』に感動して、1917（大正6）年、京都帝国大学（現在の京都大学）哲学科に入学。西田や波多野精一に学んだ。卒業後はドイツに留学し、ハイデッガーに師事する。1927（昭和2）年に法政大学教授となり、『人間学のマルクス的形態』など、マルクスに関する多くの論文を発表。1930年、日本共産党に資金提供したことから、治安維持法違反で警察に検挙され、退職した。1945年3月、反ファシズム運動をしていた友人をかくまったことで再検挙される。第二次世界大戦後も釈放されないまま、9月26日、刑務所内で死亡した。著書に『パスカルに於ける人間の研究』『唯物史観と現代の意識』『歴史哲学』などがある。

みきたく

文学

● 三木卓　　　　　　　　　　1935年〜

敗戦、戦後の体験を誠実にあたたかくえがく

詩人、作家、童話作家。

東京生まれ。本名は冨田三樹。早稲田大学露文科卒業。少年時代を旧満州（現在の中国東北部）ですごした。1966（昭和41）年に発表した最初の詩集『東京午前三時』でH氏賞

受賞、1970年の詩集『わがキディ・ランド』で高見順賞を受賞し、詩人として知られる。その後、小説もてがけ、1973年には、第二次世界大戦の敗戦直後に満州でおきた混乱を、少年の目を通してえがいた小説『鶸』で芥川賞を受賞した。

作品には、小説『砲撃のあとで』『震える舌』『馭者の秋』や児童文学『ぽたぽた』『イヌのヒロシ』などがある。ローベルの作品の翻訳もある。1999（平成11）年紫綬褒章受章。

学 芥川賞・直木賞受賞者一覧

みきたけお

政治

● 三木武夫　　　　　　　　　1907〜1988年

政界浄化をうったえた政治家

昭和時代の政治家。第66代内閣総理大臣（在任1974〜1976年）。

徳島県生まれ。アメリカ合衆国留学後、1937（昭和12）年に明治大学法学部を卒業。衆議院議員選挙に立候補し、当時最年少の30歳で当選した。以後当選19回、約50年間、国会議員をつとめる。第二次世界大戦中は非推薦議員、戦後は協同民主党をへて、1947年、国民協同党書記長となり、片山哲内閣の逓信大臣として初入閣。その後、国民民主党幹事長、改進党幹事長となる。1954年、日本民主党の鳩山一郎内閣が成立すると、運輸大臣に就任。2年後、保守合同で結成された自由民主党の幹事長となった。岸信介、佐藤栄作、田中角栄内閣でも入閣し、1974年に内閣総理大臣となる。政界の浄化をうったえて、公職選挙法と政治資金規正法を改正する。また、ロッキード事件の真相解明をかかげ、田中角栄前首相の逮捕を許可した。

党内で「三木おろし」の動きが強まり、1976年、衆議院選挙の大敗の責任をとって、辞任。その後も、政治浄化にむけての活動をつづけ、「理想をもったバルカン政治家」を自任した。

学 歴代の内閣総理大臣一覧

みきもとこうきち

産業　郷土

● 御木本幸吉　　　　　　　　1858〜1954年

真珠の養殖に成功し、ミキモト・パールを世界に広めた

明治時代〜昭和時代の実業家。

1858年、志摩国（現在の三重県南東部）でうどん屋をいとなむ両親の下に長男として生まれる。幼名は吉松。機械類の改良や発明に関心のあった父と、商才にたけた祖父の影響を受けて育つ。家の手伝いをしながら、13歳ころには野菜などを売る青物商をはじめる。数年後、鳥羽沖にイギリス測量船が停泊し

た際には、小舟で野菜を売りにいった。ほかにも売りこみをしている商人がいたので、寝そべって足で傘をまわすなどの足芸をして船員の目にとまるようにくふうし、商品を売ることに成功した。その後、青物商から米穀商へと転身。これは、米での納税から金銭での納税へかわったため、商売になると思ったからだった。

▲御木本幸吉　（国立国会図書館）

このように若いころから商才を発揮し、外国人相手の商売の経験も積んでいた。

20歳のときに家をついで、幸吉と名をあらためる。東京、横浜などを視察して、志摩の特産である海産物が外国への貿易商品になると感じ、今度は海産物商となった。数年後、うめと結婚。海産物の仕事をするなかで、真珠に興味をもつ。志摩では真珠のとれるアコヤガイが乱獲され絶滅しそうだったことを知り、30歳のときにアコヤガイの養殖をはじめる。しかし真珠は偶然にしかできないため、アコヤガイを養殖するだけでは経営がむずかしかったことから、真珠そのものの養殖ができないかと思いたつ。失敗をくりかえしながらも、動物学者の箕作佳吉の協力を得て、1893（明治26）年に相島（ミキモト真珠島）において半円真珠の養殖に成功した。1899年、東京銀座に御木本真珠店をひらく。1905年には天然真珠にもおとらない、真円真珠の養殖に成功し、その後、大量採取を可能にすると、ミキモト・パールの名前で広く輸出して、海外にも店舗をだした。ミキモト・パールは世界市場の約6割を占めるまでになり「真珠王（パールキング）」とよばれるようになる。第二次世界大戦中は養殖を禁じられたが、戦後の1950（昭和25）年に事業を再開。没後、勲一等を贈られた。

幸吉は真珠の養殖を成功させただけでなく、その改良をつづけた。また、販路を拡大し、効果的な宣伝を重ねて、養殖真珠を日本の重要な輸出品にまで高めることに成功した。

▲鳥羽湾に浮かぶミキモト真珠島

みきろふう

🔴 三木露風　　　　1889〜1964年

童謡『赤とんぼ』で知られる

明治時代〜昭和時代の詩人。

兵庫県生まれ。本名は操。早くから雑誌に詩を投稿し、旧制中学のころ、はじめての詩歌集『夏姫』を自費出版。上京後は詩に専念し、北原白秋や前田夕暮らと知り合う。1907（明

治40）年、野口雨情らと早稲田詩社を設立、1914（大正3）年には川路柳虹らと詩誌『未来』を創刊する。明治時代末から大正時代の詩壇で、白秋とならび、叙情詩で名を知られる。

代表作となった詩集『廃園』『白き手の猟人』などにより、心の内面をものにたとえてえがく象徴詩の詩人として人気を得た。やがて、カトリック信仰に入って宗教詩を書いた。童謡『赤とんぼ』の作詞者としても知られている。

ミケランジェロ・ブオナローティ　　　絵画

🌐 ミケランジェロ・ブオナローティ　　1475〜1564年

ルネサンスを代表する彫刻家

▲ミケランジェロ・ブオナローティ

イタリアの彫刻家、画家、建築家。

トスカーナ地方の町に生まれる。家は小貴族の家がらで、父は町の行政長官をしていた。幼少のころから絵をかくのが好きで、13歳のときにフィレンツェの画家ギルランダイオの工房に弟子入りする。翌年、メディチ家の邸内で彫刻家ベルトルドの指導を受けた。

1496年、21歳のときローマへ行き、サンピエトロ大聖堂の彫刻『ピエタ』などを制作した。1501年にフィレンツェにもどり、市の依頼を受けてフィレンツェ共和国のシンボルとなる『ダビデ像』の制作を開始し、3年半かけて完成させた。その後、フィレンツェ市庁舎から大壁画の依頼を受けて、レオナルド・ダ・ビンチの作品とともに大会議室をかざる予定だったが、途中で中止となった。

1505年、ローマ教皇ユリウス2世にまねかれ、ユリウス2世の墓廟の制作を依頼された。この仕事は、中断もふくめて約40年かかった。1508年からシスティナ礼拝堂の天井画の制作にとりかかり、約4年半をついやして、天地創造にはじまる9場面を天井にえがくたいへんな作業を、ほとんど一人でおこなった。

1520年からフィレンツェのサンロレンツォ聖堂内のメディチ家の礼拝堂の制作を依頼され、以後、約10年間、フィレンツェとローマのあいだを行き来して、彫刻の制作にはげんだ。メディチ家の墓廟のほうは、ロレンツォ・デ・メディチとジュリアーノの像のほか、石棺の上に「朝」「夕」「昼」「夜」の4つの像を制作した。

1534年からは、ローマに永住した。教皇パウルス3世からシスティナ礼拝堂の正面壁画『最

▲『最後の審判』（部分）

後の審判』の制作を命じられ、1536 年から一人で約 5 年半かけて完成させた。

中央にイエス・キリストが右手をあげて立ち、右は罪人を地獄に落とす場面、左は善人の魂を天上に救い上げる場面で、大きく回転する構図の中に、約 400 人の人物をえがいた。

晩年はローマのカンピドリオの丘の広場の整備、サンピエトロ大聖堂の改築などにもかかわり、1564 年、89 歳で死去した。イタリア・ルネサンスを代表する芸術家で、次の時代のバロック芸術の先がけともなった。

みしまとくしち 　　　　　　　学問

● 三島徳七　　　　　　　1893〜1975年

MK鋼を発明した技術者

昭和時代の冶金学者。

兵庫県生まれ。東京帝国大学（現在の東京大学）工学部冶金学科を卒業した 1920（大正 9）年に結婚、養子縁組により、姓が喜住から三島にかわる。翌年、同大学助教授となり、アルミニウム合金の研究に力をそそぐ。

1931（昭和 6）年、鋼とニッケルの合金であるニッケル鋼にアルミニウムを加え、熱処理をすることで性質がかわり、強磁性をもつ（強力な永久磁石になる）ことを発見。コバルトや銅を加えて改良をおこない、1934 年に特許を取得、三島と旧姓の喜住の頭文字をとって「MK 鋼」と名づけた。「MK 鋼」はその後もさまざまに改良されて、電子機器や航空機、自動車などの発展に大きく貢献した。

三島は 1950 年に文化勲章を受章、翌年には文化功労者に選出された。　　　　　学 文化勲章受章者一覧

みしまみちつね 　　　　　　　政治

● 三島通庸　　　　　　　1835〜1888年

強引な開発でおそれられた県令

（国立国会図書館）

明治時代の官僚。

薩摩藩（現在の鹿児島県西部）の鼓指南役の家に生まれる。倒幕運動、戊辰戦争に参加したのち、東京府の権参事となる。その後、各地で県令（県知事）をつとめ、地方開発を強行し、道路、学校、庁舎などの建設をおし進める。1874（明治 7）年、酒田県（山形県）令の時代には、旧税法に反対して封建地代の廃止を求める農民一揆、ワッパ騒動を弾圧した。また 1882 年、福島県令の時代には、山形、新潟、栃木に通じる会津三方道路の工事を計画し、強制的に住民をはたらかせ、これに反対した県議会と

自由党員、地元農民を徹底的に弾圧した（福島事件）。栃木県令に就任後の 1884 年には、反発した自由党員らが三島の暗殺を計画し、加波山に立てこもる加波山事件がおこるが、これも鎮圧する。

のちに内務省土木局長となり、1885 年、警視総監に就任する。1887 年、保安条例によって自由民権運動家約 570 人を東京から追放した。

みしまゆきお 　　　　　　文学　映画・演劇

● 三島由紀夫　　　　　　1925〜1970年

戦後日本文学の偉大な作家

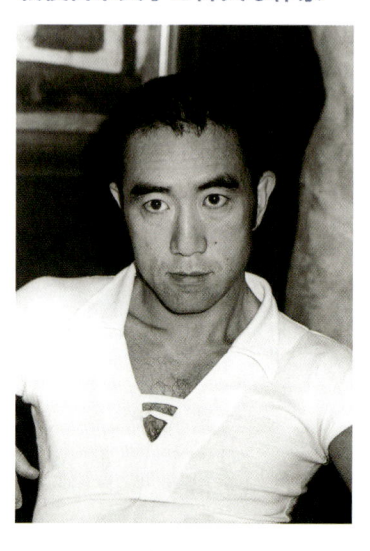

昭和時代の作家、劇作家。

東京生まれ。本名は平岡公威。学習院高等科に在籍していた 10 代前半から小説を書きはじめる。16 歳で同人誌に『花ざかりの森』を発表して早熟な才能を開花させる。1944（昭和 19）年、東京帝国大学（現在の東京大学法学部）に入り、翌年、勤労動員先の工場で第二次世界大戦の終戦をむかえた。

21 歳のときに短編作品『煙草』を発表し、期待の新人として注目される。また大学を卒業して、大蔵省に就職したがまもなく退職して、作家としての活動に専念する。1949 年には長編『仮面の告白』を発表し、作家としての地位を確立した。つづいて『青の時代』『禁色』などを発表して、自己に忠実に生きる主人公を作品にえがいた。

1951 年末に、世界一周の旅に出かけた。訪問先のギリシャで古代文明遺跡をみて廃墟の美に打たれ、自身の美学に大きな影響を受けた。中編小説『潮騒』では、主人公の 2 人はギリシャ古典文学『ダフニスとクロエ』からモデルを得ている。

1956 年には、金閣寺の放火事件をもとにした『金閣寺』、1959 年に敗戦後日本の方向性を暗示した『鏡子の家』を発表する。1960 年ころの日米安全保障条約に反対する安保闘争をきっかけに、ナショナリズムに関心をもつようになり、1936 年に日本陸軍の青年将校らがおこした二・二六事件を題材にした『憂国』を書いた。

1970 年、みずから結成した「楯の会」の隊員とともに自衛隊市ヶ谷駐屯地で割腹自殺をし、日本中に衝撃をあたえた。

主な作品に『午後の曳航』『豊饒の海』がある。劇作家としても活躍し、能と詩を融合させた『近代能楽集』や『鹿鳴館』『サド侯爵夫人』などの戯曲をのこした。

みずかみすけさぶろう

郷土

● 水上助三郎　　　　　　　1864〜1922年

岩手県の漁業の発展につくした水産事業家

幕末〜大正時代の水産事業家。

陸奥国気仙郡吉浜村（現在の岩手県大船渡市）に生まれた。18歳で東京に出て、小笠原諸島で製塩、牧畜、養鶏を学び、ウシをつれて帰郷したが、うまく飼育できなかった。その後、オットセイ漁が村の発展にむすびつくと考え、1898（明治31）年、千島列島に船をだした。ベーリング海からアリューシャン列島でのサケ・マス漁にも成功した。また、吉浜湾でアワビを養殖して缶詰を製造し、松島湾（宮城県）でカキの養殖をはじめ、養殖漁業の先がけとなった。オットセイ漁で得たばく大な利益を植林事業や学校の設立に投資し、凶作のときの難民救済につくすなど、地元の発展や慈善活動に貢献した。

みずかみつとむ

文学

● 水上勉　　　　　　　　　1919〜2004年

弱者の視点で社会をえがく

昭和時代〜平成時代の作家。福井県生まれ。筆名は水上勉。立命館大学中退。8歳から禅寺にあずけられて、徒弟生活を経験する。旧制中学のころ修行を放棄、20歳のころに作家を志し、宇野浩二に学ぶ。1948（昭和23）年『フライパンの歌』で作家としてデビューするが、デビュー作に失望して文筆活動から遠ざかった。その後、さまざまな仕事を経験し、1959年に発表した『霧と影』から執筆を再開する。1961年、寺に奉公にだされたこども時代をえがいた『雁の寺』で直木賞を受賞すると、人気作家として次々と作品を書き、さまざまな文学賞を獲得した。代表作に、青函連絡船の海難事故を題材にした『飢餓海峡』や金閣寺の放火事件をあつかった『金閣炎上』などがある。虐げられた人々に共感をもち、弱者の視点から社会をえがく作品が多い。また評伝にも力をそそぎ『宇野浩二伝』『一休』『良寛』などがある。1998（平成10）年、文化功労者に選出。

学 芥川賞・直木賞受賞者一覧

みずきしげる

漫画・アニメ

● 水木しげる　　　　　　　1922〜2015年

『ゲゲゲの鬼太郎』を生んだ漫画家

昭和時代〜平成時代の漫画家。

鳥取県境港市出身。本名は武良茂。小さいころは自分の名前をうまく発音できず「げげる」といっていたことが、のちに『ゲゲゲの鬼太郎』のタイトルにつながったという。お手伝いのおばあさん「のんのんばあ」から、おばけやあの世などの不思議な世界の話を聞き、大きな影響を受ける。学校の成績はよくないが、絵画の才能にあふれるこどもだった。高等小学校を卒業後は、大阪ではたらきながら絵を学び、夜間中学に進んだ。

▲水木しげる

第二次世界大戦中、軍に召集されて戦地へ行き、パプアニューギニアのラバウルで爆撃を受け左腕を失う。野戦病院では、現地の住民と交流をもった。そこで終戦をむかえ、1946（昭和21）年に日本へもどる。戦後は武蔵野美術学校で学ぶが、生活が苦しくなり中退した。いろいろな仕事をしながら絵の仕事を志し、紙芝居作家となる。その後1958年に『ロケットマン』で貸本漫画家となり、『墓場鬼太郎』シリーズや『河童の三平』『悪魔くん』などを刊行した。

貸本漫画が衰退しはじめると、雑誌『月刊漫画ガロ』に作品を発表する。1965年、『別冊少年マガジン』に発表した『テレビくん』で第6回講談社児童まんが賞を受賞。『週刊少年マガジン』で『ゲゲゲの鬼太郎』（開始時のタイトルは『墓場の鬼太郎』）の連載をはじめる。妖怪ブームをまきおこし、たびたびアニメ化や実写映画化もされる人気作品となった。

1973年には、みずからの体験をもとに戦地の兵隊たちをかいた『総員玉砕せよ！』を刊行。その後も戦争の悲惨さをリアルにえがいた『コミック昭和史』などの作品を発表する。1977年には、自身のこども時代を題材としたエッセー『のんのんばあとオレ』を刊行。1992年にはコミック版も刊行し、フランスのアングレーム国際漫画祭で最優秀作品賞を受賞した。

1991（平成3）年に紫綬褒章、2003年に旭日小綬章を受ける。2010年には文化功労者にえらばれた。2015年に93歳で死去。

各地の伝説や妖怪を人々の身近なものへとかえた妖怪漫画の第一人者。『日本妖怪大全』などで多くの妖怪をえがいた。こどもからおとなまで愛される、多くの作品とキャラクターを生みだした。

▲境港市の水木しげるロードにある鬼太郎の像

（© 水木プロ / 水木しげる記念館写真提供）

みずのげんざえもん

郷土

● 水野源左衛門　　　　　　　　　?～1647年

会津本郷焼を創始した陶工

江戸時代前期の陶工。

尾張国瀬戸（現在の愛知県瀬戸市）出身といわれているが、たしかなことはわからない。陸奥国岩瀬郡長沼（現在の福島県須賀川市）で陶器をつくっていた。1645年、会津藩（福島県西部）藩主の保科正之に見いだされて、陶器づくりを命じられ、会津（福島県会津若松市）に行って、陶器づくりにはげんだ。焼き物にふさわしい土を求めて領内をめぐり、大沼郡本郷（会津美里町）で最適の陶土を発見した。

本郷に移って窯をつくり、1647年、陶器（会津本郷焼）を焼いて藩主に献上し、賞賛された。

源左衛門の死後、弟の長兵衛があとをつぎ、会津藩御用の器を焼くとともに、一般の人々がつかう茶わんや鉢などをつくった。会津本郷焼は、その後もくふうが重ねられ、現在は国の伝統的工芸品に指定され、会津美里町を中心につくられている。

みずのただくに

江戸時代

● 水野忠邦　　　　　　　　　1794～1851年

天保の改革にふみきった老中

▲水野忠邦
（首都大学東京図書情報センター所蔵）

江戸時代後期の大名、老中。

肥前国唐津藩（現在の佐賀県唐津市）の藩主、水野忠光の子として江戸（東京）に生まれる。1812年、19歳で藩主になって藩政改革をおこない、幕府政治に参加することをめざしたが唐津藩は長崎警護という役目があったため幕府の要職にはつけなかった。そこで1817年、家臣の反対をおしきって財政的には不利な遠江国浜松藩（静岡県浜松市）への転封（国替）を幕府に嘆願し実現した。その後、大坂城代（大坂（阪）城の警備と西日本の大名を監視する役職）、京都所司代（朝廷や西日本の大名を監視する役職）などを歴任し1834年、老中に昇進した。

1841（天保12）年、大御所（将軍職をしりぞいた前将軍）として権勢をふるった江戸幕府第11代将軍徳川家斉が亡くなると、第12代将軍徳川家慶に信任されて政治の実権をにぎり、幕府の財政を立て直すため、天保の改革をはじめた。

まず、幕府の家臣たちに大御所時代のぜいたくな生活を禁じ、庶民に対してもきびしい倹約令をだして豪華な料理や着物など

の製造、販売を禁止した。庶民の娯楽だった江戸の芝居小屋を郊外に移し、風紀を乱すおそれのある出版物の取り締まりを強化した。また、物価の上昇をおさえるため商品の流通を独占していた株仲間（同じ業種の商工業者の組合）を解散させた。

天保のききん（1833～1839年）で荒廃した農村の復興にもとりくみ、農村の人口をふやすため江戸に出かせぎに出ていた農民を強制的に村へ返そうとした。

一方、アヘン戦争（1840～1842年）で中国の清がイギリスに敗北したことを知ると1842年、異国船打払令をゆるめた。

1843年、上知令をだし、政治、経済の中心地である江戸と大坂周辺の大名や旗本の領地を幕府の支配地にしようとしたが、大名や旗本だけでなく農民からも反対の声が高まり撤回せざるをえなかった。その直後、老中をやめさせられ天保の改革は中止された。

▲天保のききんのようす（『荒歳流民救恤図』より）
（国立国会図書館）

学 江戸幕府大老・老中一覧

みずのぶんぞう

郷土

● 水野豊造　　　　　　　　　1898～1968年

富山にチューリップ栽培を広めた園芸家

（富山県花卉球根農業協同組合）

明治時代～昭和時代の園芸家。

富山県庄下村（現在の砺波市）の農家に生まれた。体が弱かったので、花や野菜を栽培して家計を助けた。1918（大正7）年、種苗会社のカタログでチューリップのことを知り、球根をとりよせて植えた。翌年の春、真っ赤な花が咲いたので、切り花を町の朝市にだしたところ、めずらしがられて高い値段で売れた。

その後、チューリップについて研究し、砺波地方の気候が球根栽培に合っていることを知って、村人に栽培をすすめると栽培農家もふえた。やがて、アメリカ合衆国にも球根を輸出するようになるが、1941（昭和16）年、太平洋戦争がおこり、輸出できなくなった。豊造は、戦時中も球根を育てて品種を絶やさないようつとめ、戦後、球根の復活に力をそそいだ。1948年、球根の輸出が再開され、富山県花卉球根農業協同組合を組織して、普及活動につとめた。チューリップは現在、富山県の特産物になっている。

みずはらしゅうおうし

● 水原秋桜子　　　　　　　　1892〜1981年

自然や情感をすなおに表現する

　大正時代〜昭和時代の俳人。

　東京生まれ。本名は豊。東京帝国大学（現在の東京大学）医学部卒業。生家で産婦人科医をしながら、昭和医学専門学校（現在の昭和大学）の教授をつとめた。早くから文学に関心をもち、高浜虚子の『ホトトギス』に参加。山口誓子、高野素十、阿波野青畝とともに「ホトトギスの4S」とよばれて活躍する。その後、虚子の写生俳句（みたありのままをよんだ俳句）と対立して、1928（昭和3）年に『馬酔木』を創刊。文語調の定型を守りながら、しみじみとした感情を素直に表現する新しい俳句をめざす。みずみずしい叙情俳句で知られる。門下には石田波郷や加藤楸邨らがいる。句集に『葛飾』『古鏡』などがあり、随筆や評論も多数ある。

みぞぐちけんじ

● 溝口健二　　　　　　　　　1898〜1956年

海外の映画にも影響をあたえた映画監督

　大正時代〜昭和時代の映画監督。

　東京生まれ。図案の仕事などについたのち、日活向島撮影所に入社し、1923（大正12）年、『愛に甦へる日』で監督としてデビューする。この年、関東大震災がおき、京都の日活撮影所に移転した。探偵映画から現代劇まで、さまざまな主題で制作したが、しだいに下町情緒や明治時代の風俗を下敷きに、そこに生きる女性の姿をえがくようになる。1936（昭和11）年の『浪華悲歌』『祇園の姉妹』、1939年の『残菊物語』では、逆境にくじけない女性を、徹底したリアリズムでえがき、第二次世界大戦前の代表作となった。

　1952年、『西鶴一代女』でベネチア国際映画祭の国際賞を受賞し、1953年の『雨月物語』、1954年の『山椒大夫』も同映画祭で受賞して、世界的に注目された。カメラを長回しして、ひとつの場面を撮りきるワンシーン・ワンショットの手法や完全主義は、海外の映画監督にも影響をあたえている。

みそらひばり

● 美空ひばり　　　　　　　　1937〜1989年

昭和時代の歌謡界の女王

　昭和時代〜平成時代の歌手、俳優。

　神奈川県生まれ。本名は加藤和枝。3歳で『小倉百人一首』を暗記し、レコードから流れてくる歌謡曲を聴きおぼえるなど、こどものころから抜群の暗記力を発揮していた。6歳のとき、軍隊へ入る父の壮行会で『九段の母』を歌う。これをはじめとして、第二次世界大戦中は、出征兵士の壮行会、海兵団や軍需工場などを慰問におとずれ、地元で天才歌手と評判になった。

　1945（昭和20）年、終戦で復員した父が結成した楽団に所属、9歳のとき、

（ひばりプロダクション）

横浜の劇場の舞台に立ち、ボードビリアンの川田義男（のちの晴久）から注目される。1947年、「美空ひばり」の芸名を得て、小学校にかよいながら各地の劇場で公演活動をはじめ、当時、ブームだった笠置シヅ子の『東京ブギウギ』などを歌っていた。1949年からは映画にも出演し、『悲しき口笛』で初主演をはたす。劇中、燕尾服姿で同名の挿入歌を歌って一躍人気となり、レコードも大ヒットした。翌年、中学生でハワイ巡業に参加して公演をおこない、アメリカ合衆国本土では、ハリウッドスターのマーガレット・オブライエンと会い、のちに映画『二人の瞳』で共演するきっかけをつくった。

　1954年、はじめてのレコードアルバムを発表。その後、同年代の歌手、江利チエミ、雪村いづみとコンサートや映画で共演して「三人娘」とよばれた。1964年、『柔』（古賀政男作曲）が180万枚のレコード売上げを記録し、翌年、日本レコード大賞を受賞。名実ともに日本の歌謡界を代表する歌手となる。

　代表曲に『リンゴ追分』『港町十三番地』『悲しい酒』『哀愁波止場』『愛燦燦』『川の流れのように』などがある。豊かでめりはりのきいた表情あふれる声に特徴があり、すぐれた歌唱力で、歌謡曲、演歌、ジャズなどさまざまなジャンルの曲を歌いこなし、歌謡界の女王と称される。亡くなる直前まで精力的にコンサートをおこなうなど、昭和の大スターの姿を人々の記憶にのこし、死後も不動の人気を誇る。1989（平成元）年、女性としてはじめて国民栄誉賞を贈られる。　学 国民栄誉賞受賞者一覧

みついたかとし

● 三井高利　　　　　　　　　1622〜1694年

三井家を御用商人におし上げた

　江戸時代前期の豪商。

　伊勢国松坂（現在の三重県松阪市）で質屋と酒屋をいとなむ商人の子として生まれる。父の高俊は武家出身で商売にあまり熱心でなく、母の殊法が利息をほかの店よりも低くしたりして客をふやし商売を繁盛させた。高利は、殊法から商売の才能を受けついだといわれる。

▲山本宗三画『三井高利夫婦の像』（部分）より　（三井文庫）

1635年、14歳のとき江戸（東京）に出て兄俊次がいとなむ呉服店で修業をはじめた。商才を発揮して店をもりたてたが兄に才能をうとまれ、28歳のとき母の世話をするために松坂に帰った。結婚して10男5女をもうけ、金融業をいとなんで資金をためた。

1673年、52歳のとき江戸の本町一丁目（中央区日本橋本町）に呉服店「越後屋」をひらいた。間口9尺（約2.7m）の小さな店で店員は10人ほどだった。そして、京都にもうけた仕入れ店を長男高平に、江戸の店を次男高富に管理させ、高利は松坂から商売の指示をだした。そのころの呉服店は、大名や裕福な商人など得意先を訪問して商品を売り、盆と暮れにまとめて代金を集金するのがふつうだった。そのため商品は掛け値（実際の価格より高くつけた値段）で売られていた。

高利は店頭販売をおこない、現金で買ってもらうかわりに掛け値をなくしてほかの店よりも安く販売する「現金掛け値なし」の新商法をはじめた。また、客の求めに応じて反物（織物）を切り売りしたり、店に職人をおいてその場で着物にしたてたりして評判をよんだ。

しかし、昔ながらの商法を守ろうとする同業者の反感を買い、いやがらせを受けたので、1683年、となりの駿河町（中央区日本橋室町）へ移転した。同時に、両替商（手数料をとって金銀貨や銭貨を交換する店）にも乗りだし、江戸、京都、大坂（阪）に店をかまえた。1687年、幕府の呉服御用（将軍家の衣服の調達をおこなう商人）になり、三井家発展の基礎を築いた。高利はふだんから倹約を心がけ、ぜいたくはしなかった。1694年、73歳で亡くなったときには、約8万両（現在の約80億円）というばく大な遺産をのこした。

▲当時のにぎわいがわかる『江戸駿河町越後屋正月風景』　（三井文庫）

ミッチェル，マーガレット

文学

🌐 マーガレット・ミッチェル　1900〜1949年

『風と共に去りぬ』の作者

アメリカ合衆国の作家。

南部のジョージア州アトランタ生まれ。父は弁護士、母は女性の地位を向上させる活動をしていた。大学を中退後、数年間、新聞記者をしていた。

2度目の結婚をしたあと、夫ジョン・マーシュのすすめで小説を書きはじめた。1936年、約10年をかけて完成させた長編『風と共に去りぬ』を出版すると、たちまちベストセラーとなる。世界各国で翻訳され、1937年には、アメリカで権威のあるピュリッツァー賞を受賞。その後は作品を書くことなく、1949年、交通事故で亡くなった。

作品では、南北戦争（1861〜1865年）とその後の南部の地主の没落を主人公の波乱に満ちた日々とともにえがいて共感をよんだ。

1939年には映画もつくられ、世界中で大ヒットした。1995年には、15歳のときの作品で、未発表だった『ロスト・レイセン』がみつかり、出版された。

ミッテラン，フランソワ

政治

🌐 フランソワ・ミッテラン　1916〜1996年

死刑廃止などの実現につとめた社会党出身の大統領

フランスの政治家。大統領（在任1981〜1995年）。

南西部のシャラント県生まれ。パリの政治学院に学ぶ。第二次世界大戦ではドイツ軍の捕虜となるが脱走、ナチスドイツへの抵抗運動に参加した。1945年、民主社会主義抗戦同盟の創立に参加、翌年、下院議員となってからは歴代内閣で内務大臣などの要職を歴任。1958年、ド・ゴール政権の成立とともに第五共和政になると、ド・ゴール体制反対の中心的存在となる。1971年、新社会党が結成され党首に就任。大統領選挙では、1965年と1974年に出馬し、落選。しかし、1981年の大統領選挙には勝利し、第五共和政下初の社会党出身大統領となった。

就任後は死刑廃止の実現や労働者の地位改善につとめたが、経済政策の混乱などから1986年の総選挙では保守派のシラクが首相となり、革新派大統領と保守派首相の保革共存政権となった。

1989年の大統領選挙で再選し、総選挙でふたたび社会党内閣が成立、1995年の任期まで大統領をつとめた。

学 主な国・地域の大統領・首相一覧

ミドハト・パシャ

🌐 ミドハト・パシャ　　　　　　　　1822〜1884年

アジア初の近代的憲法をつくった

オスマン帝国の政治家。

イスタンブール出身。18歳で官僚になる。ヨーロッパを視察後、近代化の必要性を感じて、地方制度改革をおこなう。1864年からドナウ州の知事に就任。その後、第32代スルタンのアブデュルアズィズの下で大宰相となるが、自由主義思想のため、たびたび地方職に遠ざけられた。

スルタンの退位を計画して、成功。アブデュルハミト2世が即位し、ふたたび大宰相となる。イスラム教徒とそうでない者の平等、宗教別比例代表制による議会、責任内閣制を定めた、アジア初の近代的なミドハト憲法を発表するも、アブデュルハミト2世は同憲法を利用して、ミドハトを追放。さらに、ロシアとの露土戦争を理由に憲法を停止した。ミドハトはアラビア半島に流刑となり、処刑された。

みなかたくまぐす

🔴 南方熊楠　　　　　　　　　　　1867〜1941年

近代日本の学問を切りひらいた知の巨人

（和歌山県広報室）

明治時代〜昭和時代の生物学者、民俗学者。

紀伊国（現在の和歌山県・三重県南部）生まれ。こどものころから読書を好み、江戸時代の絵入り百科事典である『和漢三才図会』全105巻をはじめ、多くの本を書きうつし、10代で複数の外国語を理解した。また、地元の山での植物採集に熱中して、博物学への興味を深めていった。

1883（明治16）年に、東京の大学予備門（現在の東京大学教養学部の前身）に入学するが、もっぱら図書館に通っていて、授業にはあまり出席せず、途中で退学した。

1886年、自然科学の進んでいたアメリカ合衆国に留学した。欧米の思想や科学研究の方法を独学で学び、多くの植物標本を集めた。1892年にはイギリスに移り、大英博物館の目録整理などの仕事をしながら、考古学、人類学など広い分野で勉強をつづけた。また、科学や民俗学の雑誌に多くの論文を投稿し、東洋の学問を世界に紹介した。

1900年に帰国。それからは故郷の和歌山県で、植物採集とその分類をおこなった。とくに、からだを変形させて移動する植物である変形菌（粘菌）の収集、研究をおこない、のちに、和歌山県をおとずれた昭和天皇に変形菌について講義をするなど、この分野の第一人者としてみとめられた。また、キノコや藻などの標本を、それぞれ数千種類収集した。研究のための植

物標本を集めていた神社の森などが、政府による神社の統合政策で伐採されることを知ると、反対運動の先頭に立ち、環境保護活動の先がけとなった。

民俗学にも熱心にとりくみ、銭湯にかよって地元の人々の話を聞きとり、和歌山の民話や風俗などの伝承をまとめた。民俗学者の柳田国男らと交流し、西洋の民俗学の方法論などをとり入れた多くの論文を発表して、日本の民俗学の原型をつくった。

こうした功績のほか、世界中の文献から得た広い分野にわたる膨大な知識によって「知の巨人」と称賛される。これらの知識を統合した、世界の物事や現象はおたがいに関連し合って存在しているとする独自の思想は、「南方曼荼羅」とよばれ、さまざまな学問や思想に影響をあたえた。

みなぶちのしょうあん

🔴 南淵請安　　　　　　　　　　　生没年不詳

大化の改新に大きな影響をあたえた

▲南淵請安の墓
（飛鳥京観光協会提供）

飛鳥時代の僧。

中国からの渡来人の子孫といわれる。608年、遣隋使の小野妹子にしたがい、高向玄理、旻などとともに学問僧として中国の隋にわたった。32年間を中国ですごし、隋から唐への王朝交代をまのあたりにして、唐の政治制度、儒教、仏教、文化などを学んだ。

640年、朝鮮半島の新羅を経由して帰国する。飛鳥南淵（現在の奈良県明日香村稲淵）に屋敷をかまえ、中大兄皇子（のちの天智天皇）と藤原鎌足に、唐の新しい政治制度や、儒教を教えた。蘇我蝦夷・蘇我入鹿父子の、天皇を軽んじた専横なふるまいをゆるせなかった中大兄皇子と鎌足は、請安の下で学問をする行き帰りで、蘇我氏打倒の計画をねったという。

645年、乙巳の変で蘇我氏がほろび、孝徳天皇が即位して、大化の改新がはじまると、その後に進められた新しい政治体制に大きな影響をあたえた。

みなみざきつねえもん

🔴 南崎常右衛門　　　　　　　　　1844〜1913年

都城の製茶業の発展につくした実業家

（国立国会図書館）

江戸時代後期〜明治時代の実業家。

日向国庄内村（現在の宮崎県都城市）に生まれた。1869（明治2）年、昔からチャの栽培がさかんだった都城地方で、製茶業に乗りだした。1870年、当時の地頭（地方をおさめる役人）三島通庸からあたえられ

た50aの土地に、自分の所有地をあわせた2haの畑で、製茶業にはげんだ。1875年、600kgのチャを生産し、1889年には1.5トンを生産するまでになった。その後、製茶の改良や機械化、販売先の拡大につとめ、都城の製茶業発展のもとを築いた。

みなみはるお　音楽

● 三波春夫　1923〜2001年

浪曲師から生まれた国民的歌手

昭和時代〜平成時代の歌手、浪曲師、作詞家。

新潟県生まれ。本名は北詰文司。父の影響で、こどものころから歌がじょうずで浪花節が好きだった。13歳で上京し、商店や製麺所などではたらきながら、日本浪曲学校で学ぶ。はじめ、南条文若の名でデビューし、寄席や歌舞伎座の舞台を手はじめに、全国をまわって浪曲の公演をおこなった。

第二次世界大戦に召集されて満州（現在の中国東北部）で終戦をむかえ、シベリアの捕虜収容所に4年間抑留された。帰国後、浪曲師として復帰し、のちに歌謡曲の歌手に転向、1957（昭和32）年に三波春夫と改名して『チャンチキおけさ』でデビューする。

明るく張りのある声で人気となり、『東京五輪音頭』（東京オリンピック）、『世界の国からこんにちは』（日本万国博覧会）など、公式国際行事のテーマソングや長編歌謡浪曲『俵星玄蕃』が大ヒット。日本レコード大賞企画賞（1994年）、文化庁芸術祭優秀賞（1976、1982年）を受賞。1986年、紫綬褒章受章。

みなみむらばいけん　戦国時代　学問

● 南村梅軒　生没年不詳

土佐に朱子学を伝えた南学の祖

室町時代末期の儒学者。

出生は不明。周防国（現在の山口県東部）の大内義隆につかえた御伽衆（相談役）の一人だったといわれている。

史料『吉良物語』によれば、1548年ごろ、土佐国（高知県）弘岡城主である吉良宣経にまねかれて、儒教の朱子学や、仏教の禅の教えを講義した。宣経の死後、土佐をはなれて周防国にもどり、大内義長につかえるが、義長が毛利元就にやぶれて亡くなると、周防国の上宇野郷白石に隠居したという。

梅軒の学問は、日常生活の中で朱子学を実践する「土佐の南学」として、雪蹊寺の天室らに伝えられた。そののち、江戸時代にまで伝わり、儒学者の谷時中や、土佐藩家老の野中兼山らに受けつがれた。

梅軒は、「南学の祖」として伝えられているが、その存在や、

南学の発祥に関してはさまざまな説があり、明らかになっていない。現在、高知県弘岡市にある、宣経らが講義を受けたとされる場所は、「南学発祥地」として文化財に指定され、記念碑が建っている。

みなみよういちろう　絵本・児童

● 南洋一郎　1893〜1980年

翻訳『怪盗ルパン全集』で人気を得る

大正時代〜昭和時代の大衆児童文学作家。

東京生まれ。本名は池田宜政。別の筆名に池田宣政、荻江信正がある。青山師範学校（現在の東京学芸大学）卒業。12歳で父を亡くし、苦労を重ねて大学を卒業。小学校の教員をつとめながら、フランス語とラテン語を学ぶ。1924（大正13）年、デンマークでひらかれたボーイスカウトの大会に派遣され、その経験をもとに書いた『懐かしき丁抹の少年』が、雑誌『少年倶楽部』に連載されて作家デビュー。

主な作品に、大自然の中でくり広げられる冒険をえがいた『吼える密林』『緑の無人島』『バルーバの冒険』、池田宣政の筆名による伝記『野口英世』『リンカーン物語』や『形見の万年筆』、荻江信正の名によるスポーツ物語などがある。1958年からは、フランスの作家モーリス・ルブランの『ルパン』シリーズをこどもむけに翻訳した『怪盗ルパン全集』を出版、圧倒的な人気を得た。

みなもとのさねとも　貴族・武将

● 源実朝　1192〜1219年

和歌や管絃、けまりを楽しんだ鎌倉幕府第3代将軍

▲源実朝銅像　（大通寺蔵／日芽貞夫提供）

鎌倉時代の鎌倉幕府第3代将軍（在位1203〜1219年）。

源頼朝と北条政子の子。源頼家の弟。1203年、北条時政により西国38か国の地頭に任命された。同年、この決定に不満をいだいた有力御家人（将軍につかえる武士）の比企能員は第2代将軍頼家に時政の横暴をうったえた。能員の妻に育てられ比企氏と深い関係にあった頼家は時

政追討を命じた。しかしこの話は時政に伝わり、能員は時政の屋敷で殺された。その後頼家は修善寺（静岡県伊豆市）にとじこめられ、実朝が12歳で第3代将軍となった。

1204年、右近衛中将（宮中の警備をおこなう右近衛府の大将に次ぐ官職）に任じられた。しかし実際の政治は執権（鎌倉幕府の政治を統括する職）となった時政や、母の政子、北条義時がおこなった。

1205年、時政が、後妻とともに実朝を暗殺して娘婿を将軍にしようとする事件が発覚して、時政は政子や義時に追放され、義時が執権となった。

政治の実権を北条氏ににぎられた実朝は、妻が京都の貴族の娘だったこともあり、京都の文化に関心をもち和歌や管絃、けまりを楽しんだ。朝廷の歌壇の中心にいた藤原定家と親交をむすんで和歌をほめられ、1213年『金槐和歌集』を著した。

「箱根路を　我が越えくれば　伊豆の海や　沖の小島に波のよる見ゆ」は、『金槐和歌集』の中の1首で、藤原定家が柿本人麻呂にもおとらないとほめたたえた和歌で、江戸時代の学者賀茂真淵が絶賛した名歌といわれている。

1216年、中国の宋から渡来した技術者陳和卿のすすめで、宋にわたることを思いたち大船を由比ヶ浜（神奈川県鎌倉市）につくらせた。船は翌年完成したが海に浮かばず実朝は宋にわたることを断念した。実朝は貴族と同じように官位が昇進することをのぞんだ。1218年には、大納言、内大臣（左大臣、右大臣に準ずる官職）、右大臣（太政大臣、左大臣に次ぐ官職）へと昇進した。

1219年、右大臣昇進を祝う儀式が鶴岡八幡宮（鎌倉市）でおこなわれた。儀式のあと八幡宮から帰るとき、兄頼家の子、公暁によって暗殺された。事件の背後には北条義時がいたともいわれているが真相は不明である。源氏の将軍は3代でとだえた。

▲鶴岡八幡宮

学 源氏・平氏系図　学 征夷大将軍一覧　学 人名別 小倉百人一首

みなもとのしたごう
学問　詩・歌・俳句

● 源順　　　911〜983年

日本ではじめての百科事典をまとめた

平安時代中期の学者、歌人。

嵯峨天皇の子孫。貴族の教育機関である奨学院の学生となり、935年ころ、日本初の漢和辞典と百科事典をかねた『和名類聚抄』を編集した。その後、大学寮で歴史や詩文を学ぶ文章生となる。歌人として名高く、宮中で歌の優劣をきそう内裏歌合などに参加して歌をよみ、判定者もつとめた。和歌だけでなく、

詩文や、かなを学ぶための『あめつちの歌』や、盤の升目に歌を組み合わせていく『双六盤歌』のような、ことば遊びのような作品も多くのこしている。

951年、村上天皇の命令で『後撰和歌集』の撰者となり、また『万葉集』の読解と注釈をおこなった。967年、和泉守（現在の大阪府南西部の長官）、980年、能登守（石川県能登半島の長官）となる。1006年ころ成立した勅撰集『拾遺和歌集』などに、約50首が入集している。藤原公任によって、36人のすぐれた歌人である三十六歌仙の一人にえらばれている。

（金刀比羅宮所蔵）

みなもとのたかあきら
貴族・武将

● 源高明　　　914〜982年

藤原氏の陰謀にまきこまれた、光源氏のモデル

▲『源氏物語絵色紙帖　須磨』の光源氏
（京都国立博物館）

平安時代中期の公家の高官。醍醐天皇の子。920年、源姓を受け、皇族をはなれて臣下の身分にくだった。939年、参議（朝廷の重要な官職）、大蔵卿（国庫の管理などをつかさどる大蔵省の長官）をへて、948年、中納言に昇進し、検非違使別当（都の治安維持や裁判を担当する検非違使庁の長官）をかねる。953年、大納言、966年、右大臣、967年に左大臣となる。しかし、969（安和2）年、冷泉天皇の皇太弟（天皇のあとつぎの弟）守平親王を退位させ、兄の為平親王を天皇に即位させようと謀反をたくらむ者がいるという密告があった。その結果、源高明が事件にかかわっていたとされ、高明は大宰権帥（九州を統括する役所である大宰府の定員外の長官）に左遷された（安和の変）。この事件は、源高明を失脚させるための藤原氏の陰謀だったと考えられている。

源高明は紫式部の『源氏物語』の主人公、光源氏のモデルだとする説がある。

みなもとのためとも
貴族・武将

● 源為朝　　　1139〜1170?年

父とともに保元の乱に参戦

平安時代後期の武将。

源為義の子で、源義朝の弟。源頼朝のおじにあたる。鎮西

八郎と称した。性格が荒く、弓矢ではだれもかなうものがなく乱暴なふるまいにおよんだので、13歳のとき父により鎮西（九州）へ追放された。しかし、九州各地で事件をおこしたので、1154年、朝廷にうったえられた。しかし呼び出しの命令にしたがわなかったため、かわりに為義が検非違使（都の治安維持や裁判を担当する官職）をやめさせられた。父の解任を知り、弁明のために京都へのぼったところ、1156（保元元）年、保元の乱にまきこまれ、父にしたがって崇徳上皇（譲位した崇徳天皇）方に味方して奮戦したが、やぶれてとらえられた。為朝は武勇をおしまれて死罪にならず、伊豆大島（東京都伊豆諸島）に流罪になった。その後、大島や付近の島々をおそって乱暴をはたらいたので、1170年、朝廷の追討軍に攻められ、自害したといわれる。為朝には、大島を脱出して琉球（沖縄）にのがれ、1187年に琉球王国を築いた舜天王の父になったという伝説がある。

（国立国会図書館）

ほかにも英雄としての為朝伝説が各地にあり、江戸時代の戯作者、滝沢馬琴はこれらをもとに脚色して『椿説弓張月』を書いた。

みなもとのためよし　　　　　　　貴族・武将

● 源為義　　　　　　　　　　1096〜1156年

子と分かれ、保元の乱に崇徳上皇方で参戦

（国立国会図書館）

平安時代後期の武将。源義親の子、源義家の孫で、源義朝、源為朝の父。源頼朝の祖父でもある。

1108年、父が平正盛に討たれたため、祖父の養子となる。1109年、14歳で左衛門尉（宮中の警備をする役所である左衛門府の督、佐に次ぐ官職）に任じられ、源氏のあととりとなった。その後、平氏とともに、延暦寺（京都市・滋賀県大津市）や興福寺（奈良市）の僧兵がおこした強訴をしずめるため、活躍した。1143年、藤原頼長の臣下となり、1146年、検非違使（都の治安維持や裁判を担当する官職）に任命される。しかし、1154年、子の為朝が九州で乱行したことにより解任され、家督を義朝にゆずった。

1156（保元元）年の保元の乱では、崇徳上皇（譲位した崇徳天皇）、藤原頼長方に参戦したが後白河天皇方についた

子の義朝らに敗北し、投降した。義朝は父の助命を願ったがゆるされず、斬首された。

学　源氏・平氏系図

みなもとのちかゆき　　　　　　　詩・歌・俳句

● 源親行　　　　　　　　　　　生没年不詳

『源氏物語』の「河内本」を完成

鎌倉時代前期〜中期の歌人、歌学者。

1205年、左馬允（朝廷のウマの飼育・養成をつかさどる左馬寮の役人）となり、河内守（現在の大阪府東部の長官）などを歴任した。その後、鎌倉（神奈川県鎌倉市）に長く住み、源実朝以後の将軍の和歌奉行（和歌を教える役人）をつとめたといわれる。藤原定家とも交流があった。1215年、『万葉集』を書写する。1223年、『新古今和歌集』など古典について、長いあいだに書きうつされた数種類の写本をくらべ、もとの形とのちがいや誤りを調べあげた。1255年には『源氏物語』の21種類の諸本の本文を校定（ちがいや誤りを検討して、元の形をたしかめること）した『河内本』を完成させた。1242年ごろの、京都から鎌倉にいたる10日あまりの旅と、鎌倉で2か月滞在して帰京するまでをしるした紀行文『東関紀行』の作者といわれていたが現在は作者不明とされている。

みなもとのつねもと　　　　　　　貴族・武将

● 源経基　　　　　　　　　　　?〜961年

清和源氏の祖

（国立国会図書館）

平安時代中期の官人。清和天皇の孫で、源満仲の父。

武蔵介（現在の埼玉県・東京都・神奈川県東部の次官）だった938年、武蔵国郡司（地方長官）武蔵武芝と争いをおこした。平将門があいだに立って調停したが、武芝と将門が自分を殺すのではないかと誤解し、939年、京へ逃げもどって反乱をくわだてているとうったえた。その後、将門追討の征東副将軍となったが、940年、平貞盛によって将門が討たれると京にもどり、西国でおこった藤原純友の乱の追捕使（犯罪人をとりしまる官職）の次官として鎮圧に加わり、純友軍を討った。

941年、大宰権少弐（九州を統括する役所である大宰府の帥、大弐に次ぐ官職）に任じられ、純友の残党と戦った。しかし武力はそれほどではなく、平将門の乱をえがいた『将門記』には「未だ兵の道に練れず」としるされている。961年、源姓を受けて皇族をはなれ、臣下の身分にくだり、清和源氏の祖先となった。

学　源氏・平氏系図

みなもとののりより

● 源範頼　　　　　　　　　　　貴族・武将　　生没年不詳

不用意な発言で伊豆に流された武将

（太寧寺蔵／横浜市教育委員会提供）

鎌倉時代前期の武将。源義朝の子。源頼朝の異母弟。平治の乱（1159年）で父の義朝がやぶれたあと、公家の高官である九条兼実の家司（家政をつかさどる職）藤原範季の養子としてやしなわれた。1180年、源頼朝が平氏打倒の兵をあげると参加して頼朝配下の武将となり、1184年、源義経とともに、源義仲を討ち、一の谷（兵庫県神戸市）で平氏をやぶるなどの戦功をあげて三河守（現在の愛知県東部の長官）となった。その後、平氏軍の反撃で戦いは長びいたが義経が出陣し、1185年、壇ノ浦（山口県下関市）で義経とともに平氏をほろぼした。

1193年、曽我兄弟のあだ討ち事件がおこり、頼朝が暗殺されたと誤って伝えられたとき、鎌倉留守居役だった範頼は、頼朝の妻北条政子に「自分は健在であり源氏の代は無事である」と不用意な発言をしたことが謀反ではないかと問題になり、伊豆（現在の静岡県伊豆半島）に流され、その後殺されたといわれている。

学 源氏・平氏系図

みなもとのまこと

● 源信　　　　　　　　　　　　貴族・武将　　810〜868年

応天門放火のぬれぎぬを着せられそうになった

（国立国会図書館）

平安時代前期の公家の高官。

嵯峨天皇の子。814年、源姓を受けて皇族をはなれ、臣下の身分にくだった。831年に参議、842年に中納言、848年に大納言などを歴任し、857年、左大臣となる。864年ころから、朝廷の実力者だった大納言の伴善男と対立したが、866年、平安宮朝堂院の正門、応天門が焼失する事件がおこると、伴善男から放火の犯人だとうたがいをかけられた。太政大臣の藤原良房が清和天皇に源信の弁護をしたのでうたがいは晴れた。その後、伴親子が犯人だとするうったえがあり、伴親子は流罪となった。

事件後、源信は朝廷に出仕することなく、隠居して風雅の道に生きた。

みなもとのまさのぶ

● 源雅信　　　　　　　　　　　貴族・武将　　920〜993年

藤原道長の義父となった有力者

（国立国会図書館）

平安時代中期の公家の高官。

宇多天皇の孫で、母は左大臣藤原時平の娘。

936年、源姓を受け皇族をはなれ、臣下の身分にくだった。948年に蔵人頭（天皇の機密文書などを管理する蔵人所の長官）となり、951年に参議（朝廷の重要な官職）に任ぜられた。

その後、治部卿（外交事務や宮廷音楽をつかさどる治部省の長官）、左兵衛督（宮中の警護などをおこなう左兵衛府の長官）などをへて、970年、中納言、972年、大納言、977年、右大臣、978年、太政大臣につぐ左大臣となる。娘の源倫子は987年、藤原道長の妻となり、藤原頼通、教通らを生んだ。名臣として名高く、管絃などにも通じていたという。

みなもとのみつなか

● 源満仲　　　　　　　　　　　貴族・武将　　912?〜997年

源高明の謀反を密告

（国立国会図書館）

平安時代中期の官人。

源経基の子で、源頼光、源頼信の父。

武蔵守（現在の埼玉県・東京都・神奈川県東部の長官）、摂津守（大阪府北西部・兵庫県南東部の長官）、左馬権頭（朝廷のウマの飼育・養成をつかさどる左馬寮の長官）などを歴任した。961年、強盗をとらえて武名が高まった。969（安和2）年、右大臣藤原師尹がたくらんだ陰謀に加わり、左大臣の源高明らが皇太子（守平親王）をやめさせようと謀反をくわだてたと密告したので、高明は左遷された（安和の変）。その功により、正五位に昇進し下級貴族となった。その後も藤原摂関家（摂政や関白になる家）とむすびつき、軍事貴族としての地位をかためていった。また、摂津多田（兵庫県川西市）に本拠をかまえて多田源氏を称し、970年、多田院（川西市の多田神社）を建立した。

学 源氏・平氏系図

みなもとのもろふさ

貴族・武将

● 源師房　　　　　　　　　　1008〜1077年

元皇族で、村上源氏の祖

平安時代中期の公家の高官、歌人。

村上天皇の孫で、母は為平親王の娘。

1020年に元服し、後一条天皇から源姓を受け皇族をはなれ、臣下の身分にくだり、村上源氏の祖先となった。1023年、右近衛権中将（宮中の警備などをおこなう右近衛府の定員外の次官）、1026年、権中納言、1030年、左衛門督（宮中の警備などをおこなう役所である左衛門府の長官）、1035年、権大納言、1064年、右近衛大将、1065年、内大臣（左大臣、右大臣に準ずる官職）、1069年、後三条天皇により右大臣に登用される。和歌にすぐれ、白河天皇の命令により編さんされた『後拾遺和歌集』などに入集している。また有職故実（朝廷や武家の儀式、官職、法令、装束などに関する知識）に通じており、その流派の一つ、土御門流の祖でもある。

学 源氏・平氏系図

みなもとのよしいえ

貴族・武将

● 源義家　　　　　　　　　　1039〜1106年

私財をなげうって、恩賞をあたえる

（国立国会図書館）

平安時代後期の武将。源頼義の子で、源義親の父。八幡太郎と称した。

父が陸奥（現在の山形県・秋田県をのぞく東北地方）の豪族安倍氏と戦った、前九年の役（1051〜1062年）では、父にしたがって奮戦し、安倍貞任をほろぼした。その功により1063年、従五位下、出羽守（山形県・秋田県の長官）に任命された。

前九年の役ののちに京にもどった義家が手がら話をしていると、兵学者の大江匡房が「すぐれた武将だが、おしむらくは兵法を知らない」といった。義家はおこるどころか、大江匡房から兵法を学んだ。のちの後三年の役で、ガンの群れが列を乱したのは敵の伏兵がかくれているからだとわかったのは、中国の兵法書に「雁の列乱れるは伏兵のきざしなり」とあったのを思いだしたからだという。1075年、父の死により源氏の棟梁（頭）となる。1083年、陸奥守（長官）、鎮守府将軍（東北地方をおさめる軍事的な役所の長官）となる。清原氏の内部争いからはじまった後三年の役（1083〜1087年）では、清原清衡（のちの藤原清衡）を応援して清原家衡をほろぼした。

しかし、朝廷はこの戦いを私闘として恩賞をみとめなかったの

で、義家は私財を投じて従者たちにあたえた。このことで武家の棟梁としての名声が高まり、東国の武士団とのむすびつきが強まった。その後、各地の豪族（在地領主）から多くの荘園（私有地）が寄進されたため、1092年、朝廷は義家の荘園を禁止する宣旨をだした。1098年、実力をみとめられた義家は正四位下の位をあたえられ、武士としてはじめて白河法皇（譲位後に出家した白河天皇）の院への昇殿をゆるされ、軍事貴族としての地位を築いた。しかし晩年は、子の源義親が九州で反乱をおこして追討されるなど、朝廷で苦しい立場になった。

学 源氏・平氏系図

みなもとのよしちか

貴族・武将

● 源義親　　　　　　　　　　?〜1108年

乱暴をはたらき、朝廷に討たれた

平安時代後期の武将。

源義家の子で、源為義の父。左兵衛尉（宮中の警備をする左兵衛府の督、佐に次ぐ官職）をへて対馬守（現在の長崎県対馬の長官）となったが、人民を殺害したり年貢を押領したりするなど乱暴をはたらいたので、1101年、大宰府（九州を統括する役所）にうったえられ、翌年とらえられて隠岐（島根県隠岐諸島）に流罪となった。1107年、出雲国（島根県東部）に脱出し、目代（国守の代官）を殺害して国の財物をうばうなどの乱行をおこなった。1108年、義親は朝廷から追討使（盗賊をとりしまる官職）に任命された因幡守（鳥取県東部の長官）の平正盛に討たれた。

学 源氏・平氏系図

みなもとのよしつね

貴族・武将

● 源義経　　　　　　　　　　1159〜1189年

兄と対立し、非業の死をとげる

▲源義経　　　　　　（中尊寺）

平安時代後期〜鎌倉時代前期の武将。

源義朝の子で、源頼朝の異母弟にあたる。母は芸人の常盤御前。幼いころは牛若丸とよばれた。

1159（平治元）年、平治の乱がおこった年に生まれた。父や一族がやぶれたが、幼かったので僧になることを条件に鞍馬寺（京都市）にあずけられた。

しかし16歳のとき、寺をぬけだして奥州平泉（現在の岩手県平泉町）の藤原秀衡の下に身を寄せた。

1180年、兄の頼朝が伊豆（静岡県伊豆半島）で挙兵し、源平の合戦がおこると、従者とともにかけつけて、頼朝と対面した。1183年、兄の源範頼とともに兵をひきいて京へのぼり、都で乱暴をはたらいていた源義仲を討った。

1184年、後白河法皇（譲位後に出家した後白河天皇）に平氏追討を命じられた義経は、同年の摂津国一ノ谷（兵庫県神戸市）の戦いで平氏をやぶったあと、頼朝の許可を得ず、検非違使少尉（都の治安維持や裁判を担当する官職である検非違使の別当、佐に次ぐ官職）になったため、頼朝の怒りを買って平氏追討の任をとかれた。しかし、平氏追討にむかった源範頼が苦戦したので、1185年頼朝によりふたたび平氏追討に任命され、讃岐国屋島（香川県高松市）の戦いで平氏軍をやぶり、同年3月、長門国壇ノ浦（山口県下関市）の戦いで平氏をほろぼした。天才的武将といわれた義経の合戦の方法は、当時の合戦の作法を無視した戦法だった。一ノ谷では平氏軍が陣をかまえた一ノ谷の背後の鵯越という絶壁をかけおりて急襲した。屋島では、阿波（徳島県）から陸づたいに進んで、海からの攻撃にそなえていた平氏軍を背後から奇襲した。

平氏追討に大きな戦功をあげた義経だが、頼朝の家臣たちを軽んじたとうったえられ、頼朝の不信をまねいた。義経は弁明のために頼朝のいる鎌倉へむかったが、頼朝の命令で鎌倉に入れなかった。その後、頼朝のつかわした刺客におそわれた義経は、頼朝との対決を覚悟したが、したがうものは武蔵坊弁慶などわずかだった。その後、頼朝の追及の手をのがれて各地を転々とし、平泉の藤原秀衡の下に落ちのびた。しかし、秀衡が亡くなると、秀衡の子の藤原泰衡は頼朝の圧力をおそれ、衣川（岩手県平泉町）の館にいた義経をおそった。家来の弁慶が奮戦するなか、義経は自害した。悲劇的な最後をとげた義経には、鞍馬寺で天狗にきたえられた、京の五条の橋で弁慶を打ちまかしたなどの、多くの伝説がある。また、衣川から逃げのびて蝦夷（北海道）にわたり、のちにモンゴル帝国の皇帝チンギス・ハンになったという伝説もある。室町時代に成立した『義経記』は、義経の悲運を中心とした物語である。

現在もつかわれる「判官びいき」ということばは、検非違使少尉で九郎判官とよばれた義経の不運に同情するという意味で、才能があるのに不遇な人をひいきすることに用いられる。

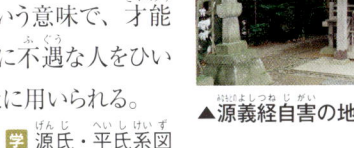
▲源義経自害の地に建つ高館義経堂
（毛越寺）

学 源氏・平氏系図

みなもとのよしとも
貴族・武将

● 源義朝　　　　　　　　　1123〜1160年

平治の乱をおこすが平清盛にやぶれる

平安時代後期の武将。

源為義の子。源為朝の兄。源頼朝、源義経の父。12世紀中ごろ、鎌倉（神奈川県鎌倉市）を拠点として東国の武士たちを統率し、1153年、下野守（現在の栃木県の長官）となる。保元の乱（1156年）では、平清盛とともに後白河天皇方につき、

崇徳上皇方についた父為義や弟の為朝と戦ってやぶったあと、父や兄弟の助命を願ったがゆるされなかった。保元の乱の功により、昇殿（天皇の住まいの清涼殿の殿上の間にあがること）をゆるされ、左馬頭（朝廷のウマの飼育・養成をつかさどる左馬寮の長官）に任じられた。しかし、保元の乱後の恩賞で平清盛と大きな差があることに不満をもった義朝は、後白河上皇（譲位した後白河天皇）の近臣、信西（藤原通憲）や平清盛と対立するようになった。義朝は、藤原通憲と勢力をあらそっていた藤原信頼に近づき、1159（平治元）年、平清盛が京都を留守にしたときをねらい、平治の乱をおこした。後白河上皇と二条天皇を内裏にとじこめ、館から逃げた藤原通憲は自殺し、挙兵は成功したかにみえた。しかし、京都にひきかえした平清盛軍と戦ってやぶれ、再起をはかるため尾張国（愛知県西部）にのがれたが、部下にうらぎられて殺された。 学 源氏・平氏系図

▲平治の乱『平治物語絵巻　三条殿焼討』（模本）より。

みなもとのよしなか
貴族・武将

● 源義仲　　　　　　　　　1154〜1184年

平氏をやぶるが、源義経に討たれる

（徳音寺蔵）

平安時代後期の武将。

源義朝のおい。源頼朝のいとこ。木曽義仲、旭将軍とも称する。1155年、父が合戦で源義平にやぶれて戦死すると、信濃国木曽谷（現在の長野県の木曽川流域）にのがれ、乳母の夫に育てられた。1180年、平氏追討を命じた以仁王の令旨が届くと挙兵し、翌年、越後（新潟県）、越中（富山県）などを制圧した。1183年、砺波山（富山県と石川県の境にある山）の倶利伽羅峠の戦いで平氏がひきいる7万の大軍を攻撃したが、深夜、ウシの角にとりつけたたいまつに火をつけて平氏軍の陣地に追いこむという奇襲攻撃だった。平氏軍は総くずれとなり京へのがれた。勢いにのった義仲は、京都へ攻めこみ、平氏軍を追放。その功により1183年、後白河法皇（譲位後に出家した後白河天皇）により伊予守（愛媛県の長官）に任命された。しかし、義仲軍は民家から食料をうばい、暴行や略奪をくりかえしたので、後白河法皇や貴族、京の人々からきらわれた。その後、平氏を追ったが、なれない海上戦でやぶれた。後白河法皇が頼朝に東山道（京

都から東北にいたる8か国）の支配権をあたえたことにおこり、都にもどって法皇の近臣の反乱を鎮圧したが、情勢は不利になり、頼朝の命令で進軍してきた源範頼、源義経の大軍に攻められ、宇治（京都府宇治市）で大敗。北陸へ落ちのびる途中、近江粟津（現在の滋賀県大津市）で敗死した。

学 源氏・平氏系図

みなもとのよしひら

貴族・武将

● 源義平　　　　　　　　1141～1160年

平清盛暗殺に失敗

（国立国会図書館）

平安時代後期の武将。

源義朝の子。1153年、父が都へのぼって留守にしたとき、東国の武士たちを統率する。1155年、15歳のとき、おじで源義仲の父、源義賢を合戦で殺害する。1159（平治元）年の平治の乱のとき都にのぼり、父とともに戦うがやぶれてのがれ、父とともに美濃（現在の岐阜県南部）にいたる。そこで再起をはかる父と別れ、北国の勢力を集めるため越前（福井県北東部）におもむく。しかし、父の死を知って都にもどり、平清盛を暗殺しようとするが、とらえられて斬首された。

学 源氏・平氏系図

みなもとのよりいえ

貴族・武将

● 源頼家　　　　　　　　1182～1204年

実権はなかった鎌倉幕府第2代将軍

（修善寺蔵／伊豆市観光協会修善寺支部提供）

鎌倉時代の鎌倉幕府第2代将軍（在位1202～1203年）。

源実朝の兄。1199年、頼朝の死後、18歳で家督をつぎ、1202年、第2代将軍となった。しかし、政治は北条氏を中心とする有力御家人（将軍につかえる武士）たちの合議制でおこなわれたので実権はなかった。政治から遠ざけられた頼家はけまりに熱中したという。その後有力御家人比企能員の娘、若狭局とのあいだに子の一幡が生まれ、外戚となった比企能員は勢力を広げようとした。これに危機感をいだいた北条時政は、1203年、頼家が重病になったとき、関東と関西の地頭職と守護職を、一幡と頼家の弟の千幡（のちの源実朝）

に相続させることをかってに決めた。この決定に不満をいだいた能員は頼家に時政の専横をうったえたので頼家は時政追討を命じた。

しかし、このくわだては北条政子を通じて時政に伝えられ、能員は殺され、一族も一幡とともにほろぼされた。頼家も伊豆国修善寺（静岡県伊豆市）に幽閉され、翌年北条氏により暗殺された。

学 源氏・平氏系図　　学 征夷大将軍一覧

みなもとのよりとも

源頼朝 → 116ページ

みなもとのよりのぶ

貴族・武将

● 源頼信　　　　　　　　968～1048年

東国に源氏の地盤を築く足がかりをつくった

（国立国会図書館）

平安時代中期の官人。

源満仲の子で、源頼光の弟、源頼義の父。987年、左衛門尉（宮中の警備などをする左衛門府の督、佐に次ぐ官職）となった。藤原道長に長くつかえ、上野介（現在の群馬県の次官だが事実上の長官）に在任中、道長にウマを贈り、信任を深めた。常陸介（茨城県の長官）、河内守（大阪府東部の長官）、鎮守府将軍（東北地方をおさめる軍事的な役所の長官）などを歴任した。甲斐守（山梨県の長官）在任中の1028年、前上総介（千葉県中部の次官だが事実上の長官）の平忠常が反乱をおこし、上総国府（国の役所）を占領した。藤原頼通は追討使（盗賊をとりしまる官職）を送ったが失敗した。1031年、武名の高かった頼信に追討の命令がくだされた。頼信軍が攻めると忠常は戦わずに降伏した。その功により美濃守（岐阜県南部の長官）に任じられ、乱をしずめたことで名声が高まり、東国に源氏の地盤を築く足がかりとなった。また、河内守となったのをきっかけにして河内国石川（大阪府羽曳野市）に勢力を広げ、河内源氏の祖となった。

学 源氏・平氏系図

みなもとのよりまさ

貴族・武将　詩・歌・俳句

● 源頼政　　　　　　　　1104～1180年

以仁王にこたえ、平氏を討とうとした

平安時代後期の官人、歌人。

源頼光が祖となった摂津源氏の流れをくみ、摂津国渡辺（現在の大阪市中央区）を本拠地とした。1136年、蔵人（天皇の機密文書などを管理する蔵人所の役人）、1155年、兵庫頭（軍事をつかさどる兵部省管轄の兵庫寮の長官）となった。1156（保元元）年の保元の乱では、源義朝らと後白河天皇方

に加わり勝利した。1159（平治元）年の平治の乱では、はじめ源義朝にさそわれて藤原信頼方に加わったが、その後はなれて平清盛方についた。清盛に信頼されて昇進し、1166年、六条天皇の内裏への昇殿をゆるされた。1178年、従三位となったが専横なふるまいをする平氏に反感をいだいた。1180年、平氏に不満をもった以仁王が、平氏追討の令旨を諸国の源氏にだすと、頼政も挙兵したが失敗し、平氏軍におそわれて平等院（京都府宇治市）の境内で自害した。歌人としても有名で、藤原俊成らと交流し、勅撰集『新古今和歌集』『千載和歌集』などに60首あまりがのせられている。

（国立国会図書館）

学 源氏・平氏系図

みなもとのよりみつ
貴族・武将

● 源頼光　　　948〜1021年

大江山の鬼退治の伝説がのこる

（国立国会図書館）

平安時代中期の武将。源満仲の子で、源頼信の兄。父と同じように藤原摂関家に近づき、988年、藤原兼家の二条京極邸新築のとき、ウマ30頭を献上した。備前（現在の岡山県南東部）、美濃（岐阜県南部）、伊予（愛媛県）などの長官（守）を歴任した。1018年、藤原道長が土御門邸を新造したときは、ばく大な財力をつかい、屏風、几帳、唐櫃、厨子、おけなどの家具や、鏡、銀器、太刀、琴、ウマの鞍などの調度のすべてを献上して、世間の人々をおどろかせたという。1021年、摂津（大阪府北西部・兵庫県南東部）の長官となり勢力を広げ、摂津源氏の祖となった。

武人としても有名で、渡辺綱、坂田金時ら頼光四天王とよばれる家来をひきいて、丹波国（京都府中部・兵庫県東部）の大江山にすむ鬼の頭領、酒呑童子を退治したという伝説がある。また、居貞親王（のちの三条天皇）に命じられ、館にあらわれたキツネをみごとに射た話が、鎌倉時代に成立した『今昔物語』にある。

学 源氏・平氏系図

みなもとのよりよし
貴族・武将

● 源頼義　　　988〜1075年

前九年の役を平定した

平安時代中期の武将。源頼信の子。源義家の父。1031年、父とともに平忠常の反乱をしずめ、武名を高めた。相模守（現在の神奈川県の長官）、下野守（栃木県の長官）などを歴任し、東国武士たちをまとめた。1051年、陸奥（山形県・秋田県をのぞく東北地方）の豪族安倍氏が反乱をおこしたとき、陸奥守（長官）となり安倍氏と戦って、一時降伏させた。

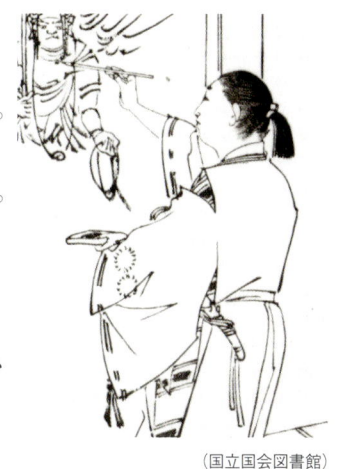
（国立国会図書館）

1053年、頼義が鎮守府将軍（東北地方をおさめる軍事的な役所の長官）となったのち、ふたたび安倍氏が反乱をおこしたので、子の義家をしたがえて戦い、1062年、ようやく安倍貞任をほろぼした（前九年の役）。その功績により1063年、伊予守（愛媛県の長官）に任じられた。

京へのぼる途中、相模国由比郷（神奈川県鎌倉市）に京都の石清水八幡宮を勧請（神を分霊して祭ること）して源氏の氏神としてうやまい、のちに源頼朝のひきいる鎌倉武士の守護神となった。現在の鶴岡八幡宮（鎌倉市）の起源である。

学 源氏・平氏系図

みなもとのりんし
貴族・武将

● 源倫子　　　964〜1053年

藤原道長の妻

平安時代中期の貴族で、藤原道長の妻。左大臣源雅信の娘。987年、藤原道長と結婚した。父の雅信は「道長は5男で、出世もわからない青二才だからたいせつな娘はやれない」と結婚に反対したが、倫子の母は道長の将来性をみこんで、積極的に結婚をすすめた。

のちに、道長は、息子の頼通に「男は妻がらなり。いとやんごとなきあたりにまいりぬべきなり（男の運は、結婚相手の妻の家がらしだいだ）」といったと『栄花物語』に書かれているが、そこには皇族の血をひく倫子と結婚した、道長の結婚観があらわれている。

倫子は、摂政や関白となる藤原頼通や藤原教通、一条天皇の中宮（皇后と同じ身分）となる藤原彰子、三条天皇の中宮となる藤原妍子、後一条天皇の中宮となる藤原威子、後冷泉天皇の母となる藤原嬉子らを産み、道長が皇室と親戚関係をむすんで大きな権力をもつきっかけをつくり、一族に繁栄をもたらした。道長は終生、倫子をたいせつにしたといわれている。

源頼朝

鎌倉に武士の政権を打ち立てた将軍

▲伝源頼朝坐像

（東京国立博物館 Image:TNM Image Archives）

■流人としてすごした20年間

鎌倉幕府初代将軍（在位1192～1199年）。

源氏の棟梁（頭）、源義朝の3男として生まれた。母は、貴族で熱田神宮大宮司（愛知県名古屋市にある熱田神宮の長）の藤原季範の娘。母のちがう2人の兄がいたが、母の身分が高かったため、頼朝があとつぎとして育てられた。

1159（平治元）年、頼朝が13歳のとき、父義朝は藤原信頼らと平治の乱をおこし、平氏の平清盛と戦ってやぶれた。父と2人の兄は殺され、頼朝もとらえられたが、死罪になるところを助けられて伊豆国（現在の静岡県伊豆半島）に流された。

それから20年のあいだ、頼朝は伊豆国の役人の北条時政に監視されながら、流人としてくらした。しかし31歳のころ、時政の娘北条政子と結婚し、北条時政のあとおしを受けるようになった。

■平氏打倒に立ち上がる

そのころ平清盛がひきいる平氏は全盛時代をむかえていたが、一族でほしいままの政治をおこなう平氏に対する反感が高まっていた。

1180年、後白河法皇（譲位後に出家した後白河天皇）の皇子の以仁王は、源氏の源頼政とはかって平氏をたおそうと立ち上がった。以仁王と源頼政は平氏に討ちとられたが、以仁王の「平氏を討て」とよびかける文書が各地にいる源氏の武士に伝えられた。

このよびかけは頼朝のもとにも伝えられ、しばらくようすをみていた頼朝は、清盛が各地の源氏を討とうとしていることを知り、平氏をたおそうと立ち上がった。

はじめに伊豆国の目代（国司の代官）をつとめる山木兼隆の館をおそって兼隆を討ちとったが、その後、石橋山（神奈川県小田原市）の戦いにやぶれ、海をわたって安房国（千葉県南部）にのがれた。そこで再起をはかり、関東一帯の武士に結集をよびかけると、源氏の棟梁（頭）のあとつぎである頼朝のもとに関東の武士が次々と集まってきた。

その大軍をひきいて鎌倉（神奈川県鎌倉市）に入った頼朝は、清盛がさしむけた平氏軍をむかえ撃ち、富士川（静岡県富士市）の戦いでやぶった。平氏軍は、水鳥がいっせいにとびたった羽音を敵がおそってきたものとかんちがいして、戦わずに逃げかえったという。

■幕府の基礎をかためる

その後鎌倉を本拠とすることに決めた頼朝は、新しい屋敷をかまえ、武士の政権をつくるための基礎をかためた。関東の武士をまとめるため、頼朝と主従（主人と家来）の関係をむすんだ者を御家人とし、御家人たちをまとめるため、侍所という役所をもうけた。そうして、源氏の氏神である八幡神を祭る鶴岡八幡宮（鎌倉市）を中心において武家の都にふさわしい鎌倉の町づくりを進めた。

■平氏をほろぼす

頼朝が関東をかためているあいだに、木曽（長野県）で兵

▼壇ノ浦の戦い　白旗をかかげるのが源氏軍の船、赤旗が平氏軍の船。源義経が船から船へとび移っている。『安徳天皇縁起絵図』より。

（赤間神宮所蔵）

▲鶴岡八幡宮　源頼朝が源氏の氏神、八幡神を祭った。

をあげた頼朝のいとこの源義仲は、1183年、京都にむかい平氏を都から追いおとした。しかし都での義仲の横暴なふるまいに手を焼いた後白河法皇は、頼朝に東国一帯の支配権をあたえることを条件に義仲を都から追放させようとした。これを知った義仲が法皇に乱暴をはたらいたため、頼朝は弟の源範頼と源義経に大軍をつけて京都にむかわせ義仲をほろぼした。

範頼と義経は、勢いをもりかえして都にせまろうとする平氏を、1184年、一ノ谷（兵庫県神戸市）の戦いでやぶった。

頼朝の政治的地位が高まり勢力範囲が広がるなかで頼朝は財政や一般の政務をつかさどる公文所（のちの政所）や、裁判事務をつかさどる問注所をもうけて政治のしくみをととのえていった。

1185年、四国にのがれた平氏を屋島（香川県高松市）の戦いでやぶり西の海上へと追いやった。そして壇ノ浦（山口県下関市）の戦いでついに平氏をほろぼした。

■奥州藤原氏をほろぼす

平氏をほろぼすのに功績のあった弟の義経は、後白河法皇の策略に乗せられて頼朝に無断で朝廷の役職についた。これに怒った頼朝は、弁明のために鎌倉にむかった義経を鎌倉に入れずに追いかえした。この冷たいしうちに対し、義経はおじの源行家と組んで頼朝を討とうとくわだてたが失敗してゆくえをくらませた。頼朝は後白河法皇の責任を追及し、義経をとらえるという名目で全国に守護（諸国の軍事、警察を担当する役職）と地頭（諸国の荘園や公領の管理と年貢徴収を担当する役職）をおくことをみとめさせた。

義経は奥州平泉（岩手県平泉町）にのがれ、豪族藤原秀衡のもとにかくまわれたが、秀衡が亡

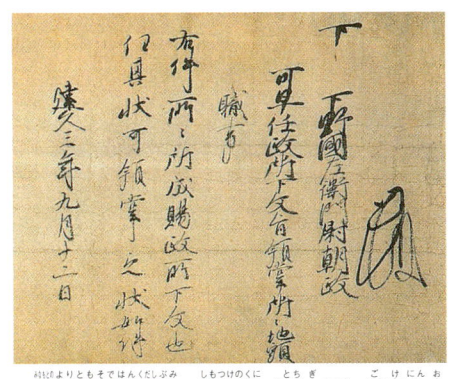

▲源頼朝袖判下文　下野国（栃木県）御家人小山朝政にあててだされた頼朝の署名（右端）のある地頭下文（任命書）。　（神奈川県立歴史博物館）

くなったあとの1189年、秀衡の子で頼朝の圧力を受けた藤原泰衡におそわれて自害した。頼朝は反逆者をかくまったという理由で泰衡を攻め、泰衡はのがれたが家臣に殺された。奥州に勢力を広げ100年間繁栄した奥州藤原氏はほろびた。こうして頼朝の支配は全国におよぶようになり、1190年、朝廷の警護をおこなう右近衛大将に任じられた。

■晩年の頼朝

1192年、後白河法皇が亡くなると頼朝は念願の征夷大将軍（武士を統一する最高司令官）に任じられた。これによって将軍を中心とする鎌倉幕府のしくみができあがった。

1195年、平氏の焼き打ちにあった奈良の東大寺が、頼朝の援助によって再建され、頼朝は儀式に参列するため京都、奈良に行った。このとき自分の娘を後鳥羽天皇のきさきにしようと朝廷にはたらきかけたが頼朝の思いどおりにはならず、朝廷に近づいたことで御家人たちの不信をまねいた。

1198年、頼朝は相模川にかけられた橋の開通式に出かけたが帰り道で落馬し、それがもとで翌年急死した。そのあとは政子との子の源頼家がついで第2代将軍となった。

🎓源氏・平氏系図　🎓征夷大将軍一覧

幕府とは

「幕府」は中国を起源とすることばで、遠征中の将軍が必要な場所に幕をはって軍事の指揮をとったので、その本営を幕府とよんだ。日本では、平安時代のころから朝廷の警護にあたる近衛府や近衛大将の館を幕府といった。1190年に源頼朝が右近衛大将に任じられるとその館（政庁）を幕府といった。

その後、武家政権の首長の館や武家政権そのものを幕府というようになったので、鎌倉時代、室町時代、江戸時代の武士の政権を「○○幕府」とよぶようになった。

源頼朝の一生

年	年齢	主なできごと
1147	1	源義朝の子として生まれる。
1159	13	平治の乱で父とともに平氏軍と戦いやぶれる。
1160	14	平氏にとらえられ、伊豆国に流される。
1180	34	平氏打倒の兵をあげる。 富士川の戦いで平氏軍に勝利する。 侍所をもうける。
1183	37	後白河法皇に東国一帯の支配権をみとめられる。
1184	38	公文所と問注所をもうける。
1185	39	壇ノ浦の戦いで平氏をほろぼす。 各国に守護・地頭をおく。
1189	43	奥州藤原氏をほろぼす。
1192	46	征夷大将軍に任命される。
1195	49	東大寺を再建し、京都、奈良に行く。
1198	52	相模川の橋の落成式に出かけた帰りに落馬する。
1199	53	落馬がもとで亡くなる。

※年齢は数え年であらわしている

みのべたつきち

学問

● 美濃部達吉　　　1873〜1948年

天皇機関説をとなえた

明治時代〜昭和時代の憲法学者、行政法学者。

兵庫県高砂町（現在の高砂市）に生まれる。幼いころから才能にめぐまれ、東京帝国大学（現在の東京大学）法科大学に入学。憲法や法律を学び、卒業後は大学院進学を希望していたが、家計が苦しく自立しなくてはならなかったため、内務省につとめた。

当時、東京帝国大学の憲法学教授だった穂積八束の「天皇主権説」には批判的な立場だった。

1899（明治32）年、大学教授の候補として推薦され、役人をやめて、大学院で学ぶこととなる。26歳で助教授になると、ヨーロッパへわたり、ドイツ、イギリス、フランスで憲法や法律を研究。帰国後、教授となって、次々と論文や著書を発表した。その一つ、1912（大正元）年に発表した『憲法講話』では「天皇機関説」を論じた。

天皇機関説とは、天皇が国家意思の最高決定権をもちながらも、「天皇は国家の機関であり、憲法にもとづいて統治権を行使する」という内容で、このような立憲主義にもとづく憲法解釈は、民主主義の考えが根づきはじめた大正時代の学界や知識人から多くの支持を受けた。またそれだけでなく、天皇自身もその考えを受け入れていた。

1932（昭和7）年には貴族院議員となり、治安維持法を批判するなど、さかんに政治評論を展開。しかしこのころ、日本は大陸への侵略をはじめ、ファシズムが台頭する。国をまとめる強力な指導者として天皇の権力が必要だったため、天皇を国家の下においた天皇機関説は、軍や国家主義者から攻撃され、大きな政治問題へと発展した。その結果、達吉は不敬罪で起訴され、議員の職も追われる。著書は発売禁止となり、政府は天皇機関説を否定する声明を発表した。

日本が第二次世界大戦にやぶれると、占領軍による憲法改正がおこなわれた。その際、達吉は内閣の憲法問題調査委員会に顧問として参加。日本国憲法草案の審議では、主権が天皇から国民へと変更される新憲法は国の根本に反すると、ただ一人反対した。

著書に『憲法撮要』『逐条憲法精義』などがある。死後の1948年には、勲一等旭日大綬章が贈られた。息子に、東京都知事をつとめた美濃部亮吉がいる。

みのべりょうきち

政治

● 美濃部亮吉　　　1904〜1984年

「革新都政」をおこなった東京都知事

昭和時代の経済学者、政治家。

東京生まれ。憲法学者である美濃部達吉の長男。1927（昭和2）年、東京帝国大学（現在の東京大学）経済学部卒業後、法政大学教授となる。1938年、日本で反ファシズムなどをうったえる人民戦線を結成しようともくろんだ人民戦線事件で大内兵衛らとともに検挙され退職するが、6年後無罪が確定。

第二次世界大戦後は、内閣統計委員会事務局長、東京教育大学（筑波大学）教授、行政管理庁統計基準局長を歴任する。このころ、NHKのテレビ番組『やさしい経済教室』に解説者として出演するなど、一般的にも名前が知られていた。1967年4月、社会党や共産党、各種革新団体の支持を得て東京都知事に当選する。京都府の蜷川虎三、大阪府の黒田了一とならぶ「革新知事」として都民との対話や公害対策、福祉政策に力を入れ、1979年までの3期12年、都政をささえつづけた。1980年6月、参議院議員（全国区）となり、第二院クラブの議員たちと「無党派クラブ」「参議院の会」をつくり、代表をつとめるも、任期中の1984年12月、80歳で急逝した。兵庫県高砂市の高砂公民館には、美濃部達吉・亮吉親子の功績を知ることができる、美濃部親子文庫が保管されている。

ミハイル・ロマノフ

王族・皇族

● ミハイル・ロマノフ　　　1596〜1645年

ロマノフ家の初代ツァーリ

ロシア、ロマノフ朝の初代ツァーリ（皇帝）（在位1613〜1645年）。

名門貴族のロマノフ家に生まれる。首都モスクワがポーランド軍に占領されるなど動乱時代のあとを受けて、1613年、モスクワでひらかれた全国会議により、ツァーリにえらばれた。16歳と若く、また病弱だったことから、はじめは全国会議が補佐し、1619年からはポーランドで捕虜になっていた父フィラレートが帰国し、ロシア正教会のモスクワ主

教となり、実権をにぎった。国土の復興と治安の回復につとめ、外交ではスウェーデンと講和をむすび、ノブゴロドをとりもどした。ポーランドとは休戦が成立したが、スモレンスクなどの失地を回復できなかった。1632年、ふたたびポーランドを攻め、失敗した。

内政では、財政を再建するために重税を課し、また農奴制を強化し地主貴族の支配権を確立。シベリアの開発も進めた。

学 世界の主な王朝と王・皇帝

みはしみちや 音楽

● 三橋美智也　　　　　　　1930〜1996年

民謡界から生まれた歌謡界の大スター

昭和時代〜平成時代の歌手、民謡三橋流家元。

北海道生まれ。本姓は北沢。明治大学中退。9歳で地元の民謡コンクールで優勝するなど、こどものころから民謡と三味線の才能を発揮し天才民謡歌手とよばれた。1950（昭和25）年に上京し、大学を中退したあと、三味線ひきをしていたところをスカウトされ、歌謡曲の歌手としてデビューする。

明るくのびやかな高音の歌唱が人気となり、1955年に『おんな船頭唄』が大ヒットした。『リンゴ村から』『哀愁列車』『夕焼けとんび』『古城』『達者でナ』と、次々とミリオンセラーを記録して、日本レコード大賞やゴールデンアロー賞を受賞する。1973年に民謡三橋流を設立して家元となる。1988年には、歌手仲間の春日八郎、村田英雄と「三人の会」をおこし、音楽活動をおこなった。民謡もふくめ、レコードの総売上げは1億枚をこえる、昭和歌謡界を代表する歌手である。

みぶのただみね 詩・歌・俳句

● 壬生忠岑　　　　　　　生没年不詳

『古今和歌集』の編さんに参加

平安時代前期の歌人、官人。

宮中の警備などをおこなう右衛門府の下級役人だったが、歌人として有名で、歌の優劣をきそって遊ぶ歌合などに多く参加している。屏風歌（屏風の絵を題材にしてよむ歌）などをはじめとする、多くの和歌をのこした。905年、醍

（金刀比羅宮所蔵）

醐天皇の命令により紀貫之、凡河内躬恒らとともに『古今和歌集』を編さんした。

子の壬生忠見も歌人として有名で、ともに藤原公任によって三十六歌仙（36人のすぐれた歌人）の一人にえらばれている。『古今和歌集』などの勅撰集に80首あまりがえらばれている。美しいことばをつかって、流れるようにおだやかな歌をつくり、代表作に「春立つと　いふばかりにや　み吉野の　山もかすみて　今朝はみゆらむ」がある。　　学 人名別 小倉百人一首

ミマール・シナン 建築

● ミマール・シナン　　　　1490〜1579年

モスクや宮殿を設計した建築家

オスマン帝国の建築家。

アナトリア地方のキリスト教徒の家に生まれた。生まれたのは1488年、亡くなったのは1588年ともいわれる。

イスタンブールでオスマン帝国の軍隊、イエニチェリに入る。施設や設備づくりをする職務について、すぐれた能力を発揮した。スルタンのスレイマン1世にみとめられ、40代の終わりごろ宮廷建築家になる。生涯に数々のモスクや宮殿、宿泊施設、公衆浴場、城塞など、全部で500近い建造物を設計した。代表作はスレイマン1世の要望でてがけたスレイマンモスクである。病院や学校などをそなえた大きな複合施設になっているのが特徴で、見た目も美しく、トルコで最高の建造物として名高い。1985年には世界遺産に登録された（イスタンブールの歴史地区）。

モスクの設計では、6世紀に栄えたビザンチン建築を手本としながらも新しい空間をつくりだし、オスマン建築の全盛時代を築いた。

みやおかめぞう 郷土

● 宮尾亀蔵　　　　　　　1782〜1853年

高品質な土佐節を開発した漁師

江戸時代後期の漁師。

土佐国高岡郡宇佐浦（現在の高知県土佐市）で漁師をしていた。あるとき、宇佐浦にやってきた紀伊国（和歌山県、三重県南部）のカツオ漁師から、かつお節のつくり方を習った。かつお節は、カツオの切り身をむしてから、火であぶり、ほしてかためたもので、煮物や汁物料理のだしとしてつかわれる。土佐では天日にほしていたが、紀伊国では煙にいぶす方法でつくられていた。

亀蔵は、子の佐之助とともにくふうを重ね、「亀蔵節」とよば

れる、画期的なかつお節をつくった。これは、現在のかつお節に近いかつお節だったといわれる。亀蔵節は、それまでのかつお節にくらべて、高品質で評判になり、のちに土佐節とよばれるようになった。土佐節独特の製法は、魚身の切り方、小骨ぬき、火力による乾燥法にくふうがあった。子の佐之助は、播磨屋という屋号で土佐節を製造した。現在、高知県は全国有数のかつお節生産地となっている。

みやおとみこ
文学

● 宮尾登美子　　　　　　　1926〜2014年

ひたむきに生きる女性をえがく

昭和時代〜平成時代の作家。高知県生まれ。高坂高等女学校卒業。結婚後、夫と満州（現在の中国東北部）にわたり、第二次世界大戦の敗戦をむかえる。収容所での生活で苦労し、帰国後に結核にかかる。1962（昭和37）年、農業や保育所での仕事をしながら書いた小説『櫂』が新聞小説に入選、女流新人賞を受賞する。

その後、1973年に、父母をモデルにした『櫂』で太宰治賞を受賞する。また、土佐の琴演奏家をとり上げた『一絃の琴』で直木賞、女性日本画家の上村松園をえがく『序の舞』で吉川英治文学賞を受賞。

男性中心の世界で、ひたむきに生きる女性をえがく感動作が多い。次々とベストセラーを送りだし、映画やドラマ、舞台になった作品も多い。『宮尾本平家物語』『天璋院篤姫』は、それぞれ好評だったNHK大河ドラマ『義経』『篤姫』の原作である。2009（平成21）年、文化功労者に選出。

学 芥川賞・直木賞受賞者一覧

みやがわひろし
音楽

● 宮川泰　　　　　　　　　1931〜2006年

日本のポップス界の発展をリードする

昭和時代〜平成時代の作曲家、編曲家、指揮者。北海道生まれ。大阪学芸大学（現在の大阪教育大学）卒業。土木設計技師をしていた父の仕事のつごうで、幼いころから全国を転居してまわる。1951（昭和26）年、大阪学芸大学音楽科で、本格的なクラシック音楽を学びはじめる。

学生時代から自分のジャズバンドで演奏活動をしていたが、1958年、東京でプロのジャズバンド「渡辺晋とシックス・ジョーズ」に参加し、ピアノと編曲を担当。1962年、双子の姉妹歌手ザ・ピーナッツの『ふりむかないで』で、作曲家としてデビューする。それ以後、『恋のバカンス』『ウナ・セラ・ディ東京』などのヒットで人気を得て、日本レコード大賞の作曲と編曲賞を受賞する。映画『宇宙戦艦ヤマト』の主題歌やミュージカル『ショーガール』などの音楽監督もつとめた。多くの歌手に楽曲を提供し、第二次世界大戦後、日本のポップス界の発展をリードしてきた。

みやぎてつお
郷土

● 宮城鉄夫　　　　　　　　1877〜1934年

沖縄のサトウキビ生産を高めた指導者

明治時代〜昭和時代の農事改良家。琉球王国（現在の沖縄県）の羽地村（名護市）の農家に生まれた。札幌農学校（現在の北海道大学）を卒業したのち、故郷にもどり、1907（明治40）年、農業学校の教師になった。農業学校の校長、沖縄県の農業技師をつとめたあと、1920年、沖縄に進出していた台湾の製糖会社に入った。そこで、当時沖縄で栽培されていたサトウキビよりも生産性の高い品種「大茎種」を発見して、とり入れた。その後、栽培方法や肥料のつくり方などを研究して、新しい品種を沖縄全土の農家に広めた。

みやぎまりこ
音楽　映画・演劇　教育

● 宮城まり子　　　　　　　1927年〜

「ねむの木学園」で多くのこどもを見守る

歌手、女優、映画監督、福祉事業家。東京生まれ。本名、本目真理子。第二次世界大戦前から少女歌手として活躍。1952（昭和27）年、ビクターに入社。『毒消しゃいらんかね』『ガード下の靴みがき』などのレコードがヒット。女優業に進出し、『12月のあいつ』で芸術祭賞、『まり子自叙伝』でテアトロン賞を受賞。芝居の中で、肢体不自由児の役のため、病院や施設を訪問したことがきっかけで、1968年、養護施設「ねむの木学園」を静岡県に創設。そのこどもたちの生活を記録した映画『ねむの木の詩』を監督し、国際赤十字映画祭で銀賞を受賞、国内外に大きな反響をよんだ。吉行淳之介文学館、ねむの木こども美術館なども創設。数々の功績がみとめられ、吉川英治文化賞、エイボン女性大賞、ペスタロッチー教育賞、瑞宝小綬章などを受賞している。現在、ねむの木学園の理事長などをつとめながら、実際にこどもの生活

をみて、教育の現場に立つ。静岡県掛川市に、健康な人、身体に障害をもつ人、老人、若者がともにくらせる福祉の里「ねむの木村」を運営する。

みやぎみちお

伝統芸能

● 宮城道雄　　　　　　　　　　1894〜1956年

邦楽の世界に、新日本音楽運動をおこす

大正時代〜昭和時代の箏曲演奏家、作曲家。

兵庫県生まれ。本姓は菅。幼いころに病気のために失明し、8歳で箏曲（十三弦の弦楽器、箏の音楽）の生田流2世中島検校に学び、11歳で免許皆伝となる。13歳のとき家族で朝鮮半島にわたり、箏や尺八の指導をして生活をささえた。14歳で、短歌に曲をつけた第1作『水の変態』を発表、「楽聖」とたたえられた。

その後、東京にもどって作曲活動をはじめる。1919（大正8）年、葛原しげるらの後援により第1回作品発表会を開催し、海外でも自作を演奏して名声を得た。

バイオリンなどの洋楽器を参考に箏の奏法を改良、十七絃箏や大胡弓などの新しい楽器を考案し、変奏曲やソナタ形式など、西洋音楽の形式をとり入れた新日本音楽運動をおこす。五線譜を積極的に活用し、教則本の出版やラジオでの講習など、邦楽教育にも力を入れた。代表作に『春の海』『さくら変奏曲』『越天楽変奏曲』などがある。演奏旅行の途中、大阪へむかう列車から転落して亡くなった。　学 切手の肖像になった人物一覧

みやけいっせい

デザイン

● 三宅一生　　　　　　　　　　1938年〜

世界的に知られる日本人デザイナー

ファッションデザイナー。広島県生まれ。1963（昭和38）年、多摩美術大学を卒業し、1965年パリにわたり、専門学校をへて、ジバンシーらのもとでファッションを学ぶ。その後、ニューヨークのジェフリー・ビーンのもとで修業し、帰国した。1970年、三宅デザイン事務所を設立し、1973年からパリ・コレクションに参加する。

西洋の衣服が体の線にあわせて立体的に裁縫されるのに対し、1枚の布という原点に立ち、それをたたんだり、まいたり、切っ

たり、くりぬいたりすることでなりたつ衣服を追求した。1993（平成5）年に発表した『プリーツ・プリーズ』も、同じ発想から生まれたもので、部分的な技術にすぎなかったプリーツ（ひだ）を衣服全体にほどこし、大きな反響をよぶ。1998年にはさらに、1枚の筒状のニットを切りぬいてつくる服『A-POC』を発表した。1998年に文化功労者となり、2010年に文化勲章を受章した。　学 文化勲章受章者一覧

みやけせつれい

思想・哲学

● 三宅雪嶺　　　　　　　　　　1860〜1945年

雑誌『日本人』を発行、日本や東洋の価値をうったえた

明治時代〜昭和時代のジャーナリスト、評論家。

加賀国（現在の石川県南部）に、加賀藩家老付きの医師の子として生まれる。本名は雄二郎。号の雪嶺は、加賀藩の名峰白山からつけた。1883（明治16）年、東京大学文学部哲学科を卒業。在学中、恩師フェノロサの影響を受ける。

（金沢ふるさと偉人館）

1888年、志賀重昂らとともに政教社を設立して、雑誌『日本人』を創刊。政府の欧化主義と薩長藩閥政治を批判した。欧米文化優位の時代に東洋や日本の固有価値を正当に評価し、陸羯南らとともに国粋主義を主張。『江湖新聞』の主筆、新聞『国会』の社説を担当するなど、ジャーナリストとして活躍した。著作に『真善美日本人』『宇宙』『同時代史』などがある。1943（昭和18）年、文化勲章受章。　学 文化勲章受章者一覧

みやこのよしか

詩・歌・俳句

● 都良香　　　　　　　　　　　834〜879年

天才的な文章家で知られた

平安時代前期の詩人、学者、役人。

はじめの名は言道といい、のちに良香とした。860年、朝廷の大学寮で歴史や詩文を学ぶ文章生となり、869年、官吏登用の国家試験に受かったが、そのときの文は文章生の模範とされた。873年、天皇の側近事務をおこなう大内記、875年、大学寮で歴

（国立国会図書館）

史や詩文を教える文章博士となり、876年、越前権介（現在の福井県北東部の役人）と天皇につかえる侍従をかねた。879

年に成立した文徳天皇一代の歴史を漢文で記述した『日本文徳天皇実録』の編さんにたずさわったとされる。

良香が書いた天皇の勅（命令書）は名文として知られている。漢文集に『都氏文集』があり、漢詩文は、11世紀前期に藤原公任によってまとめられた『和漢朗詠集』にものせられている。また、羅城門の鬼が感心した、竹生島の弁財天に教えられたことがあるなど、漢詩にまつわる数多くの逸話がのこされている。富士山の登山記録とされる『富士山記』などをのこしている。

みやざきとうてん

政治

● 宮崎滔天 　　　　　　　　　　　1871〜1922年

孫文を支援し、辛亥革命に協力した

（国立国会図書館）

明治時代〜大正時代の革命家、浪曲家。

肥後国玉名郡荒尾村（現在の熊本県荒尾市）の郷士、宮崎長蔵の子に生まれる。自由民権運動に参加していた兄の影響を受け、1885（明治18）年、徳富蘇峰の塾に入った。

翌年、東京に出て東京専門学校（現在の早稲田大学）英学部に学び、1887年にはキリスト教に入信。故郷にもどると熊本英学校などで学んだ。

しかし、キリスト教による救いの教えに無力を感じ、1889年に信者をやめ、のちに、兄が考える、中国の清にアジアにおける万人平等の理想の国を築いて欧米の帝国主義に対抗しようという、中国革命主義に賛同。1897年、日本に亡命中の孫文と知り合い、その中国革命の考えに共感し、革命運動を全面的に支援。一時、桃中軒牛右衛門と名のって、浪花節（三味線の伴奏により節をつけて演じる語り物）によって民衆に革命の精神を吹きこもうとした。

1905年には東京で、孫文らと中国革命をめざす中国同盟会の結成につくし、また1911年の辛亥革命（清をたおして中華民国を成立させた革命）が成功したあとも彼を支援し、革命を支持しつづけた。

みやざきはやお

漫画・アニメ

● 宮﨑駿 　　　　　　　　　　　　　1941年〜

日本のアニメ映画の第一人者

映画監督、アニメーション作家。

東京生まれ。学習院大学卒業後、1963（昭和38）年に東映動画に入社し、アニメーターとなる。高畑勲らといくつかのプロダクションをわたり歩き、テレビシリーズ『ルパン三世』『アルプスの少女ハイジ』『未来少年コナン』や、短編アニメ映画『パ

ンダコパンダ』を制作。長編アニメ映画『ルパン三世　カリオストロの城』で、はじめて監督をつとめた。

1984年に『風の谷のナウシカ』を発表。翌年スタジオジブリを立ち上げ、『天空の城ラピュタ』『となりのトトロ』『魔女の宅急便』を発表、1997（平成9）年発表の『もののけ姫』は日本映画の興行記録をぬりかえる大ヒットとなる。2001年の『千と千尋の神隠し』でその記録もやぶり、国内外から高い評価を得て、ベルリン国際映画祭の最優秀作品賞である金熊賞をアニメ映画ではじめて受賞し、またアカデミー賞の長編アニメ賞を受賞。

一時、引退を宣言するも撤回し、『ハウルの動く城』『崖の上のポニョ』を公開。2012年には文化功労者にえらばれた。2013年『風立ちぬ』の公開後、長編アニメ映画の制作からしりぞくと発表した。2014年、アカデミー賞名誉賞を受賞。

▲ 2014年のアカデミー賞受賞式での宮﨑駿

みやざきやすさだ

学問

● 宮崎安貞 　　　　　　　　　　　1623〜1697年

農法をまとめた『農業全書』が大ベストセラーに

江戸時代前期の農学者。

安芸国広島藩（現在の広島県）の藩士の子として生まれた。1647年、25歳のとき、筑前国福岡藩（福岡県北西部）の藩主、黒田氏につかえ、そこで儒学者の貝原益軒と出会い、親しく交流した。

1652年、30歳のころ、農民の知識向上に役だちたいと考えて藩士をやめ、九州や山陽、近畿地方などをめぐって西日本の農業事情を調査した。その後、筑前国女原村（福岡市）に定住し、荒れ地を開墾して農業をいとなみ、農業技術の改良や新田開発の指導をおこなった。

一方で、貝原益軒や、益軒の兄、楽軒の指導を受けて中国の明の農業書を研究し、農村での長年にわたる体験や見聞をもとに、『農業全書』全10巻を著した。これは、五穀（米、麦、キビ、アワまたはヒエ、豆）、野菜、果物などの農法をくわしく解説した本で、1697年に出版されて大ベストセラーになった。江戸幕府第8代将軍徳川吉宗も、つねに手もとにおいていたといわれ、江戸時代を通じて広く読まれた。

『広益国産考』の著者大蔵永常、『農政本論』の著者佐藤信淵とともに江戸時代の三大農学者といわれている。

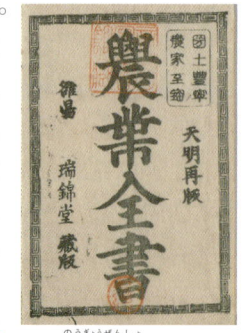

▲ 『農業全書』表紙

（国立国会図書館）

みやざきゆうぜん

工芸　郷土

● 宮崎友禅　　　　　　　　　　生没年不詳

友禅染をはじめた京都の絵師

▲宮崎友禅筆『蛍図扇面』
（東京国立博物館 Image:TNM Image Archives）

江戸時代中期の画家。

生没年や出身地などくわしい経歴はわかっていない。

17世紀の後半、京都の知恩院の門前に住み、扇に絵をえがく絵師として人気を集めていたという。1682年に出版された井原西鶴の『好色一代男』には、当時、友禅が図がらをえがいた扇が流行したという話が出てくる。

扇にえがかれた友禅の図がらは、やがて着物にもとり入れられて評判をよんだ。その後、友禅は着物のデザインもてがけるようになり、1692年、着物のデザインの見本帳であるひな型本『余情ひいなかた』を出版して注目を集めた。

友禅染は、白い生地に筆やはけをつかって色模様をえがき、その部分をのりでおおってから地色を染め、そのあと水洗いをしてのりを落とす染色の技法である。友禅染の普及によって、着物に花鳥風月や名所など、それまでになかった色あざやかで絵画的な模様をつけることが可能になり、大流行した。

▲友禅染『白縮緬地京名所模様小袖』
（国立歴史民俗博物館）

宮崎友禅がこの技法を考案したので友禅染という名前がついたといわれているが、ほんとうに友禅が技法を創作したのかはわかっていない。友禅はあくまでもデザイナーであり、技法の創作にはかかわっていないという説もある。

みやざわきいち

政治

● 宮沢喜一　　　　　　　　　1919〜2007年

戦後の日本を長くささえた政治家

昭和時代〜平成時代の政治家。第78代内閣総理大臣（在任1991〜1993年）。

東京生まれ。東京帝国大学（現在の東京大学）法学部を卒業、1942（昭和17）年、大蔵省に入る。池田勇人大蔵大臣の秘書官となり、1951年、サンフランシスコ講和会議などの日米交渉で活躍した。1952年に大蔵省を退官し、翌年、参議院議員選挙で当選。1962年、経済企画庁長官としてはじめて入閣する。

1967年、衆議院にかえて総選挙で当選、以後、通商産業大臣、外務大臣、内閣官房長官などを歴任。安倍晋太郎、竹下登らとともに「ニュー・リーダー」と称された。1987年、竹下内閣で副総理兼大蔵大臣をつとめたが、翌年、リクルート事件で辞任。1991（平成3）年、内閣総理大臣に就任し、国連平和維持活動協力法を成立させた。1993年に内閣不信任案が可決されて、解散総選挙となったが、党内が分裂して大敗、非自民の新政権発足を受けて辞任した。その後も、小渕恵三内閣、森喜朗内閣で入閣している。2003年の総選挙では、自民党総裁だった小泉純一郎の世代交代・若がえり要請により立候補をやめ、政界を引退した。

（内閣広報室）

学 歴代の内閣総理大臣一覧

みやざわけんじ

文学　絵本・児童

● 宮沢賢治　　　　　　　　　1896〜1933年

農民につくした童話詩人

（日本近代文学館）

大正時代〜昭和時代の詩人、童話作家、農学者、思想家。

岩手県の生まれ。生家は花巻で質・古着業をいとなみ、熱心な仏教徒の裕福な家庭であった。少年時代から植物採集や鉱物採集に熱中し、成績優秀で作文にすぐれていた。旧制盛岡中学校をへて、1915（大正4）年に盛岡高等農林学校（現在の岩手大学農学部）に入学する。在学中は同人誌『アザリア』や『校友会会報』に連作短歌や詩的散文を発表した。またこのころ、日蓮宗の信徒となり、熱心に信仰した。卒業後は、研究生として土壌調査などをおこなう。

1920年、日蓮宗の信仰団体の国柱会に入会する。1921年1月には東京の本郷菊坂町（現在の文京区本郷）に下宿して、筆耕（清書や書きうつしの作業）や校正の仕事で生計を立てながら布教用の童話を書いた。8月に妹トシが病でたおれたため故郷に帰り、12月から稗貫農学校（のちの花巻農学校、現在の岩手県立花巻農業高校）の教師をつとめる。1924年に詩集『春と修羅』、童話集『注文の多い料理店』を自費で出版した。

1926 年に農学校を退職して農耕生活をはじめる。「羅須地人協会」を設立し、若い農民たちを集めて農芸化学や芸術論などを講義した。晩年は過労のため病気がちの生活を送り、1933 年に 38 歳で亡くなった。代表作に、童話『風の又三郎』『銀河鉄道の夜』『オッベルと象』、妹トシとの死別を書いた詩『永訣の朝』や、生き方の指針を語った『雨ニモマケズ』などがある。現在でも広く読みつがれている。ふるさとの岩手県花巻市には、宮沢賢治記念館と宮沢賢治イーハトーブ館がある。

学 切手の肖像になった人物一覧　学 日本と世界の名言

みやしゅうじ

詩・歌・俳句

● 宮柊二　　　　　　　　　　　1912～1986年

戦後派を代表する歌人

昭和時代の歌人。

新潟県生まれ。本名は肇。旧制中学のころから歌をよみ、相馬御風主宰の『木蔭歌集』などに投稿した。20 歳で上京し、1933（昭和 8）年に北原白秋の秘書となり、白秋が指導する『多磨』に参加して浪漫主義的な歌をつくる。1939 年に召集され、中国山西省で約 5 年間、戦場ですごす。この経験は歌集『山西省』（1949 年）にうたわれている。1946 年に最初の歌集『群鶏』を刊行して注目され、歌集『小紺珠』などを発表。戦後派を代表する歌人として活躍した。また、短歌誌『コスモス』を創刊し、多くの歌人を育てた。1977 年に日本芸術院賞を受賞したほか、数々の受賞歴がある。

みやたけがいこつ

文　学

● 宮武外骨　　　　　　　　　　1867～1955年

反骨の奇人

▲宮武外骨

明治時代～昭和時代のジャーナリスト、新聞史研究家。

讃岐国（現在の香川県）の豪農の家に生まれ、幼名は亀四郎。18 歳のときに「外骨内肉」という漢和辞典のカメの説明から改名し、少年時代から『団々珍聞』などに狂詩を投書するなど、かわった行動がめだった。

1886（明治 19）年に東京で頓智協会を設立し、翌年『頓智協会雑誌』を創刊。1889 年の大日本帝国憲法発布にあわせて、大日本頓智研法を骸骨が授与する戯画を掲載したため不敬罪に問われ、重禁錮 3 年、罰金 100 円の刑に処せられるなど、投獄されることもあった。

風俗や政治の裏話にくわしく、政治や権力を批判してたびた

び物議をかもし、反骨の奇人として知られた。とくに 1901 年に発刊した『大阪滑稽新聞』は、強者をくじいて弱者を助け、悪者に反抗して善者の味方になるという趣旨で月 2 回発行され、風刺画入りで、権威をふりかざす官吏や検察官、政治家や僧侶、悪徳商人などを痛烈に批判したため、庶民のあいだで大人気となった。その後も雑誌『此花』、日刊誌『不二』、雑誌『スコブル』など多くの新聞や雑誌を次々と創刊した。

1923（大正 12）年の関東大震災の際には自分の足で取材し、写真やさし絵を入れて、ほかの新聞などとはちがった視点から東京周辺のようすをレポートした『震災画報』を出版。また、社会主義運動にかかわる一方で、1924 年には吉野作造らと明治文化研究会を設立し、歴史や文化の研究にも力をそそいだ。

震災後は、記録が震災で焼失するのをまのあたりにしたことから、1927（昭和 2）年に東京大学の明治新聞雑誌文庫の創設にあたり、事務主任として明治時代の新聞や雑誌などの記録資料の充実につとめた。晩年は、日本新聞史研究に力をつくし、古川柳・浮世絵の研究者としても有名である。主な著書は『筆禍史』『私刑類纂』など。

1955 年に 88 歳で亡くなるまで、『滑稽新聞』のモットーである「過激にして愛嬌あり」そのままに、批判精神を失わない生涯だった。日本における言論の自由の基礎を築き、反権力を生涯つらぬいた日本のジャーナリストの草分け的存在であり、活字アートや絵文字の表現、趣向をこらしたパロディーやことば遊びなどを執筆したことでも有名だった。

▲『滑稽新聞』にかかれた自画像

みやたたつじ

郷　土

● 宮田辰次　　　　　　　　　　1797～1869年

勝浦ミカンをつくった商人

江戸時代後期の商人、果樹栽培家。

阿波国勝浦郡坂本村（現在の徳島県勝浦町）で油商と雑貨商をいとなんでいた。

あるとき、毎年商用で行く紀伊国有田地方（和歌山県有田市）のウンシュウミカンに、目をつけた。農家からつぎ穂（若芽のついた枝）を分けてもらってもち帰り、家の庭のミカンの木の枝を切り落とし、そこにウンシュウミカンのつぎ穂をつぎ木した。せっかく成長したミカンの木を切ったので、村人には、頭がおかしくなったかと思われたという。しかし数年後、つぎ木をしたミカンの木にあまくておいしいりっぱなウンシュウミカンがなり、よい値段で売れた。それを知った村人たちは、つぎ穂や苗木をゆずってもらおうとおしかけた。やがて、阿波のウンシュウミカンの栽培は、坂本から周辺の村々に広まっていった。現在、阿波のウンシュウミカンは「勝浦ミカン」の名で知られ、徳島県の特産物となっている。

みやながやおじ

郷土

● 宮永八百治　　　　　　　　　1837〜1895年

本庄南用水路をつくった農民

江戸時代後期〜明治時代の農民、治水家。

日向国本庄村（現在の宮崎県国富町）に生まれた。本庄村付近は水の便が悪く、干ばつのたびに水不足に苦しんだ。八百治と8人の仲間は、本庄川周辺の土地を調べ、本庄川支流の綾北川から用水をひく計画を立てた。1873（明治6）年、宮崎県の許可がおりるが、1876年に宮崎県が鹿児島県へ合併されることになり、翌年におきた西南戦争の影響で工事は中止された。8人は私財を投じて工事にとりくむことを決め、1881年、家や田畑を売って工事をはじめた。資金面での苦労を重ねながら工事をつづけ、着工から8年後、全長約10kmの本庄南用水路を完成し、約280haの水田がうるおった。

みやにしたつや

絵本・児童

● 宮西達也　　　　　　　　　　1956年〜

『ティラノサウルス』シリーズで人気の絵本作家

絵本作家、グラフィックデザイナー。

静岡県生まれ。日本大学芸術学部卒業。グラフィックデザイナーをへて、1983（昭和58）年に『あるひ おねえちゃんは』（作・みやにしいづみ）で絵本作家としてデビュー。『きょうはなんてうんがいいんだろう』で講談社出版文化賞絵本賞を受賞。やさしいタッチとカラフルな絵で、こどもからおとなまで多くのファンに親しまれる。代表作に、小学校の教科書にのった『にゃーご』のほか、正義の味方にあこがれていたお父さんの子育て奮戦記『おとうさんはウルトラマン』シリーズ、恐竜を主人公にした『おまえうまそうだな』『おれはティラノサウルスだ』をはじめとする『ティラノサウルス』シリーズなどがある。

みやべみゆき

文学

● 宮部みゆき　　　　　　　　　1960年〜

たくみなストーリーと語り口で読者をひきこむ

作家。

東京生まれ。本名は矢部みゆき。東京都立墨田川高等学校卒業。法律事務所ではたらいたあと、1987（昭和62）年『我らが隣人の犯罪』でオール讀物推理小説新人賞を受賞、作家としてデビューをはたす。その後、推理小説、ミステリー、SF（空想科学小説）、時代小説など、さまざまな分野で作品を発表し、人気作家として活躍する。

また、『本所深川ふしぎ草紙』で吉川英治文学新人賞、『火車』で山本周五郎賞、『理由』で直木賞など、主要な文学賞を数々受賞している。日常の生活を舞台にしてなぞや事件を設定し、たくみな語り口と明快な文章で読者をひきこむことを得意とする。『模倣犯』など、ドラマや映画の原作となっている作品も多い。主な作品に、作家としての地位をかためた『魔術はささやく』や『龍は眠る』、カードローンという現代的な設定でもがく人物をえがいた『火車』や『名もなき毒』などがある。

学 芥川賞・直木賞受賞者一覧

みやもとさぶろう

絵画

● 宮本三郎　　　　　　　　　　1905〜1974年

新聞のさし絵でも人気を集めた画家

昭和時代の洋画家。

石川県生まれ。1922（大正11）年に上京し、川端画学校で藤島武二に洋画を学んだのちに、安井曽太郎の指導を受ける。1927（昭和2）年、『白き壺の花』を二科美術展覧会（二科展）に出品して入賞し、のちに二科会会員となる。1938年にヨーロッパにわたるが、第二次世界大戦のため、翌年帰国した。戦争中は陸軍報道班員として、戦争記録画をえがいた。1942年の大東亜戦争美術展に出品した『山下、パーシバル両司令官会見図』は、大きな反響をよび、翌年の帝国美術院賞を受賞した。

1943年には、『海軍落下傘部隊メナド奇襲』で朝日文化賞を受賞した。戦後は二科会をはなれ、1947年に第二紀会（現在の二紀会）を結成し、中心人物として活躍する。晩年は、はなやかな色彩と的確な写生による、舞妓や裸婦などの人物画を発表する。一方、早くから新聞や雑誌のさし絵画家としても知られ、石川達三の『風にそよぐ葦』などで人気を集めた。

みやもとたけのすけ

郷土

● 宮本武之輔　　　　　　　　　1892〜1941年

信濃川の改修工事を指揮した土木技術者

明治時代〜昭和時代の土木技術者。

愛媛県の興居島（松山市）に生まれた。東京帝国大学土木工学科（現在の東京大学工学部）で学び、卒業後、内務省（国内の行政を統括した官庁）の土木局に入って、利根川の治水などにたずさわった。

（国土交通省信濃川河川事務所）

1927（昭和2）年、信濃川の大河津分水（信濃川の増水した水を日本海に流すためにつくられた水路）で、内務省が13年かけて建設した自在堰（日本海に流す水量を調節する施設）がこわれる事故がおきた。そのため信濃川の水が分水路に流れてしまい、信濃川下流域の村々は水不足になった。

復旧工事をまかされた武之輔は、内務省の土木技術者の青山士とともに工事にとりかかり、自在堰にかわる新しい可動堰を設計した。1931年、可動堰が完成して復旧工事が終わり、分水路と信濃川の水量を調節できるようになった。内務省の仕事のほか母校の東京帝国大学教授を兼任した。また、日本工人倶楽部を発足させるなど、技術者の地位向上にとりくみ、科学技術庁の設立にかかわった。

みやもとつねいち

学問

● 宮本常一　　　　　　　　　　1907〜1981年

日本各地を歩き、人々の生活を記録した

▲宮本常一

昭和時代の民俗学者。
山口県東和町（現在の周防大島町）に生まれる。家は貧しかったが、豊かな知識をもつ父と祖父から数々の昔話を聞きながら育つ。1922（大正11）年、西方尋常小学校を卒業。農業をてつだいながら、独学で勉強をつづけた。翌年、大阪へ出て、授業料などすべての費用を援助してくれる逓信講習所に入所。

講習修了後は郵便局で電信係として勤務した。仕事は過酷だったが、謄写版印刷の雑誌をつくって仲間とはげましあった。1926年、天王寺師範学校（現在の大阪教育大学）入学。さらに同校専攻科で学んだ。大阪府の小学校や中学校教師をしながら民俗学を研究し、『口承文学』『近畿民俗』といった雑誌を創刊した。その間、日本の民俗学の創始者である柳田国男に手紙で指導を受けたこともある。

1939（昭和14）年、上京し、アチック・ミューゼアム（日本常民文化研究所）の研究所員となる。アチック・ミューゼアムは、財界人であり民俗学者でもある渋沢敬三が自宅に開設した私設の博物館で、以後、常一は物心両面で、敬三に助けられながら、精力的に民俗調査をつづけていく。そして、1961年に文学博士となり、1964年、58歳で武蔵野美術大学教授に就任した。

常一は、ズック靴をはき、リュックサックを背負い、全国津々浦々をおとずれて、話を聞き、克明な記録をのこした。73年の生涯で、4000日間を調査旅行についやし、泊まった民家は1000軒をこえ、歩いた距離は合計16万km、地球4周分におよぶ。その好奇心は、伝承や民具、暮らしぶり、考古学、産業や経済など広範囲にわたっていた。そして、脚光をあびた

『忘れられた日本人』をはじめ、『日本文化の形成』『塩の道』など、膨大な著作をのこした。とくに、それまで語られることがなかった、山村や離島、定住しない人々の暮らしに目をむけ、柳田国男の民俗学とはことなる視点で独自の仕事をのこした。
一方、民俗学はよりよい未来をひらく学問だと考え、各地で住民たちと話し合いながら農業の育成や振興策を提案している。全国離島振興協議

▲全国を回り、記録をのこした。（周防大島文化交流センター）

会、林業金融調査会、日本観光文化研究所などの設立運営にもかかわった。その存在感は大きく、20世紀末から再評価する動きが高まり、研究書や関連書籍が出版されている。

みやもとてる

文学

● 宮本輝　　　　　　　　　　　　1947年〜

市井に生きる人を叙情的にえがく

作家。
兵庫県生まれ。本名は正仁。追手門学院大学卒業。広告代理店などではたらきながら小説を書いていた。1977（昭和52）年に『泥の河』で太宰治賞を受賞して文壇に登場する。つづく『蛍川』では、みずみずしい作風で注目され芥川賞を受賞。『道頓堀川』とあわせて、「川三部作」とよばれる代表作となった。市井に生きるごくふつうの人々を主人公に、その運命を叙情的にえがく作風で、幅広い読者の支持を得ている。
『泥の河』『青が散る』『優駿』など、ドラマや映画の原作となった小説も多い。エッセーにも定評があり『本をつんだ小舟』『ひとたびはポプラに臥す』などがある。

学 芥川賞・直木賞受賞者一覧

みやもとむさし

江戸時代

● 宮本武蔵　　　　　　　　　1584?〜1645年

二刀流をきわめた剣豪

（島田美術館蔵）

江戸時代初期の剣術家。
美作国宮本村（現在の岡山県美作市）、あるいは播磨国宮本村（兵庫県太子町）の生まれといわれる。13歳のときに初試合をしてから、29歳ごろまでに60回以上試合をおこなったが、一度も負けたことがなかったという。武蔵についてはさまざまな説があるが、29歳のとき、船島（のちの巌流島）（山口県下関市）で、剣術家の佐々木

小次郎と決闘して勝ち、剣豪としての武名が全国に広まったといわれている。そののち小倉藩（福岡県東部）の藩主小笠原忠真の客となり、島原・天草一揆の鎮圧にも加わった。晩年は、熊本藩（熊本県）藩主細川忠利につかえた。忠利の死後、二刀流の二天一流を完成させ、金峰山（熊本県熊本市）の霊巌洞にこもって、その理念を兵法書『五輪書』に著した。剣術だけでなく、書や絵画にもすぐれ、国の重要文化財である水墨画『枯木鳴鵙図』や『鵜図』などをのこしている。

武蔵の没後、巌流島での決闘が歌舞伎や人形浄瑠璃にもとり上げられ、吉川英治の小説『宮本武蔵』などでも、史上最強の剣豪として語りつがれた。

🎓 日本と世界の名言

みやもとゆりこ
文学

🔴 宮本百合子　　　　　　　　　　1899〜1951年

民主主義文学運動の先駆者

大正時代〜昭和時代の作家。

東京生まれ。本名はユリ。日本女子大学英文科中退。父は建築家の中条精一郎。2人目の夫は政治家の宮本顕治。1916（大正5）年、10代で『貧しき人々の群』を『中央公論』に発表して、天才少女として注目された。1919年、留学先のアメリカ合衆国のニューヨークで東洋古代語研究者の荒木茂と結婚し、5年後に離婚。1928（昭和3）年には不幸な結婚生活をえがいた小説『伸子』を刊行し、作家としての地位を築いた。

その後、プロレタリア文学運動（労働者の立場から現実をえがく文学運動）に参加し、1932年に顕治と再婚。きびしい取り締まりと戦いながら活動をつづけた。1941年に検挙されて投獄されると、第二次世界大戦の敗戦まで執筆できなくなる。この間、獄中にいた夫にあてて送った4000通をこえる手紙は、のちに『十二年の手紙』として発表された。戦後は、民主主義文学運動（民主主義にもとづき自由と平等の実現をめざす文学運動）の先頭に立って活動、『播州平野』『二つの庭』などの作品をのこす。

ミュエック，ロン
彫刻

🌐 ロン・ミュエック　　　　　　　　1958年〜

人体を忠実に表現する彫刻家

オーストラリアの彫刻家。

メルボルンに生まれる。1970年代から、テレビのこども番組でつかう人形や模型などをつくる仕事をしていた。

もっと精度が高くよいものをつくろうと、イギリスのロンドンで会社を立ち上げる。やがて、仕事とは別に作品をつくりはじめた。ギャラリーのオーナーが気に入ってくれたのをきっかけに、本格的に制作にとりくんだ。

『ガール』をはじめ、等身大をはるかにこえるの巨大な人間像で知られる。粘土の鋳型にシリコンやファイバーグラスなどを流しこんで、しわの1本1本や血管までリアルにあらわす。ハイパーリアリズム彫刻家とよばれ、世界の注目が集まる作家である。

ミュシャ，アルフォンス
絵画

🌐 アルフォンス・ミュシャ　　　　　1860〜1939年

「ミュシャ様式」をつくりだした画家

チェコの画家。

南チェコに生まれる。父は裁判所につとめていた。はじめは教会の聖歌隊で活躍していたが、声がわりで音楽の道をあきらめ、画家をめざした。ウィーンに出て、装飾画家としてはたらき、1885年に地元の伯爵から援助を得て、ミュンヘンとパリの美術学校で学んだ。

1894年、パリで女優サラ・ベルナール主演の戯曲『ジスモンダ』のポスター制作をおこなった。それ以後、『椿姫』や『トスカ』など数々の商業ポスターで有名になった。あでやかな曲線で優美な女性像をえがき、周囲を植物でかざる「ミュシャ様式」とよばれる独特の作風をつくりだしたことから、ヨーロッパで19世紀末から流行した美術の様式、アールヌーボー（新芸術運動）の代名詞となった。1910年、チェコに帰国し、主に祖国やスラブ民族をテーマにした絵画を制作した。代表作に『黄道十二宮』『スラブ叙事詩』がある。

ミュンツァー，トーマス
宗教

🌐 トーマス・ミュンツァー　　　　　1489〜1525年

ドイツ農民戦争を指揮した説教師

ドイツの宗教改革者。

中部のシュトルベルク生まれ。ライプツィヒ、フランクフルトで学ぶ。1519年にルターと知り合う。最初はルターの福音主義に共鳴するが、現存する権力と秩序をみとめるルターの考え方に批判的になり、独自の改革運動を進める。

最後の審判と千年王国の到来を説き、教会の腐敗堕落を

攻撃。教会批判にとどまらず、封建領主による収奪で苦しんでいる農民救済のために農奴制の廃止をめざした。1524年からはじまったドイツ農民戦争で、チューリンゲン地方における指導者として封建諸侯と戦い、1525年フランクハウゼンの戦いでとらえられ、言動を撤回させられたうえで斬首刑となった。

みょうえ

宗 教　詩・歌・俳句

● 明恵　　　　　　　　　　　　　1173〜1232年

歌人としてもすぐれていた僧

▲明恵上人坐像

(高山寺蔵／京都国立博物館)

鎌倉時代前期の華厳宗の僧。

高弁ともいう。紀伊国（現在の和歌山県・三重県南部）出身。1180年、幼くして両親を亡くし、1181年、おじの上覚がいた高雄神護寺（京都市）に入り修行にはげんだ。その後、仁和寺（京都市）や東大寺（奈良市）で華厳宗（唐でひらかれた華厳経をもとにした宗教で、奈良時代に東大寺でさかんになった）を学んで1188年、出家し、東大寺で受戒（僧になるための戒律をさずかること）した。1195年、紀伊国有田郡白上（和歌山県有田市）でいおりをかまえて修行した。仏教をひらいたシャカへのあこがれが強く、髪をそったシャカに近づきたいという強い思いから右の耳を切るという行動に出た。その痛みにたえて祈っていると眼前に文殊菩薩があらわれたという。

1203年と1205年に天竺（インド）へわたってシャカの足跡を巡礼しようと計画した。しかし、春日明神（奈良市春日大社の神）がある女性に乗りうつり「天竺に渡海することはたいへん悲しいことだ。そなたを信じている人々を私は守っているからだ。私は渡海を止めるためにまいったのだ」と神託（お告げ）をくだしたので、明恵は渡海を断念したという。

1206年、後鳥羽上皇（譲位した後鳥羽天皇）から神護寺の寺域の栂尾（京都市）の地をあたえられ高山寺をひらき華厳宗を広めようとした。明恵はさかんになっていた浄土教（阿弥陀仏を信じ、念仏をとなえれば極楽浄土に生まれかわるという教え）の流行に反対し、浄土宗をひらいた法然の専修念仏（ひたすら念仏をとなえること）を批判した。

▲明恵が晩年を過ごした地に建てられた高山寺の開山堂

(高山寺)

1191年から1230年まで、40年にわたる修行のときにみた多くの夢を記録した『明恵上人夢記』をのこしている。歌人としてもすぐれていた。弟子に対して「和歌はうまくよまなくても、心の思うままによめばよい」と教えた。

「あかあかや　あかあかあかや　あかあかや　あかあかあかや　あかあかや月」は『明恵上人和歌集』の中の1首で、「月の歌人」ともよばれた明恵が、澄んだ心で月をよんだ名歌だといわれる。

みよしあきら

音 楽

● 三善晃　　　　　　　　　　　　1933〜2013年

洗練された主題の変奏と和音に特徴

昭和時代〜平成時代の作曲家。

東京生まれ。東京大学卒業。幼少からピアノをはじめ、作曲家の平井康三郎、のちには池内友次郎に師事する。1953（昭和28）年、在学中に作曲した『クラリネット、ファゴット、ピアノのためのソナタ』が日本音楽コンクール作曲部門で優勝する。以後、尾高賞や文化庁芸術祭奨励賞、日本芸術院賞など国内外の賞を数多く受賞する。1955年からパリ国立高等音楽院に留学。

作品にはヨーロッパ、とくにフランスの伝統音楽を尊重しつつ、日本の伝統的な音楽の要素が反映されている。『三つの抒情』をはじめとする多くの合唱曲をはじめ、管弦楽、ピアノ協奏曲、室内楽などクラシックの多くのジャンルの音楽、アニメの主題歌、校歌など幅広く作曲を手がけた。こどもむけピアノ奏法の開発やコンクールの開催にも力をそそぐ。芸術院会員、2001（平成13）年、文化功労者。桐朋学園大学長、東京文化会館長、日本現代音楽協会会長などを歴任。著書に『遠方より無へ』などがあるほか、小〜中学校の音楽の教科書の監修もつとめた。

みよしたつじ

詩・歌・俳句

● 三好達治　　　　　　　　　　　1900〜1964年

昭和を代表する叙情詩人

(日本近代文学館)

昭和時代の詩人、翻訳家。

大阪生まれ。東京帝国大学（現在の東京大学）仏文科卒業。中学時代は俳句に親しむが、旧制第三高等学校で梶井基次郎や丸山薫らと出会い、詩作をはじめる。同人誌『亜』や『青空』『詩と詩論』などで短詩や散文詩を発表した。

1930（昭和5）年に最初の詩集『測量船』を発表、新しい叙情詩人として注目される。その後、フランス文学の表現方法にならい、漢詩の叙情性や日本語の伝統を生かした詩をめざ

し、詩集『南窓集』『山果集』などを発表する（初期の詩集はのちに合本詩集『春の岬』としても刊行された）。また、堀辰雄らと第2次『四季』を創刊、『文学界』に参加するなど、第二次世界大戦前の詩壇で縦横に活躍した。

戦後は、1952年に代表作『駱駝の瘤にまたがって』を発表し、昭和時代を代表する叙情詩人の評価をかためた。また、ボードレールやファーブルの翻訳、敬愛する萩原朔太郎の評論や『萩原朔太郎全集』の編集などでも大きな業績をのこした。

みよしながよし
戦国時代

● 三好長慶　　　1522〜1564年

三好家の全盛期を築いた

戦国時代の武将。

阿波国（現在の徳島県）の守護の細川家の家臣である三好元長の子として生まれる。幼名は千熊丸。

1532年、父の元長の戦死により10歳で家をつぎ、父を死に追いやった一人である細川晴元につかえて、本願寺との和平交渉などで活躍する。その後は晴元や第13代将軍足利義輝とのあいだで、対立と和解をくり返すことになる。1549年、もう一人の父の敵である三好政長を江口の戦いで討ち、京都を制圧する。1552年には晴元、将軍義輝を追放し、管領細川氏の支配体制を崩壊させる。みずからは管領代として、幕府の実権をにぎった。1560年ごろまでには、山城国（京都府南部）、摂津国（大阪府北西部・兵庫県南東部）を中心に、畿内から四国にわたって9か国に勢力を拡大し、三好家の全盛期を築いた。また、連歌にひいでた教養人であった。

しかし、弟である十河一存や三好義賢がつづけて亡くなり、1564年には長男である義興を病気で失ったことで心身を病み、その後、家臣の松永久秀に実権をにぎられた。

（国立国会図書館）

みよしのきよゆき
貴族・武将

● 三善清行　　　847〜918年

辛酉革命説を信じて改元を上奏

平安時代前期の官人。

873年、文章生（役人を養成する大学寮で歴史や詩文を学ぶ学生）、翌年、文章得業生（文章生の中からえらばれた成績優秀な2名）、883年、国家試験に合格して役人となった。887年、大内記（天皇の側近事務をおこなう中務省直属の内記の長官）、893年、備中介（現在の岡山県西部の次官）、900年、文章博士（大学寮で歴史や詩文を教える教官）となる。中国の辛酉革命説（辛酉の年に天命があらたまるという説、

901年にあたる）を信じ、右大臣の菅原道真に辞職を勧告、また、醍醐天皇に改元を上奏した。この意見がみとめられ、901年7月、延喜と改元された。901年、大学頭（大学寮の学長）となる。905年、藤原時平らとともに律令制度の細かい規則をまとめた延喜式や9世紀後半の法令を整理した延喜格の編さんにたずさわった。914年、式部大輔（朝廷の役人の人事や学校の管理をおこなう式部省の長官）に任じられ、醍醐天皇の命令で、大学頭や備中介在任当時の体験をもとに、中央や地方の政治改革、経費節減などを説いた『意見封事十二箇条』を上奏した。917年、下級官人出身としては異例の参議兼宮内卿（天皇や皇室の庶務をおこなう宮内省の長官）に栄進した。

（国立国会図書館）

みよしのためやす
貴族・武将　学問

● 三善為康　　　1049〜1139年

晩成の学者

平安時代後期の官人、学者。

越中国（現在の富山県）の豪族、射水氏出身だったが、1067年、京にのぼり、算博士（役人を養成する大学寮で算術を教える教師）三善為長の弟子となり、三善と改名した。その後、役人になる試験を受けたが落第し、50代まで学生の身分だった。その後、少内記（天皇の側近事務をおこなう中務省直属の内記の大内記、中内記に次ぐ役人）をへて60代で算博士となり、尾張介（愛知県西部の次官）、越後介（新潟県の次官）、越前権介（福井県北東部の次官）などを歴任した。1116年、平安時代の宣旨（天皇の命令文書）、官府（太政官が発令した公式文書）、詩文などを分類した『朝野群載』を著した。仏教への信仰があつく、1132年、極楽往生をとげた僧、尼、信者たち95人の伝記を集めた『拾遺往生伝』につづけて、75人の往生者を集めた『後拾遺往生伝』を著した。

みよしやすのぶ
貴族・武将

● 三善康信　　　1140〜1221年

問注所初代執事として鎌倉幕府の基礎づくりをした

鎌倉時代前期の官人。

母が源頼朝の乳母の妹だったことから、平治の乱（1159年）で伊豆（現在の静岡県伊豆半島）に流された頼朝に対し京都の情報を月に3回の割合で送りつづけた。1180年、源氏追討の平氏の動きを頼朝に知らせると、頼朝は平氏打倒の兵をあげた。1184年、源平の争乱の中、頼朝にまねかれて鎌倉（神奈川県鎌倉市）にくだり大江広元とともに頼朝につかえた。問

注所（訴訟や裁判をあつかう機関）の実務を担当し、1191年、問注所初代執事に任命されて鎌倉幕府の基礎づくりにつとめた。1196年、備後国太田荘（現在の広島県世羅町にあった荘園）の地頭に任命された。頼朝、頼家、実朝と源氏の将軍3代につかえ、北条氏が執権体制をしいたのちも、幕府の長老として政治の中心にいた。承久の乱（1221年）のときには即時に軍を京にむかわせることを主張し、幕府の体制をかためることに貢献した。乱後、執事を子にゆずって亡くなった。

みよしやすのり

| 🔴 三好保徳 | 1862～1905年 | 郷土 |

イヨカンの栽培を広めた庄屋

幕末～明治時代の農民、果樹園芸家。

伊予国温泉郡道後村（現在の愛媛県松山市）の庄屋（村の長）の家に生まれた。農家を豊かにする副業を考え、各地の果樹園をみてまわった。

1889（明治22）年に、阿武郡萩町（山口県萩市）の農家に大金をはらい、穴門ミカンの苗木をもち帰った。つぎ木をしてふやしたところ、あまくておいしいと評判になり、苗木をゆずりうけて栽培する農家がふえていった。伊予の地名から「伊予ミカン」と名づけられ、さらに「イヨカン」とあらためられて、大量に栽培された。ナシ、モモなどの栽培と普及も進めて、松山地方の果樹栽培発展のもとを築いた。

ミラー，アーサー

| 🌐 アーサー・ミラー | 1915～2005年 | 映画・演劇 |

戯曲『セールスマンの死』の作者

アメリカ合衆国の作家、劇作家。

ニューヨーク生まれ。父が経営していた町工場が倒産したため、高校卒業後、2年ほどはたらいて学費をためた。ミシガン大学に進むと、戯曲を書くことに夢中になった。卒業後、ラジオドラマの脚本を書く仕事につく。1944年、戯曲『幸運な男』がブロードウェーではじめて上演された。1949年には、『セールスマンの死』が大ヒットし、ピュリッツァー賞を受賞し、劇作家としての地位を確立した。1953年、アメリカでおこった共産主義者を弾圧する赤狩りの動きを批判する戯曲『るつぼ』を書く。のちに議会の非米活動委員会に喚問されると証言を拒否して1年間の服役となる。1958年には無実がみとめられた。

社会の矛盾をみつめ、立場の弱い人に共感を寄せる作品を特徴とする。『橋からの眺め』などのほか、『ジェインのもうふ』というこどもむけの物語ものこしている。

ミラー，ヘンリー

| 🌐 ヘンリー・ミラー | 1891～1980年 | 文学 |

人間の正直な姿をえがく

アメリカ合衆国の作家。

ニューヨーク州生まれ。ドイツ系移民の仕立屋を父にもち、元気に遊びまわり、読書も好きな少年だった。

18歳で州立大学に進むが、2か月で退学する。その後は皿洗い、新聞売りなどさまざまな仕事をしながら、アメリカ南部などを放浪してまわった。1930年にはヨーロッパへ行き、39歳のときパリで貧しい生活をしながら自伝的な小説『北回帰線』を書く。1934年にパリで出版したこの作品で、オーウェル、エリオットといった作家たちの評価を得た。1939年に『南回帰線』を出版した。晩年は、カリフォルニア州に住む。放浪の旅、5回の結婚など、常識にとらわれない生き方で知られる。作品は大胆な性描写をふくみ、『北回帰線』と『南回帰線』は裁判でわいせつではないとみとめられる1960年代まで、アメリカでは出版されなかった。一方、人間の正直な姿をえがいているとして、芸術家からは支持された。画家として水彩画もえがいた。

ミラボー，オノレ・ガブリエル・リケティ

| 🌐 オノレ・ガブリエル・リケティ・ミラボー | 1749～1791年 | 政治 |

フランス革命初期の第三身分のリーダー

フランス革命期の政治家。

パリ南方のオルレアン地方に生まれる。父は啓蒙思想家で重農主義の経済学者。1767年、軍隊に入り、3年後に除隊した。その後、放蕩生活や借金により、牢獄に監禁された。雄弁と学識で名をあげ、1786年からベルリンをおとずれ、『プロイセン王国論』を発表し注目をあびた。

1789年、僧侶、貴族、平民からなる議会である三部会の第三身分（平民）議員にえらばれ、すぐれた演説により人気を博し、国民議会の中心的人物となった。革命の急進化に対して立憲君主主義の立場をとり、議会と王室とのパイプ役をはたした。1791年3月、国民議会の議長となったが、翌月、急死した。

ミル，ジョン・スチュアート

| 🌐 ジョン・スチュアート・ミル | 1806～1873年 | 思想・哲学 学問 |

質的に高い快楽を求めるところに幸福があるとした

イギリスの経済学者、哲学者、社会思想家。

ロンドンで、経済学者ジェームズ・ミルの長男として生まれる。幼時から天才教育を受け、3歳でギリシャ語、8歳でラテン語を

学び、12歳までに多くの古典を読んだ。

その後も哲学や論理学などを広く学び、1822年には哲学者ベンサムがとなえた「最大多数の最大幸福」を目的とする功利主義を研究するため、友人たちと「功利主義者協会」を結成、新聞などへの寄稿をおこなった。1823年、貿易に関する業務をおこなう東インド会社へ入社し、35年間つとめた。晩年の1866年からは下院議員として、選挙権の拡張運動にとりくみ、歴史上はじめて女性の参政権獲得を提案した。

哲学ではベンサムの功利主義を修正・発展させ、質的にすぐれた功利主義を説いた。また、『論理学体系』『自由論』などを著し、思想・討論の自由を強調。経済学では『経済学原理』を発表し、個人の自由を尊重する立場から、これまでの経済学の修正を主張した。

ミルトン，ジョン

詩・歌・俳句

🌐 ジョン・ミルトン　　　　　1608〜1674年

叙事詩『失楽園』の作者

イギリスの詩人、思想家。ロンドンで裕福な商人の家に生まれる。信仰熱心な家庭で育ち、牧師をめざしてケンブリッジ大学に進む。在学中から詩を書きはじめ、卒業後も神学や古典の研究をつづけた。

1642年、チャールズ1世の政治に不満をもつ独立派によってピューリタン革命がおきると、革命の指導者クロムウェルにつかえる。ヨーロッパ各国から国王の処刑を非難されると、処刑の正当性をうったえた論文を発表し、宗教や言論の自由を説いた。1652年、過労で失明する。1660年にチャールズ2世が王につき、一時投獄されるが、のちに釈放された。

その後は、人間と神について考え、旧約聖書の楽園喪失を題材にして、神の意志とは何かを追求した叙事詩『失楽園』などを発表した。シェークスピアとともにイギリスの二大詩人とされる。同じく旧約聖書に題材をとり、みずからの苦悩と信仰を歌った『闘士サムソン』も傑作として名高い。

ミルン，アラン・アレクサンダー

絵本・児童

🌐 アラン・アレクサンダー・ミルン　　1882〜1956年

『クマのプーさん』の作者

イギリスの劇作家、作家、詩人、児童文学作家。

ロンドンで私立学校を経営する父のもとに生まれる。ケンブリッジ大学に進学し、数学を学んだ。在学中に雑誌『グランタ』に詩の投稿をはじめ、文学の道をめざす。

卒業後は、雑誌『パンチ』の副編集長となり記事を書いていたが、第一次世界大戦後、劇作家バリーのすすめで『ピムさん通れば』など戯曲の執筆をはじめた。1922年には、推理小説『赤い館の秘密』を出版した。

このころから、息子のクリストファー・ロビンのために、息子とのふれ合いやこども時代の思い出を題材にした作品を書きはじめる。1926年、森にくらすクマのぬいぐるみの冒険をユーモラスにえがいた童話『クマのプーさん』を発表し、大人気となる。1928年に出版した続編『プー横丁にたった家』とともに児童文学の傑作として、いまも、広く愛されている。

ミルン，ジョン

学問

🔴 ジョン・ミルン　　　　　　1850〜1913年

日本の地震学の基礎を築いた

（函館市中央図書館）

明治時代に来日した、イギリスの鉱山技師、地震学者。

西部のリバプールに生まれる。ロンドンのキングス・カレッジを卒業後、王立鉱山学校、ドイツのフライベルク鉱山学校で学んだ。その後、カナダ東部のニューファンドランド島の探検や、エジプトのシナイ半島一周旅行に出かけた。

1876（明治9）年、26歳のときに日本の工部省工学寮にまねかれて来日。工部大学校（のちの東京大学）で地質学や鉱山学を講義した。その間に日本各地の火山や北海道の鉱山の調査をおこなった。1880年2月22日におこった横浜地震をきっかけに、日本地震学会が発足すると、その副会長に就任。以後、地震研究に打ちこみ、地震計の考案、地震観測所の設置、地震資料の収集など、地震について幅広い研究をつづけ、日本では「地震学の父」とよばれた。1895年、イギリスに帰国後、イギリス南部のワイト島に住み、地震観測所をもうけ、地震の国際的観測網づくりにとりくんだ。

ミレイ，ジョン・エバレット

🌐 ジョン・エバレット・ミレイ　　　1829〜1896年

自然観察にもとづく精密な画風を確立

イギリスの画家。

イングランド南部サウサンプトンで裕福な家庭に生まれる。1840年、最年少の生徒として11歳でロイヤル・アカデミー（王立美術学院）に入学する。在学中は優秀な成績で、学院内ですべての賞を獲得した。

1848年に、学友のロセッティやハントとともに「ラファエル前派」を結成し、初期ルネサンスの伝統と技法をめざす運動をはじめる。歴史画や宗教画を中心に、自然観察にもとづく精緻な画風を確立した。

代表作に、シェークスピアの悲劇『ハムレット』を題材にした『オフィーリア』や、宗教画『両親の家のキリスト』がよく知られている。ほかに肖像画、風景画やさし絵も多くのこした。

ミレー，ジャン＝フランソワ

🌐 ジャン＝フランソワ・ミレー　　　1814〜1875年

農民のはたらく姿をえがいた画家

フランスの画家。

ノルマンディーのグリュシー村で農家の長男に生まれる。幼いころから読書に親しみ、絵をかくことにたけていた。18歳まで農業をてつだっていたが、絵を学ぶゆるしをもらい、1837年、パリの国立美術学校に進学し、画家ドラローシュのアトリエでデッサンと歴史画を学んだ。苦学を重ねるが、1840年にサロンに出品した肖像画『ルフラン氏の肖像』が初入選して、画家としての一歩をふみだした。

その後、パリ郊外の小さな村バルビゾンに移り、農民のはたらく姿や田園の風景などを、愛情をもって写実的にえがきつづけた。同じくバルビゾンに住んだコローやルソーらとともにバルビゾン派とよばれる。のちのゴッホらに大きな影響をあたえた。晩年には印象派に近いパステルや水彩画も制作している。代表作に『落穂拾い』『晩鐘』『種をまく人』などがある。

ミロ，ジョアン

🌐 ジョアン・ミロ　　　1893〜1983年

シュールレアリスムを代表する画家

スペインの画家。

カタルーニャ地方のバルセロナで、職人の両親のもとに生まれる。小学校から絵を習いはじめた。1912年、画家をめざして本

格的に美術学校へ入り、1919年、パリに出て、それまでの芸術的価値を否定する思想をもったダダイストたちと交流する。1924年からはシュールレアリスム（超現実主義）のグループに強い影響を受け、親交を深めた。

1924〜1928年に、夢やうつつの状態から直感した100以上の『夢の絵画』を制作する。1929年に祖国のスペインに移住し、パピエ・コレ（貼り絵）、コラージュ、リトグラフ（石版画）、エッチング（銅版画）、陶芸、彫刻の制作を意欲的におこない、アメリカ合衆国の展覧会にも出品した。明るい色彩と単純な形を用いて、幻想的な世界を表現し、バレエの舞台美術、版画、彫刻、陶器などもてがけた。代表作に、『農園』スペイン内戦での民衆の怒りをかいた『刈り入れ人』や『星座』などがある。

ミロシェビッチ，スロボダン

🌐 スロボダン・ミロシェビッチ　　　1941〜2006年

セルビア民族主義をかかげ、国際的孤立をまねいた

セルビアの政治家。セルビア大統領（在任1989〜1997年）、ユーゴスラビア大統領（在任1997〜2000年）。

ベオグラード近郊生まれ。1959年に共産主義者同盟に入党。旧ユーゴスラビアのチトー政権下でおさえられてきたセルビア人の復権、セルビア民族主義をかかげ、1989年セルビア大統領となる。ユーゴ解体後は、モンテネグロとともに新ユーゴスラビア（のちにセルビア・モンテネグロ）を設立、1997年にはユーゴスラビア大統領に就任した。

コソボにおけるアルバニア人弾圧（コソボ問題）や、クロアチアとボスニア・ヘルツェゴビナの内戦介入（ボスニア・ヘルツェゴビナ紛争）などで国際的に非難されたが、和平案を拒否した。その結果、経済制裁や1999年の北大西洋条約機構（NATO）軍による空爆（ユーゴ空爆）にさらされ、ようやく和平案を受け入れた。その後、国民の支持を失い、2000年の大統領選挙に落選、新政権に逮捕された。

人道に対する罪などで国際戦犯法廷において裁かれていたが、2006年、拘置所で死去した。

みん　宗教

● 旻　?〜653年

大化の改新で新しい政治を進めた

飛鳥時代の僧。

608年、遣隋使の小野妹子にしたがい、高向玄理、南淵請安などとともに学問僧として中国の隋にわたり、隋やその後の唐の政治制度、儒教、仏教、易学などを学んだ。

632年、帰国し、蘇我入鹿や藤原鎌足などに中国の占い、周易を教えたという。645年、乙巳の変で蘇我氏がほろびたあと、大化の改新の政策が進められたが、旻は高向玄理とともに国博士（政治顧問）となり、改革を進める中大兄皇子（のちの天智天皇）を助けた。孝徳天皇からの信頼もあつかったといわれている。

649年、新政府の法律を基本とする政治制度である律令体制や、役人たちの官職・位階制度の草案をつくった。650年、穴戸国（現在の山口県）から白雉（白いキジ）が朝廷に献上されると、易学にくわしかった旻は、白雉はめでたいしるしであると説いたので、年号が白雉と改元された。

みんちょう　絵画

● 明兆　1352〜1431年

幅広い画風で仏画をえがいた画僧

室町時代の画僧。

淡路島生まれ。幼いころに同地の安国寺に入って、大道一以の弟子となり、吉山明兆の名をあたえられるが、絵をかくことに熱中しすぎて、破門を伝えられる。のちに大道とともに京都にのぼって、東福寺に入り、寺の仏具などをととのえる殿司を終生つとめ、兆殿司とよばれた。殿司としての最大の役目が、寺のために絵をえがくことで、1386年に『五百羅漢図』の50幅を完成した。ほかに『大涅槃図』『白衣観音図』『達磨・蝦蟇鉄拐図』『聖一国師像』などの大作が、いまも東福寺にのこる。中国の宋や元の絵画を下敷きにしながら、水墨画と彩色画、大胆な筆づかいと緻密な描法をつかい分けた。

ミンピ

閔妃 → 閔妃

ムアーウィヤ　王族・皇族　宗教

● ムアーウィヤ　?〜680年

ウマイヤ朝の建国者

イスラム帝国、ウマイヤ朝の初代カリフ（イスラム国家の宗教的最高権力者）（在位661〜680年）。

メッカの名門クライシュ族のウマイヤ家に生まれる。父は預言者ムハンマドとはげしく敵対していた。630年にムハンマドがメッカを征服すると、ムアーウィヤはイスラム教徒に改宗して、その部下となった。その後、兄の軍にしたがってシリア征服にむかい、兄が病死すると、シリア総督になって地中海に進出し、シリアの支配を強化した。

656年、第3代カリフ、ウスマーンが暗殺されて、第4代カリフにアリーが就任すると、復讐をうったえて、アリーと対立する。勝敗はつかなかったが、660年、エルサレムでカリフ就任を宣言した。翌年、アリーが過激派に暗殺されると、単独のカリフとなり、シリアのダマスカスを首都に定め、ウマイヤ朝をひらいた。

税務、文書、軍務などを管理するディーワーン（庁や局）を新設するなど、イスラム国家の整備を進めた。また、自分の子を次期カリフに指名して、カリフの世襲制をはじめた。

学 世界の主な王朝と王・皇帝

ムーア，ヘンリー　彫刻

● ヘンリー・ムーア　1898〜1986年

20世紀の代表的な前衛彫刻家の一人

イギリスの彫刻家。

ヨークシャー地方に、坑夫の子として生まれる。第一次世界大戦に従軍したのち、リーズ美術学校と王立美術学校で学び、王立美術学校、チェルシー美術学校で彫刻を指導した。

オリエント彫刻やアフリカ、メキシコの原始彫刻から、大きな影響を受けた。素材の自然な持ち味を生かし、石から直接ほりだ

す方法で、なめらかな表面の石にゆるやかな穴があいた、輪郭に切れ目のない抽象彫刻をつくりだした。デッサンとリトグラフ（石版画）にもすぐれた作品が多い。

1933年にイギリスの前衛芸術家グループ「ユニット・ワン」を結成し、国際的な活動をはじめる。「彫刻のおかれる背景に、空以上にふさわしいものはない」という主義で、あえて彫刻を屋外に展示することを好んだ。代表作に『横たわる人物』『母と子』『家族』『戦士』などがある。日本では、神奈川県箱根町の箱根彫刻の森美術館に11作品が屋外展示されている。

む
むかいき

むかいきょらい

詩・歌・俳句

● 向井去来　　　1651〜1704年

俳諧論『去来抄』をまとめた芭蕉の門人

江戸時代前期の俳諧師。

名医として知られた向井元升の子として長崎に生まれ、8歳のとき京都に移り住んだ。若いころは剣術、柔術、馬術など武芸に専念し、有職故実（朝廷や武家の儀式、官職、法令、装束などに関する知識）や神道を学んだ。

俳人の榎本其角と出会って俳諧（こっけいみをおびた和歌や連歌、のちの俳句など）をはじめ、1684年ころ、松尾芭蕉の門人になった。芭蕉がもっとも信頼した門人の一人として、1691年、凡兆とともに芭蕉と門人の俳諧集『猿蓑』を編集した。京都の嵯峨野に庵「落柿舎」をいとなみ、上京した芭蕉をたびたびもてなした。著書に俳諧の心がまえや作法などをまとめた『去来抄』がある。芭蕉のとくにすぐれた弟子10人を集めた蕉門十哲の一人。

むかいちあき

探検・開拓

● 向井千秋　　　1952年〜

日本女性初の宇宙飛行士

宇宙飛行士、医師。

群馬県生まれ。慶應義塾大学医学部をへて、同大学病院に心臓外科医として1977（昭和52）年から勤務する。1983年に宇宙開発事業団（現在のJAXA、宇宙航空研究開発機構）の宇宙飛行士募集に応募、2年後に採用、日本人初の宇宙飛行士の一人となる。1994（平成6）年、スペースシャトル・コロンビア号に搭乗科学技術者として乗りこみ、宇宙酔いの実験など約80テーマの実験をおこなった。このときの宇宙滞在時間14日17時間55分は、当時の女性の宇宙における最長滞

在記録であった。4年後にスペースシャトル・ディスカバリー号にも搭乗、宇宙医学などの分野の実験を実施した。

むがくそげん

宗教

● 無学祖元　　　1226〜1286年

円覚寺をひらいた南宋の僧

▲木造無学祖元坐像
（円覚寺所蔵／鎌倉国宝館提供）

鎌倉時代中期に来日した、臨済宗の僧。

中国の南宋、明州（現在の浙江省寧波市）出身。1238年、父の死により受戒（僧になるための戒律をさずかること）し、祖元と名のった。1269年、中国の元の軍が寺に乱入し、首を切ろうとしたとき、祖元は「珍重大元三尺剣、電光影裏斬春風」と吟じた。元軍の兵はおかしがたい祖元の姿に感動し、その場を立ち去ったという。

1279年、元によって南宋が滅亡したあと、日本から執権（鎌倉幕府の政治を統括する職）北条時宗の使者が天童寺（浙江省寧波市にある禅宗の寺）にきて、禅僧の蘭渓道隆にかわる臨済宗（禅宗の一派）の高僧の来日を求め、祖元が推薦された。同年、博多（福岡市博多区）をへて鎌倉（神奈川県鎌倉市）にいたり、蘭渓道隆のひらいた建長寺に住んだ。祖元は北条時宗の参禅（座禅して禅を修行すること）の指導をした。また元寇（元軍の襲来）にそなえる相談役ともなった。1282年、時宗の願いにより円覚寺（鎌倉市）をひらいた。

むくはとじゅう

絵本・児童

● 椋鳩十　　　1905〜1987年

動物文学の代表的な作家

昭和時代の作家、児童文学作家。

長野県生まれ。本名は久保田彦穂。法政大学卒業。学生時代に詩人の佐藤惣之助の同人誌『詩之家』に参加し、詩集『駿馬』を出版する。卒業後は鹿児島県で小学校の代用教員、高校の教員などをつとめる。1938（昭和13）年、雑誌『少年倶楽部』に掲載された動物小説『山の太郎熊』で作家として知られるようになる。その後、動物文学に専念し、自然への愛情や

生きることの美しさをたたえた作品を数多くのこす。

代表作に、小学校の教科書にも採用されている『大造爺さんと雁』や、『片耳の大鹿』（文部大臣奨励賞）、『孤島の野犬』（サンケイ児童出版文化賞ほか）、『マヤの一生』（赤い鳥文学賞）、『月の輪グマ』『ネズミ島物語』『カワウソの海』などがある。

第二次世界大戦後は鹿児島県立図書館の館長、鹿児島短期大学教授をつとめ、「母と子の二十分間読書運動」を通して、読書の楽しさを伝える活動に力をつくす。

むこうだくにこ

文 学

● 向田邦子　　　　　　　　　　　1929〜1981年

すぐれたテレビドラマの脚本家

昭和時代の脚本家、作家。東京生まれ。実践女子専門学校（現在の実践女子大学）卒業。映画雑誌の記者をしながら、テレビドラマの脚本を書く。日常のささいなできごとをえがきながら、家族の幸福を問うドラマが人々の心をつかみ、てがけたテレビドラマは次々と高視聴率を獲得した。主な作品に『時間ですよ』『だいこんの花』『寺内貫太郎一家』『阿修羅のごとく』などがある。

その後、小説を書き、1980（昭和55）年に短編小説『花の名前』ほか2編で直木賞を受賞した。エッセーも人気を得る。主な作品に小説『あ・うん』『眠る盃』や、父との思い出をつづった随筆『父の詫び状』などがある。また、おしゃれなライフスタイルが支持され、料理本や生活にまつわる書籍も多くのこす。台湾での取材旅行中に飛行機事故で亡くなった。1982年、向田邦子の業績をたたえ、すぐれたテレビドラマの脚本家に贈られる向田邦子賞が創設された。

学 芥川賞・直木賞受賞者一覧

むさしぼうべんけい

貴族・武将

● 武蔵坊弁慶　　　　　　　　　　　?〜1189年

源義経につかえ、多数の矢を受けて立ったまま死んだ

平安時代後期の僧。

武蔵坊と称した。鎌倉幕府の歴史書『吾妻鏡』にその名があるので、実在の人物とされるが、鎌倉時代に書かれた『平家物語』『義経記』では伝説化しているので実際の生涯は不明。伝説としては熊野神社の別当（庶務をつかさどる者）の子といわれる。

怪力無双で、鬼若丸とよばれた幼少から、比叡山（京都市・滋賀県大津市）、四国、播磨国書写山（兵庫県姫路市）で修行した。のちに京都に入り、貴族をおそって1000本の刀狩り

をめざした。1000本目に牛若丸こと源義経をおそったがやぶれて家来になる。

1180年からはじまった源平の合戦では義経にしたがって平氏を追討し、1185年、義経が兄頼朝に追われると同行して義経の危機を救い、奥州藤原氏の下にのがれた。

▲和歌山県紀伊田辺駅前の銅像

1189年、衣川（岩手県平泉町）で藤原泰衡におそわれた義経とともに最期をとげたが、おびただしい矢を受けてもたおれず、立ち往生（立ったまま死ぬこと）した。

弁慶の物語は、室町時代の能、物語草子、江戸時代の歌舞伎、浄瑠璃などで脚色され、人々に親しまれた。

むしゃのこうじさねあつ

文 学

● 武者小路実篤　　　　　　　　　1885〜1976年

白樺派の代表的作家

（日本近代文学館）

明治時代〜昭和時代の作家、劇作家、画家、思想家。東京生まれ。旧子爵武者小路家の末子。東京帝国大学（現在の東京大学）社会学科中退。兄は外交官の公共。少年時代にトルストイや聖書に接し、文学を志す。1910（明治43）年に有島武郎、志賀直哉らと雑誌『白樺』を創刊、自己を肯定的にとらえた生命感あふれる作品で注目された。

1918（大正7）年、理想の社会を実現するため、仲間とともに宮崎県に「新しき村」をつくり、共同生活を送る。また人生や人間を肯定的にとらえた多くの作品を生みだした。

昭和時代には、伝記小説を手がけ『トルストイ』『井原西鶴』などを発表する。第二次世界大戦後は、同人誌『心』を創刊。美術への関心も深め、みずから絵筆をとって親しみのある独特の絵と書をえがく。

作品に『お目出たき人』『友情』『或る男』『愛と死』『真理先生』、戯曲に『その妹』『或る青年の夢』などがある。1951（昭和26）年、文化勲章受章。

学 文化勲章受章者一覧　　学 日本と世界の名言

ムスタファー・カーミル

ムスタファー・カーミル　　　　1874〜1908年

エジプトの民族運動の指導者

エジプトの政治家。

軍人の家に生まれる。アラービー・パシャの運動が挫折し、民族運動が勢いをなくしていたエジプトにおいて、フランス留学から帰国したムスタファーは、反英独立運動をはじめた。1895年、国民党をつくり、1900年に日刊紙『リワー』、1905年に雑誌『イスラム世界』を発行して、民族主義をとなえて運動をもり上げ、イスラム世界の統一をめざす運動にも影響をあたえた。すぐれた演説と論述で、独立や憲法制定をめざし、民衆の支持を拡大。また、日露戦争に勝利した日本への関心を強め、『東方の太陽』を著し、エジプト独立のためのモデルとして日本論も展開した。1907年、国民会議を組織し、代表にえらばれたが、翌年、病気で亡くなった。

ムスタファ・レシト・パシャ

ムスタファ・レシト・パシャ　　　1800〜1858年

オスマン帝国の改革を進めた

オスマン帝国の外交官、政治家。

第30代スルタン（イスラム国家の政治的最高権力者）のマフムト2世に重用され、1834年から駐フランス大使、駐イギリス大使、外務大臣などを歴任した。

1839年、第31代スルタンにアブデュルメジト1世が即位すると、年少のスルタンに改革の必要性を説いて、みずからギュルハネ勅令を起草し、公布させた。これはオスマン帝国の臣民に、信仰や出生にかかわりなく法の下での平等、生命・名誉・財産の保障、平等な税制と徴兵を約束するもので、以後、これをもとに司法、行政、財政、軍事の各分野で西洋化・近代化の改革を進めた。外交ではイギリスやフランスとむすんで、ロシアとのクリミア戦争に勝利した。

むそうそせき

夢窓疎石　　　　　　　　　　1275〜1351年

数々の日本庭園をつくりだした禅僧

鎌倉時代後期〜南北朝時代の臨済宗の僧。

伊勢国（現在の三重県東部）に生まれ、4歳で甲斐国（山梨県）に移住する。9歳で出家し、当初は天台宗、真言宗を学び、1292年、奈良の東大寺で受戒（僧になるための戒律をさずかること）。しかしある日、中国の疎山寺と石頭寺というところをたずね、禅宗の開祖である達磨の半身像の軸をさずかるという夢をみて、疎石と改名し、禅宗に転じた。

京都の禅寺、臨済宗の建仁寺で無隠円範に学び、鎌倉の建長寺、円覚寺などでも修行した。1325年には後醍醐天皇から南禅寺をあたえられ、住持（住職）となる。翌年には鎌倉幕

▲夢窓疎石木像

（瑞泉寺所蔵／鎌倉国宝館提供）

府第14代執権、北条高時にまねかれ、伊勢国で善応寺をひらいたのち、鎌倉へ移った。ここで高時をはじめ、北条氏からあつい信仰を受ける。1330年には甲斐国に恵林寺をひらき、また1333年の鎌倉幕府滅亡後には、建武の新政をはじめた後醍醐天皇にまねかれ、ふたたび南禅寺の住持をつとめた。そして京都の臨川寺の開山、西芳寺の再興にもかかわり、天皇から夢窓国師の号をさずけられた。

同じころ、建武の新政に反旗をひるがえした足利尊氏などからも帰依を受け、臨済宗の黄金時代を築いた。後醍醐天皇が亡くなったときには、京都嵯峨に、天皇の菩提をとむらう天龍寺を建てる費用をつくるため、室町幕府の征夷大将軍となっていた尊氏にすすめ、中国の元との貿易を実現させた。その際の貿易船は、天龍寺船とよばれる。

造園の才能があり、疎石がつくった天龍寺方丈前の庭は、嵐山を借景とした美しさで知られている。また苔寺として有名な京都、西芳寺の庭園も疎石の作であり、この2つの庭園は世界遺産に登録、国の特別名勝にも指定されている。ほかにも永保寺、瑞泉寺、恵林寺などの庭園が国の名勝に指定されるなど、現代でも高い評価を得ている。

生涯にわたって、後醍醐天皇ら歴代天皇から国師の号を7つたまわり、七朝帝師と称される。門下には春屋妙葩、絶海中津らの名僧が多く、のちに彼らは五山文学を発展、最盛期をつくった。

▲瑞泉寺の庭園　　　　　　　　　（瑞泉寺）

ムソルグスキー，モデスト

モデスト・ムソルグスキー　　　1839〜1881年

『展覧会の絵』を作曲

ロシア帝国の作曲家。

西部カレボ生まれ。貴族の家系で、幼いころ母からピアノを習う。サンクトペテルブルクの士官学校を卒業して軍隊に入り、軍医だったボロディンと出会う。バラキレフに作曲を学び、ロシア国民楽派「五人組」の一員となった。

作風は、ロシア民謡の音階によるダイナミックな和音や、歌詞をめだたせるスタイルの歌に特徴がある。「五人組」の中で、もっともロシア的な音楽といわれ、ドビュッシーらの作曲家に影響をあ

たえた。代表作に、オペラ『ボリス・ゴドゥノフ』、交響詩『禿山の一夜』、ピアノ曲『展覧会の絵』(ラベルが管弦楽版に編曲)、歌曲『蚤の歌』などがある。

ムッソリーニ，ベニート　　政治

🌐 ベニート・ムッソリーニ　　1883〜1945年

ファシズムの創始者

イタリアの政治家。首相(在任 1922 〜 1943 年)。

スイスを旅して社会主義にふれて影響を受け、社会党に入党。党内でも急進的な立場をとり、1912年、機関誌『前進』の編集長にえらばれる。1914年、第一次世界大戦への参戦を表明して、党を除名される。『イタリア人民』を独自に発行。戦争に従軍して負傷し、戦後はミラノでイタリア戦闘ファッシを結成、ファシズム運動をはじめた。1921 年、国民ファシスタ党に改名。翌年、ローマに進軍してその武力を国王にみせつけ、みずからを首相に任命させた。ファシズム大評議会をつくり、統領に就任。約 20 年にわたって独裁的な権力をふるった。

1940 年、第二次世界大戦に参加し、日独伊三国同盟をむすんで連合軍と戦ったが、1943 年、敗戦が決定的になると国民の気持ちははなれ、ムッソリーニはファシズム大評議会によって責任を追及されて、逮捕。イタリアは連合国軍に無条件降伏した。その後ドイツ軍に救出され、新たに北イタリアのサロに社会共和国を設立したが、終戦直前にスイスにのがれる途中でつかまり、銃殺された。

むつむねみつ　　政治

🔴 陸奥宗光　　1844〜1897年

治外法権を撤廃し日本の国際的地位を高めた

幕末の志士、明治時代の政治家、外交官。

紀州藩(現在の和歌山県・三重県南部)の藩士の子として生まれる。幼名は牛麿、のちに陽之助。9 歳のとき、父が政争にまきこまれ失脚したため、一家は苦しい生活をしいられた。15歳のとき、江戸(東京)に出て学び、その後、京都に移り、尊王攘夷運動(天皇をうやまい外国勢力をおいはらおうという運動)に参加。坂本龍馬と知り合い、1863 年、龍馬とともに勝海舟がひらいた神戸の海軍操練所に入った。1865 年、薩摩藩(鹿児島県)などの資金援助を得て、龍馬と長崎で亀山社中(のちの海援隊)を結成し、海運業をはじめた。

明治維新後、新政府の外国事務局御用掛に採用され、以

後、兵庫県知事、神奈川県知事などをへて、1872(明治5)年、租税頭(租税長官)となり、地租改正を建議した。

1878 年、土佐(高知県)の政治結社、立志社による政府転覆計画に加わったとして投獄され、獄中でイギリスの哲学者ベンサムの『道徳および立法の諸原理』などを翻訳した。

▲陸奥宗光　　(国立国会図書館)

1883 年、出獄し、イギリスやオーストリアなどに遊学。ロンドンでは内閣制度や議会のしくみなどを学び、ウィーンでは法学者シュタインから国家学を学んだ。帰国後、外務省に入り、1888 年、駐米公使となり、メキシコと初の対等条約(日墨通商修好条約)をむすんだ。1890 年、第 1 次山県有朋内閣の農商務大臣となり、第 1 回総選挙で、和歌山第 1 区から立候補して当選した。1892 年には、第 2 次伊藤博文内閣の外務大臣に就任する。そして、イギリスと条約改正交渉を進めて、1894 年、日英通商航海条約をむすび、在留外国人の裁判はその国の領事がおこなうという、治外法権を撤廃することに成功し、日本の国際的地位を高めた。

また、このころ朝鮮で東学党の乱(甲午農民戦争)という農民反乱がおこり、中国の清が朝鮮に出兵したことに対抗して、日本も朝鮮に出兵、日清戦争に突入した。1895 年、陸奥は伊藤とともに全権として講和条約にのぞみ、下関条約をむすび、中国の遼東半島を領有した。しかし、ロシア、ドイツ、フランスの 3 国が清への返還を勧告したため(三国干渉)、返還を決断した。日清戦争の交渉をくわしく書いた『蹇蹇録』を執筆し、1897 年、54 歳で死去した。

陸奥の功績をたたえて、外務省には彼の銅像が建てられた。

▲『蹇蹇録』の草稿　　(国立国会図書館)

むなかたしこう　　絵画

🔴 棟方志功　　1903〜1975年

国際的に高い評価を得た版画家

昭和時代の版画家。

青森県生まれ。小学校を卒業してから、家業の鍛冶職をてつだい、のちに地方裁判所の給仕となる。そのころみたゴッホの絵に感動し、画家をめざす。1924(大正 13)年に上京し、靴直しや納豆売りをしながら、絵を学び、1928(昭和 3)年の

▲棟方志功

帝国美術院展覧会（帝展）に油絵を出品して、初入選した。

一方、川上澄生の作品を通して版画への関心を高め、版画家の平塚運一の指導を受けて、油絵から木版画に転じていった。創作版画協会展や春陽会展、国画会展などに版画を出品しつづけ、1936 年の国画会展では『大和し美し版画巻』が日本民藝館の買い上げとなった。これを機に、柳宗悦、河井寛次郎、浜田庄司ら民芸運動の指導者との交流がはじまり、大きな影響を受けることになった。とくにこの年の夏、京都の河井寛次郎の家に滞在し、河井から経典の講義を受けたことが、仏教的な主題の作品を制作するきっかけとなった。

1938 年、『善知鳥』が文部省美術展覧会（文展）で特選、1940 年には国画会展に出品した『釈迦十大弟子』が佐分賞を受賞する。1942 年には、はじめての随筆集『板散華』を出版し、その中で、みずからの版画をすべて「板画」とよぶと宣言した。第二次世界大戦中の 1945 年に富山県に疎開し、1951 年まで同地でくらした。

1952 年、スイスのルガノ国際版画展で優秀賞を受賞した。1955 年にはブラジルのサンパウロ・ビエンナーレ展に『釈迦十大弟子』などを出品して、版画部門の最優秀賞を受賞した。さらに 1956 年、イタリアのベネチア・ビエンナーレ展に『湧然する女者達々』『柳緑花紅頌』などを出品して、国際版画大賞を受賞するなど、国際的にも高い評価を得た。

少年時代から極度の近視で、1960 年には左目の視力を失い、眼鏡が板につくほど顔を近づけて、木をほった。しかし、縄文的とも原日本人的ともいわれる、ほとばしるような作風や制作意欲は、晩年まで健在だった。

版画のほか、みずから「倭画」とよぶ肉筆画もえがいた。また、『板極道』などの随筆でも知られる。1965 年に朝日文化賞、1970 年には毎日芸術大賞を受賞し、この年、文化勲章を受章した。

▲棟方志功作『大顔の柵』

学 文化勲章受章者一覧

むねたかしんのう

王族・皇族

● 宗尊親王　　　1242〜1274年

皇族としてはじめての将軍

鎌倉時代の鎌倉幕府第 6 代将軍（在位 1252 〜 1266 年）。後嵯峨天皇の子。1251 年、幕府をたおすという謀反事件が発覚し、京都にいた公家の高官藤原頼経がかかわっていたとされ、子の第 5 代将軍藤原頼嗣が将軍をやめさせられた。そのあとを受けて 1252 年、幕府にまねかれて鎌倉（現在の神奈川県鎌倉市）にくだり、皇族としてはじめての将軍（親王将軍）となったが、政治の実権は執権（鎌倉幕府の政治を統括する職）の北条時頼がにぎっていた。

歌人として知られ、1265 年に編さんされた勅撰集（天皇や上皇の命令でつくられた和歌集）『続古今和歌集』に 67 首が入集している。

1266 年、幕府に対して謀反のうたがいがあるとして京都へ追放されたが、事実は成人した親王の存在を危険とみた北条氏のくわだてだったといわれている。

学 征夷大将軍一覧

むねよししんのう

王族・皇族

● 宗良親王　　　1311〜1385?年

北陸や関東で戦った、南朝の皇子

（国立国会図書館）

鎌倉時代後期〜南北朝時代の皇子、歌人。

「むねなが」とも読む。

後醍醐天皇の子に生まれ、若くして出家して、尊澄法親王と称する。1330 年、天台座主（天台宗の最高位の僧）になった。父の後醍醐天皇の倒幕計画に重要な役割をはたしたが、1331（元弘元）年の元弘の乱で、幕府方にとらえられ、讃岐国（現在の香川県）に流された。1333 年、鎌倉幕府がほろびて、後醍醐天皇による建武の新政がはじまると、ふたたび天台座主となる。南北朝対立ののちは、1337 年に還俗（僧侶をやめて俗人にもどること）して宗良と名のり、遠江国（静岡県西部）にくだって、南軍の拠点づくりに力をつくした。この後、信濃国（長野県）を中心に北陸や関東の各地を転戦したが、北軍の小笠原氏にやぶれたあと勢力はおとろえ、1385 年ごろ、大河原（長野県）で病死したといわれている。

幼いころから和歌に親しみ、歌人としてもすぐれ、家集に『李花集』がある。また、1381 年には、南朝の君臣の歌を集めた準勅撰和歌集『新葉和歌集』を編さんした。

ムバラク，ホスニ

政治

ホスニ・ムバラク　　　　　　　　1928年～

「アラブの春」により辞任した、軍人出身の大統領

エジプトの軍人、政治家。大統領（在任1981～2011年）。

陸軍と空軍の士官学校に学び、ソビエト連邦（ソ連）への留学などをへて、1967年に空軍士官学校の校長となる。空軍の要職を歴任し、1973年、イスラエルとアラブ諸国のあいだで戦われた第四次中東戦争では、サダト大統領の下、イスラエル軍への奇襲攻撃を成功させ、国民的英雄となった。1975年、サダト政権で事実上の後継者として副大統領に就任。サダトがイスラエルと平和条約をむすび、それを不満とするイスラム原理主義者によって1981年に暗殺されると、国民投票で大統領に就任した。

就任後は親米、対イスラエル和平、経済近代化などのサダト路線を原則的に継承し、1993年にはアフリカ統一機構の議長に就任した。2005年、エジプト初の大統領直接選挙で5選をはたす。しかし、軍を背景にした強権支配や言論弾圧、若い世代の失業率の高さなどから、国民の不満が高まり、2011年、反政府民衆運動「アラブの春」の広がりを受けて、30年間つとめた大統領を辞任した。

ムハンマド

→ 140 ページ

ムハンマド・アブドゥフ

宗教

ムハンマド・アブドゥフ　　　　1849～1905年

20世紀のイスラム改革運動に影響をあたえた神学者

エジプトのイスラム神学者。

アブドゥとも表記される。下エジプト（ナイル川デルタ地帯周辺）の農村に生まれ、カイロのアズハル大学で学ぶ。1871年、学生のときにアフガーニーに出会い、影響を受け、英仏のエジプトからの排除、専制政治の打倒、「エジプト人のためのエジプト」の実現をめざす民族主義運動に参加した。1882年、アラービー・パシャ（アラービーはウラービー、オラービーとも表記）による反乱にかかわって国外追放されパリに亡命、1884年、アフガーニーとともに雑誌『固き絆』を発行。

1888年、エジプトに帰国。1899年よりムフティー（イスラム法学の権威者）となり、イスラム法の改革を進めた。また、アズハル大学の教育改革に貢献した。

ムハンマド・アフマド

宗教

ムハンマド・アフマド　　　　1844?～1885年

マフディーの反乱をひきいた

スーダンの反乱指導者。

北部のドンゴラの船大工の子として生まれる。イスラム教スーフィー教団の一つ、サムマーニーア教団に属していたが、1881年にみずからをマフディー（アラビア語で「救世主」の意味）であると宣言。エジプトやイギリスといった外国による支配からの解放と宗教改革をめざし、イスラム教徒を結集してジハード（聖戦）を布告した。各地でエジプト軍をやぶり、1884年、スーダン北東部のオムデュルマン（スーダン中部の都市、ハルツームと隣接する）に拠点をおいた。1885年、スーダン前総督であるゴードン将軍ひきいるイギリス軍をハルツーム（スーダン中部の都市）でやぶったあと、ほどなくして亡くなった。

ムハンマド・アリー

王族・皇族

ムハンマド・アリー　　　　1769～1849年

ムハンマド・アリー朝の創始者

エジプト、ムハンマド・アリー朝の初代君主（在位1805～1848年）。

オスマン帝国の支配下にあったマケドニアで、商人の家系に生まれる。ナポレオン（のちのナポレオン1世）がエジプトに攻め入ったとき、オスマン帝国の部隊をひきいて頭角をあらわし、1805年、エジプト総督となる。1807年、イギリス軍の侵入をしりぞけ、1811年、マムルーク勢力をやぶってエジプトを統一した。教育、行政、軍をヨーロッパ様式に改革し、ナイル河口の治水をして耕地を広げ、綿花の栽培を奨励するなど、エジプトの近代化に力を入れた。

対外進出も進め、1818年にアラビアを、ついでスーダンを征服した。1821年のギリシャ独立戦争では、オスマン帝国を支援してクレタ島とキプロス島を得た。

その後、オスマン帝国にシリアの統治権を求めて出兵し、シリアを得るが、1840年、危機感を強めたヨーロッパ列強の介入を受ける。講和会議で、広げた領土を一部失うが、エジプト総督を子孫が受けつぐ権利を得た。これによって1841年、ムハンマド・アリー朝が成立した。

ムハンマド

イスラム教をひらき、アラブ世界を統一した預言者

■正直者とよばれた隊商の商人

▲天馬に乗ったムハンマドをみちびく大天使ジブリール（ガブリエル）　イスラム教では偶像が禁止されているため、ムハンマドの顔はえがかれない。

イスラム教の創始者。

アラビア半島西部の商業都市メッカのクライシュ族の名門ハーシム家の子として生まれる。「マホメット」ともよばれる。父は彼が生まれる前に亡くなり、母も彼が6歳のときに亡くなった。祖父にひきとられるが、2年後に亡くなったため、おじのアブー・ターリブに育てられた。成長しておじの商いをてつだい、シリアやイエメンへの隊商に加わった。やがて誠実な商人として知られ、「アミーン（正直者）」という愛称でよばれた。

そのころのメッカは、インドや東アフリカとヨーロッパの地中海地域をむすぶ隊商貿易の中継基地として栄えていた。25歳のころ、年上の富裕な女商人ハディージャにやとわれたムハンマドは、彼女に見そめられて結婚。経済的にも精神的にも満ち足りた家庭生活を送った。

■神アッラーの啓示を受ける

ムハンマドは40歳になったころ、多くの神々を祭る信仰のあり方や社会のあり方などについてなやみ、メッカ郊外のヌール山にあるヒラー洞窟にこもり、瞑想にふけるようになった。いつものように洞窟にこもっていると、全身がおしつぶされるような感覚におそわれた。突然、大天使ジブリール（キリスト教ではガブリエル）があらわれ、ムハンマドは「人間を創造した神アッラーをあがめよ。神はもっとも尊いものであり、人間の知らないことを教えるのだ。神からあずかったことばを人々に伝えよ」ということばを聞いた。これが神アッラーから受けた最初の啓示で、このことの、何度も啓示を受けた。

▲メッカの北のはずれにあるヌール山　山頂にヒラーとよばれる洞くつがあり、そこで最初の神の啓示をさずかった。

このできごとにおどろいて恐怖にふるえていたムハンマドを助けたのは、妻のハディージャだった。妻はいとこの知識人ワラカに相談すると、「ムハンマドは神の啓示を受けた預言者（ことばをあずかる者）である」と教えられ、預言者としての使命をはたすようムハンマドをはげました。

▲ウフドの戦い　イスラム軍をひきいるムハンマド（左下の馬上の人物）。

ムハンマドは「アッラーだけが唯一の神であり、アッラーの教えを人々に伝えるのが自分の使命だ」と決意し、身近な者から教えを広めていった。アッラーの教えとは、「人は最後の審判にそなえてよいおこないを積み、弱い者を守り貧しい者を助けなさい」などというものだった。最初に入信したのは妻のハディージャで、その後、いとこのアリー、商人仲間のアブー・バクルらがつづき、やがて新しい時代がくることを期待した若者たちのあいだに広まっていった。

■メッカをのがれてヤスリブへ

当時のメッカは、多神教を祭るカーバ神殿があり、各地から巡礼が集まる聖地だった。その地で、「アッラーのほかに神はない」と公然と布教し、ほかの神々を否定すると、メッカの有力部族のクライシュ族から反感を買い、やがて迫害されるようになった。619年、ムハンマドを守ってきたおじと、心のささえとなっていた妻をあいついで亡くし、身の危険を感じたムハンマドは、北方の町ヤスリブへの移住を決意した。町でおきていた部族対立の調停者としてむかえようというヤスリブの住人のさそいにより、ムハンマドはメッカを脱出し、622年9月24日、無事、メッカの北約350kmにあるヤスリブに到着した。この日は「ヒジュラ（聖遷）」として、のちにイスラム暦元年とされた。

ムハンマドはここを拠点に、メッカからのがれてきた信者約70名と、ヤスリブの新しい信者を加えて、イスラム共同体（ウンマ）を確立した。また、ヤスリブもメディナ（光輝く町）とあらためた。

■メディナで勢力を拡張

ムハンマドは部族どうしの対立をなくし、ユダヤ教徒やキリスト教徒の信仰の自由をみとめた。そして、ことなる宗派でも一つの共同体として、たがいに保護し協力し合うこと、対立や紛争が

▲メディナの預言者モスク　ムハンマドの住まいの跡に建てられた。ここには、ムハンマドの墓がある。

▲メッカのカーバ神殿　巡礼者でにぎわう。

おきた場合、その裁決は神アッラーか使徒ムハンマドにゆだねることという憲章をつくった。メディナでは政治の指導者や裁判官、軍の司令官の役もはたすことになった。

　メッカのクライシュ族は、メディナのイスラム教徒にさまざまな妨害をおこなったため、624年、ムハンマドは約300人のイスラム軍をひきいて出陣し、バドルの戦いで約1000人のメッカ軍をやぶった。つづいて625年のウフドの戦い、627年のハンダクの戦いで、イスラム軍はきびしい戦いをしいられたが、メッカ軍を撤退させた。

■メッカに入城、アラビア半島を統一

　630年、ムハンマドは約1万の大軍をひきいて、メッカに無血入城し、カーバ神殿にあった偶像を打ちこわし、ここをイスラム教の聖地とした。ムハンマドの影響力はアラビア半島全域におよび、各地の部族の代表がメディナをおとずれ、イスラム教に入信し、その保護を受けた。こうしてアラビア半島は統一されて、ムハンマドは各部族をこえた統治者となった。

　632年、メッカ巡礼を終えたムハンマドは、メディナに帰って、6月28日、亡くなった。ムハンマドの死後、アブー・バクルが初代カリフ（ムハンマドの代理人）にえらばれて、第2代カリフとなるウマルとともに、シリアやイラクなど半島の外へと版図を広げていった。

　ムハンマドが神アッラーからくだされた啓示は、第3代カリフのウスマーンの時代に、イスラム教の根本聖典コーラン（アラビア語でクルアーン）にまとめられた。また、ムハンマドのことばやおこないは『ハディース集』にまとめられ、コーランに次いで、イスラム教徒の行動の基準となった。

▶ 1400年ごろのコーラン
アラビア語で書かれたイスラム教の聖典。コーランとは「声をだして読むべきもの、音読すべきもの」という意味。

ムハンマドの一生

年	年齢	主なできごと
570	0	このころ、メッカに生まれる。
595	25	このころ、ハディージャと結婚する。
610	40	アッラーのお告げを聞いて、イスラム教をひらく。
622	52	メッカをのがれてメディナに移る（ヒジュラ）。
627	57	メディナを包囲したメッカ軍を撤退させる。
630	60	メッカに無血入城する。
632	62	6月28日、メディナで亡くなる。

※年齢は満年齢であらわしている

コーランにしるされている預言者たち

　イスラム教の聖典コーランにはアーダムからムハンマドまで、25人の預言者がしるされている。キリスト教の聖典である旧約聖書、新約聖書に登場する聖人もふくまれている。

①アーダム（アダム）：土からつくられた最初の人間。
②イドリース（エノク）：ノアの曽祖父といわれている。
③ヌーフ（ノア）：ノアの方舟で知られる。
④フード：イエメンにつかわされた。
⑤サーリフ：北アラビアにつかわされた。
⑥イブラーヒーム（アブラハム）：カーバ神殿を建てた。
⑦イスマーイール（イシュマエル）：アラブ民族の祖。
⑧イスハーク（イサク）：ユダヤ民族の祖。
⑨ルート（ロト）：悪徳の町ソドムにつかわされた。
⑩ヤアクーブ（ヤコブ）：ヨセフの父で、ヘブライの族長。
⑪ユースフ（ヨセフ）：エジプトの財務大臣となる。
⑫シュアイブ：公平を守り神からの報酬のたいせつさをうったえた。
⑬アイユーブ（ヨブ）：旧約聖書の「ヨブ記」の主人公。
⑭ズルキフル：「守り主」を意味する。ヨブの息子と推定される。
⑮ムーサー（モーセ）：ヘブライ人をひきいてエジプトを脱出。
⑯ハルーン（アロン）：モーセの兄。
⑰ダウード（ダビデ）：ソロモンの父。イスラエルの国王。
⑱スライマーン（ソロモン）：エルサレム神殿を建てた大王。
⑲イルヤース（エリヤ）：ヘブライの預言者。
⑳アルヤサウ（エリシャ）：エリヤのあとをついだ。
㉑ユーヌス（ヨナ）：大魚に飲まれた預言者。
㉒ザカリヤ（ザカリア）：イエスの母マリアの保護者。
㉓ヤヒヤー（ヨハネ）：洗礼者。
㉔イーサー（イエス）：キリスト教の開祖。
㉕ムハンマド：人間につかわされた最大にして最後の預言者。

※（ ）内はキリスト教での名前

むらおかはなこ 絵本・児童

● 村岡花子　　　　　　　　1893〜1968年

『赤毛のアン』の訳者として知られる

翻訳家、児童文学作家。山梨県生まれ。旧姓は安中、本名はな。クリスチャンの家に育ち、2歳で洗礼を受ける。東洋英和女学校（現在の東洋英和女学院）に在学中、歌人、佐佐木信綱から短歌の指導を受け、雑誌に作品を投稿した。卒業後、1914（大正3）年より郷里の女学校で英語教師をつとめ、

やがて、東京で編集や翻訳の仕事につく。1919年、印刷会社の経営者村岡儆三と結婚する。

1927（昭和2）年にマーク・トウェイン作『王子と乞食』など、世界の名作や絵本をこどもむけに紹介した。やさしい自然な表現とリズミカルな日本語訳が特徴で、翻訳文学の代表となった。主な作品に、第二次世界大戦中も翻訳をつづけ戦後に刊行された、モンゴメリ作『赤毛のアン』シリーズや、エレナ・ポーター作『少女パレアナ』、ウィーダ作『フランダースの犬』などがある。1960年、藍綬褒章受章。

むらかみきちごろう 郷土

● 村上吉五郎　　　　　　　1787〜1876年

雲州そろばんをつくった職人

（雲州そろばん伝統産業会館）

江戸時代後期〜明治時代の職人。

出雲国仁多郡亀嵩町（現在の島根県奥出雲町）の大工の子に生まれた。京都の東本願寺の修理に参加するなど、腕のよい職人だった。

あるとき、安芸国（広島県西部）でつくられ、貴重品とされた芸州そろばんの修理をたのまれた。修理したそろばんがみごとだったので、そろばんの製作をたのまれた。1832年、地元の木やタケをつかってつくったところ、たまの大きさがそろい、精巧で品質がよかったので、評判をよんだ。その後、樋口村（奥出雲町）の大工高橋常作によってそろばんのたまをけずる足ぶみろくろが開発され、さらに横田町（奥出雲町）の大工、村上朝吉によって手回しのろくろが考案され、たまけずりがかんたんになり、小さなたまもつくれるようになった。

生産量がふえて、出雲の行商人によって全国に流通し、「雲州（出雲国）そろばん」の名が知られるようになり、奥出雲町は日本一のそろばん生産地となった。現在、国の伝統的工芸品に指定されている。

むらかみてんのう 王族・皇族

● 村上天皇　　　　　　　　926〜967年

みずから政治を改革した

平安時代中期の第62代天皇（在位946〜967年）。

醍醐天皇の子で、母は藤原基経の娘。朱雀天皇の弟。即位する前は成明親王とよばれた。和歌や漢詩にすぐれ、琴や琵琶もたくみだったといわれる。朱雀天皇に皇子がいなかったため、944年、皇

太弟（天皇のあとつぎの弟）に立ち、946年、即位した。関白の藤原忠平、右大臣の藤原師輔の補佐を得たが、949年、忠平の死後、関白をおかず、みずから政治をみて、さまざまな改革をおこなった。

951年、源順らに命じて『後撰和歌集』を編さんさせた。958年、奈良時代から平安時代にかけてつくられた銭貨である皇朝十二銭の最後となる、乾元大宝を鋳造させた。960年、天徳内裏歌合を開催。967年、政治の儀式などをしるした日記『村上天皇御記』を完成させた。

村上天皇の治世は政治、文化が栄えたので、年号から「天暦の治」とよばれ、父の「延喜の治」とともに、後世までたたえられた。

しかし、この時代には荘園（貴族や寺社の私有地）が増大して班田制（人民に土地をあたえ税を得る制度）がくずれ、また地方政治が乱れ、平将門の乱や藤原純友の乱がおこるなど、律令体制が弱まり、藤原氏による摂関政治が進められていく時代でもあった。

[学] 天皇系図

むらかみはるき 文学

● 村上春樹　　　　　　　　1949年〜

現代の代表的ベストセラー作家

作家、翻訳家。

京都府生まれ。生後まもなく兵庫県に移る。早稲田大学文学部卒業。幼いころからスコット・フィッツジェラルド、トルーマン・カポーティ、レイモンド・チャンドラーなどの外国の文学を好んで読み、アメリカ文学から大きな影響を受けた。

大学卒業後はジャズ喫茶を経営するかたわら小説を書く。

む
むらおか

1979（昭和54）年に『風の歌を聴け』で群像新人文学賞を受賞。吉行淳之介らに絶賛されて文壇に登場する。その後、『1973年のピンボール』『羊をめぐる冒険』で注目される。若い世代を中心に熱狂的な支持を受け、1987年に発表した『ノルウェイの森』は空前のベストセラーを記録した。

主な作品に『世界の終わりとハードボイルド・ワンダーランド』『海辺のカフカ』『1Q84』『色彩を持たない多崎つくると、彼の巡礼の年』などがある。著作は世界約50か国で翻訳出版されて、海外でも文学賞を多数受賞し、多くの読者をもつ。

むらかみりゅう

● 村上龍　　　　　　1952年〜

さまざまな分野で活躍する作家

作家。

長崎県生まれ。本名は龍之助。武蔵野美術大学中退。中学生のころから文章を書き、高校では新聞部に所属していた。1976（昭和51）年に、アメリカ軍基地の町に生きる若者たちをえがいた『限りなく透明に近いブルー』で、群像新人文学賞、芥川賞を受賞。若者を中心に共感をよび、ミリオンセラーを記録した。その後も、現代社会をみすえ、都会に生きる若者の姿をとらえる作品を発表している。野間文芸新人賞を受賞した『コインロッカー・ベイビーズ』など、文学賞を受賞した作品も多い。映画や音楽、スポーツへの関心も高く、作品の映画化では、みずから監督をつとめる。

学 芥川賞・直木賞受賞者一覧

むらさきしきぶ

紫式部 →144ページ

むらたじゅこう

● 村田珠光　　　　1423〜1502年

わび茶の創始者

室町時代の茶人。

名は「しゅこう」とも読まれる。奈良に生まれ、のちに京都に移って茶を学び、わび茶を創始したといわれる。

喫茶の風習は、鎌倉時代に中国から日本に伝来し、南北朝時代に流行するようになった。しかし、景品や金品をかけて茶の銘柄や産地をあてる勝負をする闘茶や、豪華な茶道具の品評など、娯楽としての側面が強いものであった。もともと僧侶であった珠光は、臨済宗の僧、一休宗純と交流をもち、禅宗の

精神性を茶の世界に吹きこみ、茶を娯楽から芸術、芸道の領域に高めた。

珠光のわび茶は、それまでの喫茶にあった高価さや華美をやめ、簡略や質素、枯淡（わびの精神）を重んじた。わび茶の思想は、のちに武野紹鴎に受けつがれ、さらに紹鴎の弟子、千利休によって大成されて、茶道（茶の湯）の作法が確立された。

(奈良県立美術館)

むらたせいふう

● 村田清風　　　　1783〜1855年

長州藩の藩政改革にとりくんだ

江戸時代後期の長州藩の家臣。

(山口県立山口博物館所蔵)

長州藩（現在の山口県）の藩士の子として長門国三隈村（山口県長門市）に生まれる。15歳で藩校の明倫館に入学して優秀な成績をおさめた。

1808年、藩主の小姓になって以後、要職を歴任して1838年、56歳のとき藩主毛利敬親に登用されて藩政改革にとりくんだ。当時の長州藩は、商人からの多額の借金に苦しんでいた。

また、特産物である紙やろうの専売制（領民が生産した特定の産物を藩が独占的に買い上げ売りさばく政策）を強化した結果、領内で大規模な一揆がおきていた。

そこで清風は、借金140万両を37年かけて返済することとし、一揆の原因になっていた専売制を廃止し、商人による自由な取り引きをゆるし、かわりに商人から運上金（税金）をとることにした。また、越荷方（倉庫と金融業をいとなんだ役所）を設置して、下関海峡（山口県下関市）を通る他藩の船に越荷（積荷）を担保に資金の貸付などをおこなって利益を上げた。一方、西洋式の軍備をとり入れて軍事力の強化をはかった。

しかし1844年、改革反対派に実権をうばわれて隠居し、その後は塾をひらいて人材育成につとめた。そのこころざしは吉田松陰や高杉晋作、木戸孝允らにひきつがれていった。

むらたぞうろく

村田蔵六 →大村益次郎

紫式部

『源氏物語』の作者

▲ 『源氏物語』を書く紫式部（土佐光起筆『紫式部図』より） （石山寺）

■少女のときから学問の才能をあらわす

平安時代中期の作家、歌人。

紫式部の本名はわからないが、宮中につかえたときの女房（女官）名を「藤式部」といった。藤原氏の「藤」と父が式部省（役人の人事や学校の管理をおこなう役所）の役人だったことからこの名がつけられたと考えられている。紫式部の「紫」は『源氏物語』の女主人公の一人「紫の上」からつけられた。

父の藤原為時は下級貴族だったが中国から伝来した学問を研究する漢学者として知られていた。紫式部が幼いとき、父が弟に漢籍（中国の書物）を読み聞かせていた。弟はなかなか文章をおぼえられなかったが、そばで聞いていた紫式部は文をおぼえてすらすらと暗唱できた。これを知った父は「お前が男だったら学者にすることができたのに」と残念がったという。

■父にしたがい越前へ行く

996年、式部が20代なかばのとき、下級貴族だった父為時は除目（官職を任命する儀式）で収入のよくない下国淡路（現在の兵庫県淡路島）の国守（長官）に任命された。豊かな収入を得られる大国越前（福井県北東部）を望んでいた為時は「寒い夜も徹夜で勉強して努力したのに除目の朝、失意の目にうつるのは青空だけ」という漢詩を書いて一条天皇にうったえた。天皇は気の毒に思ったが変更することもできなかった。これを知った右大臣（太政大臣、左大臣に次ぐ官職）で実力者の藤原道長は越前守に決まっていた貴族に辞表を書かせて為時を越前守に任命した。

こうして式部は越前へおもむく父にしたがった。しかし、式部は雪国での暮らしになじめなかったこともあり、1年ほどのち京都にもどり998年、以前から交流のあった中級貴族で山城守（現在の京都府の長官）の藤原宣孝と結婚し、翌年娘賢子が生まれた。しかし1001年、夫宣孝が亡くなった。

■藤原道長にめしかかえられ、中宮彰子につかえる

夫の死後、紫式部は『源氏物語』を書きはじめたという。これがたいへんおもしろいと世間で評判になり、やがて宮中の人々にも読まれるようになった。このうわさは女房たちを通じて左大臣の藤原道長の耳にも入った。

道長は、一条天皇の中宮（皇后と同じ身分）になっていた娘の彰子に、中宮にふさわしい教養を身につけさせたいと思っていたので才能のある女性をさがしていた。

1005年、紫式部は道長にめしかかえられ18歳の中宮彰子につかえることになった。

しかし、式部は明るい性格の清少納言とちがい、ひかえめで思慮深い性格だったのでなかなか宮中になじめなかったが、やがて道長と和歌のやりとりをしたり、貴族たちとも交流したりするようになった。

漢詩を好んだ一条天皇は漢書について深い知識をもっていた紫式部をほめたたえた。紫式部は中宮彰子に漢文を教え、中国の唐の有名な詩人白居易（白楽天）の作品集である『白氏文集』などを講義した。

■『源氏物語』を書く

式部が書きつづけていた『源氏物語』は宮中でも大評判になり、女房たちはきそって書きうつして読みついだ。道長は当時貴重だった紙を用意して執筆を応援した。道長は、式部が部屋にかくしておいた下書きをさがしだし、つづきを読みたがっていた娘の藤原妍子（のちの三条天皇の中宮）にわたしてしまったこともあった。

『源氏物語』は1001年ごろから書きはじめられ、全54帖（巻）を書き終えたのは1009年ごろといわれている。

『源氏物語』はその後も時代を通じて読みつがれた。清少納言の随筆『枕草子』とともに日本文学の最高傑作といわれ、イギリス、フランス、イタリア、ドイツ、スペイン、ロシアなどの海外で翻訳され、国際的にも高い評価を得ている。

■『源氏物語』の内容

主人公の名は光源氏。天皇の皇子に生まれ、輝くばかりの容姿とすぐれた才能により「光の君」とよばれた。幼いときに亡くした母の身分が天皇のきさきの中では低かったので、天皇は臣籍（臣下の身分）に降下させ、源氏の姓をあたえた。

光源氏は生涯を通じて母に似た女性を求めてさまざまな女性に恋をした。正妻は左大臣の娘の葵の上だったが、若紫（紫の上）という10歳の少女に目をかけて母のような理想の女性に育てようとした。葵の上が亡くなると紫の上を正妻として源氏をとりま

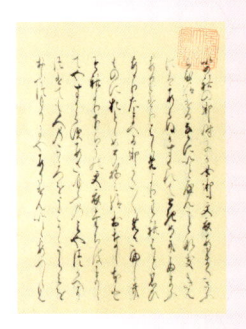

▼『源氏物語』第一帖の「桐壺の巻」冒頭部分
桐壺帝のきさき候補の桐壺更衣が帝に愛されて光源氏を産むという場面からはじまる。室町時代の写本。

（早稲田大学図書館）

▲『源氏物語絵巻』の一場面　碁を楽しむ帝（天皇、上方の人物）と光源氏の子の薫。となりの部屋で女房たちがようすをうかがっている。『源氏物語絵巻』「宿木」より。

（徳川美術館所蔵　© 徳川美術館イメージアーカイブ /DNPartcom）

く女性の中でももっとも愛した。ほかにも空蝉、夕顔、末摘花、花散里など多くの女性があらわれて、愛とにくしみの物語を展開する。

『源氏物語』には天皇、皇后、貴族、女房などさまざまな人々が登場する。これらの登場人物の複雑で繊細な感情をからませながらドラマを進めていく。

紫式部は『源氏物語』を書くにあたって宮中でのさまざまな体験をもとにし、10 世紀に書かれた『宇津保物語』のストーリー展開や、同時代の藤原道綱母によって書かれた『蜻蛉日記』、中国の古典なども参考にしたという。

主人公の光源氏は架空の人物だが、モデルとなった人物についてはいろいろな説がある。醍醐天皇の皇子で幼いときに臣籍にくだり、10 世紀なかばにおきた安和の変で九州に流罪となった源高明や、嵯峨天皇の皇子で臣籍にくだり、鴨川べりに邸宅をかまえ、歌人などをまねいて宴をもよおした源融などがあげられている。

■紫式部の晩年

式部がいつごろ宮仕えをやめたのかはよくわからないが、1013 年、道長の協力者だった大納言（右大臣に次ぐ官職）の藤原実資の中宮彰子への用事を紫式部がとりついだという記録があるので、その後のことと考えられる。亡くなったのは、父の為時が越後守（現在の新潟県の長官）を辞職した 1014 年以後という説や、その後という説もある。また 40 代後半〜 50 歳のころ出家の生活を送っていたともいわれている。

学 人名別 小倉百人一首

紫式部の有名な歌

『源氏物語』で有名な紫式部は和歌にもすぐれ、『紫式部集』という歌集をのこしている。その中におさめられた「めぐり逢ひて　見しやそれとも　わかぬまに　雲がくれにし　よはの月かな」という歌は『新古今和歌集』にえらばれた 1 首で『小倉百人一首』にもおさめられている。ほかにも、四季折々によんだ歌、宮中でのできごとをよんだ歌、人との別れをよんだ歌などがある。

▲石山寺の「紫式部源氏の間」　石山寺（滋賀県大津市）の本堂内にあり、式部が十五夜の月をながめながら構想を得たといわれる場所。（石山寺）

紫式部の一生

年	年齢	主なできごと
973?	1	藤原為時の子として生まれる。
996	24	父にしたがい越前国へ行く。
998	26	京で藤原宣孝と結婚する。
999	27	長女賢子を産む。藤原道長の娘彰子が内裏に入る。
1001	29	夫宣孝が亡くなる。このころ『源氏物語』を書きはじめる。
1005	33	中宮彰子につかえる。
1008	36	『紫式部日記』を書きはじめる。
1009	37	『源氏物語』を完成する。
1010	38	『紫式部日記』を書き終わる。
1013	41	このころ宮中を去る。
1016?	44	このころ亡くなる。

※年齢は数え年であらわしている

むらたひでお

音楽

● 村田英雄　　　　　　　　1929〜2002年

『王将』の大ヒットでスターに

　昭和時代〜平成時代の歌手、浪曲師。

　佐賀県出身。本名は梶山勇。父は浪曲師の広沢仙遊。5歳で浪曲師の酒井雲に弟子入りし、酒井雲坊を名のって、早くから天才少年浪曲師として映画や舞台で活躍する。第二次世界大戦では長崎県佐世保で海兵団に所属し、終戦をむかえた。

　戦後は、浪曲の公演活動を再開し、若手浪曲師として注目を集め、桃中軒雲右衛門賞など数々の賞に輝いた。その後、芸名を村田英雄とあらためると、1958（昭和 33）年、作曲家の古賀政男にみとめられ、浪曲をもとにした歌謡曲『無法松の一生』で歌手デビューをはたす。1962 年には、『王将』の大ヒットで日本レコード大賞特別賞、1984 年には日本演歌功労賞を受賞する。1988 年に、歌手の春日八郎、三橋美智也と「三人の会」を結成して、ジョイントコンサートをおこなうなど、晩年まで積極的に活動する。ほかに『人生劇場』などのヒット曲がある。

ムラビヨフ・アムールスキー, ニコライ

政治

● ニコライ・ムラビヨフ・アムールスキー　　1809〜1881年

ロシアの東方領土を大きく広げた

　ロシアの軍人、政治家。

　貴族の家に生まれる。1828 年、オスマン帝国との戦争に従軍。1846 年、トゥーラ県などの県知事となり、自由主義的な思想で、農奴解放などを説いた。

　ニコライ1世によって、東シベリア総督に任命される。中国の清の領土であった黒龍江（アムール川）流域への進出をめざし、調査や街の建設をおこなった。

　1858 年、ヨーロッパ諸国に圧迫される清とアイグン条約をむすんで、黒龍江より北をロシア領とした。その後 1860 年の北京条約でも活躍し、ウスリー川より東を得た。1859 年には来日して、樺太全島をロシアにゆずるよう江戸幕府にせまったが、失敗している。1881 年、パリで亡くなった。

むらまさ

工芸

● 村正　　　　　　　　　　生没年不詳

妖刀村正で知られる刀工

　室町時代の刀工。

　伊勢国（現在の三重県東部）で代々刀工をいとなみ、桑名

郡千子村に住んでいたため、千子派ともよばれる。確認されているもっとも古い作品は、1501 年のもので、以後村正を名のる職人が、少なくとも 3 代はつづいたとみられる。

　切れ味がよく、表裏の刃文（刃身部分の波模様）がそろっているのを特色とする。江戸時代には、徳川家康の父や祖父などの親族が村正の刀で殺害され、家康自身も短刀でけがをするなどしたため、徳川家にとっては不吉とされて、歌舞伎などによって「妖刀」として伝えられるようになった。徳川家の敵という伝説と、その実用性から、幕末には多くの倒幕派の志士たちにもてはやされた。

むらもとさんごろう

郷土

● 村本三五郎　　　　　　　1736〜1820年

ワタとれんこん栽培を広めた指導者

　江戸時代中期〜後期の農民。

　周防国玖珂郡室木村（現在の山口県岩国市）の農家に生まれた。村は海岸の干拓地で、土に塩分がのこり、米づくりがむずかしかった。

　米のかわりにワタを栽培することを考え、1764 年ごろ各地のワタの実を植えたが、うまくいかなかった。1789 年ごろ、備中国玉島（岡山県倉敷市）の干拓地で栽培していたワタの実をもち帰って植えると、土地に合っていたので、周辺の村にワタの栽培をすすめた。

　また、宇佐八幡宮（大分県宇佐市）に参詣したとき、この地方で栽培されているハスの種をもち帰り、研究を重ねたところ、長さ 2m のれんこんができた。岩国は全国でも有数の産地となっている。

むらやまかいた

絵画

● 村山槐多　　　　　　　　1896〜1919年

絵画のほか詩にも才能を発揮した画家

　大正時代の洋画家、詩人。

　横浜生まれ。洋画家の山本鼎はいとこ。幼いころ、高知県をへて、京都に移る。京都府立第一中学校（現在の洛北高等学校）時代は、文芸や詩作に熱中し、山本鼎の影響を受けて、画家を志すようになる。1914（大正 3）年に上京し、画家の小杉未醒（のちの放庵）の家に下宿しながら、日本美術院洋

画部の研究生となる。この年、第 1 回二科美術展覧会（二科展）で『庭園の少女』が入賞した。1915 年、第 2 回日本美術院展（院展）で『カンナと少女』が院賞を受賞し、1917 年

には、日本美術院試作展に『湖水と女』『コスチュームの娘』を出品して奨励賞を受け、第4回院展で『乞食と女』が院賞を受賞し、院友となる。

失恋をくりかえし、制作で苦しみ、放浪と頽廃の生活を送ったが、大正時代後期の芸術青年に刺激をあたえた。代表作にはほかに、自画像ともいえる『尿する裸僧』などがある。

死後、友人たちによって詩文集『槐多の歌へる』が出版された。

むらやまとみいち

政治

村山富市　　　　　　　　　　　　1924年〜

社会党の内閣総理大臣

政治家。第81代内閣総理大臣（在任1994〜1996年）。

大分県大分市の漁師の家に、11人兄弟の6男として生まれる。1944（昭和19）年には学徒動員、入隊の経験をもつ。

第二次世界大戦後の1946年に明治大学を卒業し、日本社会党に入党。漁民運動に参加する。その後、大分県職員労働組合書記となり労働運動の道に入る。労働組合役員、大分市会議員、同県議会議員をへて、1972年の衆議院議員総選挙に出馬し、初当選をはたした。以降、通算当選8回。社会党右派に属し、社会労働畑をあゆむ。1991（平成3）年に国会対策委員長となり、細川護熙による連立政権が成立した翌年の1993年には、山花貞夫のあとを受けて党委員長にえらばれる。

翌年、新生党などと対立して連立を離脱し、羽田孜内閣を総辞職に追いこむと、自由民主党の海部俊樹を決戦投票でやぶり、内閣総理大臣となる。宿敵の自由民主党や新党さきがけと連立を組み、連立内閣を組閣し、社会党としては片山哲以来2人目の首相となった。

この連立政権では「人にやさしい政治」をかかげたが、指導力に欠け、自民、社会の連立もうまくいかず、内閣支持率は低迷をつづけた。しかし、自衛隊、安保政策では、1994年の臨時国会で、自衛隊を違憲から合憲として容認して、これまでの社会党の基本政策を転換し、日米安保堅持も明確にした。そのほか、原爆被爆者援護法を成立させ、水俣病問題を解決するなど、戦後処理や弱者の救済に力をそそぎ、社会党らしい政策を進めた。

1995年1月に阪神・淡路大震災が発生し、初動態勢がおくれ、政府の危機管理能力が問われた。また3月におきた地下鉄サリン事件ではオウム真理教に対する慎重な姿勢に批判がおこり、7

月の参議院議員選挙で社会党は大敗した。8月に内閣改造をおこなったが、不良債処理などの指導力不足で世論で批判が高まり、翌年1月に総辞職した。

終戦50周年にあたる1995年8月15日、日本の植民地支配と侵略をみとめ、反省と謝罪の意を表明した村山談話を発表し、その後の政府の公式な歴史的見解となっている。1996年の辞任後に、党名を社会民主党に変更、のちに社民党の党首をへて、特別代表に就任。2000年に政界引退後も従軍慰安婦問題などの解決にむけて活動をしている。

学　歴代の内閣総理大臣一覧

ムリーリョ，バルトロメ・エステバン

絵画

バルトロメ・エステバン・ムリーリョ　　1617〜1682年

スペインのバロック美術の代表的画家

スペインの画家。

アンダルシア地方のセビリアに生まれる。1639年まで画家の修業を積み、1645年にはじめての大作をセビリアのサンフランシスコ修道院にえがき、亡くなるまで地元の教会や修道院のために宗教画をかきつづけた。

カトリック教会の反宗教改革運動を支持していたため、『無原罪の御宿り』や『聖母子像』など聖母マリア信仰による作品を多くのこした。1660年には画家のバルデス・レアルとともに、セビリアに絵画アカデミーをつくり、後進の指導にあたった。

作風はルーベンス、ファン・ダイクらの影響を受け、全体に明るくやわらかい色彩、輝く光のえがき方に特徴がある。イエスの幼年時代をえがいた『善き牧者としての幼児キリスト』、街頭の貧しい少年たちをあたたかいまなざしでかいた『虱を取る少年』などが代表作である。ベラスケスとともに、スペインのバロック美術の代表とされる。

ムルドル，ローエンホルスト

郷土

ローエンホルスト・ムルドル　　　　1848〜1901年

三角西港の築港を指導したオランダ人土木技師

明治時代に来日した、オランダ人土木技師。

ムルデルともいう。1872年、オランダの王立土木工学高等専門学校（現在のデルフト工科大学）を卒業し、水利省につとめた。1879（明治12）年、内務省土木局のまねきで来日し、土木技術の知識と経験を生かして新潟港の改良、東京港の築港などにたずさわった。1881年、熊本県宇土半島の先端にある

宇城市の三角西港を近代的港湾にするため、設計し、指導した。

日本の伝統的な石工の技術をつかいながら、新しい港湾都市をつくり上げ、1887年に開港した。1889年に国の特別輸出港に指定され、石炭などの輸送をになった。ムルドルは、1890年に帰国した。

三角西港は、2015（平成27）年に世界文化遺産「明治日本の産業革命遺産　製鉄・製鋼、造船、石油産業」に認定された。

む
むろうさ

むろうさいせい

文　学 詩・歌・俳句

● 室生犀星　　　　　　　　　　1889〜1962年

大正時代の代表的な叙情詩人

（日本近代文学館）

大正時代〜昭和時代の詩人、作家。

石川県生まれ。本名は照道。生後まもなく真言宗の寺の養子となる。12歳のとき高等小学校を中退して裁判所につとめた。

そのころから俳句を学び、のちに詩人を志す。20歳で上京して、北原白秋に師事し、生涯の友となる萩原朔太郎と出会う。

1916（大正5）年に朔太郎、山村暮鳥とともに詩誌『感情』を創刊した。

1918年には最初の詩集『愛の詩集』を刊行、つづいて有名な「ふるさとは遠きにありて思ふもの」という一節ではじまる『小景異情』を入れた『抒情小曲集』を発表する。文語を自在につかって純粋な心情を歌い、代表的な叙情詩人としての地位を築く。その後小説に移り、自伝的小説『幼年時代』『性に眼覚める頃』を発表する。代表作に小説『あにいもうと』『杏っ子』（読売文学賞受賞）、『かげろふの日記遺文』（野間文芸賞受賞）、評伝『我が愛する詩人の伝記』などがある。

むろきゅうそう

学　問

● 室鳩巣　　　　　　　　　　　1658〜1734年

吉宗に信頼された儒学者

江戸時代中期の儒学者。

江戸（現在の東京）に医師の子として生まれる。1672年、15歳で加賀藩（石川県・富山県）につかえ、藩主前田綱紀に才能を見いだされて京都へ遊学し、儒学者の木下順庵に学んだ。

1711年、同門の新井白石の推薦で幕府の儒官となり、朝鮮通信使の接待役などをつとめた。白石が政治からしりぞいたのちも、第8代将軍徳川吉宗に側近としてつかえて信頼され、そ

の政治を助けた。吉宗の命令で、中国の明の洪武帝（朱元璋）がしめした6つの教訓の解説書『六諭衍義』を訳し、『六諭衍義大意』を著した。この書は、江戸の寺子屋でもさかんに学ばれて、庶民教育にも貢献した。また、吉宗のあとつぎである徳川家重の教育係もつとめた。

1702年に赤穂事件がおこったときには、『赤穂義人録』を著して、赤穂浪士たちを擁護した。

（早稲田大学図書館）

ムンク，エドバルド

絵　画

● エドバルド・ムンク　　　　　1863〜1944年

心の中の不安や孤独を表現した画家

ノルウェーの画家。

南東部の町で、厳格な医師の息子に生まれる。幼くして母と姉を結核で失い、自分も病弱だったため、生涯、病気と死への不安をかかえていた。1881年に、画家をめざして、オスロの王立美術工芸学校に入り、卒業後は、パリのアトリエで修業した。1908年より精神が不安定になり、一時期デンマークで療養する。

第二次世界大戦末期の1944年の冬、ヨーロッパをおそった大寒波でかぜが悪化して、オスロ郊外のエーケリーで亡くなった。

作風は、自然主義からはじまり、ゴーガンやゴッホなどの後期印象派の画家から大きな影響を受けた。表現主義の絵画にいち早くとりくみ、人間の心の中にある不安や孤独、恐怖などを、強い色彩をつかって表現した。また、絵画と同じ題材などで、版画も制作した。代表作に、世界的に有名な『叫び』、『病める少女』『思春期』などがある。

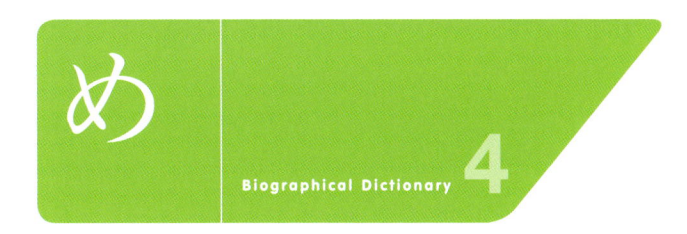
メアリいっせい

王族・皇族

🌐 メアリ1世　　　　　1516〜1558年

ブラッディメアリの名をのこす

イングランド王国・アイルランド王国、テューダー朝の女王（在位1553〜1558年）。

イングランド王ヘンリー8世と最初の王妃キャサリンとの娘。一度はあとつぎとされるが、母が離婚されてからは王位継承権をはずされるなど、不遇だった。1544年に王位継承権を回復し、父の遺言により、異母弟エドワード6世の死後に即位。スペイン皇太子フェリペ（のちのフェリペ2世）と結婚するが、すぐ別居状態となった。

熱心なカトリック（旧教徒）で、父の政策であるイギリス国教会を否定、ローマ教会に復帰させる。プロテスタント（新教徒）に過酷な迫害をして「ブラッディメアリ（血まみれのメアリ）」の悪名をのこした。異母妹エリザベス（エリザベス1世）に王位をわたし、亡くなった。

🎓 世界の主な王朝と王・皇帝

メアリにせい

王族・皇族

🌐 メアリ2世　　　　　1662〜1694年

夫とともに名誉革命を実現

イングランド王国・スコットランド王国、スチュアート朝の女王（在位1689〜1694年）。

イギリスのヨーク公（のちのジェームズ2世）の長女として生まれる。幼少のころから国教徒（イギリス国教会の信徒）としての教育を受けて成長した。1677年、オランダのオラニエ公ウィレム3世（ウィリアム3世）と結婚した。1688年、父のジェームズ2世をしりぞけようとするイギリス議会からの求めに応じ、夫がイギリスに上陸、1689年、メアリも帰国し、夫とともに国王に即位、共同統治をはじめた。ここに無血の名誉革命が実現した。政治では、国教会の慈善事業や教育問題に力をそそぎ、国民の信頼を勝ちとった。1694年、天然痘にかかり、32歳で亡くなった。

🎓 世界の主な王朝と王・皇帝

メアリ・スチュアート

王族・皇族

🌐 メアリ・スチュアート　　　1542〜1587年

悲劇のスコットランド女王

スコットランド王国、スチュアート朝の女王（在位1542〜1567年）。

スコットランド王ジェームズ5世の娘。カトリック国のスコットランドは、イングランド国教会をかかげるイングランドと対立しており、父がイングランドとの戦いで亡くなると、生後1週間で即位。1558年にフランス皇太子と結婚、2年後に夫が亡くなると帰国し、1565年、いとこのダーンリと再婚した。1566年に王子（のちのジェームズ6世）を出産後、翌年に夫が暗殺される。首謀者とされたボスウェル伯とすぐに再婚して、貴族らの反乱をまねいた。投獄されたが脱出、イングランド女王エリザベス1世の保護下ですごす。しかし、イングランド王位継承権を主張し、エリザベス1世の廃位をたくらむカトリック勢力の陰謀に何度もまきこまれ、1587年、暗殺をくわだてたとして処刑された。

メイ，テリーザ

政治

🌐 テリーザ・メイ　　　　　1956年〜

EUからの離脱交渉をまかされた女性首相

イギリスの政治家。首相（在任2016年〜）。

南部の都市イーストボーンに生まれる。父はイギリス国教会の司祭。早くから政治家を志し、オックスフォード大学セントヒューズカレッジに入学。地理学などを学び、卒業後はイングランド銀行につとめた。その後、ロンドンの区議会議員となり、1997年、下院議員に初当選。2002年には保守党初の女性幹事長となった。2010年の総選挙で保守党が勝利すると、内務大臣に就任。警察改革を進め、移民問題やテロ防止の指揮をとった。

2016年6月23日、ヨーロッパ連合（EU）からの離脱を問う国民投票がおこなわれ、離脱派が勝利したことを受けてキャメロン首相が辞任。そのあとをついで、メイが首相の座についた。国民投票では残留の立場をとっていたが、移民の制限を求める強硬派でもあり、運動では前面には出ずに両派の調整役をになっていた。大きくゆれる世論をまとめて、これからのイギリスをひっぱっていく存在として期待されている。まずは、大きな課題であるEUからの離脱交渉を進めることになる。

🎓 主な国・地域の大統領・首相一覧

めいじてんのう

王族・皇族

🔴 明治天皇　　　　　1852〜1912年

日本を近代国家に成長させた天皇

明治時代の第122代天皇（在位1867〜1912年）。

孝明天皇の子に生まれる。称号は祐宮。1860年に皇太子となり、名を睦仁とする。父の急死により、1867年に16歳で天皇となった。

およそ10か月後に、徳川慶喜の大政奉還によって政権が朝廷に返されると、王政復古の大号令をだして天皇を中心とする新政府を樹立する。

1868年に、鳥羽・伏見の戦いからはじまった戊辰戦争で新政府に反対する旧幕府の勢力をやぶり、新政府の支配は全国におよぶようになった。その間に、近代的な国家をめざすという内容を五箇条の御誓文で発表して、新政府の基本的な方針をしめした。元号を明治とかえ、一人の天皇の時代は一つの元号とする、一世一元の制を定めた。江戸を東京とあらためて新しい都とし、旧江戸城を皇居として、翌年京都から移り住んだ。

1871（明治4）年、廃藩置県によって、中央集権を進める。1873年に西郷隆盛や板垣退助らが朝鮮への武力行使を主張する征韓論をとなえて、内政を優先させるべしとする岩倉具視や大久保利通らと対立すると、勅命によって、西郷を朝鮮大使として派遣するのを中止させた。これをきっかけに西郷は政府から去り、1877年の西南戦争へとつながった。

国民の政治参加などを求める自由民権運動が大きくなると、1881年に国会開設の勅諭をだして、1890年に国会を成立させることを約束した。翌年、軍人勅諭で軍隊を天皇のものと位置づけ、整備と増強をおこなった。

1884年には国会の開設をはじめとして、立憲制のための諸制度を整備させた。1889年に、日本ではじめての近代的な憲法である大日本帝国憲法と、皇室に関する重要なことがらを定めた皇室典範を、その後、教育勅語を発布。国の制度を次々に新しく定めていった。

1894年の日清戦争、1904年の日露戦争では総帥として大本営にあった。その後も韓国の併合や満州（中国東北部）の経営を進めるなどしたが、1911年ごろから持病の糖尿病が悪化し、翌年に亡くなった。

明治天皇の日常生活は質素で、自分をきびしく律していたといわれている。45年の在位のあいだに、天皇制国家の基礎を築くとともに日本の近代化が進められた。

学 天皇系図

めいしょうてんのう

王族・皇族

● 明正天皇　　　　　1623～1696年

歴代9人目の女性の天皇

江戸時代前期の第109代天皇（在位1629～1643年）。後水尾天皇の子。母は徳川秀忠の娘で、中宮（皇后と同じ

身分）の徳川和子。即位する前は興子内親王とよばれた。

1629年、朝廷に対する幕府の圧力に反発した父の後水尾天皇が突然退位したので、7歳で明正天皇として即位した。女性の天皇は奈良時代の称徳天皇（在位764～770年）以来。明正という名前は、奈良時代の女性の天皇、元明天皇（在位707～715年）と元正天皇（在位715～724年）からとったといわれる。

即位後は、父の後水尾上皇（譲位した後水尾天皇）による院政がしかれ、政治にかかわることはなかった。1643年、異母弟の後光明天皇に位をゆずった。

学 天皇系図

メイラー，ノーマン

文学

● ノーマン・メイラー　　　1923～2007年

クリエイティブ・ノンフィクションの第一人者

アメリカ合衆国の作家。

ニュージャージー州生まれ。こども時代は冒険小説や歴史小説に熱中した。16歳でハーバード大学工学科に進むと、短編小説を書きはじめ、雑誌のコンテストで1位をとった。

1944年、20歳で第二次世界大戦に従軍し、ルソン島で日本軍と戦う。1948年、軍隊での体験を小説にした『裸者と死者』がベストセラーとなり、一躍有名になった。

ルポや伝記などのノンフィクションも多く、事実を文学的にまとめあげるクリエイティブ・ノンフィクションの第一人者とよばれる。政治ルポルタージュ『夜の軍隊』で1969年、『死刑執行人の歌』で1980年にピュリッツァー賞を受賞。そのほかの代表作に『鹿の園』『アメリカの夢』などがある。

メージャー，ジョン

政治

● ジョン・メージャー　　　　1943年～

サッチャーの構造改革をひきついだイギリス首相

イギリスの政治家。首相（在任1990～1997年）。

イングランド南部サリー州生まれ。両親はサーカスのブランコ乗りだった。

高校卒業後、16歳から建設労働者などの職につく。22歳で銀行につとめると頭角をあらわし、重役に昇進。地方議員をへて、サッチャー政権が成立した1979年に保守党から下院議員に当選。1989年、実務能力を評価され、外務大臣、次いで財務大臣に任命された。

1990年、サッチャーが首相を辞任すると、それを受け、47歳の若さで首相に就任。サッチャーの構造改革をひきつぎ、学校など公共機関の民営化政策を打ちだしたが、人頭税（サッチャーが制定した、全国民から一定額を徴収する税）は廃止した。

しかし、高い失業率と不景気により支持率は低下、1997年の総選挙で保守党は大敗、首相を辞任した。2001年、政界から引退。

学 主な国・地域の大統領・首相一覧

メーテルリンク，モーリス

🌐 モーリス・メーテルリンク　　　　1862～1949年

『青い鳥』の作者

ベルギーの劇作家、詩人。

北部の都市ヘント（ガン）の裕福な家に生まれる。ガン大学法律学部を卒業して弁護士になり、一方で、学生時代から好きだった詩作にはげむ。1885年からパリに行き、詩人たちと親しくなると、1889年にはじめての詩集を出版した。帰国後、運命がもたらす悲劇や宿命を主題にした戯曲『マレーヌ姫』を発表、評論家に「シェークスピアにもまさる」と絶賛された。『ペレアスとメリザンド』（1892年）は、作曲家ドビュッシーによりオペラ化されている。

夢や幻想をとり入れた作品で、象徴主義演劇の第一人者とされる。日本では明治時代末期から大正時代に、詩が人気をよんだ。20世紀になると、自然界や精神界の神秘を探究することに目をむけ、エッセー『蜜蜂の生活』『蟻の生活』などを発表した。児童劇『青い鳥』（1908年）の作者としても知られ、1911年、ノーベル文学賞を受賞。　🟨ノーベル賞受賞者一覧

メシアン，オリビエ

🌐 オリビエ・メシアン　　　　1908～1992年

独自の革新的な音楽をつくる

フランスの作曲家。

アビニョン生まれ。文学者の両親の下、幼いころから独学でピアノと作曲を学び、11歳でパリ音楽院に入学する。1931年に聖トリニテ教会のオルガン奏者になったが、第二次世界大戦に従軍して、ドイツ軍の捕虜となり、1941年収容所で『世の終わりのための四重奏曲』を作曲、演奏した。翌年に釈放されパリ音楽院の教授に就任し、作曲家のシュトックハウゼン、クセナキスなどを指導する。

インド音楽や鳥の声の研究から独自のリズムで革新的な音楽を作曲。『キリストの昇天』など、カトリックへの信仰にもとづいた神秘主義的な作品も多い。代表作は『トゥーランガリラ交響曲』、オペラ『アッシジの聖フランチェスコ』など。

メッテルニヒ，クレメンス

🌐 クレメンス・メッテルニヒ　　　　1773～1859年

ウィーン会議でヨーロッパの秩序を再建

オーストリアの外交官、政治家、宰相。

ドイツのライン地方にある都市コブレンツの貴族の家に生まれる。

ストラスブール大学とマインツ大学で法学、政治学などを学んだ。1806年、オーストリアの駐フランス大使に、1809年、外務大臣に任命された。オーストリア皇女マリー・ルイーズとナポレオン1世の結婚を進めるなど、フランスとの友好をたもった。1813年、反ナポレオン解放戦争に参加し、ナポレオン軍をやぶった。1814年、戦争後の問題を処理するウィーン会議では議長をつとめ、フランス革命前の王朝を正当とみなして、ヨーロッパの政治秩序の再建に努力した。その後も、イギリス、ロシア、プロイセン、のちにフランスも加わり五国同盟をむすび、イタリアやスペインの革命運動を弾圧し、約30年つづいたウィーン体制を築いた。

1821年、宰相に就任。1848年、ウィーンで自由主義改革を求める三月革命がおこると、イギリスに亡命した。

メディチ，コジモ・デ

🌐 コジモ・デ・メディチ　　　　1389～1464年

メディチ家を大きく繁栄させた

イタリア、フィレンツェ共和国の銀行家、政治家。

父ジョバンニが創設した銀行業をひきつぎ発展させ、1429年の父の死後には、メディチ家の当主となった。銀行家として成功し、フィレンツェ共和国の要職もつとめて民衆の人気を得て、実力者として国政をになう。1433年、反対派によってベネツィアに追放されるが、翌年には復帰した。一族の安泰のために政治も重要と考え、そのすぐれた政治手腕で、フィレンツェ共和国の事実上の支配者となった。

銀行業ではロンドンなど国外にも多くの支店をだして、ヨーロッパ有数の大銀行に成長させる。これにより大きな富を築いたが、私生活は質素だったという。メディチ家繁栄の基礎をつくり、一時はフィレンツェの税金の65％が、メディチ家からのものともいわれた。孫のロレンツォ・デ・メディチとともに、ルネサンス期の重要なパトロンでもあり、多くの学者、芸術家、建築家を保護して、ルネサンス芸術の開花に貢献した。死後、国家より「祖国の父」の称号を贈られた。

メディチ，ロレンツォ・デ

🌐 ロレンツォ・デ・メディチ　　　　1449～1492年

ルネサンス文化の保護者

イタリアの銀行家、政治家、詩人。

イル・マニフィコ（偉大なる者）とよばれた。フィレンツェに生まれる。祖父はメディチ家繁栄の基礎を築いた銀行家のコジモ・

デ・メディチ。幼少のころから、王侯や貴族、政治家、人文主義者たちと交流するなど、フィレンツェの指導者になるための教育を受けた。1469年、20歳のときに父ピエロが亡くなると、フィ

レンツェの有力者たちから要請され、市政の指導者の地位についた。

1478年、教皇庁の金融の担当をめぐりあらそっていたライバル銀行のパッツィ家が、復活祭のミサの席でロレンツォの暗殺をはかり、弟のジュリアーノは殺されたが、ロレンツォはけがだけですんだ。暗殺者はとらえられてすぐさま処刑、パッツィ家の関係者も処刑された。

パッツィ家と通じていた教皇シクストゥス4世は、この処置に怒って、ナポリ王フェルディナント1世と同盟し、フィレンツェを攻めさせた。この危機にロレンツォはみずからナポリに乗りこみ、フェルディナント1世と直接交渉をして、和平を実現させた。

フィレンツェを救ってロレンツォの支配体制がかたまったのを機に、市政の改革を打ちだした。行政当局からえらばれた30人の市民と、その市民がえらんだ40人の市民からなる70人議会を開設。

議員の多くはロレンツォの支持者だったため、実質的には彼が統治することになった。外交面では財力と外交手腕をつかって、フィレンツェ、ミラノ、ベネツィア、ナポリ、教皇庁からなるイタリアの5つの勢力の均衡をたもつことに努力した。こうして、イタリアに進出しようとするフランスや神聖ローマ帝国に対抗し、イタリアの安定を実現し、フィレンツェに繁栄をもたらした。

王侯たちとの交際に巨額の出費を重ねたため、銀行の業績は悪化したが、次男ジョバンニを枢機卿につかせ、次女を教皇インノケンティウス8世の子と結婚させるなど、メディチ家の勢力の維持につとめた。また、詩人でもあったロレンツォは、レオナルド・ダ・ビンチ、ボッティチェリ、ミケランジェロら、多くの芸術家たちを保護した。フィレンツェのルネサンス文化の最盛期を現出し、1492年、43歳の若さで亡くなった。

あとをついだ長男のピエロ2世は、フランス軍の侵入をゆるし、一時、フィレンツェから追放されるが、教皇レオ10世となったジョバンニが、メディチ家の再興につくした。

メドベージェフ, ドミトリー

政治

ドミトリー・メドベージェフ　　　　1965年〜

プーチンの任期満了にともない大統領に指名された

ロシア連邦の政治家。大統領（在任2008〜2012年）。レニングラード（現在のサンクトペテルブルク）生まれ。レニン

グラード大学大学院で法律をおさめて、母校の講師、民間企業やサンクトペテルブルク市の法律顧問をつとめ、同市の市長補佐官となったプーチンと知り合う。

1999年、プーチンが首相に就任すると、内閣官房副長官、大統領府副長官に任命された。翌年、プーチンの大統領就任後は、大統領府長官、その後、第一副首相を歴任した。ロシアでは大統領の連続3選が禁止されていたため、2008年、2期目の任期満了によってプーチンが大統領職からしりぞくと、後継者として指名を受け、42歳の若さで大統領となった。

政策としては、プーチン路線の維持をかかげ、大統領就任後、プーチンを首相に指名した。2012年、任期満了にともなう大統領選挙では、ふたたびプーチンが大統領に就任し、メドベージェフは首相となった。プーチンとは師弟関係であるが、近年は意見のくいちがいが出ているとの説もある。

学 主な国・地域の大統領・首相一覧

メフメトにせい

王族・皇族

メフメト2世　　　　1432?〜1481年

ビザンツ帝国をほろぼした

オスマン帝国の第7代スルタン（イスラム国家の政治的最高権力者）（在位1444〜1446年、1451〜1481年）。

第6代スルタン、ムラト2世の子。1444年、父から譲位を受けるが、父がすぐに復位したため、州の知事となった。1451年に父帝が亡くなると、幼い弟を殺してふたたび即位する。

ほかの後継者候補を殺害して内紛を阻止する、オスマン帝国の「兄弟殺し」は、ここから慣例化したといわれる。1453年、コンスタンティノープルを攻めてビザンツ帝国（東ローマ帝国）をほろぼし、イスタンブールと名をかえて、都を移した。1459年のセルビア征服をはじめ、バルカン半島や黒海沿岸などに支配を広げる。30年以上にわたって征服を進め、「征服王（ファーティヒ）」とよばれた。

国内では、貴族の勢力を弱め、専制君主による官僚制国家の体制を確立、スルタンの権力を増大させる。新しく都となった

イスタンブールの発展にもつとめ、トプカプ宮殿の造営をはじめている。また、法律を整備してまとめた『法典』を編さん。学問や芸術を保護し、ヨーロッパの文化にも理解をしめした。

学 世界の主な王朝と王・皇帝

メリメ，プロスペル
文 学

プロスペル・メリメ　　　　　　1803〜1870年

『カルメン』の作者

フランスの作家。

パリ生まれ。大学で法学を学ぶ一方、ギリシャ語、ロシア語や文学を熱心に学んだ。18歳のとき、最初の戯曲をみた友人のスタンダールにはげまされて創作をつづける。1829年、歴史小説『シャルル9世年代記』で人気を得て、次々と短編小説を発表する。1831年に官僚となり、文化財保護監督官につくと、ヨーロッパ各地を旅行して、遺跡や遺物の調査、保護などに力をそそいだ。1853年には上院議員をつとめた。

短く、読みやすい文と、よく計算された構成が特徴で、歴史や外国に題材をとった作品が多い。代表作『カルメン』は世界中で知られ、作曲家ビゼーによりオペラ化されている。

メリル，チャールズ
産 業

チャールズ・メリル　　　　　　1885〜1956年

世界的に投資事業を展開した証券会社の創設者

アメリカ合衆国の実業家、証券会社創設者。

フロリダ州生まれ。いくつかの職業をへて、1907年、織物会社に雑用係として入社、2年間で支店の責任者となる。1914年、ニューヨークにチャールズ・E・メリル商会（のちにメリルリンチに改名）を設立。翌年、エドモンド・リンチを共同経営者にまねく。1910年代にアメリカではじまったチェーンストア業界への投資に力をそそいで成功。1929年の大恐慌を予測し、自分の株をすべて売却、顧客にも売却をすすめた。その後、メリルリンチは1950年代にアメリカ最大の証券会社となった。彼の死後も会社は成長をつづけ、国際的に事業を展開したが、2008年、巨額の損失をかかえ破綻、アメリカの大手商業銀行バンク・オブ・アメリカに合併された。

メルカトル，ゲラルドゥス
学 問

ゲラルドゥス・メルカトル　　　　1512〜1594年

メルカトル図法で知られる地理学者、地図学の祖

オランダの地理学者。

フランドル地方（現在のベルギー西部）生まれ。ルーバン大学で数学、天文学、地理学を学ぶ。1538年、北半球と南半球で一対となる、初の世界地図を作成した。1541年に地球儀、1551年には天球儀を製作。その後も、15枚からなるヨーロッパ地図や、8枚からなるイギリス地図を完成させた。1569年、経線と緯線とが直角にまじわり、等角航路（地球上の2点をむす

んだ航路が、経線とつねに一定の角度でまじわるもの）が直線であらわされた地図を完成させた。このメルカトル図法によって、安全な遠洋航海が可能になり、その後、探検や貿易が発展することになった。ただし、この図法は高緯度では、距離や面積が実際よりも拡大される。

メルケル，アンゲラ
政 治

アンゲラ・メルケル　　　　　　1954年〜

「ドイツ版・鉄の女」ともいわれるドイツ初の女性首相

ドイツの政治家。首相（在任2005年〜）。

ハンブルクで牧師の子として生まれる。父親の教会の仕事の関係で、生後3か月からドイツ民主共和国（東ドイツ）へ移る。ライプツィヒ大学で物理学を専攻し、卒業後も物理学博士として研究生活を送った。東西ドイツ分断の象徴といわれたベルリンの壁が崩壊した1989年前後から民主化運動に参加し、東ドイツ最後のデメジエール政権では副報道官をつとめた。東西ドイツ統一後、キリスト教民主同盟（CDU）に入り、コール首相の下、1991年より女性・青少年問題大臣や環境・自然保護・原子力安全大臣を歴任。2000年からはCDUの党首をつとめる。2005年の総選挙で勝利、シュレーダーにかわり首相に就任。2009年、2013年の総選挙で再選、3選をはたす。ドイツで女性として初、また、東西ドイツ統一後、初の旧東ドイツ出身の首相である。論理的で強気な姿勢をみせる一面から、イギリスのサッチャー元首相にちなんで、「ドイツ版・鉄の女」ともいわれる。

学 主な国・地域の大統領・首相一覧

メルビル，ハーマン
文 学

ハーマン・メルビル　　　　　　1819〜1891年

19世紀のアメリカを代表する作家

アメリカ合衆国の作家、詩人。

ニューヨーク生まれ。生家は裕福な貿易商だったが、破産して父が亡くなり、中学を中退。さまざまな職業についてはたらいた。22歳で捕鯨船に乗りこむが、南太平洋のマルキズ諸島で船から脱走した。現地人とくらしたあと、ほかの船でタヒチやハワイをまわって帰国する。1846年に、これらの体験を小説にした『タイピー』で大評判となる。

1851年、巨大な白いクジラと捕鯨船の老いた船長との死闘をえがいた代表作『白鯨』をだす。しかし、ほとんど評価されず、晩年は税官吏をしていた。死後、20世紀になるとふたたび注目され、現在は19世紀のアメリカを代表する作家とされる。

メンデル，グレゴール

学問 / 発明・発見

グレゴール・メンデル　　　1822〜1884年

遺伝に関するメンデルの法則を発見

▲グレゴール・メンデル

オーストリアの修道士、植物学者。

ハインツェンドルフ（現在のチェコのハインツァイス）生まれ。生家は果樹農家で、幼いころから果物の栽培やミツバチの飼育をてつだっていた。1843年にブリュン（チェコのブルノ）の聖トマス修道院に入り、グレゴールの名をあたえられた。修道院は、この地域の芸術や科学の中心地で、神学のほか、植物学や数学、物理学などを学ぶ。

1851年、ウィーン大学に留学し、自然科学の講義を受け、顕微鏡のつかい方や実験の組み立て方などを学ぶ。ブリュンにもどってからは、修道院の仕事のかたわら、実科学校の教師をつとめ、物理学や植物学を教えた。1854年ごろから、植物の変異性に関心をもち、修道院の庭にエンドウを植えて、交配の実験を開始する。7年間にわたり、交配によるエンドウの豆の色や形のあらわれ方について実験をくりかえし、のちに「メンデルの法則」とよばれる法則を発見した。

実験では、植物の形質が親から子へと、世代をこえて伝わることを確認し、その伝わり方を数量的に分析、そこから、遺伝という現象をになっているもの（遺伝子、現在ではDNAとして知られる）の存在を明らかにした。

1865年、実験の結果をブリュンの自然科学協会で発表。翌年には自然科学会誌に「植物の雑種の研究」として掲載し、各地の大学や研究所に送ったが、この重要性はだれにも気づかれることがなく、論文はうもれてしまった。

1868年、聖トマス修道院の院長になり、農学協会の会長代理をつとめるなど、いそがしくはたらき、遺伝の研究は中断された。さらに1874年、修道院に税金を課す法案がオーストリア議会を通ると、メンデルは反対運動をおこすが、その活動のなか、体調をくずして1884年、61歳で亡くなった。

メンデルが遺伝の法則を発表してから35年後の1900年、長いあいだわすれられていたメンデルの論文は、オランダの植物学者ド・フリース、ドイツのコレンス、オース

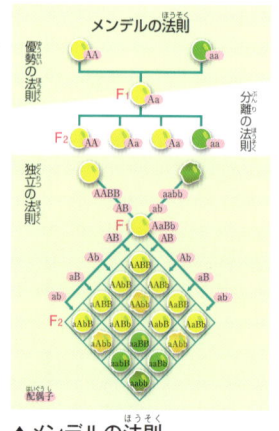

▲メンデルの法則

トリアのチェルマクらによって、べつべつに再発見され、メンデルは「遺伝学の祖」として高い評価を得るとともに、遺伝学の発展に大きな影響をあたえることになる。

メンデルスゾーン，フェリックス

音楽

フェリックス・メンデルスゾーン　　　1809〜1847年

指揮棒による近代指揮法を確立

ドイツの作曲家、ピアニスト、指揮者。

ハンブルク生まれ。祖父は哲学者、父は銀行家というユダヤ人の名門で、こどものころから芸術、文学に才能を発揮し、10歳から作曲をする。20歳のときバッハの『マタイ受難曲』を100年ぶりに指揮して復活させ、注目を集める。1835年、ライプツィヒ・ゲバントハウス管弦楽団の第5代指揮者となり、のちに音楽院を設立して音楽教育にも力をつくす。1847年、姉の急死後に健康を害し、ライプツィヒで亡くなった。ドイツ・ロマン派音楽を代表する一人で、感傷主義ともよばれる、あまく魅力的な主旋律と多様な表現に特徴がある。代表作に、交響曲『イタリア』『スコットランド』、劇の付随音楽『真夏の夜の夢』、『バイオリン協奏曲ホ短調』、オラトリオ（宗教的な音楽）『エリヤ』、そして多くの声楽曲がある。また、自分は演奏に直接加わらず、指揮棒だけをもって音楽を進める近代指揮法を確立した功績も評価されている。

メンデレーエフ，ドミトリー

学問

ドミトリー・メンデレーエフ　　　1834〜1907年

元素の周期律を発見した化学者

19世紀のロシアの化学者。

西シベリアのトボリスク生まれ。高等師範学校卒業後、サンクトペテルブルク大学の化学の私講師などをへて、1867年から同大学の化学教授に就任。教科書『化学の原理』の執筆中、当時知られた63種の元素のとり上げる順序を考えたことがきっかけとなり、1869年に「元素を原子量の順に配列すると化学的性質が周期的に変化する」という周期律を発見、周期表を作成した。これにもとづいて予言した3種の元素の化学的性質が、のちに発見されたガリウム、スカンジウム、ゲルマニウムの性質と完全に一致し、周期律は高く評価された。大学辞職後は、海軍省の依頼で無煙火薬を研究し、その後、度量衡局長官となるなど、幅広い分野で活躍した。

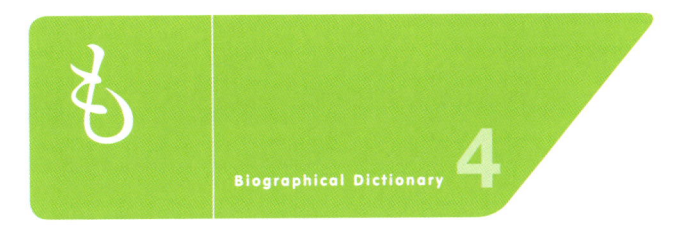

| 政　治 | 宗　教 |

モア, トマス

| 思想・哲学 |

🌐 トマス・モア　　　　　　　　1478～1535年

『ユートピア』の著者

イングランドの政治家、思想家。

ロンドンの法律家の家に生まれ、オックスフォード大学で文学を学び、エラスムスらと親交をむすぶが中退する。リンカン法学院で学び、弁護士となった。1504年、庶民院（下院）議員となり、のちに議長もつとめる。1516年に著書の『ユートピア』を出版した。ユートピアとは理想郷のことで、人間を第一に考えるヒューマニズムの立場から、私有財産制度のない理想社会をえがき、お金を最高のものと考える当時の拝金主義的な社会を批判して、ヨーロッパ知識人の注目を集めた。

イングランド王ヘンリー8世の重臣としても活躍し、1529年には大法官に就任したが、王の離婚問題に対し、熱心なカトリック教徒（旧教徒）の立場から反対し、1532年に辞職。反逆罪でロンドン塔に幽閉され、斬首刑となった。その後イギリスは、離婚問題でローマ教皇と対立した結果、イギリス国教会を樹立した。モアは死後400年後の1935年にカトリック教会の殉教者として列聖され、聖人となった。　　🔲 日本と世界の名言

もうこうねん

| 詩・歌・俳句 |

🌐 孟浩然　　　　　　　　　　　689～740年

唐代を代表する詩人

中国、唐の時代の詩人。

襄州襄陽（現在の湖北省襄陽市）の生まれ。字は浩然ともいう。若いころは、中国各地を放浪したり、鹿門山にこもったりしてすごした。

40歳をすぎて長安に出て、王維、張九齢などの詩人と親しく交流し、役人をめざしたが、採用試験の科挙に失敗し故郷にもどった。

官職にはめぐまれなかったが、王維とならび称される詩人として知られ、李白や杜甫からも尊敬された。陶淵明をしたい、い

なかにくらしながら身近な自然をつづった。「春眠暁を覚えず処処に啼鳥を聞く」ではじまる五言絶句『春暁』は、日本でも有名である。『唐詩選』にも作品が多くえらばれている。王維とともに、唐代を代表する詩人とされる。

もうし

| 思想・哲学 |

🌐 孟子　　　　　　　紀元前372？～紀元前289？年

性善説を主張し、仁義による王道政治をとなえた思想家

（国立国会図書館）

中国、戦国時代の儒教の思想家。

鄒（現在の山東省）の生まれ。軻が名で、孟子は尊称。若いころに、孔子の出身地である魯へ行き、孔子の孫である子思の門人に学び、儒学をおさめた。弟子たちと諸国をまわり、徳によって人民をおさめる王道政治を説いたが、受け入れられず、故郷に帰って弟子たちの教育に専念した。

孟子は、すべての人間の心には、善にむかう性質があるとして性善説をとなえ、修養によって仁義礼智の四徳を身につけることができると教えた。孔子の「仁」をさらに発展させて、「仁義」を説き、君主は人民のために仁義をもった政治をおこなうべきで、人民の支持を失った君主はたおしてもよいとする易姓革命説を主張した。ここには近代の民本主義に通じる思想がみられる。孔子の学説を継承し、発展させた孟子は、後世に「亜聖（孔子に次ぐ聖人）」とよばれた。また、孟子のおこないや発言をまとめた『孟子』は、儒学の基本となる「四書」の一つとして重んじられている。　　🔲 日本と世界の名言

もうたくとう（マオツォトン）

| 政　治 |

🌐 毛沢東　　　　　　　　　　　1893～1976年

中華人民共和国の建国につくした

中華人民共和国（中国）の政治家。中国共産党の最高指導者。

湖南省の農村に生まれる。1911年、清をたおして中華民国をつくった辛亥革命がおこると、革命軍に入隊した。その後、湖南省の省都・長沙の師範学校に入学。在学中に反軍閥などをとなえる新民学会を組織した。

1918年、師範学校を卒業

後、北京大学図書館につとめ、マルクスの革命思想にめざめる。翌年、反帝国主義・反日本をかかげた五・四運動がおこると、長沙で運動を指導した。1921年、上海でひらかれた中国共産党の創立大会に参加。のちに中国共産党の中央委員にえらばれ、中国国民党との第1次国共合作に加わった。

国民党の孫文の没後、あとをついだ蔣介石が共産党の弾圧をはじめると、江西省の井崗山を拠点にして、労農紅軍という革命軍をつくって対抗した。1931年、江西省瑞金を首都として、中華ソビエト臨時政府を樹立し主席にえらばれたが、国民党軍から包囲攻撃され、1934年、労農紅軍約30万人をひきいて長征に出発。2年間にわたる約1万2500kmの行軍のはてに陝西省の延安にいたり、ここを根拠地にした。

1937年、日中戦争がはじまると、国民党と第2次国共合作をむすび、以後、日本軍に対するゲリラ戦を指導する。また、中国革命の理論をまとめた『実践論』『矛盾論』や、民主勢力の結集をはかる『新民主主義論』などを執筆した。

第二次世界大戦後は、国民党軍との内戦に勝利し、これを台湾に追いやり、1949年、中華人民共和国を建国。中央人民政府の主席（1954年に国家主席）となり、独自の社会主義国家の建設をめざした。一時、「大躍進」政策に失敗し、国家主席を辞任するが、1966年、党の官僚化を非難して中国文化大革命をおこした。毛沢東を支持する学生たちを中心に紅衛兵を結成、専門家や知識人をはげしく非難し虐待した。しかし、多くの犠牲者をだし、中国社会に大きな混乱をもたらしたこの運動は1981年に誤りであったとみとめられた。

1971年、台湾にかわって国連での代表権を得て、翌年、アメリカ合衆国や日本と国交を回復した。1976年、82歳で亡くなったあと、中国は鄧小平の主導による「改革・解放」路線へと大きくかじを切った。

学 主な国・地域の大統領・首相一覧

もうりたかちか

● 毛利敬親　幕末　1819〜1871年

長州藩を豊かにし倒幕の力をたくわえた

（毛利博物館）

幕末の長州藩主。幼名は猷之進、のちに教明、慶親。長州藩（現在の山口県）の藩主の子として生まれる。1837年、19歳で家督をつぎ、村田清風らを登用して、富国強兵をめざし藩政改革を進めた。1861年、広く世界に通商を求め、国を強くして外国と対抗しようという航海遠略策を提唱し、朝廷と幕府の協調をはかった。1862年、一転して外国勢力を追いはらう攘夷の実行を藩の方針とし、1863年、下関を通過するア

メリカ商船などを砲撃した。同年、八月十八日の政変で長州藩は京都を追われ、翌年、京都に攻めのぼった（禁門の変）。この暴挙に、朝廷は長州征討を命じ、敬親の官位をうばった。1864年、第一次長州出兵がはじまると、三家老を切腹させ、幕府へ服従する意志をしめし、謹慎した。1865年、藩内では高杉晋作ら倒幕派が主導権をにぎり、1866年、第二次長州出兵では幕府軍をやぶった。1867年、天皇から倒幕の密勅を受け、出兵を許可し、王政復古（朝廷の政治を復活させること）のクーデターを成功させた。1869（明治2）年、朝廷に版籍奉還（領地と人民を天皇に返すこと）をして、1871年、死去した。

もうりてるもと

● 毛利輝元　戦国時代　1553〜1625年

豊臣政権の五大老の一人

（毛利博物館）

安土桃山時代の大名。安芸国（現在の広島県西部）に生まれる。父の毛利隆元が急死したため、祖父の毛利元就の後見を受け、11歳で毛利家をついだ。元服のとき、室町幕府第13代将軍足利義輝より一字もらって、輝元と名のるようになる。おじにあたる吉川元春と小早川隆景にささえられた「毛利両川」という体制で、中国・九州地方にも勢力を拡大させた。

1573年、織田信長によって京都から追放された第15代将軍足利義昭が、その3年後に毛利家の領地へと逃げこんできた。輝元は義昭を受け入れ、信長と対立することになる。最初は水軍の力もあり連勝していたが、味方だった上杉謙信が死に、敵である羽柴秀吉（のちの豊臣秀吉）の勢いにおされ、しだいに戦況は悪くなっていった。毛利家の家臣たちの城がどんどん落とされていくなか、1582年に本能寺の変がおこり、信長が亡くなる。当時、秀吉と戦っている最中だった輝元は、秀吉に信長の死を知らされないまま講和をもちかけられた。毛利家の外交を担当していた僧、安国寺恵瓊の判断もあり、輝元はこれを受け入れた。

1583年に秀吉と柴田勝家があらそった賤ヶ岳の戦いでは、どちらにも味方せず状況を見守っていた。秀吉が勝利すると、以後は領国を自分たちでおさめられることを条件に、豊臣政権に協力するようになる。秀吉の四国・九州地方征伐にも参加。天下統一に力を貸し、羽柴の姓をあたえられる。1589年から広島城を建てはじめ、2年後に毛利家が代々住んでいた郡山城から移った。同年、秀吉から計112万石の領地をみとめられ、中国地方一帯をまかされる。朝鮮へ出兵した文禄・慶長の役にも出陣、その功績が評価され、豊臣政権で徳川家康、前田利

家らとならび、五大老に任じられた。

秀吉死後は、秀吉の長男である豊臣秀頼の補佐を命じられる。1600年に関ヶ原の戦いがはじまると、西軍の総大将となり、東軍の徳川家康と対立した。しかし、一度も戦場には行かず、大坂（阪）城で戦わない姿勢をつらぬいた。家康が勝利すると、まだ幼い長男の毛利秀就に家をつがせ、自身は出家し宗瑞と改名した。江戸（東京）にいる家康にも謝罪に出むき、領地は37万石にへらされてしまったが、毛利家の存続だけは死守した。1604年に萩城を建て、家康から周防国（山口県東部）と長門国（山口県西部）を領地とした長州藩の初代藩主に命じられた秀就の補佐をした。

▲取り壊される前の萩城
（毎日新聞社）

もうりまもる

探検・開拓

● 毛利衛　　　　　　　　　　　1948年〜

日本人ではじめてスペースシャトルで宇宙へ行く

（JAXA/NASA）

宇宙飛行士。

北海道生まれ。少年時代から宇宙への関心が強く、1969（昭和44）年、21歳のときにアポロ11号の月面着陸のテレビ中継をみて衝撃を受けた。北海道大学理学部に入学し、1972年、同大学大学院理学研究科で修士号を取得。北海道大学工学部の助教授となるが、1985年、宇宙開発事業団（現在のJAXA、宇宙航空研究開発機構）によりペイロード・スペシャリスト（搭乗科学技術者）として、向井千秋、土井隆雄とともに選抜される。

1992（平成4）年に、日本人2人目の宇宙飛行士としてスペースシャトル・エンデバー号に搭乗して宇宙へとびたつ。材料分野で22テーマの実験を実施した。その後8年のブランクをへて、2000年に52歳で2度目のエンデバー号でのプロジェクトに参加、陸地の立体地図作成のための詳細な地表データの取得などをおこなった。同年、日本科学未来館の初代館長に就任した。

もうりもとなり

戦国時代

● 毛利元就　　　　　　　　　1497〜1571年

中国地方に一大勢力を築いた戦国大名

戦国時代の大名。

安芸国（現在の広島県西部）の領主、毛利弘元の次男とし

て生まれる。父が兄、興元にあとをつがせると、父といっしょに郡山城を出た。しかし、兄と兄の子があいついで亡くなったため、1523年に毛利家をついだ。

中国地方では周防国（山口県東部）・長門国（山口県西部）の大内氏と、出雲国（島根県東部）の尼子氏の力が強く、両勢力は対立していた。元就は尼子氏と手を切り、大内氏の下につく。1540年に尼子晴久に郡山城を包囲されるも、籠城戦で勝利する。

▲毛利元就
（毛利博物館）

一方で、毛利家で横暴なふるまいをしていた家臣をたおし、家臣たちを統率した。

1551年に大内義隆が家臣の陶晴賢のうらぎりで殺されると、その混乱に乗じて安芸国、備後国（広島県東部）へ支配を広げる。さらに1555年、厳島の戦いで陶氏をほろぼし、周防、長門も手に入れた。その2年後には大内氏も滅亡に追いこみ、その領土のほとんどが毛利のものとなった。

1566年、出雲の富田城を包囲し、籠城戦にもちこんで尼子氏を降伏させると、諸方面に支配領域を拡大した。西は長門から東は備中国（岡山県西部）、因幡国（鳥取県東部）まで、元就は一代で10か国の領主となった。

広大な領域をおさめるために、自分のこどもを有力家臣の養子にだしたり、結婚させたりして、支配体制を強化した。その中心となったのが、次男元春を吉川家（吉川元春）に、3男隆景を小早川家（小早川隆景）に養子にだして築いた「毛利両川」という体制である。彼らはそれぞれ有力家臣の家の当主という立場、そして毛利一族という立場で、毛利家をささえた。

元就は非常に慎重で心配りのできる人物だったといわれる。もっとも有名な話は、3人の息子にのこした書状である。矢は1本ではかんたんに折れるが、3本たばねると折れにくいことをしめし、3兄弟で結束すること、ほかの家に養子に出たとしても、長男毛利隆元をささえて一族団結することを教訓として書きのこした。隆元は尼子氏との戦いの最中に急死してしまったため、元就の死後、毛利家は隆元の長男、毛利輝元がつぐことになった。元就の教えは生きつづけ、おじである元春と隆景は輝元をよくささえ、毛利家の地盤をたしかなものにした。

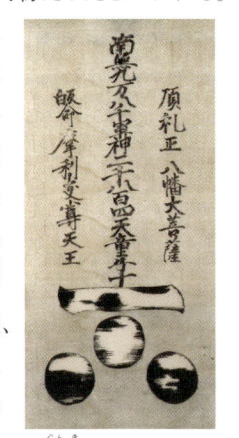
▲軍旗
（毛利博物館）

もうりよしもと

● 毛利吉元　　　　　　　　1677〜1731年

藩校明倫館をひらいた

江戸時代中期の大名。

長州藩（現在の山口県）の支藩である長府藩（山口県下関市）の藩主、毛利綱元の子として江戸（東京）に生まれる。1707年、長州藩主、毛利吉広が若くして亡くなったため、養子となりあとをつぎ、5代藩主となった。藩主になると領内に5か年の倹約令をだし、また参勤交代の人数をへらすなど、悪化していた藩財政の立て直しにつとめた。藩士の教育にも力をそそいで、1718年に藩士が文武両道をみがく場として、藩校明倫館を創設した。水戸藩の弘道館、岡山藩の閑谷学校とともに日本三大学府の一つといわれた。

▲旧萩藩校明倫館　　　（萩市観光協会）

モース，エドワード

● エドワード・モース　　　　1838〜1925年

大森貝塚を発見して、発掘調査をおこなった

▲エドワード・モース

（品川区歴史博物館）

明治時代に来日した、アメリカ人動物学者。

1838年、アメリカ合衆国メーン州ポートランドに生まれる。13歳ごろから貝類の標本採集をはじめ、その充実ぶりは学者の目にもとまるほどだった。18歳で博物学協会に入り、1857年には新種のカタツムリを発見するなど活躍。大学は卒業していなかったが、その実績からハーバード大学で助手としてはたらき、メーン州立大学、ボードウィン大学、ハーバード大学などの教授や講師を歴任した。

1877（明治10）年、貝によく似た腕足類の調査のため来日。その後6年間で3回来日するが、はじめの2回は東京大学（のちに東京帝国大学と改称）にまねかれ、動物学生理学教授をつとめていた。

はじめての来日の折、横浜から新橋にむかう汽車の窓から、貝殻が積み重なる地層を発見。政府の許可を得て発掘調査をする。これが大森貝塚である。この発掘は日本初の学術的な発掘調査であり、このことから大森貝塚は「日本考古学発祥の地」として知られるようになった。

▲大森貝塚発掘風景　　　（品川区歴史博物館）

大森貝塚の調査では、貝殻にともなって、住居跡や土器、耳かざり、魚や動物、人の骨などが発見され、貝塚をつくった当時の人々の生活がうかがい知れる内容だった。土器を観察していくと表面に縄目模様があることがわかり、これをモースは「コードマーク」とよび、それが日本語に訳されて「縄文土器」と名づけられた。

1882年、3回目の来日のときには日本の陶器や民具を収集。ボストンにもち帰り、のちにボストン美術館に収蔵された。

帰国後は、アメリカ科学振興協会の人類学部門選出副会長に就任。日本の研究基盤をつくり、また世界に紹介したなどの功績により、1898年に勲三等旭日章、1922（大正11）年に勲二等瑞宝章を日本から授与される。

モースは生涯、日本人と日本文化をたいせつに思いつづけていた。晩年は1923年の関東大震災で東京帝国大学の図書館の本が燃えてしまったことに心を痛め、遺言にみずからの蔵書を同図書館に寄贈するむねをしるしていた。

1925年に亡くなると、蔵書は遺言どおりに送られ、現在もたいせつに保管されている。

モース，サミュエル

● サミュエル・モース　　　　1791〜1872年

電信機とモールス符号（信号）を開発した発明家

18世紀のアメリカ合衆国の発明家、画家。

マサチューセッツ州生まれ。モールスとも表記される。画家を志し、1810年にエール大学卒業後、イギリスへわたり、絵画技法を学んで帰国。ナショナル・デザイン・アカデミーの設立に尽力して初代校長となる。1825年、妻危篤の手紙を受けて出張先からただちに帰宅するが、最期に間に合わず、これを契機に迅速な通信手段について考える。

1832年、ヨーロッパ周遊の船上で、船客から最新の機器であった電磁石をみせられ、電信機の着想を得て、1838年に公開実験を成功させた。

このとき、電流のオンオフだけでアルファベットや数字を伝えら

れる「モールス符号」を開発した。その後、人々の無理解に苦しむが、ようやく政府から予算を得て、1844年、ワシントン・ボルティモア間約100kmの電信実験をおこない、「神のなせし業」のメッセージを送った。

1856年、ウェスタンユニオン電信会社を創設、5年後にはニューヨーク・サンフランシスコ間の大陸横断電信線を完成させた。画家としても評価され、ギリシャ神話を題材とした絵画や肖像画をのこしている。

モーセ 〔宗教〕

モーセ　　　　　　　　　　生没年不詳

「十戒」の預言者

古代イスラエル人の預言者、立法者。

紀元前13世紀ごろの人。モーゼともいう。旧約聖書では、エジプトに生まれ羊飼いをしていたが、王に迫害されていたイスラエル人をひきいてエジプトを脱出。途中、紅海を前にエジプト兵に追いつめられたとき、ヤハウェ（神）に祈ると海がまっぷたつに割れて道となり、のがれることができたと伝えられる。

またシナイ山でヤハウェと契約をむすび、イスラエルの民が守るべき「十戒」をさずかったという。この戒律はユダヤ教とキリスト教の宗教と倫理の基礎となっている。

このあと40年間、荒野を放浪し約束の地カナンをめざすが、みずからは約束の地に入ることをゆるされず、ヨルダン川の手前で約束の地を目にしながらこの世を去ったという。伝説では120歳だった。

モーツァルト, ウォルフガング・アマデウス

→ 160ページ

モーパッサン, ギー・ド 〔文学〕

ギー・ド・モーパッサン　　　1850〜1893年

自然主義文学の代表的作家

フランスの作家。

ノルマンディー生まれ。12歳のころに両親が別居し、弟とともに母に育てられる。パリ大学で法学を学ぶ。1870年の普仏戦争（プロイセンとフランスとの戦争）に従軍した。除隊後は海軍省や文部省につとめながら、作家フローベールに師事し、文学の修業をはじめた。

1880年に普仏戦争を舞台にした短編小説『脂肪の塊』を発表し、新進作家として一躍有名になった。その後、約12年間に、『女の一生』『ベラミ』『ピエールとジャン』など、詩や戯曲、長編や短編小説を次々と発表した。しかし、持病の悪化と過労から、1892年の元日に自殺をはかり、翌年パリの精神病院で一生を終えた。

作風は、明解でわかりやすくテンポのよい文章で、故郷での生活や体験をもとにした題材が多い。自然主義文学の代表とされ、日本でも明治時代末期から多くの作品が紹介された。

モーム, ウィリアム・サマセット 〔文学〕

ウィリアム・サマセット・モーム　　1874〜1965年

『月と六ペンス』の作者

イギリスの劇作家、作家、批評家。

父の勤務先のパリで生まれる。10歳までに両親を亡くし、イギリスのおじの下にひきとられた。1892年よりロンドンで医学を学び医師の資格をとるが、文学の道に進み、1897年に小説『ランベスのライザ』を刊行する。1907年に戯曲『フレデリック夫人』がロンドンで上演され、大評判となる。第一次世界大戦中は情報部ではたらいた。

代表作は、自伝的な長編小説『人間の絆』（1915）、画家のゴーガンをモデルにした『月と六ペンス』（1919）などがある。医学生時代や情報部勤務でつちかった細かい観察による描写と、抜群のストーリー構成で読者をひきつける作品をのこした。

もがみちゅうえもん 〔郷土〕

最上忠右衛門　　　　　　　1826〜1905年

粘土を染め物ののりにつかった職人

江戸時代後期〜明治時代の職人、染色家。

出羽国横手町（現在の秋田県横手市）で染色業をいとなんでいた。木綿の染め物の型をつけるのりは、もち米が原料だった。しかし、値段が高く、ききんのときなどに食料となるもち米はつかえなかった。

山でみつけた粘土を、のりのかわりにするために研究を重ね、ついに木綿の染め物をつくることに成功した。1887（明治20）年、忠右衛門は、水質がよく、染める原料のアイが豊富にとれる仙台（宮城県仙台市）に移住した。刈田郡（白石市）で品質のよい白土を発見し、染色法をくふうした。

こうしてつくられた菱形などの小紋の型染めを「常盤紺型」といい、仙台の特産品となった。

ウォルフガング・アマデウス・モーツァルト　神童とよばれた音楽の天才

▲ウォルフガング・アマデウス・モーツァルト

■6歳で演奏旅行へ

オーストリアの作曲家。

西部のザルツブルクに生まれる。4歳のとき、ザルツブルク大司教の宮廷楽団のバイオリン奏者をしている父から音楽のレッスンを受け、5歳のころには作曲を試みるなど、幼少のころから音楽の才能を発揮し、周囲からは神童とよばれた。

1762年、6歳のとき、父につれられドイツ南部のバイエルン侯国の首都ミュンヘンへ演奏旅行にでかけた。背が小さかったため年齢よりも幼くみえたモーツァルトの演奏は評判をよび、彼の名はたちまち広まった。その年の秋、オーストリアの首都ウィーンへの演奏旅行では、シェーンブルン宮殿にまねかれ、マリア・テレジアら王族の前で演奏した。

■ヨーロッパ各地へ長期演奏旅行

1763年、モーツァルト一家は3年半にわたる長期演奏旅行に出発した。ドイツ各地で演奏し、11月、パリに到着。5か月間の滞在中、ベルサイユ宮殿にまねかれ、フランス国王ルイ15世の前で演奏した。一家のうわさはパリ中に広まり、貴族の館で演奏会をひらくなど、大成功をおさめた。

1764年4月、一行はロンドンにむかい、国王ジョージ3世の前で演奏した。ロンドンには15か月滞在し、その間にドイツの大作曲家バッハの息子クリスティアン・バッハと親しくつきあい、大きな影響を受けた。その後も、ヨーロッパの主な都市をまわり、多くの音楽家たちと出会うことで、さまざまな新しい音楽にふれ、芸術面で大きく成長した。その間に、はじめての交響曲

▲クラビアをひくモーツァルト　7歳のころ。左は父レオポルト、右は姉のマリーア・アンナ（愛称ナンネル）。

『交響曲変ホ長調』なども作曲した。

■ローマ教皇から勲章をさずかる

1769年12月、父はモーツァルトにオペラの経験を積ませようと、今度は息子と2人でイタリアへ出発。ベローナで熱狂的な歓迎を受けたあとむかったミラノでは、作曲の依頼が舞いこんだ。また、ボローニャではイタリアを代表する大作曲家のマルティーニにみとめられ、ローマではローマ教皇クレメンス14世から勲章をさずけられた。その後、ミラノにもどり、オペラ『ポントの王ミトリダーテ』を完成。1770年12月26日、初演されると、観客は割れんばかりの拍手を送り、オペラの本場イタリアで大成功をおさめた。

▲教会音楽『神はわれらの避難所』
9歳のときに書いた手書きの楽譜。

■ウィーンで音楽家として本格的にデビュー

1772年、ザルツブルクの大司教の宮廷楽団のコンサートマスターに任じられ、教会音楽をはじめバイオリン協奏曲やクラビア協奏曲などを作曲した。1777年、21歳のとき、新たな就職先を求めて、母と2人でミュンヘンやマンハイム、パリなどを旅行するが、思うような就職先はみつからず、旅先のパリで母が亡くなっ

▼ウィーンのシェーンブルン宮殿で　演奏後、女王マリア・テレジアら王族たちから大かっさいをあびるモーツァルト。このとき王女のマリー・アントワネットに、「大きくなったらぼくのお嫁さんにしてあげる」といったといわれている。

▲モーツァルト一家　母アンナ・マリーアが亡くなったあとの 1780 年ごろ。左から姉のナンネル、モーツァルト、父。中央上は母。

たため、外国での就職をあきらめて故郷に帰った。

　1780 年、ミュンヘンからオペラ『クレタの王イドメネオ』の依頼を受けて、1781 年 1 月の初演のためミュンヘンをおとずれた。その後、ザルツブルクのコンサートマスターをやめて、ウィーンでピアノ教授、オペラの上演、演奏会への出演、楽譜の出版などをして生計を立てた。

　1782 年、オペラ『後宮からの誘拐』を上演し、ウィーンでのデビューは順調に進んだ。作曲家のハイドンとはおたがいに尊敬し合い、いっしょにコンサートをひらき、『ハイドン四重奏曲』を作曲してささげるなど、交友を深めた。また、イタリア人の台本作家ロレンツォ・ダ・ポンテと組んでオペラ『フィガロの結婚』にとりかかり、1786 年、ウィーンで初演。回を重ねるごとに評判となった。

■借金に追われながら次々に名曲を生みだす

　社交好きで、はでな浪費をしたため、1787 年ごろから、収入よりも支出が多くなり、借金に追われるようになった。過労の果てに病気になり、父が亡くなっても葬儀にも行けなかった。その一方で、創作活動は充実し、セレナード『アイネ・クライネ・ナハトムジーク』や、オペラ『ドン・ジョバンニ』を作曲した。そして 12 月、ウィーンの宮廷作曲家に任じられた。1788 年には三大交響曲とよばれる『第 39 番』『第 40 番』『第 41 番』を作曲した。なかでも『第 41 番』は、のちに『ジュピター』と名づけられ、最高傑作とよばれた。しかし、一般の観衆はモーツァルトの曲を難解と感じるようになり、演奏会の客はへりだした。

■『レクイエム』を作曲しながら死去

　経済的に困窮するなか、1791 年、劇場の興行師で役者もつとめていたシカネーダーの依頼でオペラ『魔笛』にとりかかった。体調をくずしていたモーツァルトは、身をけずるようにして完成させ、9 月の初演では、みずからオーケストラの指揮をした。演奏が終わると嵐のような拍手がおこり、10 月だけで 20 回以上も演奏されるほどの好評を博した。

　このころ、見知らぬ男から依頼された『レクイエム（死者にささげるミサ曲）』の作曲にとりかか

るが、体調がさらに悪化し、弟子のジュースマイヤーにつづきを指示して、12 月 5 日、35 歳で亡くなった。

　流れるような美しいメロディー、多様な転調など、古典派音楽を代表するモーツァルトの曲は、現在でも世界中の人々から愛されており、生誕地のザルツブルク市では、モーツァルトを記念したザルツブルク音楽祭が毎年夏に開催されている。600 曲をこえる彼の作品は、音楽研究家のケッヘルにより、作曲年代順に通し番号をつけて整理された。

▶病床のモーツァルト　『レクイエム』を作曲している。

古典派音楽

　18 世紀中ごろから 19 世紀はじめにかけて、オーストリアのウィーンを中心に、さかんになった音楽。代表的な作曲家にハイドン、モーツァルト、ベートーベンがいる。音楽の特徴は旋律の美しさと、均整のとれた形式が重視された点である。また、提示部、展開部、再現部からなるソナタ形式が完成し、自由な転調を通してさまざまな展開が可能になった。

　16 世紀から 18 世紀中ごろにさかんだったバロック音楽を聴いたのは、主に宮廷貴族や教会の聴衆だったが、この時代はそれをひきつぎながらも、一般の市民もふつうに聴くようになり、新興の市民層のあいだに支援者の層が広まっていった。楽器もそれまでのオルガンやチェンバロにかわって、ピアノが効果的につかわれるようになった。

モーツァルトの一生

年	年齢	主なできごと
1756	0	1 月 27 日、ザルツブルクに生まれる。
1762	6	第 1 回ミュンヘンへの演奏旅行。
1763	11	パリやロンドンなどへの演奏旅行（〜1767 年）。
1769	13	第 1 回イタリア演奏旅行。
1770	14	教皇クレメンス 14 世より黄金拍車勲章を受ける。。
1772	16	ザルツブルクの宮廷コンサートマスターに就任。
1777	21	母とマンハイム〜パリ旅行。
1781	25	宮廷コンサートマスターを辞職し、ウィーンに定住。
1786	30	オペラ『フィガロの結婚』を初演。
1787	31	オペラ『ドン・ジョバンニ』を初演。ウィーンの宮廷作曲家に就任。
1788	32	交響曲『第 39 番』『第 40 番』『第 41 番』を作曲。
1791	35	オペラ『魔笛』初演。12 月 5 日、亡くなる。

※年齢は満年齢であらわしている

もがみとくない

● 最上徳内　　探検・開拓

1755?〜1836年

択捉島などオホーツク海の島々を探検

▲最上徳内　　（国立国会図書館）

江戸時代後期の探検家。出羽国楯岡村（現在の山形県村山市）の農家に生まれた。10代のころ、煙草屋に奉公しながら勉強にはげんだ。

1781年、27歳で江戸（東京）に出て本多利明の音羽塾に入門し、天文学や地理、測量術などを学んだ。

1785年、31歳のとき、利明の推薦で幕府の蝦夷地（北海道）調査隊に加わり、翌年、厚岸（厚岸町）のアイヌの首長イコトイの協力を得て、千島列島（北海道東端とロシアのカムチャツカ半島南端のあいだにある列島）の択捉島を探検し、ロシア人と交流した。

さらに日本人としてはじめて千島列島のウルップ島へわたった。しかし、まもなく蝦夷地調査に積極的だった老中田沼意次が失脚したため、調査は打ち切られた。

1789年、国後島と目梨地方（羅臼町）でアイヌの人々が和人を襲撃する事件がおき、その調査のため、幕府の役人青島俊蔵と蝦夷地へわたった。

その後、青島が松前藩（松前町）と内通したとの容疑で処罰されると徳内も投獄されたが、翌年、うたがいが晴れて釈放され、幕府の下級役人にとりたてられた。

1791年、ふたたび蝦夷地調査隊に加わり、択捉島、ウルップ島、樺太（サハリン）を探検した。1798年には、近藤重蔵とともに択捉島にわたり、「大日本恵登呂府」と書いた標柱を立て、択捉島が日本の領土であることを宣言した。1805年、目付（旗本、御家人の監視役）の遠山景晋（遠山景元の父）の蝦夷地調査に同行し、案内役をつとめた。以後、1809年まで9回にわたって蝦夷地を探検し、蝦夷通として知られた。

1826年、長崎から江戸にきたオランダ商館の医者シーボルトに出会い、みずから制作した蝦夷地の測量図を貸しあたえ、協力してアイヌ語辞典を編さんした。のちにシーボルトは著書『日本』で徳内の業績をほめたたえた。アイヌの人々と深く交流し言語や風俗にも精通していた。著書に『蝦夷草紙』などがある。

▲「大日本恵登呂府の標柱」　（写真提供／内閣府北方対策本部）

もがみよしあき

● 最上義光　　戦国時代

1546〜1614年

家康に味方し、57万石の大名となった

戦国時代〜江戸時代前期の武将。出羽国（現在の山形県・秋田県）の山形城主である最上義守の子として生まれる。幼名は白寿丸。伊達政宗のおじにあたる。

1571年に当主の座をつぎ、同じころにおこった相続争いの内乱に勝ちぬき、対立する勢力を次々に制圧して、1585年ごろまでには最上郡全域を支配下におさめたが、上杉景勝、伊達政宗らとの争いがつづいた。1600年の関ヶ原の戦いでは徳川家康の東軍につき、政宗らとともに、上杉方の直江兼続と激戦をくり広げ、その功として57万石の大大名となる。

城下町の建設や、最上川の舟運の開発、治水、かんがい工事などをおこない、領地の発展に力をつくした。すぐれた文化人としても知られ、連歌などをのこしている。

もくあん

● 黙庵　　宗教　絵画

生没年不詳

中国で亡くなり、死後日本で評判となった

▲黙庵の代表作『布袋図』　（泉屋博古館）

鎌倉時代後期〜室町時代前期の禅僧、画家。

鎌倉時代後期に中国の元にわたり、水墨画を学んだ。花や鳥などの動植物を題材にした花鳥画や、人物画にすぐれ、中国の宋の有名な画僧で日本の水墨画に大きな影響をあたえた牧谿の再来といわれた。1345年ころ中国で亡くなったが、死後作品が日本に逆輸入され評判となった。『布袋図』『四睡図』『白衣観音図』などがのこされている。

モサデク，モハンマド

● モハンマド・モサデク　　政治

1880〜1967年

近代化を進めたが、クーデターで失脚

イランの政治家。首相（在任1951〜1953年）。

テヘランで、カージャール朝の大臣を父、皇女を母とした名家に生まれる。フランスなどに留学後、1914年にイラン南部の州知事に就任。翌年、国会議員、その後、法務大臣などを歴任。パフレビー朝（1925〜1979年）をおこしたレザー・シャー・パフレビーの独裁を批判し、彼の退位後も、息子モハンマド・レザー・パフレビー国王と対立した。

1951年、首相に就任すると、国内の近代化をおし進めた。また、イギリスの国策会社アングロ・イラニアン石油を国有化したが、イギリス、アメリカ合衆国の画策で、石油の国際市場から

しめだされ、外貨収入は激減した。

1953年、国王派軍人のクーデターにより失脚、逮捕され、死亡するまで軟禁された。

もちづきたざえもん 郷土

● 望月太左衛門　　　　　　　　　　　？〜1638年

有田川に堤防を築いた武士

江戸時代前期の武士。

紀州藩（現在の和歌山県・三重県南部）の有田郡奉行（地方の行政を担当した役職）をつとめた。江戸時代のはじめ、有田川流域の村は、毎年のように洪水になやまされた。太左衛門は、藩命により、洪水の被害をなくすため、河口付近で堤防を築く工事をはじめた。水を通しにくい赤土を堤の底につかい、高さ約8m、長さ約120mの堤防、新堂横堤を完成させた。しかし、工事費は藩の予算をはるかにこえていたため、1638年、その責任をとって自害した。村人は太左衛門の功績をたたえ、社を築いて、太左衛門を神として祭った。新堂横堤はその後、昭和時代なかばまで300年近く、村々を水害から守った。

もちづきつねたか 郷土

● 望月恒隆　　　　　　　　　　　1596〜1673年

水戸の笠原水道を完成させた武士

江戸時代前期の武士。

甲斐国（現在の山梨県）出身といわれる。常陸国水戸藩（茨城県）の藩主徳川光圀につかえ、町奉行（町の行政・裁判・警察を担当した役人）として、久慈川の水路をひらくなど、多くの土木事業を指揮した。1662年、光圀の命令により、井戸水の質が悪く、飲料水にこまっていた水戸城下の人々のために、上水道の工事をはじめた。地理にくわしい平賀保秀が設計を担当し、土木技術にすぐれた永田茂衛門の子、勘右衛門が工事を担当した。水源地の笠原（茨城県水戸市笠原町）から逆川沿いに砂岩でつくった岩樋を用いた暗渠（地下にもうけた水路）をつくり、備前堀を銅のといでわたして市街に入り、細谷まで全長約10kmの笠原水道をひき、各戸には木樋、竹樋で水がひかれた。工事の費用は550両あまり（現在の約5500万円）、参加した人員はのべ2万5000人、1年半にわたる大工事だった。その後、笠原水道は昭和時代初期まで、水戸市民の飲料水として利用された。

もちづきよさぶろう 郷土

● 望月与三郎　　　　　　　　　　1872〜1939年

植林事業に貢献した村長

明治時代〜昭和時代の役人、植林家。

山梨県巨摩郡福士村（現在の南部町）に生まれた。静岡中学在学中に、天竜川の植林事業をおこなった金原明善の講演を聞いて、感銘を受けた。東京帝国大学（現在の東京大学）

に学び、のちに京都帝国大学（京都大学）に転学した。

1905（明治38）年に故郷にもどり、村会議員となり、その後村長をつとめた。福士村の山林が荒れているのをみて、1908年、約600haの土地に180万本のスギやヒノキを植える計画を立て、1930（昭和5）年に植林を終えた。与三郎は、生涯を植林にささげて、この地域の林業発展のもとを築き、植林の成果を村の学校や文化・厚生施設の建設に役だてた。

もちひとおう 貴族・武将

● 以仁王　　　　　　　　　　　1151〜1180年

源氏挙兵のきっかけをつくった

▲以仁王像（模本）
（蜷川親胤（蜷川式胤）／模　東京国立博物館 Image:TNM Image Archives）

平安時代後期の皇子。

後白河天皇の子。1165年に元服し、皇位継承者とみられたが、平氏の圧力で親王宣下（親王となる天皇の命令）が得られず不遇だった。1179年、平清盛により父、後白河上皇（譲位した後白河天皇）が幽閉され、1180年には清盛の娘が産んだ安徳天皇が即位したので、皇位の望みを断たれた。同年、専横な平氏に反感をいだく源頼政のすすめにしたがい、最勝王と名のって諸国の源氏に対し、平氏追討の令旨を発した。次いで挙兵しようとしたが計画がもれて失敗し、天台宗の園城寺（三井寺）（滋賀県大津市）にのがれて援軍をたのんだがうまくいかず、興福寺（奈良市）をたよろうと逃走中、平氏におそわれ宇治川（京都府宇治市）の戦いでやぶれ、戦死した。

もっけい 絵画

● 牧谿　　　　　　　　　　　　　生没年不詳

日本の水墨画に影響をあたえた画家

中国、宋代の画家。

四川省に生まれる。13世紀後半の人とされる。浙江省の高僧の下で修行をして禅僧となり、杭州の西湖の近くの六通寺で活動する。しかし、権力者を批判して、とらわれそうになり、紹興に逃げた。水墨画をかき、山水、草木、人物など、どんなテーマもてがけた。そのころ流行していた文人画というスタイルにこだわらず、思うままにえがいた。そのため、当時の中国ではよい評価を得られず、亡くなったあとは、しだいにわすれられてしまう。宋の次の元の時代には「粗雑だ」と批判もされた。日本へは、鎌倉時代に中国の禅僧により絵が持ちこまれた。作品は高く評価され、その後の日本の水墨画に影響をあたえた。茶人の千利休も好んでながめたといわれる。

空気の厚みや重みを感じさせるえがき方が特徴で、代表作の『観音猿鶴図』は、京都の大徳寺に収蔵されている。

も

もっけい

モッセ，アルバート

幕末 | 学問

● アルバート・モッセ　　　　　　　　1846〜1925年

大日本帝国憲法の起草に貢献

　明治時代に来日した、ドイツの法学者、明治政府の法律顧問。

　プロイセンの支配下にあったポズナン大公国（現在のポーランド）のグレーツに、ユダヤ系ドイツ人の子として生まれる。ベルリン大学法学部に入学し、法学者グナイストの教えを受けた。ベルリン市裁判所の判事をつとめるかたわら、在ドイツ日本公使館の顧問となり、ヨーロッパをおとずれた伊藤博文一行にプロイセン憲法や行政法を講義した。

　これをきっかけに、1886（明治19）年、法律顧問として明治政府にまねかれた。大日本帝国憲法の起草にあたる井上毅らに重要な助言をあたえ、立憲制度確立のために指導的な役割をはたした。

　また、ドイツの地方制度をもとに、市町村制の原案を起草。これはのちの日本の地方自治制の基礎となった。1890年、ドイツに帰国し、ケーニヒスベルク（現在のロシアのカリーニングラード）で高等裁判所判事をつとめるとともに、ケーニヒスベルク大学教授となり裁判法などを講義した。

モディリアーニ，アメデオ

絵画

● アメデオ・モディリアーニ　　　　　1884〜1920年

独創的な画風の自画像を多くかいた画家

　イタリア出身の画家、彫刻家。

　港町リボルノに生まれ、フィレンツェの美術学校で学ぶ。1906年にフランスにわたり、パリに定住した。1909年、前衛彫刻家のブランクーシに影響を受け、彫刻に専念していたが、しだいに絵画をてがけるようになった。

　1920年当時、無名だった前衛画家キスリング、シャガール、ピカソらと外国人芸術家グループ「エコール・ド・パリ」で交流し、みずからもその一員として活躍した。

　人のからだを単純な形であらわし、輪郭を力強い線でえがき、独創的な画風をつくり上げた。生涯に350点の自画像をのこすなど、肖像画と人物像に力をそそいだ。不安と哀愁をあらわした女性の肖像を多くえがいた。極端に首や顔が細く、色の濃い肌の女性像は、妻のジャンヌをモデルにしたといわれる。代表作に『ジャンヌ・エビュテルヌ』や『横たわる裸婦』『腰かける裸婦』などがある。

もとおりのりなが

学問

● 本居宣長　　　　　　　　　　　　　1730〜1801年

江戸時代の国学を大成させた

▲本居宣長　　　（早稲田大学図書館）

　江戸時代中期の国学者。伊勢国松坂（現在の三重県松阪市）の、木綿をあつかう大きな商人の家に生まれる。幼いころから和歌や中国の書籍を読み、学問が好きだった。1752年、23歳のとき、商売がかたむき、宣長が商人にむかないことをみぬいた母のすすめもあって、医者として身を立てることを決意し、京都に出て医学と儒学を学んだ。そこで国学者の契沖の著書にふれ、国学に興味をもつようになった。

　1757年、28歳で松坂に帰って町医者を開業し、そのかたわら独学で古典を研究した。自宅で『万葉集』や『古今和歌集』『源氏物語』などを講義し、『石上私淑言』などの著作も著した。1763年、かねて尊敬していた国学者の賀茂真淵と松坂ではじめて対面し、師弟関係をむすぶ。そのとき、真淵から『古事記』の研究をすすめられたという。

　自宅の2階につくった書斎「鈴屋」で研究にはげみ、やがて、国学者として名声が高まり、天明のききん（1782〜1787年）では、紀州藩（和歌山県・三重県南部）の藩主、徳川治貞から政治に関する意見を求められて『秘本玉くしげ』をさしだして、領主としての心がまえを説いた。1792年、松坂在住のまま紀州藩にめしかかえられ、藩主の前で古典の講義をおこなった。

　『古事記』の研究をはじめてから35年後の1798年、『古事記』の注釈書『古事記伝』全44巻を完成させた。宣長は、日本の古典の中にこそ日本人のほんとうの生き方があると考えた。そして、日本人が昔からもっていた「もののあわれ」を尊ぶ心のあり方を重視するべきだと主張した。中国から入ってきた儒教や仏教、中国的な考え方をきびしく批判し、同時代の国学者である上田秋成らと論争になることもあった。『玉勝間』『源氏物語玉の小櫛』『詞の玉緒』など多くの著書をのこし、国学を大成した存在である。宣長の下には全国から入門者が集まり、門人の数は500人にのぼったといわれている。子の春庭も国学者であり、死後に門人となった平田篤胤にも大きな影響をあたえ、幕末の天皇をうやまい外国勢力を追いはらうという尊王攘夷思想にもつながった。

▲本居宣長の旧宅「鈴屋」
（本居宣長記念館）

学 切手の肖像になった人物一覧

もときしょうぞう

幕末　郷土

● 本木昌造　　　　　　　1824〜1875年

日本の活版印刷術の創始者

（国立国会図書館）

幕末〜明治時代の技術者。長崎に生まれる。幼名は作之助。母の実家、オランダ通詞（通訳）の本木家の養子となり、その家業をつぎ、ヨーロッパの技術に関心をもった。1853年、ロシアの使節プチャーチンの通訳になり、翌年、ロシア軍艦ディアナ号が難破すると、伊豆戸田（現在の静岡県沼津市）に出張し、帰国のためのロシア艦の建造にかかわった。1855年、長崎海軍伝習所の通訳になり、航海術や製鉄術などを学んだ。1860年、長崎製鉄所（のちの長崎造船所）の御用掛、のちに頭取となり、日本初の鉄製の橋をかけ、また、蒸気船を操縦して江戸（東京）まで航海するなど活躍した。

1869（明治2）年、長崎製鉄所内に活版伝習所をもうけ、技術指導としてアメリカ人宣教師ガンブルをむかえて、金属活字の鋳造に成功。1870年、長崎市内に活版所をひらき、活字の製造と印刷業をはじめた。その後、私塾をひらいて印刷技術や出版などを教え、人材を育てるなど、印刷技術発展の基礎を築いた。

もとだながざね

学問

● 元田永孚　　　　　　　1818〜1891年

天皇を頂点とする国家の実現をとなえた

（国立国会図書館）

幕末〜明治時代の儒学者。名は「えいふ」とも読む。幼名は大吉、のちに伝之丞、八右衛門と名のる。

熊本藩（現在の熊本県）の藩士の家に生まれる。11歳のとき、藩校の時習館に入り、のちに塾長の横井小楠の教えを受け、実践的朱子学のグループ実学党に参加し、藩政の改革を進めた。1858年、家督をつぎ、1861年、藩主にしたがって江戸（東京）にのぼり、翌年、京都留守居役をつとめ、公武合体に努力した。

1871（明治4）年、宮内省に入り、天皇に学問を教授する侍読（のちに侍補）となり、明治天皇に儒教の聖典とされる孔子と弟子たちの問答を集めた『論語』などを講義した。1878年、天皇による親政を実現する運動をおこし、伊藤博文ら政府と衝突。侍補は廃止されたが、天皇に信任されて宮中にとめおかれ、宮中顧問官、枢密顧問官などをつとめた。天皇中心の国家、仁義忠孝を重んじる教育の実現をとなえ、1890年、教育勅語の起草にかかわった。

モネ，クロード

絵画

● クロード・モネ　　　　1840〜1926年

光の変化を絵にえがいた画家

フランスの画家。

パリの商人の家庭に生まれる。5歳のとき、セーヌ河口の港町ルアーブルに移る。そこで印象派の先駆者といわれる画家ブーダンに出会い、屋外での風景画の制作を学ぶ。19歳のとき、パリに出て、画家として活動をはじめた。当時、歴史画や神話画が模範的な芸術とされていた風潮に不満をいだき、同調したルノアール、シスレー、ピサロなどと画家グループをつくった。太陽の光と色彩を求めて、自然や人間の生活をえがいた。

混色をさけ、明るい色を小さな筆でならべて、色彩を分割する技法で、屋外の光の微妙な変化をえがいた。1874年にひらいた初のグループ展で『印象─日の出』を発表し、その作品名から印象派（印象主義）とよばれた。そのほかの代表作に連作『睡蓮』『積みわら』などがある。印象主義は、多くの画家に影響をあたえ、美術史上、重要な芸術運動とされる。

もののべのおこし

貴族・武将

● 物部尾輿　　　　　　　生没年不詳

仏教の受け入れに反対した

（国立国会図書館）

古墳時代の豪族。物部守屋の父。『古事記』『日本書紀』に登場する人物で、欽明天皇が即位したとき、大和政権の最高職である大連となった。540年に実力者で大連だった大伴金村が失脚したあと、政権の中心に立った。

欽明天皇の時代に朝鮮半島の百済の聖明王から仏教が伝わったが、昔からの神々をうやまう尾輿は、その受け入れに反対し、仏教を信仰する蘇我稲目とあらそった。その後疫病がはやると、これを仏教信仰のせいだとして、蘇我稲目の建てた寺を焼き、仏像を川に捨てさせた。

もののべのもりや

● 物部守屋　　　　　　　　　？〜587年

蘇我氏との争いにやぶれた

（国立国会図書館）

古墳時代の豪族。

物部尾輿の子。敏達天皇、用明天皇の時代、父の尾輿と同じく、大和政権の最高職である大連となる。物部氏は仏教の受け入れに反対して、仏教をうやまう蘇我氏と対立していた。585年、疫病が流行すると、その原因は仏教信仰にあると敏達天皇にうったえてみとめられ、仏教追放をゆるされた。

守屋は、蘇我馬子の建てた塔や仏殿を焼き、仏像を川に捨てたため対立は深まり、同年の敏達天皇の葬儀のときも、たがいにあざけり合ったという。587年、用明天皇が亡くなると、欽明天皇の子の穴穂部皇子を天皇に立てようともくろむが、馬子によって穴穂部皇子が殺されてしまう。馬子は朝廷の諸皇子や役人たちを味方につけて守屋を攻め、守屋は本拠地の河内渋川（現在の大阪府八尾市）に帰って、防衛軍をひきいて立ちむかった。はじめは守屋軍が有利だったが、守屋は戦いの中で矢で射殺された。この結果、朝廷で大きな勢力をもっていた物部氏は衰退し、蘇我氏が台頭することになった。

モハンマド・レザー・パフレビー

● モハンマド・レザー・パフレビー　　1919〜1980年

イラン革命により追われた皇帝

イラン、パフレビー朝の第2代皇帝（在位1941〜1979年）。

パフレビー朝の創始者、レザー・シャー・パフレビーの長男。陸軍幼年学校を卒業後、スイスに留学した。1941年、第二次世界大戦で、父がイギリスとソビエト連邦（ソ連）から退位をせまられ、そのあとを受けて即位した。アメリカ合衆国と強く関係をむすび、その助けを借りて権力を強化。1951年、石油の国有化をめぐって、モサデク首相と対立してローマに亡命したが、まもなくクーデターが成功したため帰国した。

1957年に秘密警察を設置して反対派を弾圧し、一方で農地改革や、女性参政権に主眼をおいた近代化政策などをおこなった。外交では、1959年、アメリカと軍事協定をむすび、皇帝権を確立して、皇帝の独裁体制を築き上げた。しかし、1970年代後半から経済が悪化し、強制的なヨーロッパ化への反発

や、国王独裁体制に対する批判が拡大した。そのため、広範にわたる勢力が結集したイラン革命がおきて、1979年、イランを追われた。翌年、エジプトで病気のため亡くなった。

ももぞのてんのう

● 桃園天皇　　　　　　　　　1741〜1762年

宝暦事件のときの天皇

江戸時代後期の第116代天皇（在位1747〜1762年）。

桜町天皇の子で、即位する前は遐仁親王とよばれた。1747年、7歳で即位した。学問に熱心で、とくに漢学（中国から伝来した学問）にすぐれていた。在位中の1758年、神道家の竹内式部が桃園天皇の側近の若い公家に尊王思想（天皇をうやまう考え）を説いたため幕府によって京都から追放され、式部の説を天皇に講義した公家たちも処罰される事件（宝暦事件）がおきた。1762年、22歳で亡くなったが、子の英仁親王（のちの後桃園天皇）が幼かったため、姉の智子内親王がかわりに即位して後桜町天皇になった。

学 天皇系図

もよりこうぞう

● 藻寄行蔵　　　　　　　　　1820〜1886年

能登半島の塩づくりを復活させた医者

江戸時代後期〜明治時代の医者。

能登国北方村（現在の石川県珠洲市）の農家に生まれた。京都で医学を勉強したのち、故郷で医者になった。奥能登（能登半島北部）では400年ほど前から塩づくりがおこなわれていた。加賀藩（石川県）による専売制（領民が生産した産物を藩が買い上げて売りさばく政策）がしかれ、人々は生産した塩を藩に売って、生計を立てていた。しかし、1871（明治4）年の廃藩置県によって加賀藩がなくなり、専売制も廃止された。塩づくりにたずさわる人々の生活は貧しくなり、やめる人がふえた。塩づくりの人々の苦しい生活を七尾県（能登地方）の県令（長官）や明治政府にうったえた結果、塩づくりをつづけるために必要な資金を調達することに成功した。その後、みずから製塩総取締役になって製塩業を指導し、十数年間にわたって、塩づくりの復活に力をそそいだ。

▲仁江海岸の塩田の塩づくり

（珠洲市観光交流課）

もりありのり

● 森有礼　　　　　　　　　　1847〜1889年

日本の近代的な教育制度を確立

明治時代の政治家、教育家。

薩摩藩（現在の鹿児島県西部）の中級藩士の家に生まれる。藩校、開成所（洋学校）で学び、1865年には藩の命令で五

も

もののべ

（国立国会図書館）

代友厚らとともにイギリスに留学、ロンドン大学で学んだ。

帰国後の1868（明治元）年、明治新政府に入り、駐米公使、外務大輔（外務大臣）、イギリス公使などを歴任する。その間、日本最初の学術団体である明六社を結成し、機関誌『明六雑誌』を発刊する。また、商法講習所（現在の一橋大学）を設立するなどして、幅広く西洋思想の紹介や教育活動をおこなった。

1885年、第1次伊藤博文内閣で初代の文部大臣となり、諸学校令を制定して、近代的な教育制度を確立した。とくに人材育成のため師範教育に力を入れ、全国各地をまわって学校令の主旨を説いた。しかし、その考えや行動に反発する国粋主義者によって、1889年大日本帝国憲法発布の当日におそわれ、翌日亡くなった。

もりうちとしゆき

● 森内俊之　　　　　　　　　　　1970年～

相手の攻めを強くはねかえす将棋棋士

将棋棋士。

九段。横浜市生まれ。小学校3年生のころ将棋をはじめ、6年生のとき正式に棋士をめざし、勝浦修九段門下に入る。

1982（昭和57）年、第7回小学生将棋名人戦で3位となる。このときの優勝は、羽生善治だった。1987年に四段になり、18歳のときに全日本プロ将棋トーナメントで初優勝した。2002（平成14）年に九段となり、第60期名人戦で丸山忠久名人をやぶり、初の名人を獲得した。

第62～65期に名人4連覇を達成し、18世名人の永世称号資格を得た。小学校のころからのライバル、羽生善治との名人戦は、大山康晴・升田幸三戦とならぶ最多の9回を数え、「平成の名勝負」といわれた。

棋風は、相手の攻めをはねかえす受けの強さから「鉄板流」とよばれる。

タイトル戦登場は25回、タイトル獲得は合計12期を誇る（2016年12月現在）。人気と実力ともにトップの現役棋士である。2011年には通算800勝を達成し、将棋栄誉敢闘賞を受賞した。

モリエール

● モリエール　　　　　　　　　　1622～1673年

フランス古典喜劇を確立する

フランスの喜劇作家、俳優。

パリで裕福な室内装飾商の息子に生まれる。本名はジャン・バチスト・ポクラン。オルレアン大学で法律を学び、弁護士の資格をとるが、20歳のころ女優に恋したのがきっかけで劇団イリュストル・テアトルを創設する。各地をまわって演劇活動をおこないながら、モリエールの名前で俳優として修業を重ね、劇作品をつくりはじめた。1658年にルイ14世の前で『恋する医者』を上演し、劇団の人気が高まる。その後、劇団の巡業で南フランスをおとずれた際に、イタリア喜劇を学んだ経験から喜劇の創作をはじめた。

1664年から、モリエール四大喜劇とよばれる『タルチュフ』『ドン・ジュアン』『人間ぎらい』『守銭奴』を次々に発表する。登場人物の心理を正確に分析して表現する心理劇を得意とした。また自然を尊重し、それに反する者たちを風刺を加えて批判した。フランス古典劇を代表する作家といわれる。

もりえと

● 森絵都　　　　　　　　　　　　1968年～

十代のゆれる心理をえがく直木賞作家

作家、脚本家、児童文学作家。

東京生まれ。本名は関口雅美。日本児童教育専門学校をへて、早稲田大学卒業。アニメの『エースをねらえ！』などの脚本家として出発。1990（平成2）年、中学生の心の動きをえがいた小説『リズム』で講談社児童文学新人賞を受賞し作家デビュー。同作で椋鳩十児童文学賞を受賞。10代の少年少女のゆれる心理をえがいた作品で若者の支持を集める。ほかに『カラフル』（産経児童出版文化賞）や、オリンピック出場をめざしダイビングにはげむ少年をえがいた『DIVE!!』（小学館児童出版文化賞）などの作品が、映画や漫画となり話題となる。2006年『風に舞いあがるビニールシート』で直木賞を受賞する。

学 芥川賞・直木賞受賞者一覧

もりおうがい

● 森鷗外　　　　　　　　　　　　1862～1922年

明治時代を代表する大文学者

明治時代～大正時代の作家、評論家、医師。

石見津和野藩（現在の島根県）つきの医師の家に生まれる。

本名は林太郎。医師になるため10歳で上京し、1874（明治7）年に東京医学校予科（現在の東京大学）へ入る。19歳で医学部を卒業し、軍医となる。1884年からドイツに留学。

（森鷗外記念館）

帰国後、ヨーロッパの詩を日本語に訳した詩集『於母影』を発表する。美しく格調高い語り口で、青年たちに大きな感動をあたえた。1890年に、自身のドイツ留学時代の体験をもとにした恋愛小説『舞姫』を発表する。さらに、アンデルセンの小説『即興詩人』を翻訳し、日本に紹介した。

1909年から発表した『ヰタ・セクスアリス』『青年』『雁』などは、自然主義がさかんだった当時の文学に対抗した作品といわれる。また歴史の事実を正確な史料をもとに現代の小説としてよみがえらせた『阿部一族』『大塩平八郎』『山椒大夫』『高瀬舟』など多くの歴史小説を発表した。一方で、1916（大正5）年に発表した『渋江抽斎』では、史伝という新しい文学のジャンルを開拓し、江戸時代までの武士社会をささえた封建思想を根底にすえ、留学で影響を受けたヨーロッパ近代の自然科学の合理的な考え方をえがいた。明治時代を代表する知識人の一人である。

学 切手の肖像になった人物一覧

もりしげひさや
映画・演劇
● 森繁久彌　　　　　1913〜2009年

戦後を代表する大俳優

昭和時代〜平成時代の俳優。
大阪府生まれ。2歳で父を亡くし、3男のため母方の姓をつぐ。早稲田大学在学中、演劇活動をはじめる。大学中退後、第二次世界大戦中はNHKのアナウンサー、戦後は軽演劇のコメディアンとして、日本劇場の舞台進行係、東宝劇団、古川緑波のロッパ一座などで下積み時代をすごす。1950（昭和25）年、ラジオ番組『愉快な仲間』のレギュラー出演から注目され、映画や舞台に次々と声がかかるようになる。『腰抜け二刀流』で映画初主演。『三等重役』『夫婦善哉』『恍惚の人』などのヒット作をはじめ、出演映画は200本以上。テレビドラマ、CMへの出演のほか、歌手としての代表作『知床旅情』の作詞と作曲もてがけるほど、多才であった。舞台では、ミュージカ

ルの『屋根の上のヴァイオリン弾き』は1967年、東京帝国劇場での初演以来、1986年まで900回にわたり主演をつとめた。その幅広い活躍により、1991（平成3）年文化勲章、また死後国民栄誉賞を授与された。

学 文化勲章受章者一覧　　学 国民栄誉賞受賞者一覧

もりしげふみ
学問
● 森重文　　　　　　1951年〜

「極小モデル」でフィールズ賞を受賞

数学者。
愛知県出身。1973（昭和48）年、京都大学理学部数学科を卒業。同大学院修士課程修了後、同大数学科助手となる。その後、アメリカ合衆国のハーバード大学助教授、名古屋大学理学部助教授をへて、1988年に同大教授となる。京都大学数理解析研究所教授となった1990（平成2）年、複雑な連立方程式であらわされた3次元の代数多様体の性質を調べ、これ以上小さくならない「極小モデル」という空間の存在を証明した。この業績により、日本学士院賞、アメリカ数学界の最高栄誉であるコール賞、日本人では3人目の数学のノーベル賞といわれるフィールズ賞などを受賞した。2015年には国際数学連合の総裁にアジア人としてはじめて選出された。

モリス，ウィリアム
デザイン
● ウィリアム・モリス　　1834〜1896年

壁紙デザインで知られる工芸家

イギリスの工芸家、思想家。ロンドン郊外の自然にかこまれた邸宅で生まれ育つ。牧師などの聖職者をめざし、オックスフォード大学に進んだ。
大学在学中に評論家ラスキンの影響を受け、建築家を志望する。その後、画家バーン・ジョーンズやロセッティなどと出会って芸術や文学に興味をもち、画家をめざした。1859年に結婚して家をもったとき、家具や壁紙などすべての室内装飾を自分たちでてがける。

これをきっかけに、室内装飾をあつかうモリス商会を仲間たちと設立した。芸術と仕事、日常生活を一つにむすぶという理念は、やがてイギリスにアーツ・アンド・クラフツ運動とよばれる質の高い工芸品への回帰運動をおこした。

多才で、1890年には『ユートピアだより』という小説を書く。1891年には出版社を設立し、本づくりにも打ちこんだ。室内装飾では壁紙のデザインがとくに有名で、木や草花をモチーフにした絵がらは、いまも世界の人々に愛されている。

もりたあきお

産 業

● 盛田昭夫　　　　　　　　　1921〜1999年

ソニーを世界的企業に育てた

　昭和時代〜平成時代の実業家。

　愛知県生まれ。大阪帝国大学（現在の大阪大学）理学部物理学科卒業。海軍の技術中尉となり、井深大と知り合う。第二次世界大戦後の1946（昭和21）年、井深と東京通信工業を設立し、常務となって営業を担当する。初の国産テープレコーダーやトランジスタラジオなど、独創的な製品を次々と開発。1958年、社名をソニーに変更。みずからアメリカ合衆国に駐在し、海外市場の開拓に貢献、ソニーを世界的企業に躍進させた。1971年に社長、1976年に会長となる。欧米の財界人と交流を重ね、民間外交につくした。1986年から経済団体連合会副会長をつとめる。1994（平成6）年にソニー名誉会長。1998年、アメリカの『タイム』誌による、20世紀にもっとも影響力のあった人物20人に、日本人ではただ一人えらばれた。著書に『学歴無用論』などがある。人のやらないことに挑戦し、いつもエネルギッシュで前向きであった。ソニーの大ヒット商品、携帯カセットテーププレーヤー「ウォークマン」の発案者でもある。

　学 切手の肖像になった人物一覧

もりとたつお

学 問　　教 育

● 森戸辰男　　　　　　　　　1888〜1984年

戦後教育の制度づくりに大きく貢献

　大正時代〜昭和時代の経済学者、教育者、政治家。

　広島県生まれ。幼少から学業、体育ともにすぐれ、とくに弁論や剣道で才能をしめした。福山中学校から第一高等学校（現在の東京大学教養学部）へ進学、校長の新渡戸稲造の倫理の講義に感銘を受ける。このころの福山中学の「誠の道」の理念や、聖公会で受けた洗礼、新渡戸のキリスト教的思想が、その後の思想の基礎となった。1914（大正3）年に東京帝国大学法科大学経済科（東京大学経済学部）を卒業し、2年後、経済学科の助教授になる。1919年、経済学部が法学部から独立したのをきっかけに発刊

した機関誌『経済学研究』に発表した、『クロポトキンの社会思想の研究』が危険思想の宣伝であると問題になり、1920年、新聞紙法違反で投獄され、翌年退職した。この森戸事件は、学問思想の自由に対する弾圧であると大論争になった。1921年、大原社会問題研究所に入り、約2年間、マルクス主義の文献の研究などをワイマール体制下のドイツで学ぶ。帰国後は同研究所で社会科学の研究や労働者教育にたずさわり、「いまや大学は顚落した」と主張して、自由主義知識人の河合栄治郎らと論争した。

　第二次世界大戦後は日本社会党の結成に参加、1946（昭和21）年、衆議院議員となり、その後、3回の当選をはたし、党内右派の理論的指導者となった。教育基本法原案の骨組みの作成にかかわり、社会保険制度調査会、教育刷新委員会、給与審議会などの各委員を歴任。1947年には片山哲・芦田均両内閣の文部大臣をつとめ、六三制の実施や定時制・通信制高校の設置、教科書検定制度、教育委員会公選制の制定など、現在の教育制度の基礎を築いた。

　1950年、政界を去り、新設された広島大学の学長に就任、13年間その職をつとめた。その後、日本のUNESCOへの参加に尽力し、またNHK学園高校校長に就任するなど放送教育の振興にも力をそそいだ。中央教育審議会会長を4期つとめ、1971年に答申した「第三の教育改革」は、明治の教育改革、敗戦後の教育改革につづく、「四六答申」として知られ、現在も強い影響力をもっている。教育者としての長年の功績により、1971年、文化功労者表彰、1974年に勲一等旭日大綬章を受章した。

もりながしんのう

護良親王 → 護良親王

もりのぶてる

産 業

● 森矗昶　　　　　　　　　　1884〜1941年

国内技術で、硫酸アンモニウムとアルミニウムを生産

（国立国会図書館）

　明治時代〜昭和時代の実業家。

　千葉県生まれ。勝浦高等小学校卒業後、家業のヨード製造を手伝う。事業を拡大し、1908年（明治41）年、鈴木三郎助と提携して総房水産を設立し経営は順調だったが、第一次世界大戦後の不況で破綻。鈴木の経営する東信電気に吸収合併され、取締役に就任して活躍する。

　国産技術の利用を信念として、その後、日本沃度（のちの日

もり

もりのぶ

本電気工業）、昭和肥料を設立し、国産技術による硫酸アンモニウム・アルミニウムの生産に成功した。電気化学、冶金工業分野をはじめ、電力業、鉱業など関連産業への事業多角化をおこない、日中戦争がはじまるころまでに、新興財閥の一つ、森コンツェルンを形成した。

1924（大正13）年から4期衆議院議員もつとめた。つづいて日本肥料、帝国アルミニウムの2つの国策会社の理事長に就任。1939（昭和14）年、日本電気工業と昭和肥料を合併し、昭和電工を設立すると、初代社長となった。

化学工業の先がけとなったたたき上げの実業家で、野口遵、鮎川義介などとともに、当時「財界新人三羽烏」としてならび称された。

もりはな

もりはなえ

デザイン

● 森英恵　　　　　　　　　　1926年～

フランスのファッション界で活躍したデザイナー

ファッションデザイナー。島根県生まれ。1947（昭和22）年、東京女子大学国文科を卒業した。

結婚後、洋裁学校のドレスメーカー女学院にかよい、1951年、新宿に洋装店をひらく。1950年代の映画全盛時代に、デザイナーとして400本にのぼる映画の衣装を担当した。銀座にも出店し、ファッションデザイナーとして活動する。

1965年、ニューヨークではじめて海外コレクションを発表した。チョウの模様を大胆にとり入れたイブニングドレスが絶賛され、欧米での活動の基盤を築く。1977年にはパリに進出し、東洋人としてはじめて、高級仕立服の団体であるパリ・オートクチュール協会のメンバーとなる。1992年のバルセロナ・オリンピック、1994年のリレハンメル・オリンピックで日本選手団のユニフォームをてがけたほか、海外のバレエやオペラの舞台衣装などもデザインし、ファッション界の第一人者として活躍した。1996年、文化勲章を受章した。　　　学 文化勲章受章者一覧

もりみつこ

映画・演劇

● 森光子　　　　　　　　1920～2012年

『放浪記』で有名な、国民栄誉賞女優

昭和時代～平成時代の俳優。
京都府生まれ。本名、村上美津。1935（昭和10）年、子役として映画デビュー。1941年、上京して歌手デビュー。

1961年、昭和時代初期に活躍した作家の林芙美子が自身の体験をもとにして書いた長編小説『放浪記』の舞台に初主演し、話題となる。劇中、森の扮する芙美子が自身の小説の

新聞広告をみつけ、よろこびのあまりでんぐり返しをするシーンは、名物となった。以後この役は森のライフワークとなり、単独主演での上演記録は2000回をこえた。テレビドラマ『時間ですよ』シリーズでは「日本のお母さん」のイメージを定着させ、割烹着姿の味噌のCMでも人気が高い。ワイドショーや歌番組での、司会者としての地位も確立した。大阪での喜劇女優としての経験を生かして、コント番組にも長年出演するなど、その芸域の広さと柔軟性もみせている。

2005（平成17）年に文化勲章、2009年に国民栄誉賞受賞。89歳での国民栄誉賞受賞は過去最高齢であり、俳優の存命中の受賞は初、女優としても初であった。

　学 国民栄誉賞受賞者一覧　　学 文化勲章受章者一覧

もりやまみやこ

絵本・児童

● 森山京　　　　　　　　　1929年～

動物たちが主人公の絵本や童話で知られる

児童文学作家、コピーライター。
東京生まれ。神戸女学院大学中退。コピーライターとして活躍し、化粧品のコピー「25歳はお肌の曲がり角」などを生みだした。

1968（昭和43）年、『こりすが五ひき』が講談社児童文学新人賞佳作に入選。1985年、画家土田義晴とコンビを組んだ絵本『きいろいばけつ』からはじまる『きつねの子』シリーズがロングセラーになる。1990（平成2）年、『あしたもよかった』で小学館文学賞、1996年、物まねが得意のネコがくり広げる楽しい物語『まねやのオイラ旅ねこ道中』で野間児童文芸賞などさまざまな文学賞を受賞する。動物たちを主人公に、リズミカルな文体でえがきだされる物語が人気となる。

もりよししんのう

王族・皇族

● 護良親王　　　　　　　1308～1335年

父の後醍醐天皇を助けて、鎌倉幕府をたおした

（国文学研究資料館）

鎌倉時代後期の皇子。「もりなが」とも読む。後醍醐天皇の子に生まれる。出家して若くして三千院（京都市）に入り、尊雲法親王と称した。1327年、1329年と2度、天台座主（天台宗の最高位の僧）を

も

つとめ、大塔宮とよばれた。1332年には還俗（僧侶をやめて俗人にもどること）して護良と名のり、鎌倉幕府をたおそうとする父を助けて、熊野山、高野山などの寺社や、九州や東北の武士に、命令を発して挙兵をうながし、全国的な倒幕勢力の組織化に大きな役割をはたした。1333年に、足利尊氏の軍とともに六波羅探題を攻撃してほろぼす。同年5月、鎌倉幕府がたおれ、建武の新政がはじまると、兵部卿に任じられた。しかし1334年にとらえられて鎌倉へくだされ、足利直義の下に幽閉された。『太平記』には、尊氏が親王を排除しようと、後醍醐天皇にありもしない悪口を吹きこんだためとしるされている。1335年、幕府残党の北条時行らが鎌倉を攻めると、鎌倉からのがれようとする直義によって殺害された。

もりよしろう
政治

🔴 森喜朗　　　　　　　　　　　　1937年～

スポーツ振興にもつとめた内閣総理大臣

政治家。第85、86代内閣総理大臣（在任2000年、2000～2001年）。

石川県生まれ。早稲田大学第二商学部卒業。大学では雄弁会に所属し、しだいに政治家を志すようになる。衆議院議員今松治郎の秘書をつとめたあと、1969（昭和44）年、衆議院総選挙に出馬、岸信介の応援を受けて初当選。総理府総務副長官、内閣官房副長官、文部大臣、通商産業大臣、建設大臣などを歴任した。

2000（平成12）年、脳梗塞でたおれた小渕恵三内閣総理大臣のあとをつぎ、内閣総理大臣に就任。「日本は天皇を中心とした神の国」と発言、物議をかもした。2001年、内閣支持率の低下で退陣。ラグビーやプロレス好きでスポーツへの関心は高く、2014年には東京オリンピック・パラリンピック競技大会組織委員会会長に就任。2019年のラグビーワールドカップの日本招致委員会会長でもある。　　　　　　学 歴代の内閣総理大臣一覧

モルガン，ジョン・ピアポント
産業

🌐 ジョン・ピアポント・モルガン　　　1837～1913年

モルガン財閥の創始者

アメリカ合衆国の金融資本家、財閥の創始者。

コネティカット州で、金融業者の子に生まれる。ドイツのゲッティンゲン大学に留学。帰国後、父の会社で勤務して経験を積み、ニューヨークに移って力をのばし、アメリカ屈指の個人銀行に成長させた。1871年、のちのモルガン商会をみずから立ち上げ、金融取引で巨額の利益を得て、国際金融業者としての地位をかためた。一方で、鉄道経営にも乗りだし、次々と有力な

鉄道会社を買いとった。また、カーネギー鉄鋼会社も買いとってU.S.スチール社をつくり、アメリカ最大の財閥を形成した。それからも、政府や各種産業へ融資をおこなうことで、強大な支配力をもつようになり、鉄道のほか、鉱業、海運、通信、銀行、保険など広範囲の業界を支配した。1907年、ローマで亡くなった。多数の美術品を所有するコレクターでもあり死後にはメトロポリタン美術館に自身のコレクションを寄付させた。

モルトケ，ヘルムート・フォン
政治

🌐 ヘルムート・フォン・モルトケ　　　1800～1891年

数々の戦争でドイツ軍をひきいて戦功をあげた

ドイツの軍人。

ドイツ北東のパルヒムに生まれ、デンマークで幼年士官学校に入学、1815年にデンマーク軍の少尉となるが、1822年、同盟していたプロイセン軍に移った。プロイセン陸軍大学を卒業し参謀将校になる。1858年からプロイセン陸軍の参謀総長に就任した。軍隊に近代的な技術をとり入れ、1864年のデンマーク戦争、1866年のオーストリアとの普墺戦争、1870年のフランスとの普仏戦争を指導して、数々の功績をあげ、ドイツの成立に貢献した。軍の独立を主張したため、普仏戦争中はビスマルクとも対立したが、政治的な野心はなかった。国会議員、上院世襲議員などをつとめ、1871年には元帥に昇進し、伯爵の爵位を受けた。つねにひかえめで落ち着いた人がらから「偉大な沈黙者」といわれた。

モルナール・フェレンツ
文学　映画・演劇

🌐 モルナール・フェレンツ　　　　　　1878～1952年

『パール街の少年たち』の作者

ハンガリーの劇作家、作家。

ブダペストの富裕なユダヤ人家庭に生まれる。スイスのジュネーブに留学してジャーナリストとなり、小説や戯曲の執筆をはじめる。1907年に戯曲『悪魔』で成功をおさめ、1909年に悲喜劇『リリオム』が好評を博し、劇作家としての地位をかためる。その後も『近衛兵』『白鳥』『オリンピア』など多くの戯曲を書いた。

小説では、『パール街の少年たち』が代表作として知られる。故郷ブダペストの下町を舞台に展開する2組の少年たちの争いと和解をテーマにした物語で、多くの国で読みつがれている。第二次世界大戦中、ナチスの迫害をのがれてアメリカ合衆国に亡命し、ニューヨークで生涯を終えた。日本では森鷗外の翻訳によって紹介された。

モロー，ギュスターブ
絵画

🌐 ギュスターブ・モロー　　　　　　　1826～1898年

神話や聖書から幻想的な絵をえがいた画家

フランスの画家。

パリで建築家の父、音楽家の母のもとに生まれる。1846年か

ら2年間、国立美術学校で学ぶ。在学中にドラクロアに影響を受け、ロマン主義の美術をめざした。1857～1859年にはイタリアをおとずれ、マンテーニャやミケランジェロなどの作品からルネサンス美術を学んだ。帰国後、ギリシャ神話や聖書を題材にした作品を次々とえがいて、象徴主義の先がけとなった。晩年は、1891年より国立美術学校の教授をつとめ、マティスやルオーら20世紀を代表する画家を育てた。作品はつねに、愛やにくしみなどの感情や、生と死など、広く人間にかかわる問題をテーマとした。神や空想上の生き物の姿を、繊細な筆づかいで幻想的にえがいた。代表作に、ギリシャ神話を題材にした『オイディプスとスフィンクス』、新約聖書の名場面をえがいた『出現』、神秘的な動物と美女を組み合わせた『一角獣』などがある。

モロトフ，ビャチェスラフ

政　治

🌐 ビャチェスラフ・モロトフ　　　　1890～1986年

スターリンの片腕として、外交をおこなった

ソビエト連邦（ソ連）の政治家。首相（在任 1930～1941年）。

モロトフは筆名で、本名はスクリャービン。カザン市の実業学校在学中から革命運動に参加した。1906年、ロシア社会民主労働党の多数派（ボリシェビキ）に加わり、十月革命（西暦では十一月革命）のときには軍事革命委員として革命を指導した。1926年に政治局員となり、スターリンの片腕として実力を発揮する。首相となって、1939年の独ソ不可侵条約に調印し、国際的にその名を知られた。第二次世界大戦中、テヘラン会談、ポツダム会談に出席。戦後は世界の共産主義の強大な指導者として、冷戦をおし進めた。1956年、マレンコフらと党に反するグループを結成。翌年、フルシチョフ首相により、モンゴル大使に左遷され失脚し、1961年、党からも除名された。

もろはしてつじ

学　問

🔴 諸橋轍次　　　　1883～1982年

『大漢和辞典』を編集した漢学者

明治時代～昭和時代の漢学者。

新潟県の生まれ。父のすすめで、13歳のころに私塾の静修義塾で漢学を学びはじめる。入塾後は頭角をあらわし、2年後には師範代として、ほかの塾生を教えるほどになった。1908（明治41）年、東京高等師範学校（のちの東京教育大学、現在の筑波大学）の国語漢文科を卒業し、一時教員になるが、同校の漢文研究科にふたたび入学、卒業後に同校附属中学校教員となった。1919（大正8）年、念願の中国留学をはたす。

帰国後、東京文理科大学、大東文化学院の教授、都留文科大学の学長などを歴任した。1927（昭和2）年から編集にあたり、1960年に完成した『大漢和辞典』（本巻12巻・索引1巻）は、日本で最大級の漢和辞典である。1965年に文化勲章を受章した。

学 文化勲章受章者一覧

モンケ・ハン

王族・皇族

🌐 モンケ・ハン　　　　1208～1259年

兄弟とともに領土を広げた

モンゴル帝国の第4代皇帝（在位 1251～1259年）。

初代皇帝チンギス・ハンの孫。フビライ・ハン、フラグの兄にあたる。第2代皇帝オゴタイ・ハンのときには、バトゥひきいるヨーロッパ遠征に従軍して活躍した。第3代皇帝グユク・ハンの死後、バトゥの支持を受けて皇帝に即位した。即位後はフビライをチベットやベトナム、中国の宋などに派遣して討伐させ、フラグを西アジアに派遣してイランを制圧させて、兄弟による強力な政権をめざした。占領地の徴税の方法や、戸籍の管理をして、政治をととのえるなど、すぐれた指導力を発揮し、モンゴル帝国を発展させた。東西の学術や文化に理解があり、数か国語を自在に話すことができたといわれている。

学 世界の主な王朝と王・皇帝

モンゴメリ，ルーシー・モード

絵本・児童

🌐 ルーシー・モード・モンゴメリ　　　　1874～1942年

苦難をのりこえ明るく生きる少女をえがく

▲ルーシー・モード・モンゴメリ

カナダの児童文学作家。

プリンスエドワード島生まれ。1歳9か月のとき、母が亡くなり、母方の祖父母にひきとられた。美しい自然の中で想像力豊かな少女に育つ。

1893年、プリンス・オブ・ウェールズ・カレッジに入学。1年後、小学校の教師になり、1895年にはダルハウジー大学で英文学を学び、教職にもどる。1898年、町の郵便局長をしていた祖父が亡くなると、あとをついで郵便局の仕事をしながら、小説を書いて新聞や雑誌に投稿していた。

30歳のころ『赤毛のアン』を書きはじめ、1906年に完成、1908年にようやく、ボストンの出版社から出版。たちまちベストセラーとなる。小説はシリーズ化され、アンの成長にあわせて『アンの友情』『アンの青春』など、10冊を発表した。

1911年、牧師のユーアンと結婚し、夫の任地である内陸のオンタリオ州に

▲ 『赤毛のアン』表紙

移る。結婚後、2人のこどもを育てながら書きつづけた。作家の分身といわれるエミリーを主人公にしたシリーズや、ジェーンを主人公にしたシリーズの作品などがある。ほとんどが、心のふるさとであるプリンスエドワード島を舞台にした物語で、生前から各国語に翻訳され、いまも世界中のこどもたちに愛読されている。

モンゴルフィエきょうだい

発明・発見

モンゴルフィエ兄弟	兄ジョゼフ 1740〜1810年 弟ジャック 1745〜1799年

人類史上初の航空機である熱気球を発明した兄弟

18世紀のフランスの発明家兄弟。

リヨン近郊で、製紙業者の家に生まれる。兄のジョゼフが、つるした洗濯物を火で乾燥させていたとき、上昇気流で洗濯物が動くのをみて熱気球のアイディアを得たといわれる。煙の中に物を上昇させる成分があると考え、これをとじこめて空を飛ぶ道具をつくる方法を思索。弟ジャックとともに実験を重ね、1783年6月5日に公開実験をおこなった。リネンと紙を重ねた直径約10mの巨大な袋は浮上し、10分ほど滞空した。この日は世界ではじめて熱気球が飛んだ日とされる。

実験の成功はフランス王立科学アカデミーの関心をよび、3か月後にパリで2回目の公開実験を実施。ベルサイユ宮殿前広場にてルイ16世らが見守るなか、バスケットにヒツジとアヒル、ニワトリを乗せた気球は高度約460mに達し、3kmほどただよった。この成功を受けて、11月、世界初の有人飛行に挑戦。冒険家ド・ロジエとダルランド侯爵を乗せた気球は、ブローニュの森から約9km、25分間飛行した。

モンティ，マリオ

政治

マリオ・モンティ	1943年〜

「スーパーマリオ」とあだ名された経済学者出身の首相

イタリアの政治家、経済学者。首相（在任2011〜2013年）。

北部のロンバルディア州生まれ。ボッコーニ大学で経済学と経営学を学び、卒業後はアメリカ合衆国のエール大学で経済学を研究した。ボッコーニ大学の総長などを歴任したほか、アジア、アメリカ、ヨーロッパの代表が政策について話し合う「三極委員会」のヨーロッパ委員長をつとめた。1994年から2004年まで、ヨーロッパ連合（EU）で政策運営などをおこなうヨーロッ

パ委員会の委員をつとめ、猛烈なはたらきぶりから「スーパーマリオ」とあだ名された。

2011年、ベルルスコーニ首相の辞任を受け、首相に就任。不景気のなか、経済学者出身のモンティは期待され、イタリア初の全員が学者や専門家からなる内閣を組閣、みずからも経済財務大臣を兼任した。政権は緊縮財政政策、労働市場改革などをおこない、一定の成果をあげた。しかし、支持率はしだいに低下。2012年、ベルルスコーニひきいる議会第一党の自由国民が政権の信任投票を欠席（内閣不信任を意味）したことなどから、2013年に退陣した。

学 主な国・地域の大統領・首相一覧

モンテーニュ，ミシェル・ド

思想・哲学

ミシェル・ド・モンテーニュ	1533〜1592年

人間の生き方を探求し、『随想録』を著したモラリスト

フランスの思想家、モラリスト（道徳学者）。

南フランスのモンテーニュ生まれ。曽祖父が商業で身を立て、家が貴族となった。幼少からラテン語の高等教育を受け、ボルドー高等法院評定官などもつとめた。友人ラ・ボエシーから人文主義的、ストア的精神の影響を受ける。1568年、父の死によりモンテーニュ領主となり、翌年、スペインの神学者レーモン・スボンの『自然神学』の翻訳を出版。カトリックとプロテスタントの宗教戦争であるユグノー戦争中の1580年に、人間はいかに生きるべきかという永遠の課題を探求し、『随想録』を出版。豊富な知識と深い人間観察、厳密な思考はモラリスト文学の基礎をつくり、その後の思想や文学に大きな影響をあたえた。また、ユグノー戦争の調停など政治的活動もおこなった。

学 世界の主な王朝と王・皇帝

モンテ・コルビノ

宗教

モンテ・コルビノ	1247〜1328年

中国ではじめてキリスト教を広めた修道士

イタリアの修道士。

南イタリアのモンテコルビーノ・ロベッラ生まれ。名はジョバンニ。1272年にフランシスコ会に入り、1289年、教皇庁の公式使節としてモンゴル皇帝フビライ・ハンへの手紙を託されローマを出発、ペルシア（現在のイラン）からインド洋をわたり、インドから中国へと入った。1294年、元の大都（現在の北京）に到着。キリスト教の布教につとめた。これがキリスト教カトリックの中国への最初の本格的な布教のはじまりであった。

1307年、東アジア初の大司教として、大都の大司教に任命される。大都に3つの教会を建て、聖書をモンゴル語に訳し、5000人の信者を得たという。約30年の滞在ののち、1328年、大都で亡くなった。後任にはマリニョーリが派遣されたものの、次の中国における本格的なキリスト布教は、16世紀のイエズス会マテオ・リッチをまつことになる。

モンテスキュー，シャルル＝ルイ・ド

思想・哲学

🌐 シャルル＝ルイ・ド・モンテスキュー　　1689〜1755年

三権分立を説き、フランス革命に影響をあたえた

フランスの啓蒙思想家。

ボルドー近郊生まれ。ボルドー大学で法律を学び弁護士となり、父とおじの死後、モンテスキュー男爵領とボルドー高等法院院長の地位をつぐ。1721年、フランスを風刺する小説『ペルシア人の手紙』を匿名で出版、一躍脚光をあびた。1728年からは3年間ヨーロッパ各地をめぐり、とくにイギリスの政治制度に関心を寄せた。帰国後、『ローマ人盛衰原因論』をしるし、歴史は神の摂理や運命によってではなく、科学的な原因と結果によって説明できるとした。

1748年、『法の精神』を発表、恐怖により統治をおこなう専制政治を強く批判した。また、立法、行政、司法の3つの権力が相互に抑制する三権分立論を説き、アメリカ合衆国憲法やフランス革命に大きな影響をあたえた。彼が「20年にわたる労作」といったこの本は、刊行後、たちまちベストセラーとなった。

学 日本と世界の名言

モンテッソーリ，マリア

教育

🌐 マリア・モンテッソーリ　　1870〜1952年

幼児教育法の開発者

イタリアの医師、教育家。

東部アンコナ県キアラバッレ生まれ。1896年、イタリアの女性でははじめてローマ大学医学部を卒業。その後、大学付属の精神病院につとめ、知的障害がある幼児の治療を試みて、感覚を刺激することで知能が向上すること（感覚教育法）を確信。さらに1907年、ローマの貧民街に「こどもの家」を設置し、ここにいる知的障害のない幼児に、この方法を実践して成果をあげた。その後、ローマ大学に再入学し、生理学や精神病理学の研究に打ちこみ、こどもが自発的に五感をみがき、筋肉の練習ができる教材や遊戯を考案するなど独自の幼児教育法を確立。のちにモンテッソーリ教育とよばれ、オーストリアやスイス、アメリカ合衆国、日本などに広まった。著書に『幼児の秘密』『子どもの発見』などがある。

モンテベルディ，クラウディオ

音楽

🌐 クラウディオ・モンテベルディ　　1567〜1643年

バロック音楽とオペラの誕生に貢献

イタリアの作曲家。

クレモナ生まれ。幼いころから音楽の才能にめぐまれ、大聖堂の聖歌隊員となり、合唱長に音楽を学ぶ。1613年よりベネツィアでサンマルコ大聖堂の楽長をつとめ、宗教曲、世俗曲などの声楽作品を数多く作曲する。

作風は、1603年ころを境に、前期が多声によるルネサンス音楽、後期がハーモニーを重視したバロック音楽とに分かれる。オペラの誕生にも貢献した。主な作品に、歌劇『オルフェオ』『ポッペアの戴冠』、合唱曲集『聖母マリアの夕べの祈り』『倫理的宗教的な森』などがある。

もんとくてんのう

王族・皇族

🔴 文徳天皇　　827〜858年

藤原氏の摂関政治がはじまるきっかけをつくった

平安時代前期の第55代天皇（在位850〜858年）。仁明天皇の子で、母は藤原良房の妹、藤原順子。即位する前は道康親王とよばれた。842（承和9）年、伴健岑や橘逸勢がおこした承和の変のあと、藤原良房によって皇太子に立てられ、24歳で即位したが、病弱だったこともあり、政治は右大臣となった実力者、良房にゆだねた。同年、良房の娘の藤原明子が生んだ惟仁親王（のちの清和天皇）を皇太子とした。857年、良房を臣下ではじめての太政大臣に任じた。その後、良房が清和天皇の摂政になるなど、藤原氏による摂関政治がおこなわれるようになった。

学 天皇系図

モンドリアン，ピート

絵画

🌐 ピート・モンドリアン　　1872〜1944年

抽象絵画のパイオニアといわれた画家

オランダ出身の画家。

オランダ中部に生まれる。アマチュア画家だった父の影響で、こどものころから画家をめざした。1892年、アムステルダムの美術学校に入学。最初は印象主義を支持して制作していたが、マティスの色彩やキュビスム（立体派）に影響を受けた。画面いっぱいに無色の曲線の枝をはりめぐらした『樹』の連作をてがけ、抽象絵画をかきはじめた。

「芸術は普遍的な絶対性を表現するものである」という新造形主義を提唱した。水平線と垂直線、赤、青、黄の三原色と無彩色だけで構成される幾何学的な独特の画風を確立した。この理論は、建築やデザインの世界にも大きな影響をあたえた。代表作に『赤・黄・青のコンポジション』『2つの線のコンポジション』『ブロードウェー・ブギ・ウギ』などがある。

抽象絵画のパイオニアといわれる。1940年、アメリカ合衆国に亡命し、ニューヨークで一生を終えた。

も　もんてす

モンフォール, シモン・ド

政治

シモン・ド・モンフォール　　　1208?〜1265年

イギリス議会制度の基礎をつくった

イングランド、プランタジネット朝につかえた政治家。

フランスのノルマンディーで名門貴族の家に生まれる。母がイギリス人だったことから、1229年にイギリスにわたってレスター伯を相続し、イギリス貴族となった。イングランド王ヘンリー3世に重用され、王の妹と結婚。1248年、イギリス領ガスコーニュの長官になったが、統治において王と対立して辞任した。王の失政がつづくと、政治の改革をめざす貴族たちの運動の指導者となり、1258年に「オックスフォード条項」をみとめさせて王権を制限し、貴族が王の政治を監視する機関の設置などを定めた。その後、王が条例を破棄したため兵をあげ、1264年に王をとらえた。

国政の実権をにぎり、貴族や聖職者、騎士、市民の代表による議会を召集して、政治改革をおこなおうとしたが、王の子、エドワード1世の下に、急激な変化についていけない貴族たちが集まって反撃され、戦死した。王権は回復したが、その精神はその後のイギリス議会制にひきつがれた。

もんむてんのう

王族・皇族

文武天皇　　　683〜707年

律令国家を完成させた天皇

（道成寺）

飛鳥時代の第42代天皇（在位697〜707年）。

草壁皇子の子で、即位前は軽皇子とよばれた。母は天智天皇の娘の阿閇皇女（のちの元明天皇）。

689年に父が亡くなり、697年に皇太子となると、同年、持統天皇に位をゆずられ、15歳で即位した。そして藤原不比等の娘、宮子を妻とし、首皇子（のちの聖武天皇）が生まれた。

刑部親王や藤原不比等に律令（法律）の整備を命じ、701年に彼らがまとめた大宝律令が完成すると、翌年施行させた。大宝律令は645年からはじまった大化の改新以後の律令国家づくりの総まとめともいえる法律で、その後の律令体制（法律を基本とする政治制度）の基礎となった。

702年、33年ぶりとなる遣唐使を中国の唐に送り、7世紀なかばから正式な交渉のなかった唐との関係を修復しようとした。平城京（奈良市）遷都をめざしたが、はたせずに25歳で亡くなった。そのとき、子の首皇子はまだ幼かったため、阿閇皇女が元明天皇として即位した。

学天皇系図

モンロー, ジェームス

政治

ジェームス・モンロー　　　1758〜1831年

モンロー主義を提唱した

アメリカ合衆国の第5代大統領（在任1817〜1825年）。

バージニア州出身。大学在学中に独立戦争がおき、退学して戦争に加わった。法律を学び、バージニア州議会議員や連邦上院議員、フランス大使、バージニア州知事などを歴任した。1803年にはナポレオン1世からルイジアナを買収することに成功した。イギリス大使をへて、ジェファーソン大統領の下で国務長官となり、対英強硬策を主張。米英戦争で陸軍長官を兼務した。1817年に大統領に就任。イギリス領カナダとの国境を定め、スペインからフロリダを買収し、太平洋岸地方のスペイン領との国境も定めた。1823年には、アメリカ大陸へのヨーロッパ諸国による干渉に反対する宣言をだした。これは「モンロー主義」とよばれ、アメリカの伝統的外交政策となった。

学アメリカ合衆国大統領一覧

モンロー, マリリン

映画・演劇

マリリン・モンロー　　　1926〜1962年

男性をとりこにした映画女優

アメリカ合衆国の女優。

カリフォルニア州ロサンゼルスに生まれる。本名はノーマ・ジーン・ベーカー。私生児として生まれ、母が精神の病をわずらっていたため、幼いころから孤児院などでくらす。16歳で結婚し、すぐに離婚した。

軍需工場ではたらいていたときにカメラマンにすすめられ、雑誌などのモデルをする。やがて女優をめざし、金髪にそめた。最初は小さい役ばかりだったが、1950年映画『イヴの総て』の脇役で注目される。1953年『ナイアガラ』でモンローウオークという独特の歩き方を生みだし、男性の心をつかんだ。出演作は立てつづけにヒットし、スターの座にのぼりつめた。しかし、1962年、自宅で亡くなっているのが発見された。薬の飲みすぎが原因とされる。36歳だった。

コメディーに才能を発揮し、名作とよばれる作品も多い。「軽い女性」の役が多いのをいやがり、演劇学校で演技を勉強し直す一面もあった。代表作に『お熱いのがお好き』がある。

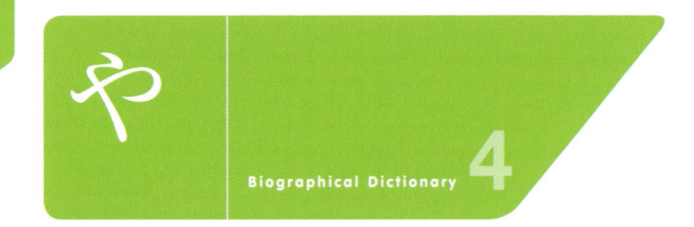

や

Biographical Dictionary

4

ヤークーブ・ベク

政治

🌐 ヤークーブ・ベク　　　　　1820?〜1877年

東トルキスタンに独立政権を立てた

東トルキスタンの軍人、政治家。

西トルキスタンに生まれる。1853年、コーカンド・ハン国の武将として、またタシケント（現在のウズベキスタン共和国の首都）知事としてロシア軍の侵攻をふせいだ。1864年、東トルキスタンでトルコ系ウイグル人が中国の清に対する反乱をおこしたため、コーカンド・ハン国からカシュガル方面に入り、大々的な征服活動を展開。1871年には、東トルキスタンのほぼ全土を統治する独立政権を立てた。コーカンド・ハン国からきた軍人、役人を中心に政権を確立し、イスラム法を徹底した。外交ではオスマン帝国に近づき、イギリス、ロシアと通商協定をむすんだ。しかし国内の政情は不安定で、中国の清の左宗棠の軍にやぶれて再度占領され、政権は崩壊した。

やいたたけし

郷土

🔴 矢板武　　　　　1849〜1922年

那須野原の開拓につくした実業家

（那須野が原博物館）

江戸時代後期〜明治時代の実業家。

下野国塩谷郡矢板村（現在の栃木県矢板市）の名主（村の長）の家に生まれた。幼いときに父母を亡くし、おじに養育された。すぐれた才能をあらわし、矢板村など数か村の指導者となった。

1880（明治13）年、那須野原の広大な原野を開拓するため、印南丈作と那須開墾社を設立した。かんがい用の大きな水路をひく計画を立て、何度も東京に出かけて、政府の事業として建設するようにうったえた。

1885年、政府の許可がおりて、工事がはじまり、5か月後、全長約16km、幅約7mの那須疏水が完成し、開拓は大きく進んだ。印南の死後、那須開墾社を受けつぎ、矢板農場をひらいた。日光（栃木県日光市）の繁栄をとりもどすため、日光鉄道会社を創立して、日光線の開通につくした。下野銀行、矢板

銀行を設立し、矢板信用組合を組織するなど、地域の産業や経済の発展に大きく貢献した。

やぎじゅうきち

詩・歌・俳句

🔴 八木重吉　　　　　1898〜1927年

信仰に生きるよろこびを詩に歌う

大正時代〜昭和時代の詩人。

東京生まれ。東京高等師範学校（現在の筑波大学）卒業。在学中にキリスト教の洗礼を受け、その後、内村鑑三が説く無教会主義の信仰に近づいた。卒業後、英語教師をつとめるかたわら詩作をつづけ、みずからの信仰を詩にあらわす。1925（大正14）年、最初の詩集『秋の瞳』を発表。佐藤惣之助主宰の『詩之家』の同人となって詩を投稿しはじめる。結核をわずらい、病の床で2冊目の詩集の準備を進めるが、刊行をみずに30歳の生涯をとじた。

死後、詩集『貧しき信徒』『神を呼ぼう』が出版された。神と愛を信じ、自然や家族を歌いながら希望を見いだそうとする詩は、死後、評価が高まった。

やぎひでつぐ

発明・発見

🔴 八木秀次　　　　　1886〜1976年

八木・宇田アンテナの発明者

（国立国会図書館）

大正時代〜昭和時代の日本の電気工学者、政治家。

大阪府生まれ。旧制第三高等学校（現在の京都大学）をへて、1909（明治42）年、東京帝国大学工科大学（東京大学工学部）を卒業、仙台高等工業学校（東北大学工学部）電気科で教鞭をとる。欧米へ留学後、1919（大正8）年に東北帝国大学（東北大学）教授となり、弟子の宇田新太郎と短波長ビームに関する研究を進める。指向性をもつ（特定の方向に対して高い感度をもつこと）アンテナ「八木・宇田アンテナ」の基本原理を発見し、1925年に発表、翌年、特許を取得した。

八木・宇田アンテナは、のちにテレビ放送やFM放送の受信などに広くつかわれるようになったが、当時は欧米諸国のとくに軍部が注目し、このアンテナを利用してレーダーの性能を飛躍的に向上させ、艦船や航空機にも搭載した。広島と長崎に投下された原子爆弾にも、八木・宇田アンテナが装備されていた。第二次世界大戦中の1944（昭和19）年、内閣技術院総裁をつとめ、日本の科学兵器開発の指導にあたった。

戦後の1953年に参議院議員となり、3年後、文化勲章を受章した。

学 文化勲章受章者一覧

やぎゅうむねのり

● 柳生宗矩　　　　　　　　1571〜1646年

江戸時代

将軍につかえた柳生新陰流の伝承者

江戸時代前期の剣術家、大名。

大和国柳生（現在の奈良市）で剣術の一流派、柳生新陰流の祖、柳生宗厳の子として生まれる。1594年、24歳のとき父宗厳とともに徳川家康につかえ、1600年、関ヶ原の戦いで戦功を立てた。

その後、江戸（東京）に出て徳川家の剣術指南役になり、江戸幕府第2代将軍徳川秀忠、第3代将軍徳川家光に新陰流を教えた。とくに家光に信頼されて1632年、大目付（大名の監視や諸藩への法令の伝達などを担当した役職）になり幕府政治に参加した。1636年、1万石をあたえられて大和国柳生藩の初代藩主になり、剣術家としては破格の出世をとげた。僧の沢庵と親交があり、その影響を受けて新陰流の技法、理論をしるした『兵法家伝書』を著した。子の十兵衛、宗冬も将軍家の剣術指南役をつとめた。

やじまかじこ

● 矢嶋楫子　　　　　　　　1833〜1925年

教育

キリスト教にもとづく女子教育につくした教育者

明治時代〜大正時代の女子教育者。

肥後国上益城郡（現在の熊本県益城町）生まれ。熊本女学校校長の竹崎順子の妹。徳富蘇峰、徳富蘆花のおばにあたる。

25歳で結婚したが、夫の酒乱のため35歳で離婚。1872（明治5）年、40歳で上京し、教員伝習所で学び、1874年、新栄女学校教師となる。翌年に洗礼を受け、その後、女子学院院長に就任、キリスト教にもとづき、多数の女子を教育した。

1886年に東京婦人矯風会、1893年に日本基督教婦人矯風会を設立して会長となり、女性運動、廃娼・禁煙・禁酒運動を展開した。1906年には、アメリカ合衆国で開催された万国矯風会第7回大会に出席し、セオドア・ローズベルト大統領に会見するなど、晩年まで精力的に活動をつづけた。

やじまぎいち

● 矢島義一　　　　　　　　1884〜1922年

郷土

明正井路を設計した技術者

明治時代〜大正時代の技術者。

福島県に生まれ、1908（明治41）年、大分県の農業技師になった。1909年、水にめぐまれなかった緒方平野（大分県大野市）に用水をひく計画を立てた。測量し、大野川支流の緒方川の上流で取水して、山間部に隧道（トンネル）をほり、谷に石橋（水路橋）をかけて用水を通す工事の設計を担当した。1917（大正6）年に工事をはじめた。難工事のうえ、第一次

世界大戦（1914〜1918年）による物価上昇で工事費がふえて、資金難になり、工事は中止と再開をくりかえした。責任者だった義一は心労のあまり、病気になり、みずから命を絶った。その後も工事はつづけられて、1924年、総延長約175kmの用水が完成し、明正井路と名づけられた。緒方平野には450haの水田がひらかれた。

▲明正井路の六連水路橋　　（竹田市）

ヤショーバルマンおう

● ヤショーバルマン王　　　　生没年不詳

王族・皇族

アンコールの地に最初の都をつくった

カンボジア、アンコール朝の第4代王（在位889〜910年）。

クメール人王家の血筋で、インドラバルマン1世の子。父の死により即位すると、都をハリハラーラヤからシュムリアップ川流域の地に移し、一辺4kmの四方に堀をめぐらした都城をつくる。新しい都は、王にちなんでヤショーダラプラとよばれた。以後、諸王がこの地を王都とし、現在もアンコールトムの都城遺跡として知られている。

父の代から計画されていた工事をひきつぎ、道路を整備し、大規模な人工貯水池を利用した稲作で国力を高め、周辺の山や小高い丘の頂上に護国寺院を建立した。プノン・バケン寺院もその一つで、ヒンドゥー教の神が祭られた。

ヤジロウ

弥次郎 → アンジロー

やすいさんてつ

安井算哲 → 渋川春海

やすいそうたろう

● 安井曽太郎　　　　　　　1888〜1955年

絵画

昭和時代の洋画界を代表する画家の一人

大正時代〜昭和時代の洋画家。

京都生まれ。実家が木綿問屋だったため、商業学校に入学するが、1903（明治36）年に中退した。翌年、画家を志して聖護院洋画研究所（現在の関西美術院）に入り、浅井忠や鹿子木孟郎の指導を受ける。この時期、研究

▲安井曽太郎

所には梅原龍三郎がいた。1907年、先輩の津田青楓の留学に同行して、フランスにわたった。アカデミー・ジュリアンに入学し、歴史画の大家ジャン・ポール・ローランスの指導を受けたのち、研究を積み、セザンヌや印象派のピサロの影響も受けた。ヨーロッパ各地をめぐり、1914（大正3）年に帰国し、翌年、ヨーロッパで制作した44点の作品を、二科美術展覧会（二科展）に展示して注目を集め、二科会の会員となる。

その後、ヨーロッパで身につけた技法と日本の風土のずれになやみ、長い低迷期をむかえるが、1929（昭和4）年の二科展に出品した『座像』では、独自の画風を確立した。陰影のない明るい色彩と、細部をはぶいた平面的で明快な構成は、肖像画のみならず、『外房風景』（1931年）などの風景画、『薔薇』（1931年）などの静物画にも応用された。1934年の二科展で、代表作となる『金蓉』『T先生の像（玉蟲先生像）』を発表して、肖像画の名手として名を高めるが、翌年、帝国美術院会員に任命されるとともに二科会を去った。1936年、洋画家の石井柏亭と一水会を結成した。1944年には、皇室から制作を奨励される帝室技芸員となり、また梅原龍三郎とともに東京美術学校（現在の東京藝術大学）教授に就任し、1952年まで後進の指導にあたった。1949年、日本美術家連盟が創立され、初代会長をつとめた。

大正時代からつねに梅原龍三郎とならび称され、昭和時代の洋画界に梅原・安井時代を築いた。1952年には文化勲章を受章するが、それもまた梅原と同時だった。没後、1956年にひらかれた遺作展の収益により、1957年に安井賞がもうけられる。新人洋画家の登竜門といわれたこの賞は、1997（平成9）年までつづいた。

学 文化勲章受章者一覧

▲『金蓉』　（東京国立近代美術館）

やすいどうとん　　　　郷土

● 安井道頓　　　　1533〜1615年

大坂に道頓堀をひらいた土木技術者

戦国時代〜江戸時代前期の土木技術者。

河内国渋川郡久宝寺村（現在の大阪府八尾市）の出身といわれる。父とともに豊臣秀吉につかえて大坂（阪）城の築城に活躍し、その功績によって城の南に土地をあたえられた。大坂の町は大坂城を中心に発達していくが、道頓は舟運をさかんにするため、1612年、旧梅津川の幅を広げ、東横堀川の南端から西の木津川にいたる運河をひらこうと考えた。久宝寺村の農民をよびよせ、いとこの安井久兵衛や親戚の平野藤次らとともに工事をはじめた。しかし、工事なかばの1614年、大坂冬の

陣がおこった。道頓は豊臣氏の恩にむくいるため、大坂城に入って大坂方に参加し、1615年、大坂夏の陣で徳川家康ひきいる徳川方と戦い戦死した。その後、安井久兵衛と平野藤次が、道頓の遺志を受けつぎ、工事を完成させた。大坂の陣後、大坂城の城主となった松平忠明は、道頓の死をあわれんで、この川を道頓堀と名づけたという。

▲ 道頓堀

やすおかしょうたろう　　　　文学

● 安岡章太郎　　　　1920〜2013年

戦後の第三の新人を代表する作家

昭和時代〜平成時代の作家。

高知県生まれ。慶應義塾大学文学部在学中に学徒出陣で満州（現在の中国東北部）へ送られるが、結核のため除隊となる。第二次世界大戦後、脊椎カリエスを病みながら創作活動をはじめた。

1951（昭和26）年に『ガラスの靴』を発表。1953年には『陰気な愉しみ』『悪い仲間』で芥川賞を受賞した。作者自身の経験や心理を書く私小説的な作風で、吉行淳之介、遠藤周作らとともに戦後に登場した「第三の新人」とよばれる。

代表作の『海辺の光景』や『流離譚』、『伯父の墓地』などで数々の受賞歴を築く。1960年から半年間のアメリカ合衆国留学をへて、エッセーにもとりくみ、『アメリカ感情旅行』『僕の昭和史』などを著した。2001（平成13）年、文化功労者。

学 芥川賞・直木賞受賞者一覧

やすだぜんじろう　　　　産業

● 安田善次郎　　　　1838〜1921年

金融業で大きな成功をおさめた

明治時代〜大正時代の実業家。

越中国（現在の富山県）富山藩の最下級武士の家に生まれる。貧しい生活の中で、商業で身を立てる決心をし、20歳で江戸（東京）へ出て、両替商などに奉公しながら、金融の経験を積んだ。

1864年、独立して日本橋の裏通りに小さな商店、安田屋をひらき、明治維新後、政府が発行した太政官札や公債の売買で成功し、国内で屈指の金融業者へと発展させた。1876（明治9）に第三国立銀行を設立し、1880年には安田屋を安田銀行（のちの富士銀行、みずほ銀行）に改組。生命保険や損害保険の会社をおこし、一代で安田財閥を築き上げた。しかし1921年、大磯の別荘で国粋主義者にさされて亡くなる。匿名を条件に日比谷公会堂や東京大学の安田講堂の建設資金を寄付している。

やすだゆきひこ

絵画

● 安田靫彦　　　　　　　　　　1884〜1978年

歴史画に新しい風を吹きこんだ画家

▲安田靫彦

大正時代〜昭和時代の日本画家。

東京生まれ。本名は新三郎。1897（明治30）年、上野でひらかれた日本絵画協会絵画共進会で下村観山、菱田春草、横山大観らの作品をみて感動し、画家を志す。

1898年、大和絵の武者絵で知られる小堀鞆音に入門し、鞆音の師の川崎千虎から靫彦の画名をあたえられる。またこの年、同門の仲間と紫紅会を結成した。古典の研究と新しい日本画の制作をめざすこのグループは、1900年に今村紫紅が加わることで、紅児会と名をあらためた。1901年、東京美術学校（現在の東京藝術大学）選科に入学するが、1年足らずで退学した。

しかし、1907年、日本美術院の研究会で岡倉天心に作品の下絵をみとめられ、茨城県五浦の日本美術院研究所にまねかれる。同年、第1回文部省美術展覧会（文展）に『豊公』を出品して、3等賞を受賞、1912（大正元）年の第6回文展で、聖徳太子をえがいた『夢殿』が最高の2等賞を受賞し、注目を集めた。

1913年8月、紅児会を解散する。9月に岡倉天心が亡くなると、翌年には、日本美術院の再興に発起人として参加した。文展と同じ日に開催された第1回再興院展に『御産の禱』を出品し、1925年の第12回院展には『日食』を出品した。古典芸術や、古い時代のしきたり、風俗などを徹底的に研究し、その成果をもりこんだこれらの作品は、歴史画に新しい風を吹きこんだ。小林古径、前田青邨とともに院展の中心人物として活躍した。1934（昭和9）年に皇室に制作を奨励される帝室技芸員、1935年に帝国美術院会員となる。

1939年、法隆寺壁画保存調査会の委員となり、のちに金堂壁画の模写に参加した。

1940年から翌年にかけて制作された『黄瀬川陣』は、1941年度の朝日文化賞を受賞した。1944年から1951年まで

▲『山本五十六元帥像』

（東京藝術大学所蔵）

は、東京美術学校教授として、後進を指導した。また、良寛の書の研究でも知られていた。

代表作はほかに、『五合庵の春』『王昭君』『飛鳥の春の額田王』などがある。1948年に文化勲章を受章した。

学 文化勲章受章者一覧

やすだよじゅうろう

思想・哲学

● 保田与重郎　　　　　　　　　1910〜1981年

民族主義的文芸評論家

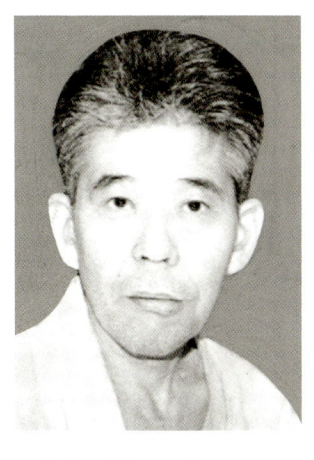

昭和時代の文芸評論家。

奈良県生まれ。東京帝国大学（現在の東京大学）美学科卒。ヘルダーリン、ノバーリスなど、ドイツ・ロマン派の影響を受け、日本古典の精神の継承をめざす。1932（昭和7）年、旧制大阪高校出身者たちと『コギト』を創刊。1935年、神保光太郎、亀井勝一郎らと『日本浪漫派』を創刊し、近代文明を批判、伝統主義、死の美学をとなえた。飛躍の多い散文詩系の文体でつづられ、プロレタリア文学運動壊滅後の虚無的な時代を生きる若者の支持を得た。つづいて発表した最初の評論集『日本の橋』は、池谷信三郎賞（文藝春秋社により設立された新人のための文学賞）を受賞し、注目された。以後、日本浪漫派の中心人物として、第二次世界大戦中の民族主義文学の中心的役割をになった。

戦後、『祖国』を発刊。言論や存在が無視された時期もあったが、1960年代後半から復権。その浪漫主義と日本回帰の主張は、戦前からゆるぐことなく一貫していた。

ヤスパース，カール

思想・哲学

● カール・ヤスパース　　　　　1883〜1969年

理性による哲学を主張した実存主義哲学の代表者

ドイツの哲学者、精神病理学者。

北西部のオルデンブルク生まれ。ハイデルベルク大学の精神医学部で学位を取得。同大学の心理学教授をへて、1921年、哲学教授に就任。

人間は、死、苦悩、争い、罪などぎりぎりの状況に直面して、真の自己の実存にめざめ、また、それを知らせてくれる包括者（神）の存在を確信すると主張した。さらに、理性を基盤として、他者との実存的なまじわり（愛の戦い）を進めることが必要と説いた。

ナチス政権時代、ユダヤ系の夫人との離婚勧告を拒絶して教授職を追放されたが、第二次世界大戦後、復職。友人でもあるハイデッガーとならび、実存主義哲学の代表者とされる。著

書に『哲学』『実存哲学』『現代の精神的状況』『理性と実存』などがある。

やすまつきんえもん

郷土

🔴 安松金右衛門　　　　　　？～1686年

野火止用水をひらいた武士

江戸時代前期の武士。

播磨国（現在の兵庫県南部）出身。1644年、武蔵国川越藩（埼玉県川越市）の藩主、松平信綱につかえた。

1653年、金右衛門は、玉川上水（1654年に完成した江戸の上水道）の工事総奉行になった信綱を補佐して、工事を成功にみちびいた。信綱はその功績をみとめられ、玉川上水から領地に用水をひくことをゆるされた。

1655年、金右衛門は、信綱から水の便が悪い野火止台地（埼玉県新座市）に用水をひくように命じられた。金右衛門は農民とともに用水をほり、玉川上水から分水して、野火止台地をへて、川越の新河岸川にいたる全長約24kmの野火止用水の工事をわずか40日で完成した。野火止用水は野火止台地を豊かな土地にかえ、約100haの田畑がひらかれた。その後300年間にわたって利用された。

▲野火止用水　　　　（新座市教育委員会）

やつはしけんぎょう

伝統芸能

🔴 八橋検校　　　　　　1614～1685年

盲目の演奏家で、箏曲の基礎をつくる

江戸時代前期の音楽家。

出身地は諸説があってはっきりわからない。幼いころに失明して三味線を学び、大坂（阪）で城秀と名のって、三味線の名手として活躍した。その後、江戸（東京）に出て、箏（十三弦の琴）を用いる音楽、筑紫箏を学んで箏曲を習得し、筑紫箏にくふうを加え、八橋流箏曲をおこした。1639年、検校（目がみえない人にあたえられた最高の位）の位をあたえられ、はじめは上永検校、その後八橋検校と名のった。また、平調子という新しい調弦法を考案して13曲の組歌（いくつかの小さい歌を組み合わせて1曲にしたもの）を作曲し、今日の箏曲の基礎を築いた。

大名屋敷などにまねかれて演奏をおこなうかたわら、門人の育成にもつとめた。門人に、生田流箏曲の祖、生田検校を指導した北島検校がいる。名曲『六段の調』『乱』などを作曲したことでも知られる。

やどやのめしもり

宿屋飯盛 → 石川雅望

やないはらただお

学問

🔴 矢内原忠雄　　　　　1893～1961年

被統治者の立場から植民政策を研究した経済学者

大正時代～昭和時代の経済学者、教育者。

愛媛県生まれ。新渡戸稲造や内村鑑三の影響を受け、無教会主義のクリスチャンとなる。1917（大正6）年、東京帝国大学（現在の東京大学）法科大学政治学科を卒業、住友別子鉱業所に勤務した。1920年、東京帝国大学に新設された経済学部助教授となり、欧米留学をへて、教授として植民政策を担当した。彼の植民政策学は、統治者の立場からではなく、植民地の実態調査により、被統治者の抑圧や収奪状況を明らかにして改善をとなえるものであった。そこに聖書のいう正義と公平を反映させたのである。

1937（昭和12）年、日中戦争開始後、『中央公論』に「国家の理想」と題する戦争批判の論文を発表。反戦思想として当局により全面削除処分となり、教授辞任となった（矢内原事件）。第二次世界大戦後の1945年11月、経済学部からの要請で大学へ復帰。

1951年から2期6年にわたって総長をつとめた。著書に、日本の植民地政策を批判した『帝国主義下の台湾』、反戦の個人雑誌『嘉信』、『聖書講義』などがある。

やなぎさわよしやす

江戸時代

🔴 柳沢吉保　　　　　　1658～1714年

小姓から大老まで出世した

（柳沢吉保画像／東京大学史料編纂所所蔵模写）

江戸時代中期の大名。

上野国館林藩（現在の群馬県館林市）の藩主だった徳川綱吉の家臣の子として生まれる。このころから小姓として綱吉につかえていたが、綱吉が江戸幕府の第5代将軍になると、幕府の家臣に登用され、綱吉の下で異例の出世をとげる。1688年、1万2000石の大名にとりたてられて側用人（将軍の側近）に昇進したのをはじめ、1694年には川越藩（埼玉県川越市）7万2000石、1704年には甲府藩（山梨県甲府市）15万石をあたえられて、大老格（幕府の最高の役職）になった。儒学者の荻生徂徠らを重用して幕府政

治を主導し、権勢をふるったが、綱吉の没後は政治から遠ざけられ、隠居した。

晩年は、別宅の六義園（東京都文京区）に住み、悠々自適の生活を送ったとされる。六義園は、綱吉からあたえられた土地に、吉保みずから設計、指揮して作庭した庭園で、綱吉もたびたびおとずれた。

学 江戸幕府大老・老中一覧

やなぎたくにお

柳田国男　　　　　　　　　　　学問

● 柳田国男　　　　　　　　　1875〜1962年

庶民文化や郷土を研究した日本民俗学の創始者

（日本近代文学館）

明治時代〜昭和時代の民俗学者、思想家、農政学者。

兵庫県で、儒学者、医者の松岡操の6男として生まれる。幼いころから記憶力にすぐれ、11歳で地元旧家の三木家にあずけられ、膨大な本を読破し、その後の学問の基礎を築いた。また、12歳で移り住んだ長兄の家では庶民のきびしい生活を見聞きした。

19歳で第一高等学校に入学、1900（明治33）年、東京帝国大学法科大学（現在の東京大学法学部）を卒業、農商務省に入る。翌年、信州飯田藩出身の柳田家の養子となり、3年後に結婚した。3兄の紹介で森鷗外と親交をもち、さらに田山花袋や島崎藤村ともまじわり、海外新文学の紹介や抒情派詩人としても活動したが、30歳なかばごろから民俗学の道に進んだ。

農商務省での視察や講演旅行などで、東北など地方の実情にふれるうちに、ふつうの人々への関心を深め、1910年、民俗学の出発点となる『遠野物語』（岩手県遠野地方の民間伝承を収録したもの）を執筆した。1913（大正2）年に雑誌『郷土研究』を刊行。

1919年、貴族院書記官長を退官、翌年、朝日新聞社に入社し、社説を書くなど客員論説委員として活動する一方、国際連盟委任統治委員もつとめた。その間も、国内各地を旅して民俗や伝承を調査研究し、52歳で砧村（現在の東京都世田谷区成城）に自宅をかまえ、さらに精力的に研究や出版活動をおこなった。1948（昭和23）年には私財を投じて民俗学研究所を設立、1949年、日本民俗学会初代会長となり、1951年には文化勲章を受章、日本の民俗学の確立に尽力した。約10年の活動後、研究所を解散。蔵書類を成城大学へ寄託してできた柳田文庫は、現在、成城大学民俗学研究所となっている。

柳田は民俗学を通じ、日本人の人生観、世界観などをさぐることを目的とした。『遠野物語』のほか、生活慣習や民俗信仰

などをしるした『郷土生活の研究法』『日本の祭』、第二次世界大戦後の日本人のアイデンティティー再構築のための『先祖の話』、日本人の源流を求めた最後の著作『海上の道』など、百数十の著作がある。また、『桃太郎の誕生』の昔話を分析した手法は、のちの民俗・民族学や文化人類学に影響をあたえた。

学 文化勲章受章者一覧

やなぎむねよし

柳宗悦　　　　　　　　　　　思想・哲学

● 柳宗悦　　　　　　　　　1889〜1961年

日常品に美の価値を見いだした思想家

（日本近代文学館）

大正時代〜昭和時代の思想家、民芸運動の提唱者。

東京生まれ。1910（明治43）年、学習院高等科在学中に同窓の志賀直哉、武者小路実篤らと文芸雑誌『白樺』を創刊した。陶芸家バーナード・リーチと知り合い、影響を受ける。1913（大正2）年、東京帝国大学（現在の東京大学）を卒業し、翌年、ウィリアム・ブレイクの研究書を出版した。この年、声楽家の中島兼子と結婚する。このころ朝鮮の白磁に感動して、しばしば朝鮮にわたり、工芸に親しむ一方、日本政府の植民地政策を批判し、1924年にはソウルに朝鮮民族美術館を設立した。木喰仏の調査などを通して、無名の職人が生みだす日常的なものの美に目をむけるようになる。

1925年末、浜田庄司や河井寛次郎らとともに「民芸」ということばをつくり、手仕事の日用品の中に、用の美を見いだす民芸運動を開始し、のちに、日本民藝館を開設した。著書は多く、『柳宗悦全集』22巻におさめられている。

やなぎやこさん

柳家小さん　　　　　　　　　伝統芸能

● 柳家小さん　　　　　　　1915〜2002年

落語界初の人間国宝となった5代目

昭和時代の落語家。

東京生まれ。本名は小林盛夫。1933（昭和8）年4代柳家小さんに入門した。1972年、9代柳家小三治の名で真打ちとなり、1950年に5代柳家小さんを襲名した。こっけいな落としばなしの名人といわれ、伝統を現代に生かしたことで評価されている。

明るい芸風で、得意演目には

『粗忽長屋』『長屋の花見』『時そば』『笠碁』『らくだ』『宿屋の富』などがあった。そばやうどんを食べるしぐさが、絶品といわれた。また、あいきょうのある顔で演じる百面相などの珍芸でも有名だった。テレビやコマーシャルにも出演し、幅広い年代からの支持を受けた。13歳からはじめた剣道は、北辰一刀流7段範士だった。

10代柳家小三治をはじめ多くの弟子をもち、落語協会会長をつとめた。長男は6代柳家小さん。孫の柳家花緑も落語家として活躍している。1995（平成7）年、落語界初の重要無形文化財保持者（人間国宝）に認定された。

やなぎやこさんじ　　　　　　　　　　伝統芸能

● 柳家小三治　　　　　　　　　　　　　1939年〜

古典落語のおもしろさを守る10代目

落語家。

東京生まれ。本名は郡山剛藏。1959（昭和34）年、5代柳家小さんに入門した。前座名は小たけだった。1963年に二つ目に昇進し、さん治に改名した。1969年、17人抜きの抜てきで、真打ちに昇進し、10代柳家小三治を襲名した。

古典落語のにない手として活躍する。柳家のお家芸であるこっけい話が得意で、まくら、本編、落ちという落語の構成のうち、まくらのおもしろさには定評がある。

2014（平成26）年、重要無形文化財保持者（人間国宝）に認定される。落語界初の人間国宝となった5代柳家小さんと師弟そろっての認定となった。

やなせたかし　　　　　　　　　　　漫画・アニメ

● やなせたかし　　　　　　　　　　1919〜2013年

アンパンマンの生みの親

昭和時代〜平成時代の漫画家、絵本作家。

本名、柳瀬嵩。東京で生まれ、高知県香美郡（現在の香美市）で幼少時代をすごした。東京高等工芸学校図案科（現在の千葉大学工学部デザイン学科）卒業。

1939（昭和14）年、製薬会社の宣伝部につとめ、1941年に第二次世界大戦に召集され、中国で終戦をむかえる。戦後は高知新聞社に就職したが、漫画家をめざして上京。三越百貨店宣伝部にグラフィックデザイナーとしてつとめながら漫画の投稿をつづけ、1953年に漫画家として独立した。

テレビやラジオ、舞台など、漫画以外の仕事も多くてがけ、1961年、作詞をした『手のひらを太陽に』は、1965年の紅白歌合戦をきっかけに広く知られるようになった。1967年にラジオドラマの脚本として書いた『やさしいライオン』が、2年後に、はじめての絵本として刊行された。

1969年、雑誌『PHP』で代表作『アンパンマン』を誕生させる。このときのアンパンマンは、空腹の人にパンを届けるふつうの人間の設定だった。1973年、こどもむけ絵本『あんぱんまん』が出版され、絶大な支持を得る。1988年から『それいけ！アンパンマン』がテレビアニメーション化され、悪役のばいきんまんなどのキャラクターとともに大人気となり、現在も広く親しまれている。テーマソング『アンパンマンのマーチ』など、作品に関連した曲の作詞も多くてがけた。アンパンマンは、戦争中につらかった飢えの経験から生まれており、どんな状況でも飢えた人には食べ物をあたえたいという信念がこめられている。あんぱんでできた自分の顔を食べさせるなど、自分を犠牲にしても正義をおこなうことのたいせつさを伝えている。

1973年に、雑誌『詩とメルヘン』を発刊して編集長をつとめ、2003（平成15）年に休刊するまで385号を出版した。また、200以上ものキャラクターを全国の自治体などへ、ほぼ無償で提供している。1990年には、『アンパンマン』で日本漫画家協会大賞を受賞、翌年には勲四等瑞宝章を受章するなど、数多くの受賞歴がある。1996年には、幼少時代をすごした高知県香美市にやなせたかし記念館が開館した。2013年、心不全のため94歳で亡くなった。

やなせの生んだアンパンマンは、愛と勇気のヒーローとして、多くのこどもを夢中にし、人々に愛されつづけている。

やなだただし　　　　　　　　　　　　　音楽

● 梁田貞　　　　　　　　　　　　　1885〜1959年

どんぐりころころを作曲する

大正時代〜昭和時代の作曲家、音楽教育家。

北海道生まれ。東京音楽学校（現在の東京藝術大学）卒業。中学時代にサーカスの音楽隊の演奏を聴き、音楽を志す。建築技師であった父の指示で札幌農学校（現在の北海道大学）に進学するが、23歳のとき、音楽学校に入学し、声楽や作曲を本格的に学んだ。1912（明治45）年から約30年間、東京の旧制中学や高等学校などで音楽教師をつとめるかたわら、葛原しげるらとともに童謡や唱歌の普及運動に参加する。代表作に、『城ヶ島の雨』『隅田川』『野ばら』『どんぐりころころ』『とんび』など、現在でも日本人によく歌われる名曲がある。

やのしちさぶろう　　　　　　　　　　　郷土

● 矢野七三郎　　　　　　　　　　1855〜1889年

伊予綿ネルを開発した商人

幕末〜明治時代の商人。

伊予国野間郡宮脇村（現在の愛媛県今治市）の造り酒屋に生まれた。今治地方では、昔から綿花が栽培され、白木綿

▲矢野七三郎の銅像
（今治市教育委員会）

の生産がさかんだった。七三郎も、白木綿をつくっていた。しかし、1877（明治10）年ころ、社会が不況になると、木綿産業もおとろえて、失業者が続出した。木綿業の復活を考え、1885年、紀州綿ネル（布地の表面をけばだたせ、フランネルという毛織物に似せた綿織物）の生産地、和歌山の工場に行って、織り方を研究した。翌年、故郷にもどり、伊予綿ネルの生産をはじめた。しかし、品質がよくなかったため、販売がのびず、会社は経営難におちいった。あきらめずに新しい織物工場をつくり、製品の改良をおこない、販売先を広げようと努力した。その結果、各地で売れ行きがのび、事業は順調に発展した。ところが1889年、七三郎は何者かにおそわれて35歳の生涯をとじた。その後、伊予綿ネルは、今治の繊維産業の発展をささえ、今治タオルなどの素材となっている。

やのべへいろく

郷　土

● 矢延平六　　　　　　　　1610〜1685年

新池をつくり干害をふせいだ武士

江戸時代前期の武士、役人、治水家。

讃岐国木田郡三谷村（現在の香川県高松市）に住み、高松藩（香川県東部）の郡奉行（地方をおさめる役人）をつとめた。すぐれた土木技術で、仁池、大窪池（いずれも丸亀市）など多くのため池をつくり、干ばつで水不足に苦しむ農民たちを救った。香川郡浅野村（高松市）も水不足に苦しんでいた。周辺を調査し、浅野村より高地にある川内原村（高松市）に香東川から水をひいて、池をつくる計画を立て、藩主の松平頼重に願いでて、許可を得た。

多くの農民が参加し、夜、たいまつや提灯の明かりで土地の高低をはかり、香東川から池への正確な水路の道をみつけて、工事が進められた。1669年、周囲約3km、面積約26haの池（新池）に水が流れ、干ばつの害から救われた。ところが「新池は高松城を水攻めにするためにつくった」とうわさされ、阿波国（徳島県）に追放された。

農民たちは、新池のそばに神社をつくって平六を祭り、毎年平六に感謝をささげる祭りをおこなった。

▲ おどけたかっこうでねり歩く、新池神社の「ひょうげ祭り」　矢延平六への感謝をあらわし、豊作を願う。
（高松市教育委員会提供）

やのりゅうけい

政　治　　文　学

● 矢野竜渓　　　　　　　　1850〜1931年

作家としても活躍した政治家

（国立国会図書館）

明治時代〜大正時代の政治家、ジャーナリスト、作家。

豊後国（現在の大分県）の佐伯藩士の家に生まれる。本名は文雄。慶應義塾でアメリカ合衆国、イギリスの憲法などを学び、卒業後、同校の講師となる。

1876（明治9）年、『郵便報知新聞』の副主筆として入社。1878年、福沢諭吉の推薦で大蔵省に入り、太政官大書記官などをつとめ、1881年、郵便報知新聞社を買収、社長となる。同年、明治十四年の政変で、大隈重信とともに退官、翌年立憲改進党の結成に参加した。また1883年に古代ギリシャを舞台にえがいた政治小説『経国美談』を、1890年には冒険小説『浮城物語』を書き、ベストセラーとなる。国会開設後は、伊藤博文らの推薦で式部官や外交官をつとめたが、1899年以降は政界から身をひいた。その後、社会主義に関心をもち、その主張をまとめた小説『新社会』を発表する。1924（大正13）年、大阪毎日新聞社の副社長に就任。多くの随筆や政論をのこした。

やべていきち

郷　土

● 矢部禎吉　　　　　　　　1825〜1880年

ため池をつくり干害をふせいだ商人

江戸時代後期〜明治時代の商人、治水家。

阿波国板野郡水田村（現在の徳島県阿波市土成町）で、アイ、砂糖、肥料などをあつかう商人の家に生まれた。水田村から八幡村（阿波市市場町）にかけての土地は、水の便が悪く、しばしば干ばつの被害を受けた。干ばつから農民たちを救うには、ため池を各所にほればよいという結論に達した。

1872（明治5）年、計画に賛成した有力農民の寺井甚平の協力を得て、工事をはじめる。そして、竹の花池、日吉池、間谷池など、全部で約94haの池が完成し、翌年、大場池と成当用水路を築いて約100haの新田をひらいた。さらに八幡村に姥ケ池、庚申谷池、源太池、釜谷池などをつくり、干害から救った。

やまうちかずとよ

戦国時代

● 山内一豊　　　　　　　　1545?〜1605年

土佐藩20万石の藩主となった

戦国時代〜江戸時代前期の武将。

土佐藩（現在の高知県）の初代藩主。名は「かつとよ」と

も読む。尾張国（愛知県西部）に生まれる。

織田信長につかえ、1570年の姉川の戦いや、1573年の朝倉攻めで戦功をあげ、近江国（滋賀県）に400石をあたえられる。このころ、信長が軍馬を検分する馬揃えに、妻の千代のたくわえで名馬を買ってのぞんだという、内助の功の逸話がのこっている。その後は、羽柴秀吉（のちの豊臣秀吉）につき、長篠の戦い、山崎の戦い、賤ヶ岳の戦いなどで活躍し、1590年、遠江国（静岡県西部）5万石の掛川城主となった。

1600年の関ヶ原の戦いでは、徳川家康の東軍につき、土佐国（高知県）20万石をあたえられる。高知城、城下町の建設をおこなって、国の発展につくし、土佐藩の基礎を築いた。

やまうちとよしげ　幕末

● 山内豊信　1827〜1872年

将軍に大政奉還をすすめた

（国立国会図書館）

幕末の土佐藩主。
　土佐藩（現在の高知県）の藩主の分家に生まれる。幼名は輝衛、のち兵庫助、豊信を名のる。号（別の名）は容堂。本家の養子となり、1848年、家督をついだ。1853年、アメリカ合衆国使節ペリーの来航を機に、開明的な吉田東洋らを登用して海防強化をめざし、藩政改革を進めた。松平慶永らと次の将軍に一橋慶喜（のちの徳川慶喜）をおすと、1859年、大老井伊直弼による安政の大獄がおこり、江戸幕府から謹慎を命じられた。1862年、ふたたび活動を開始、京都にのぼり公武合体（朝廷と徳川将軍家がむすぶこと）を進め、雄藩の諸侯による幕政改革をめざした。1867年、後藤象二郎の策をいれて、幕府に大政奉還（幕府が朝廷に政権を返すこと）の建白書を提出し、その後も徳川氏の権力保持につとめたが、実現しなかった。明治新政府では議定などの要職を歴任。1869（明治2）年に隠退し、1872年、46歳で死去した。

やまうちようどう

山内容堂 → 山内豊信

やまおかてっしゅう　幕末

● 山岡鉄舟　1836〜1888年

江戸城の無血開城につくした

幕末〜明治時代の剣客。
　名は高歩、通称は鉄太郎、鉄舟は号（別の名）。江戸幕府の旗本小野家の子として生まれる。10歳のとき、飛騨高山（現

（国立国会図書館）

在の岐阜県高山市）の郡代として赴任した父にしたがい高山に行き、井上清虎に一刀流剣術を学んだ。1852年、17歳のときに江戸（東京）にもどり、1858年、槍術の師である山岡家をついだ。幕府の講武所で剣術の世話役になり、また、幕府が募集した浪士隊（新徴組）をひきいて京都にのぼるなど活躍した。1868（明治元）年、明治維新の際、官軍の参謀西郷隆盛が陣をはる駿府（静岡市）に行き西郷と会見し、旧幕府側の代表勝海舟との会談の段取りをととのえ、江戸城の無血開城につくした。1872年、明治天皇の侍従となり、側近としてつかえた。公務のかたわら、禅の修行を積み、剣禅一致の境地をひらき、1880年、剣術の師である浅利又七郎から一刀流の免許を受けて、一刀正伝無刀流を創始した。

やまがそこう　学問

● 山鹿素行　1622〜1685年

儒学の原点に立ち返るべきだと主張

▲山鹿素行
（山鹿素行画像／東京大学史料編纂所所蔵模写）

江戸時代前期の儒学者、兵学者。
　陸奥国会津若松（現在の福島県会津若松市）に浪人（主家を失った武士）の子として生まれた。1627年、江戸（東京）に移り、1630年に9歳で林羅山に入門して儒学を学んだ。ほかに和歌や神道などをおさめた。
　一方で武芸の修業を積み、兵学者の小幡景憲、北条氏長に入門して兵学を学んだ。1642年、21歳のとき、『兵法神武雄備集』を著して、兵学者としての名声を高めた。1652年、31歳のとき門人でもあった播磨国赤穂藩（兵庫県南西部）の藩主、浅野長直（浅野長矩の祖父）に1000石でめしかかえられて赤穂へ移り、1660年までつかえて赤穂城の設計などにたずさわった。この間、兵法書『武教全書』などを著し山鹿流（兵学の流派）を完成した。
　40歳をすぎたころから、当時主流であった儒学の一派、朱子学に疑問をもつようになり、孔子、孟子が説いた儒学の原点を直接研究して正しく理解するべきだと主張した。そして1665年、『聖教要録』を著して朱子学を批判したため、朱子学を重んじる幕府の怒りにふれ、翌年、赤穂藩へ配流になった。1675

年、ゆるされて江戸にもどると、浅草（東京都台東区）に住んで兵学に関する本の執筆につとめた。

素行は、儒学者、兵学者として知られ、肥前国平戸藩（長崎県平戸市）の藩主、松浦鎮信や陸奥国弘前藩（青森県弘前市）の藩主、津軽信政など多くの大名がその教えを受けた。著書に武家の歴史を解説した『武家事紀』などがある。また、儒教の理念にもとづいた武士の道徳である「士道」を大成したことでも知られる。

▲兵法書『武教全書』の表紙
（国立国会図書館）

やまがたありとも 政治

● 山県有朋　　　1838〜1922年

明治時代から大正時代の日本の政治・軍事の最高指導者

▲山県有朋　（国立国会図書館）

幕末の長州藩士、明治時代〜大正時代の政治家。第3代、第9代内閣総理大臣（在任1889〜1891年、1898〜1900年）。

長州藩（現在の山口県）の下級武士の家に生まれる。幼名は辰之助、のちに小輔、狂介を名のる。吉田松陰の松下村塾で学び、のちに高杉晋作らと尊王攘夷運動（天皇をうやまい外国勢力を追いはらおうという運動）に身を投じた。1863年、晋作によって組織された奇兵隊の軍監（指導者の一人）となり、翌年、藩の保守派を追いだして藩政の主導権をにぎった。1866年、第2次長州征討のときは九州の小倉方面の戦いで幕府軍をやぶった。1868年の戊辰戦争では、北陸や会津（福島県西部）征討の総督となり、長岡城の攻略、会津若松城の包囲などと転戦した。

維新後の1869（明治2）年、ヨーロッパにわたり各国の軍制を視察し、帰国後、兵部省（軍事をあつかう役所）に入り軍制改革にあたり、1873年、国民皆兵をめざした徴兵令を制定した。同年、陸軍卿（陸軍省の長官）となり、佐賀の乱や西南戦争などの士族の反乱、農民一揆などを鎮圧した。1882年、軍隊は天皇に直属し、天皇への忠節を第一とすることなどをしめした軍人勅諭を頒布した。1883年、内務卿（国内行政を統括した内務省の長官）に就任。自由民権運動は国を危機

▲開設当初の陸軍省

におとしいれると考え、これを弾圧した。また、地主による地方支配を意図した地方制度の再編に着手し、1888年、市制・町村制、1890年、府県制・郡制を制定した。

1889年、総理大臣に任じられ、第1次山県有朋内閣を組織した。最初の帝国議会で多数を占めた民党（立憲自由党や立憲改進党）が、軍備拡張をふくむ予算案の削減を求めて対立したが、民党を切りくずして成立させた。またこの年、忠君愛国を基本とした教育勅語を発布した。1894年、日清戦争がはじまると、第1軍をひきいて朝鮮に出征。1898年、元帥（総大将）の称号をあたえられ、陸軍の大御所となり、長州出身の桂太郎や寺内正毅を軍の要職にあて、山県閥をつくった。1904年、日露戦争がはじまると、参謀総長として総指揮をとった。1909年、伊藤博文が暗殺されてから、元老としての地位を強めて、陸軍をはじめ、政界、官界、宮中などに大きな影響力を行使した。

🎓 歴代の内閣総理大臣一覧

やまがただいに 思想・哲学　学問

● 山県大弐　　　1725〜1767年

100年後の討幕運動に影響をあたえた尊王思想家

（甲斐市教育委員会）

江戸時代中期の儒学者、思想家。

甲斐国（現在の山梨県）に生まれる。甲斐国山王権現（甲府市にある日吉神社の末社）の神官に学び、尊王思想（天皇をうやまう考え）にめざめた。医者をしていたが、のちに江戸（東京）に出て、江戸幕府の第9代将軍徳川家重の側近である大岡忠光につかえた。忠光が亡くなると大岡家を去り、八丁堀（東京都中央区）に私塾柳荘をひらいて多くの門人に儒学や兵学などを教えた。また、上野国小幡藩（群馬県甘楽町）家老の吉田玄蕃の推薦で、藩士に兵学を講義したりした。しかし、1766（明和3）年、藩内の争いにまきこまれ、門人から幕府に謀反のうたがいがあると密告され、とらえられた。謀反の事実はなかったが、兵学の講義に幕府の要害地などを用いたことなどが問題になり、翌年処刑された（明和事件）。尊王思想を説いた著書『柳子新論』は、幕末に活躍した吉田松陰らに大きな影響をあたえたといわれる。

やまがたばんとう 学問

● 山片蟠桃　　　1748〜1821年

大坂で活躍した町人学者

江戸時代後期の町人（商・工の身分階級）の学者。播磨国神爪村（現在の兵庫県高砂市・加古川市）の農家

▲山片蟠桃の銅像　（高砂市）

に生まれた。1760年、13歳のときに大坂（阪）に出て、大名貸（大名に金を貸す商売）をいとなむ山片家（屋号は升屋）別家の養子になった。商才を発揮して番頭となり、卓越した経済手腕で本家と取り引きのあった陸奥国仙台藩（宮城県・岩手県南部）など諸藩の財政再建に成功し、かたむきかけた本家を立て直した。家業にはげむかたわら、大坂の懐徳堂（町人のための学問所）で中井竹山、履軒兄弟に儒学を学び、麻田剛立に入門して天文学を学んだ。1820年、20年かけた大作『夢の代』を完成した。これは、天文、地理、歴史、制度、経済など全12巻からなる啓蒙書で、徹底した合理主義の立場から、地動説などのヨーロッパの近代科学を紹介するとともに、霊魂の存在を否定する無神（無鬼）論などを説いた。

やまかわきくえ

政治

● 山川菊栄　　　　　　1890〜1980年

「赤瀾会」を結成し、女性解放運動で活躍した

大正時代〜昭和時代の婦人運動家、評論家。

東京生まれ。1912（明治45）年、女子英学塾（現在の津田塾大学）を卒業。大杉栄や荒畑寒村の平民講演会に出席し、社会主義への関心を深める。1916（大正5）年、社会主義者の山川均と結婚。出産後の1918年、平塚らいてうと与謝野晶子のあいだでおこった母性保護論争に参加し、社会主義の立場に立つ女性論を展開する。

1921年、伊藤野枝らと日本で最初の社会主義婦人団体「赤瀾会」を結成、活発な街頭運動を展開するなど、女性解放運動に活躍した。

また、マルクス主義女性論の古典、ベーベルの『婦人論』を初完訳した。第二次世界大戦後、日本社会党に入党。1947（昭和22）年、片山哲内閣で初代の労働省（厚生労働省）婦人少年局長に就任する。

退任後も、雑誌『婦人のこえ』を発行したり、田中寿美子らと婦人問題懇話会を組織したりするなど、女性問題の研究につくした。1980年、89歳で死去。著作に『婦人問題と婦人運動』『おんな二代の記』など。

やまかわすてまつ

幕末　教育

● 山川捨松　　　　　　1860〜1919年

日本初の女子留学生で鹿鳴館の貴婦人

▲山川捨松　（国立国会図書館）

幕末〜明治時代の女子留学生、大山巌の妻。

会津藩（現在の福島県西部・新潟県東部）の家老の子として生まれる。幼名はさき（咲子）。1868年、8歳のとき、新政府軍が会津若松城（鶴ヶ城）にせまると、家族とともに籠城し、負傷者の手あてや食事の炊き出し、消火作業などをてつだった。1871（明治4）年、北海道開拓使が、未開地を開拓する人材を養成するため、アメリカ合衆国への女子留学生を募集すると、それに応募。出発前に母は「捨てたつもりでアメリカへやるが、帰る日をまっ（松）ている」という気持ちをこめて「捨松」と改名させた。

1871年、12歳のとき、岩倉使節団一行とともに、津田梅子ら5人の少女たちとアメリカにわたった。1872年、アメリカ北東部のコネティカット州ニューヘブンのベーコン牧師の家にあずけられた。1875年、地元のヒルハウス高校に入学し、英語を完璧に習得した。1878年、ニューヨーク州の名門女子大学バッサーカレッジに入学。優秀な成績をおさめ、卒業式におこなった「イギリスの対日外交政策」の演説は大かっさいをあび、新聞にも掲載された。その後、コネティカット看護婦養成学校に入学し、看護師として必要な知識や技術を学んだ。

1882年、出発から11年目、女子教育の発展につくそうという夢をいだいて帰国したが、その希望を受け入れてくれる職場はなかった。そして1883年、陸軍卿（陸軍省の長官）の大山巌と結婚。完成したばかりの鹿鳴館で、捨松は外国の外交官たちを相手に、英語を流暢に話し、社交ダンスのステップも軽くこなして、たちまち社交界の花形となり、「鹿鳴館の貴婦人」とよばれた。

1884年、日本初の慈善バザーをひらいて、その収益金を看護婦養成学校設立のために寄付した。また、伊藤博文の要請を受けて、華族女学校（現在の学習院女子大学）設立の準備委員をつとめた。日露戦争のときは、大山巌が満州軍司令官として戦地にむかったなか、留守家族を支援する募金や、日本赤十字社で包帯をつくる作業にあたった。またアメリカ

▲鹿鳴館の外観　（国立国会図書館）

の新聞に手紙や記事を送って、支援を求めた。

1900年、津田梅子が女子英学塾（津田塾大学）を設立すると、顧問となり、のちに理事、同窓会長をつとめるなど、全面的に支援し、1919（大正8）年、60歳で亡くなった。

やまかわひとし

政治

● 山川均　　　　　　　　　　1880～1958年

山川イズムの理論をとなえた

明治時代～昭和時代の社会主義者。

岡山県生まれ。1897（明治30）年に同志社中学を中退し、上京。守田有秋と刊行した雑誌『青年之福音』の記事が不敬罪に問われ、重禁固3年半の刑に服す。出獄後、1906年に日本社会党の結成を知って入党。幸徳秋水にまねかれ、日刊『平民新聞』の編集に参加する。1908年、赤旗事件で入獄中、大逆事件で幸徳秋水らが処刑されるが、獄中にいた山川はまぬかれた。出獄後は郷里にもどったが、1916（大正5）年にふたたび上京、堺利彦の党文社で雑誌『新社会』の編集に従事する。1922年、日本共産党の創立に参加。その後発表した論文『無産階級運動の方向転換』は、当時の社会主義運動に大きな影響をあたえ、その理論は「山川イズム」とよばれた。1927（昭和2）年には雑誌『労農』を創刊、労農派として共産党と対立。労農派マルクス主義として活動したが、1937年、人民戦線事件で検挙された。第二次世界大戦後は社会党左派の立場で活動し、1951年、社会主義協会を結成、代表となった。

やまぐちかよう

絵画

● 山口華楊　　　　　　　　　1899～1984年

花鳥画や動物画に革新をもたらした画家

大正時代～昭和時代の日本画家。

京都生まれ。本名は米次郎。父は友禅の染織家。小学校を卒業後、動物画で知られる西村五雲に入門したのち、1916（大正5）年、京都市立絵画専門学校（現在の京都市立芸術大学）に入学した。1927（昭和2）年と翌年の帝国美術院展覧会（帝展）で『鹿』『猿』が連続で特選となり、動物画家として名を知られる。

1954年、代表作となる『黒豹』を日展に出品、翌年の『仔馬』は、日本芸術院賞を受賞した。円山派、四条派の写生の伝統をひきつぎ、西洋美術や革新的な日本画の技法を吸収し、花鳥画や動物画に新しい様式をもたらした。1926年から、長く

母校で後進を指導する。1981年、文化勲章を受章した。

学 文化勲章受章者一覧

やまぐちせいし

詩・歌・俳句

● 山口誓子　　　　　　　　　1901～1994年

戦後の俳句再興に力をつくす

大正時代～平成時代の俳人。

京都府生まれ。本名は新比古。東京帝国大学（現在の東京大学）法学部卒業。妻は俳人の波津女。旧制第三高等学校に入学後、本格的に俳句をはじめる。その後、東大俳句会に参加して、高浜虚子に学ぶ。

水原秋桜子らとともに「ホトトギスの4S」とよばれ、句誌『ホトトギス』の中心的な存在として活躍した。都会生活に題材をとり、簡潔で知的な写生俳句（みたものをありのままよんだ俳句）によむ。第二次世界大戦後、『ホトトギス』を去り、句誌『天狼』を創刊。俳句の革新をめざした新興俳句運動の俳人を集め、戦後の俳句の近代化に力をつくした。句集に『凍港』『炎昼』『青女』『不動』などがある。1992（平成4）年、文化功労者にえらばれた。

やまぐちなおよし

政治

● 山口尚芳　　　　　　　　　1839～1894年

岩倉使節団の一員、日本の近代化を進めた

（国立国会図書館）

幕末～明治時代の武士、政治家。

肥前国（現在の佐賀県・長崎県）、佐賀藩士の家に生まれる。名は「ますか」「ひさよし」とも読む。藩の命令で、長崎でオランダ語、蘭学、英語を学び、翻訳兼練兵掛をつとめる。幕末には、薩摩藩（鹿児島県西部）や長州藩（山口県）の武士と交流して、薩長同盟の成立につくし、小松帯刀らとともに江戸開城に立ち会った。公家の岩倉具視とも交流を深めている。

1868（明治元）年　新政府の外国事務局御用掛となり、外国官判事、東京府判事、また大蔵大丞といわれる大蔵官僚のトップや外務少輔となり、卿（大臣）を補佐した。1871年、海外の先進国の視察や、不平等条約の改正を目的とした岩倉使節団の副使として、木戸孝允、大久保利通、伊藤博文らとともに、アメリカ合衆国、ヨーロッパ各国をまわる。

帰国後は、武力をもって朝鮮を開国させようとする征韓論に反対する。1875年元老院議官となり、その後、元老院幹事、会計検査院の初代院長、参事院議官、貴族院議員などを歴任した。

やまぐちひとみ

文学

● 山口瞳　　　　　　　　　1926〜1995年

サラリーマンの哀感をえがく

　昭和時代の作家。
　東京生まれ。旧制早稲田高等学院に在学中に、第二次世界大戦に召集される。戦後、私立学校の鎌倉アカデミアで学び、生涯の恩師で歌人の吉野秀雄に出会う。国学院大学を卒業後、寿屋（現在のサントリー）に入社。PR雑誌『洋酒天国』の編集をてがけ、秀逸な宣伝文句による名コピーで注目される。

　1962（昭和37）年、サラリーマンのよろこび、悲しみをつづる『江分利満氏の優雅な生活』で直木賞を受賞。『週刊新潮』に連載したエッセー『男性自身』は、身のまわりのできごとを、ユーモアと哀愁をこめてつづり人気を博し、亡くなる直前まで、31年間つづいた。

　また、母の生まれについて書いた小説『血族』（1979年）で菊池寛賞を受賞。小説『居酒屋兆治』（1982年）は高倉健主演で映画化された。そのほか『礼儀作法入門』『草野球必勝法』『草競馬流浪記』『わが師わが友』などがある。

学 芥川賞・直木賞受賞者一覧

やまぐちももえ

音楽

● 山口百恵　　　　　　　　　　1959年〜

現代を象徴するスター

　歌手、俳優。
　東京生まれ。夫は俳優の三浦友和。神奈川県横須賀市で育つ。1972（昭和47）年、中学2年生のとき、歌手のオーディション番組でみとめられ、翌年、『としごろ』で歌手としてデビューする。当時、同じオーディション番組からデビューした同学年の歌手、森昌子、桜田淳子とともに「花の中3トリオ」として注目される。その後約7年半、歌手や映画俳優として活躍し、人気絶頂期の1981年に、結婚のために引退する。
　女性の心を細かく表現した曲を豊かな表現力で歌い上げ、10代から20代の若い層を中心に大人気となる。当時の文化人

から、現代を象徴するスターとよばれた。『ひと夏の経験』『横須賀ストーリー』など数多くのヒット曲がある。1977年、『秋桜』で日本レコード大賞歌唱賞を受賞。
　俳優としては、映画『伊豆の踊子』『潮騒』やテレビドラマ『赤い疑惑』『赤い運命』の『赤いシリーズ』に主演し存在感をしめす。

やまぐちようこ

文学　音楽

● 山口洋子　　　　　　　　1937〜2014年

ラブストーリーを歌謡曲に

　昭和時代〜平成時代の作詞家、作家。
　愛知県生まれ。京都女子高等学校を中退し、1957（昭和32）年、映画会社のオーディションに合格して女優をめざすが、女優としては芽が出ず、転身して、東京の銀座にクラブを開店した。

　1968年ころより、経営のかたわら歌謡曲の作詞をてがける。ラブストーリーをたどるような歌詞が特徴で、作曲家の平尾昌晃とのコンビで、『よこはま・たそがれ』など多くのヒット曲を生みだした。1973年には『夜空』で日本レコード大賞を受賞する。吉行淳之介などクラブの常連だった作家たちの影響で、作家の近藤啓太郎に師事し、小説を書きはじめ、『情人』で作家としてデビューした。1984年には、『プライベート・ライブ』で吉川英治文学新人賞を受賞する。女性の生き方にするどく切りこんだ作品が多い。1985年には『演歌の虫』『老梅』で直木賞を受賞する。ほかに小説『貢ぐ女』『東京恋物語』、また恋愛論や人生の知恵にふれた随筆ものこしている。

学 芥川賞・直木賞受賞者一覧

やまざきあんさい

学問

● 山崎闇斎　　　　　　　　1618〜1682年

神道と朱子学をとり入れた垂加神道を創始

　江戸時代前期の儒学者、神道家。

　京都出身。1632年、15歳で妙心寺（京都市）の僧になった。1636年、19歳のとき、土佐国吸江寺（高知市）に移り、そこで儒学者の谷時中や野中兼山と交流して、南学（土佐におこった朱子学の一派）の影響を受けた。その後、僧をやめて京都で朱子学を研究するか

（下御霊神社／京都市上京区役所写真提供）

たわら、浅見絅斎など多くの門人を育てた。1658年、41歳のころから毎年江戸（現在の東京）に出て諸大名に朱子学を講義し、武家社会に朱子学を広めようとつとめた。1665年、48歳のとき、陸奥国会津藩（福島県西部）の藩主で、江戸幕府第4代将軍徳川家綱の補佐役、保科正之にまねかれて朱子学を教えた。また、保科のすすめで神道家の吉川惟足に神道を学んで垂加という名前をさずけられ、神道と朱子学をとり入れた垂加神道を創始した。垂加神道は、幕末になると尊王攘夷思想（天皇をうやまい外国勢を追いはらおうという考え）に影響をあたえた。

やまざきそうかん 詩・歌・俳句

● 山崎宗鑑　　　　　　　　　　？〜1539？年

連歌から俳諧を独立させた祖の一人とされる

（国立国会図書館）

戦国時代の連歌師、俳人。近江国（現在の滋賀県）の生まれ。本名は志那範重、通称は弥三郎。鎌倉時代〜室町時代の有力武将である佐々木氏の子孫。将軍の足利義尚につかえ、義尚の死後に出家して、山城国（京都府南部）の山崎に対月庵を建てて住み、山崎宗鑑と名のる。一休宗純に禅を学び、短歌を数人でよむ連歌師として活躍したとされる。宗祇や荒木田守武、宗長らとも親交があった。

　当時は、余興として披露されるだけで、書きとめることがなかった俳諧を『犬筑波集（俳諧連歌抄）』にまとめた。荒木田守武とならび、俳諧を連歌から独立させた祖といわれる。庶民の世界をこっけいと機知をまじえてよみ上げ、江戸時代の俳諧の先がけとなる。西国を旅し、讃岐国（香川県）の興昌寺に一夜庵を建て、この地で亡くなったと伝えられる。

　書にもすぐれて宗鑑流とよばれ、人々の求めに応じて古典の書写をのこしている。

やまさきとよこ 文学

● 山崎豊子　　　　　　　　　　1924〜2013年

社会や組織の人間模様をえがく

昭和時代〜平成時代の作家。

大阪府生まれ。本姓は杉本。京都女子専門学校（現在の京都女子大学）国文科卒業。毎日新聞社に入社。1957（昭和32）年、大阪の問屋街、船場を舞台にした『暖簾』で作家デビューし、翌年『花のれん』で直木賞を受賞。以後、大阪商人をえがいた『しぶちん』『ぼんち』や『女の勲章』『女

系家族』で作家としての地位を確立する。

　その後、社会や組織への関心を強め、国立大学医学部の人間関係をえがいた『白い巨塔』（1965年）、銀行合併の問題をとり上げた『華麗なる一族』（1973年）と問題作を次々と刊行し人気作家となる。ほかに『不毛地帯』『二つの祖国』『大地の子』『沈まぬ太陽』など、映画化、ドラマ化された作品も多い。

学 芥川賞・直木賞受賞者一覧

やまざきなおこ 探検・開拓

● 山崎直子　　　　　　　　　　1970年〜

チャレンジャー号の事故をみて、宇宙飛行士を志す

宇宙飛行士。

千葉県生まれ。少女時代から星が好きでプラネタリウムにかよう。中学時代、スペースシャトル・チャレンジャー号の事故に衝撃を受け、亡くなった宇宙飛行士の遺志をひきつぎたいと宇宙飛行士を志す。

　東京大学大学院航空宇宙工学専修で、1996（平成8）年に修士号を取得、同年、宇宙開発事業団（現在のJAXA、宇宙航空研究開発機構）に入社。2001年、宇宙飛行士として認定され、3年後にロシアのソユーズ宇宙船のフライトエンジニアの資格を得た。

　2010年、国際宇宙ステーション（ISS）の組みたてミッションに参加。スペースシャトル・ディスカバリーに搭乗して、ISSへの補給物資の搬入やロボットアームの操作に従事した。

やましたはるお 絵本・児童

● 山下明生　　　　　　　　　　1937年〜

海辺の暮らしや、海を舞台にした児童文学

児童文学作家、編集者、翻訳家。

東京生まれ。京都大学仏文科卒業。幼いころから少年期を瀬戸内海の島ですごす。大学卒業後は、出版社で児童書の編集をてがけていた。1970（昭和45）年、童話『かいぞくオネション』を発表し作家となる。1972年発表の『うみのしろうま』が野間児童文芸賞の推奨作品になったのをはじめ、『はんぶんちょうだい』で小学館文学賞、『海のコウモリ』で赤い鳥文学賞、画家杉浦範茂と組んだ絵本『まつげの海のひこうせん』で絵本にっぽん大賞などを受賞。海辺の暮らしや海を舞台にした作品が多く、『おばけのバーバパパ』など『バーバパパ』シリーズの翻訳でも知られる。

　2004（平成16）年、紫綬褒章を受章した。

やましたやすひろ スポーツ

● 山下泰裕　　　　　　　　　　1957年〜

昭和を代表する柔道家

柔道選手、監督。

熊本県生まれ。幼いころからからだが大きく、わんぱく少年だっ

た。小学3年で道場に入門し、柔道をはじめる。

1977（昭和52）年の全日本選手権に当時の最年少記録（19歳11か月）で初優勝し、以後1985年まで9年連続で優勝した。また世界選手権95kg超級では、1979年から3連覇した。

1984年のロサンゼルス・オリンピックでは無差別級に出場し、予選で右足に肉離れをおこすというピンチのなか、決勝まですべて一本勝ちをして、金メダルを獲得した。この年、それまでの活躍が評価され、国民栄誉賞を受賞した。

203連勝という記録をのこし、1985年に28歳で現役を引退した。その後は選手の育成にとりくみ、アトランタとシドニーのオリンピックでは日本代表監督をつとめた。

公式戦での通算成績は、559戦528勝16敗15分け。外国人選手に対しては生涯無敗（116勝3分け）だった。

🅓 国民栄誉賞受賞者一覧

🅓 オリンピック日本代表選手 メダル受賞者一覧

やましなよしまろ
`学問`

● 山階芳麿　　　　　　　　1900〜1989年

鳥類学の発展と鳥類の保護につくした

昭和時代の鳥類学者、山階鳥類研究所の創設者。

東京生まれ。皇族、山階宮菊麿王の第2子。1920（大正9）年、臣籍降下し侯爵をさずけられた。陸軍幼年学校、士官学校をへて砲兵将校となるが願いにより退役。幼少期から興味のあった鳥類について学ぶため、東京大学理学部動物学科選科に入学する。

1942（昭和17）年、それまで集めた日本とアジアの鳥類標本約3万点などをもとに、財団法人山階鳥類研究所を設立、理事長となる。鳥類の分類、生態、保護の各分野にわたり多くの研究論文を発表し、第二次世界大戦後、中西悟堂らと鳥類保護運動にたずさわった。

1977年、鳥類学界のノーベル賞といわれるジャン・デラクール賞受賞。著作に『日本の鳥類と其の生態』、『世界鳥類和名辞典』などがある。

やましろのおおえのおう
`王族・皇族`

● 山背大兄王　　　　　　　　　?〜643年

蘇我氏との権力争いにやぶれた聖徳太子の子

飛鳥時代の皇族。

聖徳太子の子で、母は蘇我馬子の娘。田村皇子（のちの舒明天皇）とともに、有力な皇位継承者だった。朝廷では聖徳

（法隆寺所蔵／奈良国立博物館提供）

太子の子として人望があり、蘇我氏の政策に批判的だったので、蘇我蝦夷・蘇我入鹿父子にとってはけむたい存在だった。628年、推古天皇の死後、田村皇子をおす蝦夷と山背大兄王をおす蝦夷のおじ、境部摩理勢が対立。摩理勢はほろぼされ、田村皇子が舒明天皇として即位した。

641年、舒明天皇の死後、蘇我氏が舒明天皇の皇后だった宝皇女を皇極天皇として即位させると、皇位継承の望みは失われた。643年、舒明天皇の皇子の古人大兄皇子を天皇に立てるには、山背大兄王がじゃまだと考えた蘇我入鹿の軍に斑鳩宮（奈良県斑鳩町）をおそわれた。きさきやこどもたちと生駒山（奈良県生駒市と大阪府東大阪市の境にある山）にのがれ、再起をはかるが、「戦乱になれば万民が苦労する」と思い、斑鳩宮にもどって一族とともに自害した。これで、聖徳太子直系の子孫はとだえた。

やまだあきよし
`政治` `教育`

● 山田顕義　　　　　　　　1844〜1892年

法典の編さんと教育に力をつくした

幕末〜明治時代の軍人、政治家、教育者。

長州藩（現在の山口県）の中級藩士の家に生まれる。15歳で、吉田松陰の最年少の門下生として松下村塾で学び、幕末は長州征討、鳥羽・伏見の戦い、戊辰戦争などに従軍した。

明治維新後、陸軍少将となり、1871（明治4）年に岩倉具視の使節団の一員としてヨーロッパ各国の兵制を視察する。帰国後、佐賀の乱や西南戦争で反乱士族を鎮圧し、1878年、陸軍中将となった。

1879年、参議（政府の重要な官職）に就任し、内務卿、工部卿、司法卿を歴任。1885年の第1次伊藤博文内閣から4代にわたり司法大臣をつとめ、近代的法典の整備に力をつくした。また、神道や法律の教育にも力を入れ、皇典講究所（現在の国学院大学）、日本法律学校（日本大学）を設立した。

やまだいすず
`映画・演劇`

● 山田五十鈴　　　　　　　1917〜2012年

戦後の日本映画で活躍した大女優

昭和時代〜平成時代の女優。

大阪生まれ。本名は美津。愛称は「ベルさん」。幼いころより芸事を習う。1930（昭和5）年、映画会社の日活へ入社。『剣を越えて』でデビューし、品のあるかれんな容貌で、娘役と

して人気を得た。1934年、第一映画社へ移り、溝口健二監督の『浪華悲歌』『祇園の姉妹』で演技派女優の地位をかためた。新興映画、東宝と転じ『鶴八鶴次郎』などで長谷川一夫と共演しスターの座を築く。黒澤明監督の『蜘蛛巣城』、小津安二郎監督の『東京暮色』などで日本映画史にのこる名演をみせ、数々の賞を受賞した。

1962年、東宝演劇部と専属契約をむすんでからは舞台を中心に活動する。商業演劇の看板役者として人気をたもち、新派の水谷八重子、文学座の杉村春子とともに「三大女優」とよばれた。

一方、テレビドラマにも出演し、代表作に『必殺シリーズ』がある。三味線ひきの人物を演じ、当たり役となった。若手の邦楽家や役者が、三味線やお囃子を発表する会「東宝たぬき会」を立ち上げ、指導もおこなっていた。2000（平成12）年、文化勲章受章。

🎓 文化勲章受章者一覧

やまだえいみ

文学

● 山田詠美　　　　　　　　　　1959年〜

大胆な恋愛小説で話題をよぶ

作家。

東京生まれ。本名は双葉。明治大学中退。父親の転勤のため転校が多く、いじめられっ子だった小学生時代から読書に親しんだ。大学では漫画研究会に入り、在学中から漫画家として活動。1985（昭和60）年、はじめて書いた小説『ベッドタイムアイズ』で文藝賞を受賞し、作家活動に専念する。

大人の恋愛小説を中心に、社会への違和感をもちながら個として自由に生きることへのあこがれをえがいて読者の共感を得ている。直木賞受賞の『ソウル・ミュージック・ラバーズ・オンリー』（1987年）をはじめ、『トラッシュ』（1991年）、『アニマル・ロジック』（1996年）、『風味絶佳』（2005年）など文学賞にえらばれた作品も多い。

このほか、いじめや友人関係、初恋といった思春期のなやみをえがいた『風葬の教室』『ぼくは勉強ができない』『学問』などの作品や、エッセー『ライ麦畑で熱血ポンちゃん』『時計じかけの熱血ポンちゃん』などがある。

🎓 芥川賞・直木賞受賞者一覧

やまだこうさく

音楽

● 山田耕筰　　　　　　　　　　1886〜1965年

日本の近代西洋音楽の発展に尽力

（日本楽劇協会）

大正時代〜昭和時代の作曲家、指揮者。

東京生まれ。本名は耕作。東京音楽学校（現在の東京藝術大学）声楽科卒業。医師でキリスト教の伝道者だった父の影響で、幼いころより賛美歌に親しむ。キリスト教会の日曜学校や礼拝などで、賛美歌の歌唱力を見いだされ、音楽の道を志す。

東京音楽学校を卒業後、1910（明治43）年から4年間、ドイツのベルリン高等音楽学校に留学し、作曲家ブルッフの指導を受ける。1912（大正元）年、卒業制作として日本人初の交響曲『かちどきと平和』を作曲、1914年、東京帝国劇場にて初演。ほかに管弦楽曲『序曲』『秋の宴』などがこのころの作品である。

帰国後は、ヨーロッパの近代音楽を日本に定着させる活動に力を入れる。1915年、日本ではじめての交響楽団、東京フィルハーモニー会管弦楽部を設立し、交響楽の演奏会をひらく。

1918〜1919年には、ニューヨークのカーネギーホールで、自作の管弦楽作品を演奏して、ニューヨーク近代音楽協会と全米演奏家組合から名誉会員に推薦される。翌年、これらの経験を生かし、演劇、オペラ、舞踊といった舞台芸術の振興のために日本楽劇協会を創立した。

1922年には、詩人の北原白秋と雑誌『詩と音楽』を創刊して、日本語を生かした歌曲の普及につとめる。また、1927（昭和2）年、日本初のトーキー映画『黎明』の音楽を担当するなど、多方面にわたり日本の音楽界で指導的な役割をはたす。1936年、海外での日本音楽の紹介が評価され、フランス政府からレジオン・ドヌール勲章を贈られた。

作品は、交響曲『曼陀羅の華』、交響詩『明治頌歌』、オペラ『黒船』『堕ちたる天女』（坪内逍遙原作）など、形式にとらわれない自由なロマン派の流れをくむものが多い。また、『赤とんぼ』『待ちぼうけ』『この道』『からたちの花』などの童謡や歌曲は、いまも広く親しまれる。

音楽教科書の編さんにもかかわり、日本の近代西洋音楽を発展させた功労者として評価される。一方、第二次世界大戦中の軍歌制作や従軍音楽家としての行動が批判されることもある。1956年、文化勲章受章。

🎓 文化勲章受章者一覧

やまだこのじろう

政治

● 山田孝野次郎　　　1906～1931年

全国水平社創立大会で名演説

大正時代～昭和時代の部落解放運動家。

奈良県生まれ。学校では被差別部落出身であることや、小人症のため身長が低いことで差別された。1922（大正11）年、高等小学校を卒業。3月3日、京都市の岡崎公会堂でひらかれた部落解放をめざす全国水平社創立大会に参加した。その会場で演壇に立ち、教師や児童から差別された体験を語り、「おとなもこどももいっせいに立ち上がって、差別を打ちやぶりましょう。そして光り輝く新しい世の中にしましょう」とうったえた。その後、水平社の少年代表として全国をまわって演説し、各地の水平社の創設や少年少女の指導にあたった。

1931（昭和6）年、福岡市の寄宿先で脳腫瘍のため死去。25歳だった。

やまだしょうがん

郷土

● 山田昌巌　　　1578～1668年

出水に昌巌溝をひらいた武士

安土桃山時代～江戸時代前期の武士。

薩摩国（現在の鹿児島県西部）の戦国大名、島津氏の家臣の子として生まれた。21歳のときに福山（鹿児島県霧島市）の地頭（地方をおさめる役人）になり、30年にわたって福山をおさめて名地頭といわれた。

1629年、52歳で出水（鹿児島県出水市）の地頭に任命されると、青少年の教育に力をそそぎ、出水兵児とよばれる薩摩藩で最強の武士団を育てた。

新田開発にも積極的にとりくみ、昌巌溝とよばれる約2.1kmの用水を築いた。この工事は、60mも岩をほりぬかなければならず、困難をきわめたが「出水の人々のために用水をつくりたい」という昌巌の熱意を知った郷士（領内に住んだ下級武士）たちが協力して、完成した。

昌巌は80歳で隠居し、青少年に学問や武術を教えた。昌巌溝は現在も出水市の田畑をうるおしている。

やまだたいち

映画・演劇

● 山田太一　　　1934年～

多くのすぐれたテレビドラマを発表

脚本家、作家。

東京生まれ。本姓は石坂。1958（昭和33）年、早稲田大学教育学部卒業後、松竹大船撮影所に入社。木下惠介の助監督をへて、1965年、独立。1973年、テレビドラマ『それぞれの秋』で芸術選奨新人賞受賞。『岸辺のアルバム』『ふぞろいの林檎たち』などすぐれた作品を次々と発表し、高視聴率をとる。『キネマの天地』で、映画シナリオに進出した。小説もて

がけ、『異人たちとの夏』で山本周五郎賞を受賞。『飛ぶ夢をしばらく見ない』『遠くの声を捜して』とともに、ファンタジー三部作といわれる。2013（平成25）年、70代の9年間をかけて書かれた自伝的エッセー『月日の残像』を発行。

1979年の『男たちの旅路』の『車輪の一歩』の回では身体に障がいをもつ人たちと健常者との共生について、多くの視聴者に疑問を投げかけた。テレビドラマを通じて、数々の社会問題も問いかけつづけているテレビ界の巨匠である。

やまだながまさ

江戸時代

● 山田長政　　　?～1630年

シャムで王につかえ、戦った

▲山田長政　　　（国立国会図書館）

江戸時代前期に外国で活躍した日本人。

駿河国（現在の静岡県中部と北東部）に生まれる。1612年ころ、朱印船（幕府から海外渡航の許可証である朱印状をあたえられた貿易船）に乗って、シャム（タイ）にわたった。当時、シャムの都アユタヤには日本町（東南アジア各地につくられた日本人居住地）があり、約1500人の日本人が住んでいた。やがて、日本町の代表になった長政は日本人の部隊をひきいてシャムの国王ソンタムのために戦い、国王に信頼されて高官になった。長政は貿易や外交に活躍し、国王が日本に使節を派遣したときには、幕府の老中に手紙や贈り物をして、日本とシャムの友好につとめた。

1628年、ソンタム王が亡くなってあとつぎ争いがおこると、大軍をひきいて反乱をしずめ、王子を即位させた。しかし、王位をねらう人々からうらまれて、アユタヤからはなれた辺境のリゴールに左遷された。

1630年、隣国との戦いで負傷したところを刺客によって毒殺された。長政の死後、日本町も政府軍によって焼き打ちされた。

1635年、幕府が日本人の海外渡航と帰国を禁止

▲アユタヤの日本町跡
（日本アセアンセンター）

したため、貿易船の往来がとだえて東南アジアにあった日本町はおとろえた。静岡の浅間神社（静岡市）には、1626年に長政が奉納した戦艦図絵馬がのこされている。

やまだびみょう

● 山田美妙　　　　　　　　1868〜1910年

活字で公表された最初の言文一致小説を書く

明治時代の作家、詩人、評論家、国語学者。

東京生まれ。本名は武太郎。生家は旧盛岡藩（岩手県北上市から青森県下北半島）の藩士。大学予備門中退。1885（明治18）年に尾崎紅葉らと硯友社をつくり、機関誌『我楽多文庫』を創刊。

坪内逍遙の『小説神髄』に影響されて、文語ではなく話しことばで文章を書く言文一致などの文学改良に熱心にとりくむ。1886年、言文一致体による最初の小説『嘲戒小説天狗』を発表した。翌年、『読売新聞』に連載した歴史小説『武蔵野』では「です・ます調」を用い、日本語表現の可能性に挑戦する。つづく『夏木立』や『蝴蝶』によって流行作家となる。その後、紅葉とはなれて文学の世界からしりぞき、晩年は『日本大辞書』など辞典の編集をおこなった。

やまだふうたろう

● 山田風太郎　　　　　　　1922〜2001年

忍法小説でブームをおこす

昭和時代〜平成時代の作家。

兵庫県生まれ。本名は誠也。東京医科大学卒業。生家は医者の家系だが、こどものころに両親と死別する。大学在学中の1946（昭和21）年、推理小説雑誌『宝石』の小説募集に応募した『達磨峠の事件』が入選。1949年には、『眼中の悪魔』『虚像淫楽』で探偵作家クラブ賞を受賞。その後、時代小説に移り、1958年から連載をはじめた『甲賀忍法帖』が人気となる。以後、『魔界転生』などの忍法小説を多数発表して、忍法ブームをまきおこした。

1973年の『警視庁草紙』からは、『明治断頭台』『明治十手架』など、明治時代を舞台に、近代社会の暗部をえがいた作品を発表。

ほかに『戦中派不戦日記』『人間臨終図巻』など。

2003（平成15）年から、漫画家のせがわまさきが山田の作品を漫画化した『バジリスク〜甲賀忍法帖』『十〜忍法魔界転生』などをだし、新たに注目される。

やまだようじ　　　　　　　　　　　　　　映画・演劇

● 山田洋次　　　　　　　　1931年〜

現代を代表する映画監督の一人

映画監督、脚本家。

大阪府生まれ。東京大学法学部を卒業後、1954（昭和29）年、松竹大船撮影所に入社した。野村芳太郎らの助監督をつとめたあと、1961年、喜劇『二階の他人』で監督としてデビューし、『下町の太陽』（1963年）や、ハナ肇主演の『馬鹿まるだし』『馬鹿が戦車でやって来る』（1964年）など、庶民のよろこびや悲しみをえがいた人情喜劇で、人気をよんだ。

1969年、渥美清主演の『男はつらいよ』が大ヒットし、渥美が亡くなるまでの27年間で、48作がつくられた。そのほかの作品には、『家族』（1970年）、『幸福の黄色いハンカチ』（1977年）、『遙かなる山の呼び声』（1980年）、『キネマの天地』（1986年）、『学校』（1993年）などがある。2002（平成14）年からは、『たそがれ清兵衛』など時代劇もてがけ、高評価を得た。2010年、第60回ベルリン国際映画祭において特別功労賞にあたるベルリナーレ・カメラを受賞。2012年、文化勲章を受章した。

学 文化勲章受章者一覧

やまとたけるのみこと　　　　　　　　　王族・皇族

● 日本武尊　　　　　　　　生没年不詳

古代の伝説の英雄

古代の英雄。

『古事記』『日本書紀』に登場する伝説上の人物で、『古事記』では倭建命としるす。景行天皇の皇子とされている。

小碓命とよばれた少年のころは乱暴で、ふるまいのよくない兄をさとしに行くが、殺してしまう。これにおそれをいだいた父の景行天皇は、天皇にしたがわない九州の一族、熊襲を討ってくるように命じた。小碓命は少女に変装して熊襲の首長である熊襲建兄弟の宴会の場に入りこむと、すきをみて兄の胸に短剣を突き刺し、弟のしりに剣を突きとおした。弟は、死に際に小碓命の武勇をほめたたえ、「これからは日本武尊とお名のりください」といった。

出雲国（現在の島根県）の出雲建をたおして都に帰ると、

休むひまもなく、今度は東国の蝦夷をしずめてくるように命じられた。おばから剣（草薙剣）と火打ち石をわたされた日本武尊は駿河国焼津（静岡県焼津市）の草原で敵の火攻めにあうが、草薙剣でなぎはらい、火打ち石で火の勢いを反対にむけて助かった。また、走水（神奈川県横須賀市の浦賀水道とされる）で海神にさまたげられるが、供をしたきさきの弟橘姫が海に身を投げ、海神の怒りをしずめた。その後、苦難にあいながらも東国の蝦夷を征服し、大和国（奈良県）に帰る途中、伊吹山で荒々しい神を退治しようとして病気になり、伊勢国能煩野（三重県亀山市）で最期をとげた。そのとき、日本武尊の魂は、ハクチョウになって都へとびたったと伝えられる。

これらの伝説は、古墳時代の大和の王たちが、西国や東国の家族を次々と征服して大和政権を築いていくようすを、一人の英雄に託して伝えていると考えられている。

学 お札の肖像になった人物一覧

やまなうじきよ
貴族・武将

● 山名氏清　　　　　1344〜1391年

山名氏の勢力を広げたが、明徳の乱で敗北

（国文学研究資料館）

南北朝時代の武将。
室町幕府第3代将軍足利義満にしたがって、南北朝の内乱を戦い、各地の南朝勢力の平定に活躍。その功績で丹波国（現在の京都府中部・兵庫県東部）、和泉国（大阪府南西部）、但馬国（兵庫県北部）、山城国（京都府南部）の守護に任じられ、京都の政治を管理する侍所頭人（長官）もつとめた。氏清以外の山名一族も各地の守護に任じられ、山陰地方を中心とした11か国が山名一族によって支配されるようになった。当時の日本は66か国に分かれていたため、山名氏は「六分の一殿」とよばれて絶大な権勢を誇っていた。

強大化した山名氏を警戒した義満は、その勢力削減に乗りだし、山名一族の内紛をあおって氏清を挑発した。これにより、幕府に対する不満を高めた氏清は、1391（明徳2）年に挙兵して京都に攻めこんだが、義満のひきいる幕府軍の前に敗北して自害（明徳の乱）。この結果、山名氏の守護国は3国になり、勢力はおとろえた。

やまなかしかのすけ
戦国時代

● 山中鹿之介　　　　1545?〜1578年

尼子氏の復興をめざした尼子十勇士の一人

戦国時代の武将。
本名は幸盛。通称ははじめ甚次郎、のち鹿之介、鹿之助、鹿介。1560年に家をつぎ、出雲国（現在の島根県東部）の大名である尼子義久につかえる。出雲を侵略した毛利氏と戦い、1566年、月山富田城を攻められ降伏する。その後、尼子勝久を擁立して尼子氏の再興をめざし、一時は出雲の大半をうばい返すが、毛利氏の反撃にあって、敗退。伯耆国（鳥取県中部と西部）の尾高城に幽閉されるが脱出し、織田信長をたよった。羽柴秀吉（のちの豊臣秀吉）にしたがって毛利攻めに参加し、播磨国（兵庫県南部）の上月城を守るがやぶれ、戦死する。勝久は自害させられ、尼子氏は滅亡した。

尼子氏に忠誠をつくし、復興に活躍した10人の勇士、「尼子十勇士」の首領として、逸話が後世に語りつがれている。

やまなかしんや
医学

● 山中伸弥　　　　　1962年〜

世界ではじめて、ヒトのiPS細胞を生成

医学者。
大阪府で町工場を経営する家に生まれる。神戸大学医学部を卒業後、国立大阪病院に臨床研修医として勤務する。手術に手間どるなど、不器用な面があったという。1989（平成元）年に大阪市立大学大学院に入学して医学博士の学位を取得。1993年、カリフォルニア大学サンフランシスコ校グラッドストーン研究所へ留学、iPS細胞（人工多能性幹細胞、さまざまな細胞に進化できる人工細胞）の研究をはじめた。帰国後の2006年、世界初のマウスのiPS細胞の生成に成功、翌年には同じく世界初のヒトiPS細胞生成にも成功し、論文を発表。この功績により、2012年にノーベル生理学・医学賞を受賞、同年、文化勲章を受章。2010年より京都大学iPS細胞研究所所長をつとめる。

学 ノーベル賞受賞者一覧　　学 文化勲章受章者一覧

やまなかためつな
郷土

● 山中為綱　　　　　1613〜1682年

高野井をひらいた武士

江戸時代前期の武士。
伊勢国津藩（現在の三重県）の藩士。藤堂高次につかえ、1629年、一志郡（三重県津市）の郡奉行（地方をおさめる役人）になった。

この地方は水資源にとぼしかったことから、1653年から9年におよぶ工事をおこない、高野村（津市一志町）から約3kmの用水路（高野井）を築き、周辺約500haの水田に水をひいて、干ばつに苦しむ8つの村を救った。

1664年、雲出川で洪水をおこした瀬戸ヶ淵の岩盤をけずって、川の流れをよくし、家城地方（津市白山町）の水害をふせいだ。また、上流に堰をつくって用水路をひらき、周辺の田からは4000石の収穫が確保された。

伊勢地方の地理、歴史に通じていた為綱は、1656年、地誌『勢陽雑記』を著した。

やまなかひさし

● 山中恒 絵本・児童 1931年〜

ユーモラスで独創的なストーリーの読物作家

児童文学作家、評論家。

北海道生まれ。早稲田大学第二文学部卒業。在学中に、早大童話会に所属。児童文学者の鳥越信、古田足日らと雑誌『小さい仲間』を発行し、新しい児童文学をめざして活動する。同誌に連載した長編『赤毛のポチ』により、1956（昭和31）年、日本児童文学者協会新人賞を受賞し、作家活動をはじめる。

男女が入れかわる物語『おれがあいつであいつがおれで』や『なんだかへんて子』は、大林宣彦監督により映画化され、大ヒットした。ほかに『とべたら本こ』（1960年）、『ぼくがぼくであること』（1969年）などがある。ユーモラスで独創的なストーリーと歯切れのよい文体で、豊かな物語をつむぎだし、多くのファンを獲得した。『山中恒児童よみもの選集』により巌谷小波文芸賞を受賞。太平洋戦争中から戦後のこどもの暮らしや教育、遊びなどの資料をまとめた『ボクラ少国民』（6巻）により、文学界に大きな影響をあたえた。

やまなそうぜん

山名宗全 → 山名持豊

やまなもちとよ

● 山名持豊 貴族・武将 1404〜1473年

応仁の乱をおこした、勇猛な武将

▲歌舞伎絵にえがかれた山名持豊　歌川国貞画。
（早稲田大学演劇博物館）

室町時代の武将。

幼名は小次郎。元服して持豊と名のる。出家後の名は宗全。1404年、山名時熙の3男として生まれる。山名氏は南北朝時代後期に大きな勢力をもっていたが、1391（明徳2）年の明徳の乱によって、大きく力を落としていた。兄が将軍の怒りを買って廃嫡されたために、1433年、父の隠退によって家をつぎ、但馬国（現在の兵庫県北部）、備後国（広島県東部）、安芸国（広島県西部）、伊賀国（三重県西部）の守護となり、侍所別当など幕府の要職もつとめた。

1441（嘉吉元）年、室町幕府第6代将軍足利義教が赤松満祐によって暗殺された（嘉吉の乱）。持豊は播磨国（兵庫県南西部）の城山城に満祐を攻めてほろぼし、その功績により播磨守護をかねるようになる。またその際、一族の山名教之が備前国（岡山県南東部）、山名教清が美作国（岡山県北東部）の守護となったので、山名氏は以前の勢力を回復した。

1450年、あとを子の山名教豊にゆずって出家し、名前を宗峰、のちに宗全とした。管領に任命される家がらの畠山氏であとつぎ争いがおきると、娘婿である細川勝元とともに介入して畠山氏を分裂させ、その力をけずった。その後、赤松氏の再興を助けた勝元に怒り、じょじょに対立していく。以後の畠山氏の争いでは、勝元が伊勢貞親と組んで畠山政長を支持したのに対して畠山義就を助け、畠山氏と同じく管領家である斯波氏でも内紛がおきると、斯波義敏を支持した勝元たちに対して斯波義廉を助けた。

将軍家でも、8代将軍足利義政の弟の足利義視と、日野富子の子である足利義尚のあいだで、後継者問題がおきた。1467（応仁元）年、全国の守護大名が、義視を助ける勝元がひきいる東軍と、義尚を助ける宗全がひきいる西軍に分かれ、京都で応仁の乱がはじまった。このとき、山名氏も内部で分裂をしており、宗全の子の山名是豊は東軍に参加していた。乱は各地に広がりながらつづき、そのさなかの1473年、宗全は西陣の邸内で病没した。その数か月後には勝元も死亡し、義尚が第9代将軍となると乱は終息へとむかい、1477年に終結した。

山名氏を復興させた、赤入道とよばれる勇猛な武将で、宗全のおこした応仁の乱は、戦国時代への入り口となった。

やまのうえのおくら

● 山上憶良 詩・歌・俳句 660〜733年

『万葉集』の代表的な歌人

飛鳥時代〜奈良時代の歌人、官人。

生まれや類縁は、はっきりしていない。702年、遣唐使の少録（書記）として唐にわたり、707年ごろ帰国した。716年、伯耆国（現在の鳥取県中部と西部）の国司（地方官）となり、その5年後、首皇子（のちの聖武天皇）に学問を教える侍講となった。726年、筑前国（福岡県北西部）の国司として現地

▲太宰府市にある万葉歌碑
（太宰府市提供）

におもむくと、歌人としても知られる大伴旅人と親交をむすび、多くの歌をつくった。

憶良の歌は『万葉集』に80首ほどがおさめられているが、『貧窮問答歌』として有名な長歌は、食事もろくにとれない暮らしの中で、税をきびしくとりたてられる農民たちの悲惨さをよんだもので、「……父母は　枕の方に　妻子どもは

足の方に　囲み居て　憂へ吟ひ　竈には　火気吹き立てず甑には　蜘蛛の巣かきて　飯炊く　ことも忘れて……しもと取る里長が声は　寝屋処まで　来立ちよばひぬ……」と具体的な描写がある。この歌は、「世の中を　憂しとやさしと　思へども　とびたちかねつ　鳥にしあらねば」という短歌で終わる。

こどもたちを思う歌「銀も　金も玉も　何せむに　まされる宝子にしかめやも」も有名。

やまのうちしろうざえもん

● 山内四郎左衛門　　　郷土　　生没年不詳

国分タバコを特産物とした武士

戦国時代～江戸時代前期の武士。

薩摩国薩摩藩（現在の鹿児島県・宮崎県西部）の藩主、島津義久の家臣だった。1595年、隠居した義久にしたがい、国分郷（霧島市）に移住した。江戸時代のはじめ、長崎から伝えられたタバコを自宅で栽培した。1609年、幕府は火災予防やぜいたく禁止のためタバコ禁止令をだしたが、栽培、研究をつづけた。1611年、義久の家臣、服部宗重がタバコの試作をしたときに協力し、成功したことから、宗重は煙草奉行を命じられた。やがて幕府の禁令がゆるむと、菜種の油かすを肥料として用いるなどくふうを重ねて、周囲の村にも栽培法を広めた。「花は霧島、タバコは国分」といわれるほどタバコ生産がさかんになった。

やまのくちばく

● 山之口貘　　　詩・歌・俳句　　1903～1963年

風刺のただようことばで庶民の生活感覚をうたう

昭和時代の詩人。

沖縄県生まれ。本名は山口重三郎。こどものころから絵や詩を美術展や新聞に発表していた。1922（大正11）年に上京し、美術学校に入るが1か月で退学。その後は職を転々としながら、結婚するまで放浪生活を送る。1939（昭和14）年に就職したが、1948年に退職、詩の創作活動に専念する。

貧しい生活の中、一つの詩を何百回もねり直して完成させ、200編あまりの詩をのこした。作風は、庶民の生活感覚を根本に、おかしみと風刺のただようことばで、庶民の感情をうたった。詩集に『思弁の苑』『山之口貘詩集』『定本　山之口貘詩集』『鮪に鰯』がある。

やまはとらくす

● 山葉寅楠　　　産業　発明・発見　郷土　　1851～1916年

初の国産ピアノをつくった、ヤマハの創業者

明治時代～大正時代の実業家。

紀州藩（和歌山県）の藩士の子として生まれる。幼少のころから手先が器用で、機械いじりが得意だった。長崎で時計の製造技術を学び、大阪で医療機器の修理工となる。

（ヤマハ株式会社）

1887（明治20）年、静岡県浜松市の小学校でアメリカ合衆国製オルガンを修理したことをきっかけに、独学でその構造を研究し、同年、日本ではじめて国産オルガンの製造に成功する。調律法を学んで改良を重ね、1889年、楽器会社、山葉風琴製造所を設立し、オルガンの販売をはじめた。1897年には改組して日本楽器製造（現在のヤマハ）を設立し、初代社長となる。

1899年、文部省の使節としてアメリカ視察に行き、100か所以上のピアノメーカーをまわってピアノづくりの技術を学び、翌年には、国産第1号のアップライトピアノを完成させる。1914（大正3）年にハーモニカの国産化にも成功。日本における洋楽器製造の先がけとなった。

やまべのあかひと

● 山部赤人　　　詩・歌・俳句　　生没年不詳

「歌聖」「三十六歌仙」の一人

（金刀比羅宮所蔵）

奈良時代の歌人、官人。

8世紀前半、聖武天皇の時代の宮廷歌人として、多くの歌をよんだ。『万葉集』の代表的な歌人の一人で、その中には彼の長歌13首、短歌37首がおさめられている。とくに、自然や旅の風景を題材に、自然の美しさを技巧をつかわずによんだ叙景歌にすぐれた作品が多い。

平安時代に醍醐天皇の命で編さんされた日本初の勅撰和歌集『古今和歌集』の撰者である紀貫之は、その序文で、山部赤人を柿本人麻呂とともにすぐれた歌人としてたたえ、後世、歌聖としてうやまわれた。また、平安時代中期の歌人藤原公任の『三十六人撰』では、36人のすぐれた歌人、三十六歌仙の一人として、紹介されている。

代表歌に「田子の浦に　うち出でてみれば　白妙の　富士の高嶺に　雪は降りつつ」などがある。

学　人名別　小倉百人一首

やまむらぼちょう

● 山村暮鳥　　　詩・歌・俳句　　1884～1924年

民衆派の代表的詩人

明治時代～大正時代の詩人。

群馬県生まれ。本名は土田八九十。聖三一神学校（現在

の立教大学）卒業。10代でキリスト教の洗礼を受け、神学校に在学中から詩や短歌に熱中する。卒業後は、キリスト教日本聖公会の伝道師として布教活動をおこない、そのかたわら雑誌に投稿。1913（大正2）年、最初の詩集『三人の処女』を出版し、翌年、萩原朔太郎、室生犀星らと人魚詩社を設立する。その後、キリスト教徒の苦悩をあらわした詩集『聖三稜玻璃』を発表する。

やがて、白樺派の影響を受けて、明るくわかりやすい作風にかわる。詩集『風は草木にささやいた』により、民衆派の詩人とよばれた。

やまむろぐんぺい

宗 教

● 山室軍平　　　　　　1872〜1940年

日本救世軍の創設に尽力

宗教家。
岡山県生まれ。1887（明治20）年に14歳で上京、印刷工となり、教会主催の英語学校でキリスト教にふれ入信。新島襄を知り、苦学して1889年に同志社大学神学部に入学したが、健康を害したことや自由主義神学（リベラル）への反発から1894年に退学した。
1895年に23歳で、軍隊式組織による伝道と社会福祉活動をおこなうキリスト教団体である救世軍に参加、日本人最初の士官（伝道者）となり、日本救世軍の創設に尽力、救世軍パンフレット『鬨の声』を刊行した。1899年には『平民の福音』を刊行し、わかりやすいことばでキリスト教の福音（人類が救われるという教え）を力強く説いた。伝道と同時に廃娼運動や結核療養所の設立、労働紹介所の設置、社会鍋（歳末慈善鍋）の開始など、多くの社会福祉事業にたずさわった。

やまもとあさきち

郷 土

● 山本浅吉　　　　　　1884〜1972年

ビニルハウス栽培のもとを考えた農業改良家

明治時代〜昭和時代の農民、農業指導者。
高知県十市村（現在の南国市）の農家に生まれた。1902（明治35）年ごろ、村の塩田あとでキュウリ、ナスの早熟栽培をおこなった。

大正時代にはナスの加温栽培をおこなった。その後も研究を重ね、昭和時代にはボイラーを導入し、温室内に蒸気を送って、ナスの促成栽培に成功した。この方法は、現在のビニルハウス栽培のもとになった。野菜の品種改良にもくふうし、十市ナスをつくりだして、京都、大阪、神戸に売りだし、好評を得た。

やまもといそろく

政 治

● 山本五十六　　　　　　1884〜1943年

開戦に反対しながらも、海軍の指揮をとった

（国立国会図書館）

明治時代〜昭和時代の軍人。
新潟県長岡本町（現在の長岡市）で、旧長岡藩士、高野貞吉の6男として生まれる。五十六という名前は、生まれたときの父親の年齢からつけられたという。小さいころから負けずぎらいで、「鉛筆は食べられないだろう」とからかわれると、食べてみせたりした。とても聡明で、中学のころからベンジャミン・フランクリンを尊敬していたという。

中学卒業後、海軍兵学校に入学。優秀な成績で卒業し、1905（明治38）年、少尉候補生として、装甲巡洋艦「日進」に配属され、日本海海戦で重傷を負う。

1916（大正5）年に海軍大学を卒業し長岡藩家老だった山本家の養子となって、翌年に結婚。1919年、アメリカ合衆国駐在となり、ハーバード大学に留学して、アメリカの油田や自動車産業、飛行機産業の実態を知り、いち早く航空機の将来性に着目する。

1921年に帰国後、海軍大学校教官、ヨーロッパ、アメリカ視察に派遣されたのち、日本海軍の航空発展に深くかかわるようになった。

1925年から1928年までアメリカ滞在。多段式空母「赤城」艦長をへて、1930（昭和5）年にロンドン海軍軍縮会議随員として同行する。翌年、航空本部技術部長となり、航空兵力を主体とした対米迎撃戦を構想し、攻撃力に重点をおいた航空機開発や部隊編制をおこなった。1934年にはロンドン海軍軍縮予備会議の海軍代表として出席し、海軍軍縮条約の締結にむけてねばり強く交渉をつづけた。

1936年には米内光政海軍大臣の次官となり、日本、ドイツ、イタリアの3国による日独伊三国同盟の締結に反対の姿勢をつらぬく。しかし1939年、連合艦隊司令長官に就任し、反対するも開戦が決定したため、軍の指揮をとって1941年、奇襲によるハワイのオアフ島の真珠湾攻撃を敢行。翌年ミッドウェー海戦で大敗した。1943年、前線の海軍基地を視察中に南太平洋ソロモン諸島、ブーゲンビル島上空で米軍機に撃墜されて戦死。

「やってみせ、いって聞かせて、させてみて、ほめてやらねば人は動かじ」という五十六のことばは、指導者の格言として知られている。

学 日本と世界の名言

やまもとかんすけ

戦国時代

● 山本勘助　　　1493?〜1561年

武田信玄の名軍師

戦国時代の武将。

甲斐国（現在の山梨県）の大名、武田信玄の下で活躍した天才的な軍師。

片目で片足が不自由だったという。若いころは武者修行のために各地をめぐり、1543年に信玄につかえて功績をあげ、足軽の部隊をひきいる大将となった。兵法や築城にすぐれ、信玄の信濃国（長野県）平定を助けた。1561年、上杉謙信との川中島の戦いで戦死したといわれている。

江戸時代のはじめに成立した、甲州流軍法の軍学書『甲陽軍鑑』の中でえがかれ、名軍師として広く知られるようになった。近松門左衛門の浄瑠璃、歌舞伎の『信州川中島合戦』などにもとり上げられている。

やまもとごんべえ

政治

● 山本権兵衛　　　1852〜1933年

海軍の地位を高めた「海軍の父」

明治時代〜大正時代の軍人、政治家。第16、22代内閣総理大臣（在任1913〜1914年、1923〜1924年）。

薩摩藩（現在の鹿児島県西部）の藩士の家に生まれる。名は「ごんのひょうえ」とも読む。14歳で父を亡くし、2年後には藩主の島津忠義にしたがって京都へ行き、戊辰戦争に従軍した。

（国立国会図書館）

その後は海軍兵学寮などで学び、1877（明治10）年、海軍少尉となる。世界各地を就航し、帰国後は「高雄」「高千穂」の艦長などをつとめた。海軍大臣であった西郷従道に信頼されて海軍の制度を整備し、日清戦争では作戦にも力を発揮した。

1898年、第2次山県有朋内閣から海軍大臣に就任する。海軍の拡大を進めて地位向上につくし、陸軍と同等にまで高め、日露戦争では海軍大臣として日本を勝利にみちびいた。1913（大正2）年、内閣総理大臣に就任し立憲政友会とむすんで内閣をつくったが、翌年、シーメンス事件により総辞職する。1923年、再度組閣し関東大震災後の復興事業や普通選挙法の実現をめざしたが、虎の門事件の責任をとり総辞職した。

海軍建設の功労者として、勝海舟とならび「海軍の父」といわれている。

学 歴代の内閣総理大臣一覧

やまもとさくべえ

絵画

● 山本作兵衛　　　1892〜1984年

炭坑の記録画が世界記憶遺産になった画家

明治時代〜昭和時代の炭鉱労働者、炭坑記録画家。

福岡県生まれ。川舟の船頭だった父が、炭鉱労働者に転職すると、父にしたがって7歳ごろから炭坑に入り、家計をささえながら、小学校を卒業した。1906（明治39）年、山内炭坑（現在の福岡県飯塚市）の炭鉱労働者となる。

以後、1955（昭和30）年に田川市の位登炭坑が閉山されるまで、筑豊地方の大小18の炭坑ではたらく。田川市で夜警の仕事をしていた60歳代のなかば、子や孫に炭坑での生活や人情を伝えたいと考え、自分の経験や人から聞いた話をもとに、明治、大正、昭和時代の炭坑のようすを墨と泥絵の具でえがきはじめる。余白に説明文を加えた絵は、2000枚近くにのぼるとされる。画文集に、『炭鉱に生きる』『筑豊炭坑絵巻』などがある。

2011（平成23）年、田川市と山本家が保存する炭坑記録画、日記、雑記帳、原稿など697点が、UNESCO（国際連合教育科学文化機関）の世界記憶遺産に指定された。

やまもとさねひこ

産業

● 山本実彦　　　1885〜1952年

総合雑誌『改造』の創刊者

大正時代〜昭和時代の出版事業家、政治家。

鹿児島県生まれ。日本大学卒業後、法政大学夜間部法律科に学ぶ。『やまと新聞』ロンドン特派員をへて、1915（大正4）年、東京毎日新聞社社長に就任。1919年、改造社を創立して総合雑誌『改造』を創刊。文壇の大家・新人の作品を多数掲載し、大正デモクラシーの中で『中央公論』とならぶ代表的な総合雑誌に成長させた。

大規模な予約全集『現代日本文学全集』を刊行し、大量生産・廉価販売が成功して、1冊1円の円本ブームをおこす。一方で政治にも関心をもち、1930（昭和5）年、民政党から衆議院議員に当選。

第二次世界大戦後、協同民主党（のちの国民協同党）を結成して、初代委員長となる。時流に敏感な出版経営者であった。

やまもとしゅうごろう　文学

● 山本周五郎　1903〜1967年

普遍的な人間像をえがく名手

昭和時代の作家。

山梨県生まれ。本名は清水三十六。小学校卒業後に銀座の質店に奉公に出る。許可を得て借りたこのときの店主の名前がペンネームとなった。

その後、新聞や雑誌の記者をしながら創作をつづけ、1926（大正15）年に『須磨寺附近』を発表。やがて雑誌を舞台にして時代小説を発表する。1943（昭和18）年に短編集『日本婦道記』で直木賞候補になるが辞退し、以来、すべての文学賞を辞退した。

多くは江戸時代を舞台に、武士や庶民のよろこびと悲しみを題材にしながら、どこにでもいる普遍的な人間像をえがきだした。代表作に、『つゆのあとさき』『おさん』『樅ノ木は残った』『青べか物語』などがある。

やまもとせんじ　政治

● 山本宣治　1889〜1929年

産児制限運動を進めた政治家

大正時代〜昭和時代の生物学者、政治家。

京都府生まれ。カナダに留学し帰国後、東京帝国大学（現在の東京大学）を卒業、京都帝国大学（京都大学）大学院に進み動物学を専攻し、同志社大学、京都帝国大学の非常勤講師をつとめた。

1922（大正11）年、来日していたアメリカ合衆国の社会運動家サンガーに啓発され、性教育の普及を痛感し、安部磯雄らとともに産児制限運動を進めた。

左翼系の社会主義運動にも活動の範囲を広げるが、その活動が原因で京都帝国大学を追放される。また、1926年の左翼学生運動に対する検挙（京都学連事件）では、教員だった山本も関係があるとみなされ家宅捜索を受け、同志社大学を免職となる。

1928（昭和3）年、第1回普通選挙に労働農民党から立候補して当選、無産階級のために活躍した。治安維持法の改定に反対したため、1929年、右翼の活動家に暗殺された。

労働者や農民に親しく接して人気を得て、「山宣」の愛称で親しまれた。

やまもととうじろう　伝統芸能

● 山本東次郎　1937年〜

狂言の普及活動につとめる能楽師の4世

狂言師。

東京生まれ。名乗は則寿。大蔵流狂言師の3世山本東次郎の長男。1942（昭和17）年、山本会の『痿痺』のシテ（主役）で初舞台をふむ。1964年には、東次郎、則直、則俊の3兄弟そろって『茶壺』で芸術祭奨励賞を受賞した。1972年、『獅子智』の復曲（うもれていた古典曲の再演）で、4世山本東次郎を襲名する。2007（平成19）年、狂言の伝承と普及につくしたとして芸術院賞を受賞し、2012年に重要無形文化財保持者（人間国宝）に認定された。山本家は、江戸幕府の式楽（儀式に用いられる芸能）の伝統を継承する大蔵狂言の家がらで、「乱れてさかんになるよりは、むしろかたく守ってほろびよ（たとえほろびようとも、狂言の「本道」を守りぬく）」という、高いこころざしと品格のある芸風を受けついでいる。弟の山本則直（2000年没）、山本則俊、そして、その息子たちとともに、青少年にむけた狂言の普及活動などにつとめている。

やまもとひろき　教育　郷土

● 山本比呂伎　1827〜1907年

日本最初の公立小学校をつくった商人

江戸時代後期〜明治時代の国学者、商人、教育者。

越後国小千谷（現在の新潟県小千谷市）の商人の子として生まれた。42歳のとき、戊辰戦争がおこり、新政府軍にやぶれた長岡藩（新潟県西部）の藩士のこどもたちが小千谷に逃げてきた。盗みや物ごいなどをするこどもたちをみて、心を痛めた比呂伎は、学校をつくることを計画して、柏崎県（新潟県）に意見書を提出した。

その一方で、五智院という寺の本堂を校舎にして、こどもたちを寄宿させた。1868（明治元）年、柏崎県の許可がおりて、日本最初の公立学校となる「振徳館」（小千谷市立小千谷小学校）を開校した。

やまもとゆうぞう　文学

● 山本有三　1887〜1974年

『路傍の石』の作者

大正時代〜昭和時代の作家、劇作家。

栃木県生まれ。本名は勇造。東京帝国大学（現在の東京

大学）独文科卒業。父は旧宇都宮藩（栃木県宇都宮市）の藩士で呉服商をいとなむ。高等小学校卒業後に東京の呉服店へでっち奉公にだされ、一時期は家業の呉服商をついだ。その後も学問の道をめざし、21歳で旧制第一高等学校に合格し、大学に進んだ。

在学中に芥川龍之介らと雑誌第3次『新思潮』を創刊。『生命の冠』など社会の問題や歴史上の人物をあつかった作品で劇作家としてみとめられる。1926（大正15）年ごろから本格的に小説を書きはじめた。現実の苦境に負けずに成長する理想的な人の姿をえがき、多くの読者を得る。

主な作品に『生きとし生けるもの』『女の一生』『真実一路』『路傍の石』などがある。また、こどもむけの教養書のシリーズ『日本少国民文庫』の編さんや国語教科書の編集にたずさわり、参議院議員としても活躍した。

1965（昭和40）年、文化勲章を受章。

学 文化勲章受章者一覧

やまわきとうよう　　医学

● 山脇東洋　　1705〜1762年

日本ではじめて人体解剖をおこなった医者

（国立国会図書館）

江戸時代中期の医学者。丹波国亀山（現在の京都府亀山市）に医者の子として生まれる。才能をみとめられて、京都の医者山脇玄修の養子になった。漢方医学の古医方派の後藤艮山に学び、中国の唐の医学書『外台秘要方』を復刻した。

しかし、西洋の解剖書をみて中国から伝えられた五臓六腑説（人体は肝臓、心臓、脾臓、肺臓、腎臓の5個の内臓と、大腸、小腸、胆、胃、三焦、膀胱の6個のはらわたからできているという説）に疑問をもつようになり、人と体内が似ているというカワウソで解剖したが、納得がいかなかった。

1754年、幕府の許可を得て、京都の六角獄舎で死刑囚の解剖に立ち会った。

これは日本で最初の人体解剖で、5年後、そのときの観察記録を『蔵志』にまとめて出版した。『蔵志』の解剖図は不十分なものだったが、蘭学者の杉田玄白に刺激をあたえるなど、その後の西洋医学の発展につながった。

やらちょうびょう　　政治

● 屋良朝苗　　1902〜1997年

本土復帰を実現させた沖縄県知事

昭和時代の教育者、政治家。沖縄県知事（在任1972〜1976年）。

沖縄県生まれ。広島高等師範学校卒業後、沖縄県立第一高等女学校、台湾師範学校で教師をつとめた。1946（昭和21）年に台湾から沖縄にもどり、知念高等学校校長、沖縄群島政府文教部長などを歴任。さらに沖縄教職員会を設立して会長となり、1960年には沖縄県祖国復帰協議会会長に就任。

1968年、革新勢力におされ、米国統治下での初の琉球政府主席に当選。その後は、施政権獲得のために米国民政府（琉球列島米国民政府）や佐藤栄作首相と折衝を重ねていった。

1972年、本土復帰後初の沖縄県知事選で圧勝、2期知事をつとめ、1976年に退任するまで激動期の沖縄の行政をになった。30年以上、会談などにおいてみずからが細かく書きつづった126冊のメモや日誌類（『屋良朝苗日誌』）は、死後、読谷村に寄贈され、その複製が沖縄県公文書館において順次公開されている。

ふだんのできごとなどの記述に加え、屋良がどのような思いで早期の本土復帰をめざしたかなども知ることができる、とても貴重な資料である。

やりつあぼき　　王族・皇族

● 耶律阿保機　　872〜926年

契丹の部族を統一し、遼を建国

中国、遼の初代皇帝（在位916〜926年）。

契丹（キタイ、現在の中国北東部）の8部族の一つ、迭剌部（内モンゴル）の族長の長子。阿保機はアブーチ（掠奪者）の音訳とされる。若いころから勇気と知恵があり、ウマに乗って矢を射る騎射が得意だったといわれる。ほかの7部族を次々と制圧し、907年に可汗に即位。中国風に皇帝と称した（第1次即位）。その後も勢力拡大、権力強化につとめ、916年に大聖大明天皇帝の位につき（第2次即位）、契丹国（のちの遼）

を建国した。

　捕虜の中国人や、国内の戦乱をのがれてきた中国人など、契丹以外の人材も広く登用し、国家制度の整備に大きく貢献した。920年には、漢字を参考にした契丹文字を制定した。926年、渤海国をほろぼして東丹国を建て、子の耶律突欲を国王にすえた。阿保機の支配地域は中国東北部からモンゴル高原に達し、中国や西アジア諸国、日本からも使者がおとずれるほどの一大帝国を築き上げた。

やりつそざい

🌐　耶律楚材　　　　　　　　政治　文学　　1190〜1244年

モンゴル帝国の中国統治に貢献した契丹人

　モンゴル帝国の政治家、文学者。

　遼の王族の子孫にあたる。漢化した契丹人。金に官吏としてつとめたが、1215年、モンゴル軍が金の燕京（現在の北京）を落としたとき、モンゴル帝国初代皇帝のチンギス・ハンにみとめられて政治顧問となり、西域遠征にしたがった。第2代皇帝オゴタイ・ハンにも信任されて宰相となる。軍政と民政とを分け、遊牧民の生活とはちがう華北の土地に適した政策を実施。農地を保全して生活の安定につとめつつ、税制を整備して、帝国の経済基盤を確立した。

　オゴタイの死後は左遷されたが、子の耶律鋳は第5代皇帝フビライ・ハンにつかえて高官となっている。文人としてもすぐれ、西域遠征の見聞記『西遊録』や、文集『湛然居士集』を著した。

やりつたいせき

🌐　耶律大石　　　　　　　　王族・皇族　　1087〜1143年

西遼を建国し、西トルキスタンを支配した

　西遼（カラキタイ）の初代皇帝（在位1132〜1143年）。徳宗ともいう。遼の初代皇帝、耶律阿保機（太祖）の子孫。内モンゴルを中心に中国の北辺を支配していた遼は、女真人の金の攻撃を受けて弱体化し、宋にも攻めこまれるようになった。積極的に金や宋と戦おうとする第9代皇帝天祚帝を見かぎり、1124年、一族をひきいて外モンゴル高原で独立。翌年、遼は滅亡した。周辺諸部族を結集しながら、金の圧力をさけて西へ軍を進め、中央アジアに移住。

　1132年にカラハン朝をたおして、みずからグル・ハンを称して西遼を建て、チュー川のほとりのベラサグン（現在のキルギス共和国トクモク付近）を都とした。

　1141年、中央アジアの統一的な支配をもくろみ、セルジューク朝のスルタン（イスラム国家の政治的最高権力者）、サンジャルひきいるイスラム連合軍をサマルカンド付近で撃破する。西方に領土を拡大し、西遼を強固な国に築き上げたが、むやみに侵略はおこなわず、国内は安定していた。すぐれた軍人であるとともに豊かな教養もかねそなえていたという。

ヤンソン，トーベ

🌐　トーベ・ヤンソン　　　　絵本・児童　　1914〜2001年

カバに似た妖精ムーミンの作者

　フィンランドの童話作家、画家。

　ヘルシンキ生まれ。彫刻家の父とデザイナーの母の下に育ち、すでに10代のころヘルシンキとパリで絵画を学ぶ。さし絵画家としてデビューしたが、のちに執筆もてがけた。スウェーデン系の出身であったため、作品はスウェーデン語で書く。1945年に、カバに似たトロール（妖精）で、空想上の生き物のムーミントロールを主人公としたはじめての童話『小さなトロールと大きな洪水』を出版した。

　1946年には、『ムーミン谷の彗星』を出版し、以後『たのしいムーミン一家』、『ムーミン谷の十一月』まで「ムーミン」の童話シリーズを発表した。フィンランドの自然を舞台に展開する慈愛に満ちた物語は、世界中で広く愛され、アニメーション作品もつくられている。ほかの作品に、絵本『さびしがりやのクニット』、自伝的小説『彫刻家の娘』などがある。1966年、国際アンデルセン賞受賞。

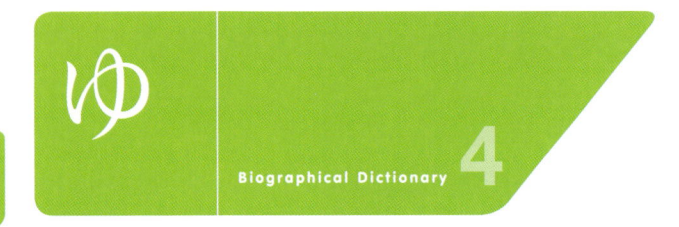

ゆいえん

宗教

● 唯円　　　　　　1222～1289年

親鸞の語録をまとめた『歎異抄』を著したといわれる

鎌倉時代中期の浄土真宗の僧。

常陸国（現在の茨城県）出身。浄土真宗をひらいた親鸞の弟子で、1240年、報仏寺（水戸市）を創建した。浄土真宗の本山である本願寺（京都市）を創建した僧覚如の業績をえがいた『慕帰絵詞』の中に、1288年、覚如が京へのぼった唯円と法門（仏の教え）について問答したことがしるされ、唯円のすぐれた才能とたくみな弁説が評価されている。親鸞の死後、信者たちによって、親鸞の教えとことなった異端の解釈がだされたことを嘆き、親鸞の語録をまとめた『歎異抄』を著したといわれる。

ゆいきみや

探検・開拓

● 油井亀美也　　　　1970年～

初の自衛官出身の宇宙飛行士

宇宙飛行士、元航空自衛隊員。

長野県生まれ。少年時代から天体観察が好きで宇宙飛行士にあこがれる。1992（平成4）年、防衛大学校を卒業、航空自衛隊に入隊。抜群の飛行技術で、F-15戦闘機の飛行任務のほかテストパイロットをつとめた。2009年にJAXA（宇宙航空研究開発機構）の宇宙飛行士候補に選抜され、航空自衛隊を退職してJAXAに入社。2年後に基礎訓練を終えて、宇宙飛行士の認定を受ける。

2012年、フロリダ州沖の海底研究施設でのアメリカ航空宇宙局（NASA）極限環境ミッション運用訓練に参加。2015年に国際宇宙ステーション（ISS）長期滞在員として約5か月間にわたって、日本実験棟「きぼう」で研究にとりくむほか、ISSの運用も担当した。

ゆいしょうせつ

思想・哲学

● 由井正雪　　　　1605?～1651年

幕府をたおす計画をたてる

江戸時代前期の兵学者。

駿河国由比（現在の静岡市）に染め物屋の子として生まれたといわれる。江戸（東京）に出て兵学の塾をひらき、旗本や諸藩の藩士、浪人たちに講義して名をあげた。1651（慶安4）

▲静岡県菩薩樹院の銅像

年、第3代将軍徳川家光が亡くなり、11歳の徳川家綱が第4代将軍になったのを機に、浪人たちと幕府をたおす陰謀をくわだてる。しかし、仲間の密告によって計画がもれ、駿府城下（静岡市）にいるところを奉行所の役人に包囲され自殺した。片腕だったやりの名手丸橋忠弥も江戸でとらえられて処刑された。これを由井正雪の乱、または慶安事件という。

正雪が事件をおこした目的は、浪人たちの救済にあったといわれる。徳川家康、徳川秀忠、家光の3代の将軍時代、幕府により大名の改易（領地の没収）がおこなわれた結果、おおぜいの武士が浪人になった。

この事件で浪人問題の深刻さに気づいた幕府は、あとつぎのいない武家が死の直前に養子をとることをみとめるなどして、改易をへらすようつとめた。

ゆうきうじとも

貴族・武将

● 結城氏朝　　　　1402～1441年

鎌倉公方を守って戦った

▲『結城合戦絵巻』より自害する氏朝
（国立国会図書館）

室町時代中期の武将。

結城氏は平安時代から下総国（現在の千葉県北部・茨城県南西部）に大きな勢力をもっていた一族で、室町幕府が成立して関東に鎌倉府が設置されたあとも、鎌倉公方（鎌倉幕府の長官）の有力な配下として重んじられていた。

1438年の永享の乱によって、鎌倉公方足利持氏がほろぼされると、室町幕府は関東の支配を関東管領の上杉氏にまかせた。

氏朝は室町幕府と上杉氏の支配に反発し、持氏の遺児、安王丸、春王丸らの兄弟を居城の結城城（茨城県結城市）に保護して、持氏派の残党を集めて反乱をおこした。これに対して幕府は上杉氏に討伐を命じ、1440年、結城城は落城し、氏朝は自害した（結城合戦）。

安王丸、春王丸はとらえられ、殺されたが、もう一人の子が生きながらえて、のちに足利成氏と名のり、再興された鎌倉府で鎌倉公方に就任した。

ユーグ・カペー

ユーグ・カペー　　　　　　　938?～996年

19世紀までつづくフランス王家の血筋の始祖

フランス、カペー朝の初代国王（在位987～996年）。

西フランク王国の一地方領主であったユーグ大公の息子で、幼くして家督をついだ。987年、カロリング朝のルイ5世の急死とともに、ランス大司教の「王位は世襲ではなく気品と英知でえらばれるべし」という支持を受けてフランス王にえらばれ、カペー朝をひらく。カペーとは、封建領主と修道院長をかねた俗人修道院長がおった短いケープのことで、それがのちに家名となった。

　在位中は、ノルマンディー、ブルゴーニュ、アキタニア、フランドルなどの封建諸侯に苦しめられたが、王権安定のために生存中に長子を後継者に指名して世襲王朝とし、西フランク王国はフランス王国といわれるようになる。その後、ユーグ・カペーの血筋は、バロア朝、ブルボン朝へと受けつがれ、フランス革命からナポレオン1世の時代をのぞいた19世紀の七月王政まで、800年以上つづいた。ちなみに、フランス革命で処刑されたルイ16世は、王位を追われたあとは、ルイ・カペーとよばれている。

学　世界の主な王朝と王・皇帝

ユークリッド　　　　古代　学問

ユークリッド　　　　　　　生没年不詳

古代ギリシャ数学の集大成をした数学者

古代ギリシャの数学者、天文学者。

ギリシャ語読みでエウクレイデスともいう。エジプトのアレクサンドリアで活躍したといわれる。ピタゴラスからはじまり、200年にわたって研究されてきた古代ギリシャ数学の成果を『原論』13巻にまとめた。

　ユークリッドの幾何学では、平行線公準が知られる。『原論』で5番目の公準であったことから、第5公準（公理）ともよばれている。「2本の線分にまじわる1本の線分をひき、同じ側の内角の和が2直角より小さければ、この2線分をかぎりなく延長した直線は2直角より小さい角の側でまじわる」というものである（図参照）。

整数論では、最大公約数を求める互除法についてときあかした。2つの数の最大公約数を求めるため、現在一般に用いられる素因数分解を利用せずに割り算で求める。42と155を例に説明すると、155÷42＝3あまり29、42÷29＝1あまり13、29÷13＝2あまり3、13÷3＝4あまり1、3÷1＝3あまり0。あまり0になった段階で、3÷1の割る数1が最大公約数で、最後にあまり0にたどりつくことを利用した。これを発案したのは、素数の性質がむずかしいからである。「自分自身と1以外に割り切ることのできない数」と定義される素数の性質は明快だが、「1211は素数か否か」はどうか。定義にしたがい、最初の素数2をみつけ、2をのぞく2の倍数すべて、素数から排除される。それをくりかえし、素数2、3、……97……などが素数の列にえらばれる。定義は明快だが、順を追ってしか発見できず、公式をつくれないことをみぬいたことが独創的である。

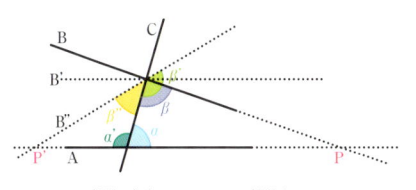

　2本の線分A、Bにまじわる線分Cをひいたときの、同じ側の角αとβが2直角より小さいと、AとBを延長した直線はPでまじわる。2本の線分がAとB"のときは$\alpha+\beta'$は2直角より大きくなり、図の右側でAとB"はまじわらないが、反対側の$\alpha'+\beta'$が2直角より小さくなっていて、AとB"はP'でまじわる。$\alpha+\beta$がちょうど2直角のとき、2本の線分はAとB'のようになっていて延長してもまじわらない。

▲平行線公準（第5公準（公理））

ゆうりゃくてんのう　　　王族・皇族

雄略天皇　　　　　　　　　生没年不詳

広大な領域を平定した

古墳時代の第21代天皇（在位5世紀ごろ）。

大泊瀬幼武尊ともいう。『古事記』『日本書紀』によれば、允恭天皇の子。兄の安康天皇がいとこの眉輪王に殺されると、眉輪王と、王を保護した円大臣を攻め殺した。また、兄弟にも不信をいだき、兄の黒彦、白彦、いとこの市辺押磐皇子などを次々にほろぼしたあと、泊瀬朝倉宮（奈良県桜井市）で即位したという。その後も、吉備（現在の岡山県）の豪族が天皇に見たてた雄鶏を殺したと聞くと、兵を送って一族70人をほろぼすなど、近畿地方や中国地方の豪族を征服して、強大な権力をもった。また、朝鮮半島の高麗（高句麗）や新羅にも攻めこんだ。

　雄略天皇は、中国の歴史書『宋書』に出てくる倭の五王のうちの倭王武にあたると考えられている。『宋書』には、478年に倭王武が宋の皇帝に

▲島泉丸山古墳（丹比高鷲原陵）

（国土地理院／宮内庁書陵部）

上表文（手紙）を送ったとしるされている。

その内容は「昔から、私の祖先の王は甲冑を身につけ、山をこえ谷をわたり、東は55か国、西は66か国、北の海をわたって95か国を平定し、強大な国家を築いてきました。皇帝におつかえする臣下として、倭と朝鮮半島をおさめるのにふさわしい称号をあたえてください」というものだった。これに対し宋の皇帝は、「使持節、都督倭・新羅・任那・加羅・秦韓・慕韓六国諸軍事、安東大将軍、倭王」という長い称号をさずけた。

これは、雄略天皇が倭と朝鮮半島の国々の将軍であることをみとめたもので、5世紀後半に倭王が日本列島の国々を平定し、朝鮮半島にも進出したことを裏づけている。雄略天皇は、兄弟を殺すなど暴君だったが、国々を統一していった英雄でもあった。

1968（昭和43）年、埼玉県行田市の埼玉古墳群の稲荷山古墳から出土した鉄剣（471年に作製されたと推定）の銘文の中にきざまれている「獲加多支鹵大王」が雄略天皇のこととされた。熊本県和水町の江田船山古墳から出土した大刀にもほぼ同じ大王の名がきざまれていたことから、関東地方から九州地方まで、その支配が行きわたっていたことがわかった。

墓は、大阪府羽曳野市にある島泉丸山古墳（丹比高鷲原陵）とされる。

▲出土した鉄剣
（埼玉県立さきたま史跡の博物館）

学 天皇系図

ゆかわひでき

| 🔴 湯川秀樹 | 1907〜1981年 | 学問 |

中間子理論により日本人初のノーベル賞を受賞

▲湯川秀樹

昭和時代の理論物理学者。東京生まれ。地質学者の父の教授就任によって、1歳のとき、京都府へ移住した。少年時代に祖父から漢学を学び、父の蔵書を読みあさるうちに自然科学への関心を強めた。小学校卒業後、1919（大正8）年に京都府立京都第一中学校に入学。同中学で1年上に、のちに友人でライバルとなる朝永振一郎がいた（その後、湯川が飛び級で同期となる）。性格のことなる朝永との交友は広く知られた。1929（昭和4）年、京

都帝国大学（現在の京都大学）理学部物理学科を卒業し、京都帝国大学や大阪帝国大学（大阪大学）で講師をつとめる。1932年に結婚、婿養子となり、旧姓の小川から湯川姓となった。

教鞭をとるかたわらで研究を進め、1934年、27歳のときに中間子理論構想を発表し、翌年、原子核を構成する陽子と中性子をむすびつける中間子（現在のπ中間子）の存在を理論的に予言。1937年には物理学の国際会議であるソルベー会議にまねかれた。研究の評価も高まり、1940年に学士院恩賜賞を、1943年には文化勲章を最年少で受章。第二次世界大戦後の1947年、イギリスの物理学者パウエルにより、湯川の予言した中間子が発見され、1949年にノーベル物理学賞を受賞した。日本人初のノーベル賞受賞のニュースは、敗戦で力を失っていた日本国民を大いに元気づけた。

戦後は反核運動にも積極的に参加。1955年に発表された核兵器廃絶・科学技術の平和利用をうったえた宣言文「ラッセル＝アインシュタイン宣言」に、世界第一線にあった11人の科学者の一人として名をつらねた。翌年、原子力委員会に参加するが、原発建設をいそぐ同委員会の方針に、基礎研究をおこなわずに建設をいそぐべきでないと反対。1年あまりで辞任した。1970年、京都大学を退官して同大学名誉教授。1981年に核兵器と戦争の廃絶をうったえる第4回科学者京都会議の発起人の一人となるが、同年、74歳で死去した。素粒子論の新時代をひらいただけでなく、文才にもたけ、一般むけの書籍も数多く著した。ノーベル賞受賞をはじめとする湯川の功績は、若い研究者に自信と希望をあたえ、その後の日本の科学発展に多大な貢献をした。さらに、平和運動への参加は、科学者の本来あるべき姿勢をしめした。

▲1949（昭和24）年に受賞したノーベル賞の賞状

学 ノーベル賞受賞者一覧　学 文化勲章受章者一覧
学 日本と世界の名言

ユガンスン

| 柳寛順 → 柳寛順 |

ゆぎょうしょうにん

| 遊行上人 → 一遍 |

ユゴー，ビクトール

| 🌐 ビクトール・ユゴー | 1802〜1885年 | 文学 |

名作『レ・ミゼラブル』の作者

フランスの詩人、作家、劇作家。

東部のブザンソン生まれ。父はナポレオン1世の軍隊の将軍

をつとめた軍人。1815 年からパリの寄宿学校で学び、文学に熱中し、コンクールに作品を投稿しはじめた。1822 年に、はじめての詩集『オードと雑詠集』を刊行する。1827 年に発表した戯曲『クロムウェル』でロマン主義の中心的存在となる。その後ナポレオン 3 世がクーデターをおこし実権をにぎると海外に亡命した。1871 年、普仏戦争（プロイセンとフランスとの戦争）によって共和制が復活すると、帰国をはたす。上院議員をつとめ、また国民的文学者として尊敬を集め、死後は国葬された。

代表作に、小説『ノートルダム・ド・パリ』『レ・ミゼラブル』、戯曲『エルナニ』、詩集『東方詩集』などがある。『レ・ミゼラブル』は、1815 年ころのフランスを舞台に人道主義をつらぬいた小説で、のちに舞台劇やミュージカル、映画作品がつくられた。日本では明治時代に黒岩涙香により『ああ無情』の題名で紹介されて以来、広く親しまれている。

ユスティニアヌスてい

<table>
<tr><td>ユスティニアヌス帝</td><td>483〜565年</td></tr>
</table>

王族・皇族

地中海世界を再統一し、ビザンツ帝国最盛期を築く

ビザンツ帝国の皇帝（在位 527 〜 565 年）。

マケドニアの農家出身。おじであるユスティヌス帝の養子になり、執政官、軍司令官をつとめ、527 年、ユスティヌス帝が亡くなると、皇帝の座についた。ユスティニアヌスは、皇妃テオドラとともにローマ帝国の繁栄につとめ、北アフリカのバンダル王国、イタリアの東ゴート王国をほろぼし、西ゴート王国を攻撃してイベリア半島南部を占領、かつてローマ帝国の領土であった地中海域の支配を回復した。

内政では、土木事業を推進し、聖ソフィア大聖堂など多数の公共建築物を造営、東方伝来の養蚕を奨励した。また、司法を整備するため、法学者トリボニアヌスらに、古代ローマの法典の編さんを命じ、『ローマ法大全』を完成させた。

宗教面では、キリスト教を基盤にした国政をめざし、教会の教義論争を終わらせた。異教徒をきびしくとりしまり、900 年つづいたアテネのアカデメイアを閉鎖した。ビザンツ帝国（東ローマ帝国）の最盛期をつくったが、たび重なる戦争で財源は行きづまった。

ユスフザイ，マララ

政治

<table>
<tr><td>マララ・ユスフザイ</td><td>1997年〜</td></tr>
</table>

史上最年少でノーベル平和賞を受賞した

パキスタンの人権活動家。

北部山岳地帯のスワート地区に生まれる。医師をめざして、父親が経営する学校で学んだが、スワート地区をイスラム過激派のタリバンが支配すると、女子が教育を受けることはみとめられなくなった。2009 年、このような状況をイギリスの放送局が運営するブログに投稿し、女性の教育問題にとりくむ少女として、世界的な話題となった。2012 年、下校途中、タリバンから襲撃され、頭に銃弾を受けて重体となったが、一命をとりとめ、その後、イギリスにわたって治療、療養した。回復後、女性の教育の権利を求める活動を再開、そのようすが世界各国のメディアで紹介された。

一連の活動により、2011 年、パキスタン国民平和賞、2013 年、国際子ども平和賞を受賞、2014 年には、史上最年少の 17 歳でノーベル平和賞を受賞した。UNESCO とパキスタン政府はマララ基金を創設。世界中の女性教育を支援する活動をおこなっている。

学 ノーベル賞受賞者一覧

ゆづきのきみ

貴族・武将

<table>
<tr><td>弓月君</td><td>生没年不詳</td></tr>
</table>

機織りを伝えた渡来人

古墳時代に来日したとされる、百済の人。

『古事記』『日本書紀』に登場する伝説的な人物で、応神天皇の時代に朝鮮半島の百済から渡来したとされる。このとき弓月君は、応神天皇に貢献するためにひきいてこようとした人々が、百済に敵対する新羅にじゃまをされて朝鮮半島にとどまっているとうったえた。

そこで応神天皇は朝鮮半島に軍をむけ、のこされた人々をひきいて帰った。弓月君はこれらの人々を指導し、倭（日本）に養蚕や機織りの進んだ技術を伝えたという。秦の始皇帝の末裔とされ、秦氏の祖先といわれるが、出身に関してはさまざまな説がある。子孫の秦氏は大和政権や、その後の朝廷につかえて活躍した。

▲秦氏とゆかりの深い養蚕神社木島坐天照御魂神社内

ユトリロ，モーリス　　　　　　　　絵　画

● モーリス・ユトリロ　　　　　　　　1883〜1955年

パリの風景をえがきつづけた画家

フランスの画家。

パリ北部のモンマルトルで生まれ、画家の母シュザンヌ・バラドンと祖母の下で育つ。1891年、8歳のときスペインの美術評論家ミゲル・ユトリロの養子となる。複雑な家庭事情からさびしい少年時代を送り、12歳のころから飲酒をはじめ、アルコール依存症になって、しばしば療養所に入った。飲酒をやめさせるために、母親と医師が絵をかくようにすすめたことがきっかけで、画家をめざすようになる。はじめは母の画風を追いかけ、その後ピサロの影響を受け、印象派をめざした。2〜3年で数百点もの作品をえがいた。

1907年、白をアクセントにぬりこむ独特のスタイルを確立する。1909年、サロン・ドートンヌ展に初出品し、1913年には最初の個展をひらいた。故郷モンマルトルの風景画を多くえがき、白っぽい色調と構図が当時の人気を集めた。主な作品に『モンマニーの庭』『ラパン・アジル』などがある。

ゆもとかずみ　　　　　　　　　　絵本・児童

● 湯本香樹実　　　　　　　　　　　1959年〜

『夏の庭−The Friends−』で海外でも評価される

児童文学作家、脚本家。

東京生まれ。東京音楽大学卒業。在学中に寺山修司の影響を受け、戯曲を書きはじめる。1992（平成4）年、『夏の庭−The Friends−』で作家としてデビュー、日本児童文学者協会新人賞、児童文芸新人賞を受賞。老人と少年たちの交流を通して生と死を考えるこの物語は、映画や舞台作品にもなった。また10か国以上で翻訳され、ボストン・グローブ・ホーン・ブック賞、ミルドレッド・バチェルダー賞を受賞。2009年には、絵本『くまとやまねこ』（絵・酒井駒子）で講談社出版文化賞絵本賞受賞。ほかに『ポプラの秋』、オペラの脚本『千の記憶の物語』（三枝成彰作曲）などがある。

ゆやまやごえもん　　　　　　　　郷　土

● 湯山弥五右衛門　　　　　　　　　1650〜1717年

皆瀬川から堀をひらいた名主

江戸時代前期〜中期の農民・治水家。

相模国足柄上郡川村山北（現在の神奈川県山北町）の名主（村の長）の家に生まれた。山北は皆瀬川沿いの町で、1704年の大地震や、洪水で大きな損害を受けた。さらに1707年の富士山大噴火で土砂や火山灰がつもり、皆瀬川が洪水に

なり、山北の村人は村でくらせなくなった。

弥五右衛門は、農民たちの苦しみを救うため、1709年、災害のようすをみまわりにきた幕府の勘定奉行（税の徴収など幕府の財政運営を担当する役人）に皆瀬川の流路を変更する許可を願いでた。幕府の許可がおり、みずから工事を指揮し、山北周辺の農民を動員して、皆瀬川の曲がりくねったところをけずり、酒匂川まで幅約70mの堀をひらくことに成功した。その後、村に水害はなくなった。子孫はその遺志を受けついで、私財を投じて用水の新設工事をおこなったり、新堰を築いたりした。

ユリアヌスてい　　　　　　王族・皇族　　古　代

● ユリアヌス帝　　　　　　　　　　332〜363年

キリスト教を否定し、異教に走った背教者

ローマ帝国の皇帝（在位361〜363年）。

キリスト教を公認したコンスタンティヌス帝のおい。家族は一族に暗殺され、幼少時は兄とともに軟禁生活を送った。このころギリシャ古典に親しんだ。

355年、コンスタンティヌス帝の子、コンスタンティウス2世から副帝に登用され、ガリア（現在のフランス・オランダ・スイス）、ブリタニア（イギリス）へと赴任した。そして彼の死後に帝位を継承。即位するとすぐにキリスト教信仰を捨て、ギリシャ・ローマの伝統宗教を尊重した。またキリスト教の優遇政策を廃止し、ほかの宗教の復興を支援したため、キリスト教会から「背教者」とよばれた。対外的にはササン朝ペルシアの侵入をおさえるため、東方へ出陣。しかし戦いで負傷し、在位わずか2年で亡くなった。

ゆりきみまさ　　　　　　　　　　政　治

● 由利公正　　　　　　　　　　　　1829〜1909年

五箇条の御誓文を起草

（国立国会図書館）

幕末の福井藩士、明治時代の政治家。

福井藩（現在の福井県北西部）の下級武士の家に生まれる。はじめ三岡石五郎、のち八郎、明治維新後に由利公正と名のる。1847年、福井をおとずれた熊本藩（熊本県）の藩士横井小楠から殖産興業（生産をふやし産業をさかんにすること）について学び、橋本左内らと藩政改革にとりくんだ。生産者に藩札を貸しつけて生産力を上げさせたり、長崎に蔵屋敷を建てオランダに生糸を輸出したりするなど貿易をさかんにして財政再建につくした。また、洋式大砲の設置や鉄砲を量産して、軍事力を強化した。明治維新後、新政府の財政を担当。五箇条の御誓文の起草にもかかわった。1871（明治4）年、東京府知事に就任。防火対策として、銀座のれんが街の建設を進めた。1872年、岩倉使節団に随行し、アメリ

カ合衆国やヨーロッパを視察、議会制度や自治制度などをもたらし、のちに板垣退助らと「民撰議院設立建白書」を政府に提出した。1875年、元老院議官（政府の立法機関の議員）となり、1890年、貴族院議員に任命された。

ユワンシーカイ

袁世凱 → 袁世凱

ユング, カール・グスタフ　学問 医学

カール・グスタフ・ユング　1875〜1961年

普遍的無意識に着目した「分析心理学」の創始者

スイスの精神科医、心理学者、精神分析学者。

スイスに牧師の子として生まれる。1900年、バーゼル大学医学部卒業、チューリヒ大学精神科で助手をつとめる。フロイトの『夢判断』を読んで感激したユングは、彼の精神分析学に共鳴し、その発展に貢献した。1910年、国際精神分析協会の初代代表になるが、性的エネルギーを重視しすぎるフロイトとの意見のちがいから、論争の末に決別。その後はユング独自の分析心理学を創始する。1914年には協会を脱退、チューリヒ大学医学部講師の職も辞した。人間の無意識には「個人的無意識」と、個人をこえて人間に共通する「普遍（集合）的無意識」があるとし、神話や民話、夢の研究を通して普遍（集合）的無意識のもとになる「元型」の存在を主張した。また、人間の性格を内向型と外向型の2種類に分類した。1948年、共同研究者たちとチューリヒにユング研究所を設立。著書に『無意識の心理学』『心的類型』などがある。

ユンボソン（いんふぜん）　政治

尹潽善　1897〜1990年

朴正煕の軍事政権に、金大中とともに対抗した

大韓民国（韓国）の政治家。大統領（在任1960〜1962年）。

忠清南道に生まれる。イギリスのエディンバラ大学を卒業したのち、第二次世界大戦後の1948年、初代ソウル市長となった。

1954年には国会議員に当選、民主党創立に参加。李承晩政権が崩壊すると、1960年、大統領に就任した。しかし、1961年、朴正煕による軍事クーデターがおこり、翌年に大統領を辞任した。その後、独裁体制をしいた朴正煕大統領に対抗して大統領選挙に2回立候補したが、2回とも落選した。1971年に国民党を創立、金大中と協力し、野党の中心となって活動した。1979年に朴大統領が暗殺されると、全斗煥の大統領就任をあとおしするなど、政界の長老として影響力をもった。

学 主な国・地域の大統領・首相一覧

ようえん　政治

楊炎　727〜781年

租調庸制にかわり、約800年つづく両税法を創設した

中国、唐の政治家。

鳳翔（現在の中国中央部の陝西省）に生まれる。河西節度使の掌書記を振り出しに、のちに中央政府に入り、同郷の宰相、元載の信任を受けて、中書舎人などを歴任した。元載の失脚で地方官に左遷されたが、779年、第12代皇帝徳宗の即位により、宰相に抜きされる。塩の専売を成功させ、財政をにぎっていた劉晏を、780年に処刑。実権を得て、戸税・地税からなる両税法を施行、租調庸法を廃止した。このような中国税制史上の一大改革をおこなうことで、安史の乱で破綻した国家財政の立て直しをはかった。

しかし、地方勢力である藩鎮の反発を受け、徳宗の信頼も失ったために崖州に左遷されてしまい、その途中、自殺を命じられた。

ようきひ　王族・皇族

楊貴妃　719〜756年

皇帝の寵愛を受け、安史の乱の原因となる

中国、唐の第6代皇帝玄宗のきさき。

蜀州で生まれる。父は蜀州司戸の楊玄琰。幼名は玉環。幼いころに父を失い、おじの養女となった。たいへんかしこく容姿にすぐれ、音楽や舞踊にも多大な才能があったといわれる。古代中国四大美人（ほかは西施、王昭君、貂蝉）の一人に数えられる。

玄宗の第18皇子、寿王のきさきにむかえられたが、玄宗の目にとまり、745年、皇后に次ぐ貴妃の称号を得て、玄宗のきさきとなる。玄宗は楊貴妃を愛するあまり、楊氏一族を高官としてとりたて、いとこの楊国忠は宰相にまで出世した。

しかし楊国忠と対立していた節度使の安禄山が、史思明とともに、755年に安史の乱をおこす。

反乱軍が都長安（現在の陝西省西安市）にせまると、楊貴妃は玄宗とともに都からのがれたが、途中で護衛の兵士らが反乱をおこして楊国忠を殺害、楊貴妃も玄宗の命令で殺された。玄宗と楊貴妃の恋物語は、白居易（白楽天）の長編の漢詩である『長恨歌』に歌われ、平安時代の日本にも伝わり、広く知られることになった。

ようけん

楊堅 → 文帝（隋）

ようさい

〔宗教〕

● 栄西　　　　　　　　　　1141〜1215年

臨済宗の開祖で、日本に茶を広めた

（建仁寺両足院）

鎌倉時代前期の僧。「えいさい」とも読む。備中国（現在の岡山県西部）出身。11歳で寺に入り、1154年、比叡山延暦寺（滋賀県大津市）で受戒した。天台宗を学び、1168年、中国の宋にわたって座禅による修行を重んじる禅宗を学んで帰国した。1187年、さらに深く学ぶため、ふたたび宋にわたり、唐の臨済がひらいた禅を学び、1191年に帰国し日本の臨済宗をひらいた。しかし、禅宗の布教をみとめない比叡山の僧たちにより弾圧されたので、禅宗が国を守るという思想を主張した『興禅護国論』を著した。1199年、栄西の禅の思想が北条政子により支持されて寿福寺（神奈川県鎌倉市）を建立。1202年には、鎌倉幕府の第2代将軍源頼家の保護を受け、京都に建仁寺を建立した。1206年、重源のあとをついで東大寺の大勧進職（寺院の建立をとりしきる役職）となり復興につくした。また、中国からチャの種を持ち帰り、1214年に鎌倉にもどると二日酔いだった第3代将軍源実朝に茶をすすめてよろこばれ、中国からもたらした茶の効用を説いた『喫茶養生記』を著した。その後、喫茶の習慣は寺院から武士、貴族のあいだに広まった。

ようせいてい

〔王族・皇族〕

● 雍正帝　　　　　　　　　1678〜1735年

清朝の独裁体制を確立

中国、清の第5代皇帝（在位1722〜1735年）。

世宗ともいう。第4代皇帝康熙帝の第4子として生まれる。父の死後、帝位継承をめぐる争いがおこり、これに勝ちぬいて即位した。地方官から直接情報を収集する方式をとり、すべての政務をみることにより、皇帝権力の強化につとめた。また、国の軍事の最高機関として軍機処をもうけ、軍機大臣をとおして政治の独裁体制を確立した。財政では、土地税の中に人頭税を組み入れ、銀でおさめる地丁銀制度を確立した。

対外的には、1724年、青海省やチベットに遠征し、チベットのラサに駐蔵大臣をおいた。1727年にはロシアとキャフタ条約をむすび、中央アジアでの国境を定めた。キリスト教を禁止し、宣教師をマカオに追放した。

在位は13年と短かったが、その間に、専制体制の確立に力をつくし、皇帝による独裁を確実なものにした。

〔学〕世界の主な王朝と王・皇帝

ようぜいてんのう

〔王族・皇族〕

● 陽成天皇　　　　　　　　868〜949年

奇行がめだち、殿上で殺人事件をおこす

（小倉百人一首殿堂「時雨殿」所蔵）

平安時代前期の第57代天皇（在位876〜884年）。清和天皇の子で、即位する前は貞明親王とよばれた。

2歳で清和天皇の皇太子となり、876年、天皇から譲位され、9歳で即位した。右大臣藤原基経が摂政となり、実権をにぎった。880年、基経が太政大臣になったあとは、基経と対立。異常ともいわれた性格で、宮中で宝剣をぬくなど奇行乱行がめだち、883年、殿上で殺人事件をおこした。翌年、事態を重くみた基経によって退位に追いこまれた。その後、55歳の光孝天皇が即位した。

〔学〕天皇系図　〔学〕人名別 小倉百人一首

ようだい

〔王族・皇族〕

● 煬帝　　　　　　　　　　569〜618年

大運河建設で中国経済の統一に貢献

中国、隋の第2代皇帝（在位604〜618年）。

初代皇帝文帝（楊堅）の第2子。姓名は楊広。晋王だった589年、南朝の陳の討伐を指揮してこれをほろぼし、南北統一をなしとげた。その後、皇太子の兄を殺害し、父の死により帝位につく。みずから父を殺したとの説もある。

首都大興のほか洛陽に東都をつくり、100万人を動員して大運河を建設、華北と江南をむすんだ。これにより物資の輸送を可能にし、中国の南北融合に大きく貢献した。また、チベットやベトナムなどに遠征して支配地を広げ、諸国に朝貢をうながした。しかし、異民族の侵入にそなえた万里の長城の修復工事や、3度におよぶ高句麗遠征などが人民の大きな負担となり反乱が多発、江都（現在の揚州）の離宮に移る。617年、李淵が大興を占領するが、煬帝は離宮で遊びにふけり、翌年、臣下の宇

文化及に殺され、隋は滅亡した。

607年、小野妹子が派遣された聖徳太子による遣隋使は、煬帝のもとに送られたものである。このとき煬帝は、「日没處天子」のことばに激怒するが、使節を受け入れ、翌年、裴世清を日本に送った。

学 世界の主な王朝と王・皇帝

ようめいてんのう　王族・皇族

● 用明天皇　　　　　？～587年

病にたおれ、仏教を信仰したいと願う

古墳時代の第31代天皇（在位6世紀ごろ）。欽明天皇の子で、母は蘇我稲目の娘。推古天皇は同母妹にあたる。異母妹の穴穂部間人皇女を皇后とし、厩戸皇子（聖徳太子）らをもうけた。585年、兄の敏達天皇の死去にともない即位。

翌年、病になり、仏教を信仰したいと思ったが、それについて役人たちの意見を聞いた。蘇我馬子は支持したが、物部守屋は反対し、両者は対立。天皇は、死にのぞんで仏教への帰依を願ったという。天皇の在位は2年と短く、その死後、皇位継承や仏教信仰をめぐって、蘇我氏と物部氏の対立はますますはげしくなっていった。

学 天皇系図

ヨーステン，ヤン　政治

● ヤン・ヨーステン　　　　？～1623年

嵐にあって漂着したオランダ人

▲八重洲地下街にあるヨーステンの銅像

江戸時代初期に来日した、オランダの航海士。

デルフトに生まれる。1598年、オランダ船リーフデ号に航海士として乗船し、インドにむかう途中嵐にあい、1600年、臼杵湾（大分県臼杵市）に漂着した。その後、同船していたイギリス人ウィリアム・アダムズとともに江戸幕府初代将軍徳川家康の外交顧問としてつかえ、江戸（現在の東京）に屋敷をあたえられて日本の女性と結婚した。

1609年、長崎の平戸にオランダ商館が開設されると、幕府との交渉に協力し、また、幕府より朱印状（朱色の印がおされた海外渡航の許可証）を得てシャム（タイ王国）やトンキン（ベトナム北部にあった阮朝）などへ貿易船を派遣した。

1723年、帰国しようとオランダ領のバタビア（インドネシアのジャカルタ）へわたるが、帰国交渉に失敗してオランダに帰れず、日本にもどる途中難破して死んだ。

八重洲（東京都中央区）の地名はこの地にヨーステンの屋敷があったことから、ヤン・ヨーステン（耶揚子）がなまって八重洲になったという。

ヨーゼフにせい　王族・皇族

● ヨーゼフ2世　　　　1741～1790年

オーストリアの啓蒙専制君主

神聖ローマ皇帝（在位1765～1790年）。

神聖ローマ皇帝フランツ1世とマリア・テレジアの長男としてウィーンに生まれる。1765年、父の死後、神聖ローマ皇帝になるとともに、母とオーストリアを共同統治することになったが、政治の実権は母がにぎった。1780年、母の死後、親政をおこなった。フランス啓蒙思想の影響を受け、農民解放令、宗教寛容令、出版の自由、貴族の法的特権の廃止、土地税制の改革、商工業の保護、学校や病院の建設など、急進的な改革を次々と打ちだした。啓蒙専制君主とよばれたが、多くは貴族らの反対にあい挫折した。外交では、1772年、第1回ポーランド分割をおこない、ポーランド南部のガリシア地方を得た。

学 世界の主な王朝と王・皇帝

よこいしょうなん　幕末

● 横井小楠　　　　1809～1869年

仁政を基本にすえた国家の建設をめざした

▲横井小楠　（国立国会図書館）

幕末の熊本藩士、思想家、明治時代の政治家。

通称は平四郎、小楠は号（別の名）。熊本藩（現在の熊本県）の藩士の子として生まれる。藩校の時習館に学び、のちに塾長となった。

1839年、藩の命令により江戸（東京）に遊学し、儒学者の佐藤一斎や水戸学者の藤田東湖らとまじわった。1841年ころから、学問と政治の一致をめざす朱子学の研究グループの実学党を結成し、藩政改革を提言したが、藩の主流派から遠ざけられた。

1851年、西日本を遊歴する旅に出て、各藩の政治や社会情勢を見聞し、多くの人物と交友を重ね、日本の国家像を構想するきっかけとした。

アメリカ合衆国の使節ペリー来航後の1856年、中国で出版

された『海国図志』と出会い、世界の情勢を読み解き、「積極的に開国し通商をすることで富国強兵をはかるべきだ」と考えるようになった。1858年、福井藩（福井県北西部）の藩主の松平慶永にまねかれ、藩校明道館のレベル向上につくすよう求められた。藩士たちに講義をするとともに、重臣たちにも藩政改革を指導した。領民に元手の資金を貸しつけて、生糸や木綿、チャなどの生産を奨励し、生産物を長崎や横浜から輸出して利益を上げた。

1862年、松平慶永が江戸幕府の政事総裁職につくと、その補佐をつとめ、『国是七条』を起草。大名の参勤交代制の緩和、大名の妻子を国元に帰す、有能な人材を採用する、広く意見を求めて公論による政治をおこなう、海軍力を強化する、などを打ちだして幕政改革を進めた。しかし同年末、宴会中に刺客におそわれて逃げ帰ったことから、「武士にあるまじき行為」と非難され、熊本藩から武士の身分をうばわれ、領地もとり上げられた。

1863年、中央の政局からはなれ、熊本の沼山津の自宅にこもったが、勝海舟らと手紙をかわし、坂本龍馬ら諸藩の有志たちがおとずれ、意見を求められた。儒学の理想とする「仁政」をもとに、ヨーロッパの技術をとり入れて国を富ませ、これを世界に広めていこうという考えは、明治維新の基本構想ともなった。明治維新後、新政府の参与（総裁、議定に次ぐ高官）となり、多忙をきわめる中、1869（明治2）年、攘夷派の十津川の郷士らにより「開国を進め日本にキリスト教を広める元凶」とみなされ、暗殺された。

▲小楠公園にある遺髪墓
（熊本市提供）

よこいときよし

● 横井時敬　　　　　　　　1860〜1927年

農業の発展に力をつくす

明治時代〜大正時代の農学者。

肥後国熊本藩（現在の熊本県）の藩士の家に生まれる。熊本洋学校で学び、駒場農学校（現在の東京大学農学部）を首席で卒業する。日本の伝統農業と西洋の近代農業のよい点を紹介した『栽培汎論』を著した。1885（明治18）年、福岡県立農学校の教師となり、イネの種もみを塩水に浮かべてよしあしを選別する「塩水選種法」を発明。1894年、帝国大学農科大学（東京大学農学部）の助教授、ドイツに留学後は教授となり、東京農業大学の学長をつとめた。またその間、大日本農会の副会頭、理事長をつとめ、全国をまわって、農民の教育に力をつくした。

国家の基盤は農業であるとする農本主義をとなえ、農村の保護を主張した。

よこおただのり

● 横尾忠則　　　　　　　　　1936年〜

幅広い分野で活躍するデザイナー

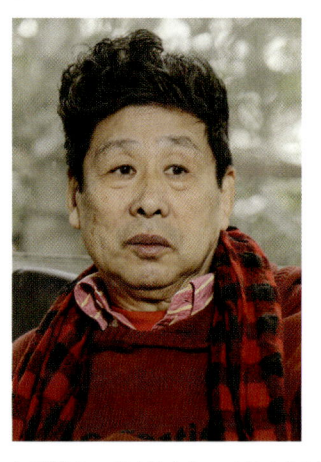

グラフィックデザイナー、画家。

兵庫県生まれ。高校時代から油絵やポスターを制作し、公募展で入賞を重ねる。神戸新聞社、日本デザインセンターをへて、グラフィックデザイナーとして独立し、1966（昭和41）年、『グラフィック・デザイン展≪ペルソナ≫』にて、田中一光らとともに、第12回毎日産業デザイン賞を受賞した。唐十郎の状況劇場や寺山修司の天井桟敷のポスターで脚光をあび、1969年、パリ青年ビエンナーレ版画部門でグランプリ、1974年にはワルシャワ国際ポスター・ビエンナーレで金賞を受賞するなど、国内外で数々の受賞をくりかえした。

1972年に、ニューヨーク近代美術館で個展を開催した。1980年、同美術館でみたピカソ展に衝撃を受け、絵画制作に重心をおきはじめる。絵画、版画、グラフィックデザインのほか、立体作品やデジタルアートまで幅広く活動し、1995（平成7）年には毎日芸術賞を受賞した。随筆集などの著書も多く、2008年には小説集『ぶるうらんど』で泉鏡花賞を受賞した。

よこたきさぶろう

● 横田喜三郎　　　　　　　1896〜1993年

多くの法学者、法律家を育てた国際法学の第一人者

昭和時代の国際法学者、最高裁判所長官。

愛知県生まれ。政治家、政治学者の猪口邦子は孫。東京帝国大学（現在の東京大学）法学部を卒業後、同大学の助教授をへて、教授となった。1930（昭和5）年のロンドン軍縮条約に日本代表団の一人として随行。翌年の満州事変に際しては、日本軍の行為が自衛の範囲をこえているとして批判した。以後、第二次世界大戦終戦までの軍国主義が台頭した時代にも、国際平和主義をつらぬいた。

法律の解釈は、道徳や政治から独立したものでなければならないという、純粋法学の立場から、国際法についての研究をおこない、『国際裁判の本質』をはじめ、多くの著書を出版した。

1957 年に東京大学を退職したあとは、国連国際法委員会委員、最高裁判所長官などをつとめた。日本の国際法学の第一人者として、すぐれた研究成果をのこし、多くの法学者、法律家を育てた。これらの功績をみとめられて、1975 年に文化功労者にえらばれ、1981 年には文化勲章を受章した。

学 文化勲章受章者一覧

よこたみのる

● 横田穣　　　　　　　　　　　郷土　　1865〜1950年

日出生台に水源林をつくった植林家

明治時代の植林家。

阿波国麻植郡川島町（現在の徳島県吉野川市）に生まれた。陸軍少佐となり、日清戦争と日露戦争に従軍したのち、1910（明治43）年、大分県の日出生台の陸軍演習場の管理責任者となった。日出生台は溶岩台地で水資源がなく、飲料水などは遠方から馬車ではこんでいた。そこで横田は、台地の緑化事業を進めて水源林を確保して、水資源を得ようとした。周辺には、反対する人もいたが、やがてその熱意に賛成する人々があらわれ、陸軍からの援助を得て、事業を進めた。1935（昭和10）年に退官するまで 25 年にわたり、1500ha の台地にスギ、ヒノキ、マツなど 450 万本の木を植えて、水資源の開発につくした。

よこみつりいち

● 横光利一　　　　　　　　　　文学　　1898〜1947年

新感覚派の代表的作家

（日本近代文学館）

大正時代〜昭和時代の作家。福島県生まれ。本名は利一。早稲田大学中退。菊池寛の『文藝春秋』創刊に加わり、1923（大正12）年に発表した『日輪』と『蠅』で、新進作家として注目される。翌年、川端康成らと同人誌『文芸時代』を創刊。日本の伝統的な私小説（作者自身の経験や心理をかいた小説）やプロレタリア文学（労働者の立場から現実をえがく文学）の作風に反発する。みずからは、暗示や比喩をつかった表現による都会的で新しい感覚の小説を主張して、川端康成や中河与一らとともに新感覚派とよばれた。その実践として小説『上海』を発表。プロレタリア派の文芸評論家、蔵原惟人と「形式主義文学論争」をかわしている。その後、精神分析の手法をもとに、人間の心の奥の心理をえがくことをめざし、新心理主義へとかわった。1936（昭和11）年、ヨーロッパにわたり、帰国後、長編『旅愁』の執筆にとりかかるが、未完のまま亡くなった。ほかに『機械』『家族会議』などがある。

よこやまげんのすけ

● 横山源之助　　　　　　　　　政治　　1871〜1915年

日本のルポルタージュの先がけ

明治時代の新聞記者、社会問題研究家。

富山県の網元の家に生まれる。16 歳で法律家をめざして上京し、東京法学院（現在の中央大学）を卒業するが、弁護士試験に失敗し、放浪生活を送る。その間に、二葉亭四迷や松原岩五郎に強い影響を受け、貧民問題に関心をもつようになる。

1894（明治27）年、『毎日新聞』（旧『横浜毎日新聞』）の記者になり、全国各地の都市の貧民や、労働者の生活のようすを調査し、連載した。これをまとめて、1899 年に『日本之下層社会』として出版した。また、日本に住む外国人らが経済や生活におよぼす影響をまとめた『内地雑居後之日本』も同年に発行。日本におけるルポルタージュ（取材や社会調査にもとづいた報告文）の先がけとなる。

片山潜らと労働運動にも参加し、『明治富豪史』などを発行するが、しだいにはなれ、1912 年には単身でブラジルにわたり、『南米ブラジル』を執筆した。

よこやまたいかん

● 横山大観　　　　　　　　　　絵画　　1868〜1958年

近代日本画界の第一線で活躍した画家

（国立国会図書館）

明治時代〜昭和時代の日本画家。

常陸国水戸（現在の茨城県水戸市）に生まれる。本名は秀麿。1878（明治11）年、一家で上京し、東京英語学校にかようかたわら、洋画家の渡辺文三郎に鉛筆画を習う。1889 年、開校したばかりの東京美術学校（現在の東京藝術大学）に入学し、岡倉天心、橋本雅邦の指導を受ける。同級生には、下村観山、菱田春草らがいた。1893 年、卒業制作の『村童観猿翁』を提出して卒業した。1896 年、母校の助教授となるが、1898 年に校長の天心に対する排斥運動がおこり、天心、雅邦らとともに辞職し、日本美術院の創立に加わった。この年、日本絵画協会と日本美術院の連合絵画共進会に、『屈原』を出品した。策略によって失脚した中国戦国時代の屈原と、美術学校を追われた天心を重ねあわせたこの作品は、大きな反響をよんだ。日本美術院では天心の指導の下、菱田春草とともに輪郭線を用いない新しい日本画をめざすが、「もうろう体」とよばれ、非難された。1903 年、春草とインドに旅行する。翌年には天心、春草とアメリカ合衆国にわたり、ヨーロッパをまわって、

1905 年に帰国した。その後、各地で展覧会をひらいて、高い評価を得る。1906 年、日本美術院が茨城県五浦に移ると、同地に移転した。1907 年には第 1 回文部省美術展覧会（文展）の審査員となる。以来、たびたび審査員となり、『流燈』『山路』『瀟湘八景』などを出品する。1914（大正 3）年、同志とともに文展をはなれて、日本美術院を再興し、以後、院展に次々に問題作を発表した。このころから水墨画をえがき、1923 年には全長 40m をこす大作『生々流転』をえがいた。1935（昭和 10）年に帝国美術院会員となり、1937 年に第 1 回文化勲章を受章した。

第二次世界大戦中の 1943 年には、日本美術報国会の会長となって美術統制を進め、終戦後にその責任を問われたこともある。明治以降、つねに日本画の第一線にあって、その革新につとめた。代表作にはほかに、『夜桜』『野の花』『或る日の太平洋』などがある。

学 文化勲章受章者一覧

よこやままみつてる
漫画・アニメ

● 横山光輝　　　　　　　　　　1934〜2004年

戦後日本の漫画界の巨匠

昭和時代〜平成時代の漫画家。

神戸市生まれ。本名は光照。中学生のころから漫画をかきはじめ、高校時代には雑誌『漫画少年』などに投稿していた。高校卒業後、銀行や映画会社などにつとめ、そのあいまに漫画をかきつづけた。1955（昭和 30）年、『音無しの剣』で漫画家デビュー。

同年、『白ゆり行進曲』がはじめて雑誌に連載となった。1956 年、雑誌『少年』に連載された『鉄人 28 号』が大人気となり、のちにラジオドラマやテレビアニメ、劇場版アニメなどにもなった。

その後も、忍者ブームをまきおこした『伊賀の影丸』をはじめ、少女アニメのルーツとなる『魔法使いサリー』の原作漫画など次々に発表。1972 年から 15 年間、連載をつづけた中国の大河歴史ロマン『三国志』は、1991（平成 3）年、第 20 回日本漫画家協会賞を受賞した。手塚治虫とならび第二次世界大戦後の日本漫画界の巨匠とよばれる。

よこやまりゅういち
漫画・アニメ

● 横山隆一　　　　　　　　　　1909〜2001年

漫画家としてはじめての文化功労者

昭和時代の漫画家、アニメーション作家。

高知市生まれ。弟は漫画家の横山泰三。中学卒業後、彫刻家をめざして東京美術学校（現在の東京藝術大学）を受験するが、2 度失敗。1928（昭和 3）年に彫刻家の本山白雲に弟子入りする。漫画家になることをすすめられ、漫画家の岡本一平に師事。その後、近藤日出造や杉浦幸雄らと新漫画派集団を結成して、新しい感覚のナンセンスマンガをめざした。

1936 年に『東京朝日新聞』に『江戸っ子健ちゃん』の連載をはじめると、登場人物の角帽をかぶったフクちゃんが大人気となった。ほのぼのとしたタッチと、かわいらしい絵がらが愛され、第二次世界大戦後は『フクちゃん』という題で『毎日新聞』にひきつがれて、1956 年から 1971 年の終了まで 5534 回の長期連載を記録した。

欧米の漫画の形式をとり入れて日本の漫画界に新風を吹きこみ、日本の漫画界を牽引し、1955 年に戦後初のアニメ映画『おんぶおばけ』を製作している。

1994（平成 6）年には、漫画界初の文化功労者として表彰された。2001 年、92 歳で亡くなる。高知市には、横山隆一記念まんが館がある。

よさのあきこ
詩・歌・俳句

● 与謝野晶子　　　　　　　　　1878〜1942年

「君死にたまふことなかれ」を書いた歌人

（国立国会図書館）

明治時代〜昭和時代の歌人、詩人。

大阪府生まれ。生家は老舗和菓子屋だった。旧姓は鳳、本名は志よう。夫は歌人で詩人の与謝野鉄幹（寛）。こどものころから家業をてつだいながら、父の古典文学や歴史の本を読んだ。1892（明治 25）年、堺女学校卒業。在学中から関西青年文学会の機関誌『よしあし草』などに詩や短歌を投稿していた。

1900 年には与謝野鉄幹が主宰する雑誌『明星』に 6 首の短歌を発表し、出版元の新詩社の社友となった。1901 年、鉄幹と結婚。この直前に、書きためた歌を集めたはじめての歌集『みだれ髪』を発表する。恋愛や青春の情熱を大胆に歌った作品は、当時の読者から大きな反響をもってむかえられた。

結婚後は鉄幹とともに『明星』をささえ、浪漫主義文学の中心となって活躍した。小説、詩、評論、古典研究など幅広い分野の執筆をおこなった。1904 年、日露戦争に従軍した弟を思う長詩「君死にたまふことなかれ」を発表する。

大正時代は、1912（大正元）年に鉄幹とヨーロッパをおとずれた経験から、評論や女性問題に関する活動が主流となった。1921 年に文化学院の創設にたずさわり、女子教育にも力を入れた。主な作品に、歌集『小扇』『舞姫』など 20 数冊、評論集『人及び女として』『激動の中を行く』『人間礼拝』、童話集『八つの夜』、現代語訳『新訳源氏物語』『新訳紫式部日記』『新訳徒然草』などがある。

学 切手の肖像になった人物一覧

よさのてっかん

詩・歌・俳句

● 与謝野鉄幹　　　　　　　1873〜1935年

浪漫主義、文学運動をリード

（日本近代文学館）

明治時代〜大正時代の歌人、詩人。

京都府生まれ。本名は寛。3人目の妻は歌人の与謝野晶子。父は歌人で浄土真宗の寺の住職だった。寺が没落して他家の養子になり、大阪、岡山などを転居、つらい少年時代をすごす。

女学校の教師をつとめたあと、1892（明治25）年に上京。歌人の落合直文に学び、短歌の同人、浅香社に参加した。1894年、古い歌風の短歌を批判する歌論『亡国の音』を発表して、注目を集める。1899年に新詩社をつくり、雑誌『明星』を創刊して、新しい短歌をつくる運動をおこした。『明星』は、1908年に廃刊するまで100号を数え、多くの新人作家や翻訳家たちを世に送りだし、妻の晶子とともに浪漫主義の文学運動（自由な感情の表現をめざす文学運動）に大きな役割をはたした。

1919（大正8）年からは慶應義塾大学の教授をつとめる。幼いころから仏典や漢書を学んだ鉄幹の歌は、雄壮で男性的。作品に、詩歌集『東西南北』『鉄幹子』『紫』『うもれ木』、歌集『相聞』などがある。

よさぶそん

詩・歌・俳句

● 与謝蕪村　　　　　　　1716〜1783年

絵画的な描写が特徴の俳人

▲与謝蕪村　　（国立国会図書館）

江戸時代中期の俳諧師、画家。

摂津国毛馬村（現在の大阪市都島区）の裕福な農家に生まれる。本名は信章、寅。姓は谷口といったが、のち（1758年ごろ）に母の生まれ故郷である丹後国（京都府北部）与謝地方の地名をとって、与謝にあらためたという。絵の号には謝長庚、謝春星、謝寅などがある。

20歳ごろ、俳諧（こっけいみをおびた和歌や連歌、のちには俳句などのこと）で身を立てようと江戸（東京）に出て、俳諧や俳画（絵の上に俳句が書かれた絵）を学んだ。やがて江戸の俳句界で名前を知られるようになったが、1742年、27歳のとき師の早野巴人が病死したため江戸を去り、関東、東北地方

を10年ほど放浪して俳諧と絵の修業にはげんだ。そのころから蕪村と名のる。

36歳のとき京都に移り、京都を拠点にして丹後国宮津（京都府宮津市）や讃岐国（香川県）をめぐって多くの絵をえがき、やがて、文人画（学者や文人がえがいた絵画）の大家、池大雅とならび称されるようになった。

俳人の松尾芭蕉を尊敬し、芭蕉の死後低俗になっていた芭蕉門下の俳諧の復興をめざして活躍した。蕪村の俳諧は、「菜の花や　月は東に　日は西に」にみられるように、絵画的な描写を特徴としている。明治時代の正岡子規らの近代俳句運動にも影響をあたえた。

また、画家としても高い評価を得て、多くの傑作をのこした。代表作に池大雅と合作した『十便十宜図』をはじめ、芭蕉の『おくのほそ道』の本文をかきうつして新たに俳画をかき加えた『奥の細道図屏風』、国宝の『夜色楼台図』などがある。

▲『奥の細道図屏風』
（山形美術館・⑪長谷川コレクション）

よしいいさむ

詩・歌・俳句　映画・演劇

● 吉井勇　　　　　　　　1886〜1960年

『ゴンドラの唄』を作詞

明治時代〜昭和時代の歌人、劇作家、作家。

東京生まれ。生家は伯爵家で、祖父の友実は、西郷隆盛らと幕末に活躍した薩摩藩（現在の鹿児島県）の藩士であった。20歳のときに与謝野鉄幹が主宰する新詩社に入り、雑誌『明星』に短歌を発表する。北原白秋とともに新進歌人として注目を集めた。

1909（明治42）年、石川啄木や平野万里とともに雑誌『スバル』を創刊し、翌年には最初の歌集『酒ほがひ』を出版する。はじめはひたすら美を追い求める耽美派の作風だったが、のちに人間的なもの悲しい雰囲気をもつようになる。1915（大正4年）、ツルゲーネフ原作の舞台作品『その前夜』の劇中歌『ゴンドラの唄』を作詞し、大いに流行した。ほかに歌集『祇園歌集』や戯曲『午後三時』『俳諧亭句楽の死』などがある。

よしいげんた

郷土

● 吉井源太　　　　　　　1826〜1908年

土佐和紙を改良した紙すき職人

江戸時代後期〜明治時代の職人、製紙家。

土佐国吾川郡伊野村（現在の高知県いの町）で、代々土佐藩（高知県）に御用紙をおさめる紙すきをいとなむ家に生まれた。1858年、江戸に行ったときに、紙の消費量を調べると、その量が多いことがわかった。故郷にもどって、それまでの和紙

(いの町紙の博物館)

の製法の改良を研究し、1860年、大型の簀桁（紙をすく道具）を発明した。それまでの簀桁では2枚しかとれなかったが、この簀桁で大きな紙をすいて裁断すると、6〜8枚の紙をとることができた。この大型紙すき道具をつかって紙づくりをしたので、土佐和紙の生産量は飛躍的にふえ、土佐藩の財政に貢献した。紙業界の発展のために広く技術を公開した。さらに、紙の原料にくふうをして新製品を開発し、1880（明治13）年に「典具貼紙」という世界一うすくてじょうぶな和紙をつくった。土佐典具貼紙は世界的に評価され、タイプライター用紙として海外に輸出された。現在、土佐和紙は国の伝統的工芸品に指定され、土佐典具貼紙は国の無形文化財になっている。

よしおかやよい

医学

● 吉岡彌生　　　　　　　　　1871〜1959年

女医教育に尽力、東京女子医科大学の創設者

明治時代〜昭和時代の医学者。

遠江国（現在の静岡県西部）で、漢方医の娘として生まれる。上京して済生学舎（現在の日本医科大学）に入学。1892（明治25）年、21歳で内務省医術開業試験（現在の医師国家試験）に合格して、日本で27人目の女医となった。1900年に済生学舎が女性の入学を拒否したことを知ると、日本初の女医養成機関である東京女医学校を設立。のちに文部省指定校の東京女子医学専門学校となる。同校校長、東京女子医科大学学頭、至誠会会長などを歴任し、日本の女医教育、さらには女性の教養、地位の向上に尽力した。また日本女医会会長、教育審議会委員、日本医師会参与、厚生省顧問など公職もつとめた教育家であり、日本の女子高等教育の基盤をつくった立役者として、津田梅子らとともに知られる。東京女子医科大学の東京都新宿区河田町キャンパスには、吉岡の像と、その名を冠した彌生記念講堂がある。

よしかわえいじ

文学

● 吉川英治　　　　　　　　　1892〜1962年

大衆の夢にこたえた作家

大正時代〜昭和時代の作家、児童文学作家。

神奈川県生まれ。本名は英次。12歳ころから家運がかたむき、

(日本近代文学館)

高等小学校を退学して、すぐ奉公に出た。官庁の給仕、商店員、船の修理場の船具工などさまざまな職場ではたらく。このころから文芸雑誌へ投稿をはじめた。

1910年に上京し、1914（大正3）年、講談社の懸賞小説に『江の島物語』が1等当選をはたす。29歳のとき東京毎夕新聞社に記者として入り、翌年より新聞小説『親鸞記』の連載をはじめる。その後、落語やユーモア小説などを発表する。関東大震災で新聞社が解散したのち、作家を志す。

1925年から新しい雑誌『キング』に、はじめて吉川英治の名で『剣難女難』の連載を開始し、作家として知られるようになる。またこのころ、月刊少年雑誌『少年倶楽部』に、少年少女むき長編歴史小説『神州天馬俠』『竜虎八天狗』『天兵童子』などを発表。また、1926年より、『大阪毎日新聞』で江戸の隠密を主人公にした『鳴門秘帖』の連載をはじめ、その後『江戸三国志』『万花地獄』『貝殻三平』などをつづけて発表、時代小説の作家として名をなした。

1935（昭和10）年から4年間にわたり、『朝日新聞』に長編小説『宮本武蔵』を発表し、高く評価された。第二次世界大戦後は、『新・平家物語』『私本太平記』などを書き大衆文学の人気作家として活躍する。

死後、吉川英治文化賞と吉川英治文学賞が設立された。1953年、菊池寛賞受賞、1960年、文化勲章受章。

学 文化勲章受章者一覧

よしかわこれたり

宗教

● 吉川惟足　　　　　　　　　1616〜1694年

吉川神道をおこし、江戸幕府の神道方をつとめた

江戸時代前期の神道家。

江戸（現在の東京）に生まれた。日本橋（東京都中央区）の魚商の養子になり、家業をついだが商売がうまくいかず、1651年、36歳で鎌倉（神奈川県鎌倉市）に隠居して和歌や古典、神道を研究した。

1653年、38歳のとき京都に行き、神道家の萩原兼従に入門して吉田神道（室町時代から伝わる神道の一流派）を学んだ。その後、吉田神道をもとに独自の吉川神道を創始し、江戸で陸奥国会津藩（福島県西部・新潟県東部）の藩主、保科正之など、諸大名に神道を講義した。1682年、67歳のとき江戸幕府第5代将軍徳川綱吉から幕府の神道方（幕府の神事を管理した役職）に登用され、以後、吉川家は代々神道方をつとめた。山崎闇斎の師でもある。

よしかわよしずみ

● 吉川温恭　　　　　　　　　　1767〜1846年

狭山茶を開発した製茶家

（入間市博物館）

江戸時代中期〜後期の製茶家。武蔵国宮寺（現在の埼玉県入間市）の名主（村の長）の子として生まれた。農業をいとなむかたわら、神社や寺院などを建築する宮大工としてはたらいた。1802年ころ、偶然みつけたチャの新芽を家にもち帰って、茶にして飲んだところ、味がすぐれていることにおどろき、同じ村の村野盛政と協力して、チャの栽培をはじめた。

その後、製茶の改良にもとりくみ、1807年、京都の宇治で、宇治茶の製法を学んだ。その後、販売先を江戸（東京）へ広げ、江戸の茶問屋、山本嘉兵衛と取り引きして、茶の評判を得た。温恭たちのチャは、村の地名をとって狭山茶と名づけられた。近隣にもチャの栽培をすすめ、狭山茶の発展のもとを築いた。

よしかわるいじ

● 吉川類次　　　　　　　　　　1858〜1927年

二期作用イネの品種改良につくした農民

幕末〜大正時代の農民、育種家。

土佐国長岡郡稲生村（現在の高知県南国市）の農家に生まれた。土佐国では、二期作に適したイネが研究されていた。1895（明治28）年、となりの十市村の鍋島菊太郎が、「出雲早稲」という品種の中に、特別早く実がなる早生種を発見したことを知り、種を買いとってきて、田にまいた。しかし、すぐに穂が出るものの、肥料をあたえると生長が止まり、スズメに食べられたり、害虫の被害にあったりした。研究と試作をつづけた結果、1899年、新しい品種が完成し、「衣笠早稲」と名づけた。二期作の最初のイネに適し、晩生種の「相川44号」とともにつかわれ、高知県の二期作普及に役だった。

よしざわあやめ

● 芳沢あやめ　　　　　　　　　1673〜1729年

歌舞伎の女方を大成した

江戸時代中期の歌舞伎俳優。

紀伊国中津村（現在の和歌山県日高川町）出身といわれる。女方（女性の役を演じる役者）の修業を積み、1698年に京都で初演された『傾城浅間嶽』の遊女三浦役が、生涯の当たり役となった。その後、上方（京都や大坂（阪））を中心に女方として活躍。1713年、江戸（東京）に行き、中村座（江戸の芝居小屋）の『女楠天下太平記』に出演して、人気を博した。1721年、立役（成年男子の役）を演じるが不評だったため、

女方にもどり、生涯女方をつらぬいた。ふだんから女性のようにくらしていたといわれ、女方芸の基礎を確立した。女方の心得をまとめた『あやめぐさ』は、後世の女方に影響をあたえた。芳沢あやめの名前は、その後も代々受けつがれた。

よししげのやすたね

● 慶滋保胤　　　　　　　　　　?〜1002年

45人の極楽往生の伝記をまとめた

（国立国会図書館）

平安時代中期の官人、作家。

陰陽道（中国の陰陽五行説にもとづき天文、暦時、占いなどをおこなう方法）に精通していた賀茂忠行の子だったが、陰陽道をやめて、紀伝道（役人を養成する大学寮で中国の『史記』『漢書』『後漢書』『文選』などを学ぶ学科）を志した。役人としては従五位下、大内記（天皇の側近事務をおこなう中務省直属の内記の長官）に昇進した。982年、新築した自宅での風流な生活や、移りかわる京都のようす、とくに右京（平安京西側の地区）一帯の荒廃ぶりなどを随筆『池亭記』にあらわし、鎌倉時代の鴨長明の随筆『方丈記』に大きな影響をあたえたといわれている。985年から987年ころ、浄土信仰を深く学び、極楽往生した僧、皇族、庶民など45人の伝記を集めた『日本往生極楽記』を著した。

よしずみこさぶろう

● 吉住小三郎　　　　　　　　　1876〜1972年

長唄を独立した音楽に高めた唄方の4世

明治時代〜昭和時代の長唄唄方。

東京生まれ。幼名は長次郎。3世吉住勘四郎の次男。1890（明治23）年、4世を襲名した。歌舞伎座での『京鹿子娘道成寺』で、初舞台をふむ。しばらくは歌舞伎座で活動していたが、1893年に3世杵屋六四郎（のち2世稀音家浄観）とともに退座して、長唄研精会をつくり、歌舞伎の付属音楽だった長唄を、独立した演奏会用音楽にまで高めた。作曲にもすぐれ、研精会の例会では、六四郎との合作や、自身が作曲した新曲を発表し、演奏活動をおこなった。単独で作曲したものに、『鳥羽の恋塚』や『新平家物語』の中の「君立川」などがある。1936（昭和11）年に東京音楽学校（現在の東京藝術大学）の長唄選科教授となる。

1963年に名を実子の小太郎にゆずり、慈恭と改名した。

1948 年に日本芸術院会員となり、1956 年には重要無形文化財保持者（人間国宝）に認定される。1957 年に文化勲章を受章した。

学 文化勲章受章者一覧

よしだかねとも

宗教

● 吉田兼倶　　　　　　　　　1435〜1511年

吉田神道の創始者

（吉田神社）

室町時代〜戦国時代の宗教家。

京都、吉田神社の神官の家に生まれる。もとの姓は卜部。当時の神道は、本地垂迹説（神道よりも仏教のほうが上位）をとる両部神道、山王神道や、反本地垂迹説をとる伊勢神道などいくつかの教えに分かれていた。兼倶は、神道至上主義の立場から、儒教、仏教も融合した吉田神道（唯一神道）をとなえ、『唯一神道名法要集』『神道大意』などを著した。

兼倶は、当時の権力者である後土御門天皇や足利義尚、日野富子など、朝廷や幕府に近づいて権勢を広げた。その強引な手法はたびたび問題となり、1489 年には火災のため伊勢神宮の御神体のゆくえがわからなくなったところ、天皇が兼倶に確認を命じたら、吉田神社に雷が落ち、不思議な器物が落ちてきたと報告。天皇はそれを御神体と受けとった。文明年間（1469〜1487 年）ころには、「神祇管領勾当長上」などと称して、全国の神職や神社を組織化し、神道界に君臨した。一般大衆や、公家、仏教の僧侶にまで、広く教えを説いた。

よしだかんべえ

郷土

● 吉田勘兵衛　　　　　　　　1611〜1686年

横浜の広大な新田の開拓者

江戸時代前期の横浜の新田開拓者。

摂津国能勢郡（現在の大阪府能勢町）に生まれる。1634 年、江戸（東京）に出て、材木商をはじめた。当時、江戸では地震や火災がたびたびおき、材木の需要が高かったので、大きな利益を上げた。1656 年、商売でたくわえた資金を投資し、武蔵国久良岐郡（神奈川県横浜市）を流れる大岡川の河口を埋め立て、広大な農地にすることを幕府に願いでて、ゆるされた。最初、反対する村人もいたが、勘兵衛の熱心な思いに動かされ、おおぜいの人が工事に参加した。大雨による洪水がおきて、堤防がくずれ、埋め立て地が水没してもあきらめず、江戸の商人に資金協力をたのみ、ふたたび困難な工事をはじめた。

8 年後の 1667 年、7km の堤防にかこまれた新田が完成した。約 116ha（横浜スタジアムの 44 倍）の広さで、約 1000 石の

米が収穫でき、まわりの村は豊かになった。第 4 代将軍徳川家綱はその功績をたたえ、「吉田」の姓を名のり、刀をさすことをゆるした。

よしだきねたろう

絵本・児童

● 吉田甲子太郎　　　　　　　1894〜1957年

『兄弟いとこものがたり』の作者

昭和時代の児童文学作家、英文学者、翻訳家。

群馬県生まれ。早稲田大学英文科卒業。別に朝日壮吉などの筆名がある。卒業後、中学教師をへて明治大学教授となる。教師のかたわら、雑誌『新青年』に英米の探偵小説の翻訳を発表していた。山本有三が企画した『日本少国民文庫』の編集に参加。その後、短編集『負けない少年』やアフリカを舞台にした少年の冒険物語『サランガの冒険』などを出版。写実的で人間性あふれる作風で知られた。第二次世界大戦後は、児童雑誌『銀河』の編集をてがける。戦後は、ある家族の兄弟といとこたちのあいだでおこる事件をユーモラスにえがいた『兄弟いとこものがたり』などを発表。翻訳にマーク・トウェインの『ハックルベリー＝フィンの冒険』などがある。

よしだけんこう

吉田兼好　→　兼好法師

よしださおり

スポーツ

● 吉田沙保里　　　　　　　　1982年〜

「弾丸タックル」の女子レスリング選手

レスリング選手。

三重県生まれ。元レスリング選手で全日本選手権優勝経験もある父親の指導の下、3 歳からレスリングをはじめる。

世界ジュニア選手権で 2000（平成 12）年、2001 年と 2 連覇した。女子レスリングがはじめて正式種目となった 2004 年のアテネオリンピックにフリースタイル 55kg 級で出場し、金メダルを獲得。2008 年の北京オリンピック、2012 年のロンドンオリンピックでも金メダルを獲得し、3 連覇を達成する。

紫綬褒章を 3 回受章し、2012 年には、男女を通じて史上最多となる世界選手権 10 連覇の偉業をなしとげ、国民栄誉賞を受賞した。またオリンピックとあわせて世界大会に 13 連続優勝したことでギネス世界記録に認定された。世界選手権の連覇はその後もつづき、2015 年に 13 連覇を達成している。

スピードのあるするどいタックルが得意技で、「弾丸タックル」とよばれ、対戦相手におそれられている。

学 国民栄誉賞受賞者一覧

学 オリンピック日本代表選手 メダル受賞者一覧

よしだしげる

政治

● 吉田茂　　　　　　　　　　　1878〜1967年

戦後日本の経済復興や国際社会への復帰に尽力した

▲吉田茂

昭和時代の政治家。第45、48、49、50、51代内閣総理大臣（在任1946〜1947年、1948〜1949年、1949〜1952年、1952〜1953年、1953〜1954年）。

東京生まれ。実父は旧土佐藩士で、自由民権運動に参加した政治家の竹内綱。総理大臣の麻生太郎は孫。

3歳のときに、実父の友人であった貿易商の吉田健三の養子となる。11歳で養父と死別して遺産を相続、私塾で英才教育を受けた。東京帝国大学法科大学（現在の東京大学法学部）卒業後は、外交官として中国、イギリス、イタリアなどに駐在。中国駐在時は、日本の権益拡大のため、中国政府に積極的に介入する政策を主張した。一方で、イギリスやアメリカ合衆国との連携を主張したため、外務大臣候補となりながら、軍部の反対により就任はならず、駐英大使となった。第二次世界大戦末期、終戦の工作活動をおこない軍に拘束されたが、戦後にはそれが好印象となり、和平主義者として外務大臣をつとめた。

1946（昭和21）年、連合国軍最高司令官総司令部（GHQ）によって公職追放となった鳩山一郎にかわり、自由党総裁、総理大臣に就任した。戦後の食糧難や労働運動への対処、憲法改正をはじめとするさまざまな法律の制定、農地改革など、復興・民主化の課題にとりくんだ。1947年、新憲法にもとづいた選挙により野党に敗北、第1次内閣は総辞職した。翌年、汚職でたおれた芦田均内閣にかわり、第2次内閣を組織、以後第5次まで内閣をひきいた。

国内的には、アメリカにたよらない経済の自立・安定を最大目標として、財政引き締め政策をとった。1950年に朝鮮戦争がおきると、GHQの指示により、自衛隊の前身となる警察予備隊を組織し、再軍備を進めた。対外的には、国際社会復帰をめざした。中華人民

▲サンフランシスコ講和会議にて講和条約に調印する吉田茂

共和国（中国）やソビエト連邦（ソ連）以外の自由主義国のみとの講和という方針は議論をよび、また、軍備を最小限におさえて駐日アメリカ軍による保護を受けるという内容にも強い反対がおこったが、1951年、サンフランシスコ平和条約を締結、日本の国際社会復帰をはたした。同時に日米安全保障条約にも調印した。このころから、革新勢力だけでなく、与党内部でも反吉田勢力が拡大し、1954年、総理大臣を辞職した。「ワンマン」とよばれる強い個性をもった政治家で、戦後の経済復興や国際社会復帰への道筋をつけ、「吉田学校」とよばれるグループで池田勇人、佐藤栄作らの政治家を育てた。

学 歴代の内閣総理大臣一覧

よしだしょういん

吉田松陰 → 219ページ

よしだただし

音楽

● 吉田正　　　　　　　　　　　1921〜1998年

哀愁をおびた都会的な曲で、歌謡界をリード

昭和時代〜平成時代の作曲家。

茨城県生まれ。日立工業専修学校卒業。1942（昭和17）年、第二次世界大戦で徴兵され中国東北部へおもむく。戦後はシベリアの捕虜収容所に抑留され、1948年に帰国した。

音楽の才能にめぐまれ、こどものころから曲をつくる。シベリア抑留中につくった曲に別の詞がつけられて『異国の丘』という名で、戦後に流行した。1949年、レコード会社の専属作曲家となり、歌謡曲の作曲にとりくむ。日本レコード大賞受賞作『誰よりも君を愛す』『いつでも夢を』などのヒット曲を送りだした。

洋楽のリズムや和音をとり入れたモダンな作風で、哀愁をおびた都会的な曲に人気がある。生涯に2400曲をこえる楽曲をのこすとともに、多くの歌手を育て、昭和時代の歌謡界をリードした。1982年、紫綬褒章受章。死後、国民栄誉賞が贈られた。

学 国民栄誉賞受賞者一覧

よしだとうよう

幕末

● 吉田東洋　　　　　　　　　　1816〜1862年

土佐藩で藩政改革を進めた

幕末の土佐藩士。

土佐藩（現在の高知県）の藩士の子として生まれる。名は元吉、東洋は号（別の名）。1841年、26歳のとき、家督をつぎ、舟奉行、郡奉行などに任じられ、人材登用や海防などについて意見を申し立てた。1853年、藩主の山内豊信に起用され藩

政改革を進めるとともに、アメリカ合衆国の国書への対応について土佐藩の意見書を起草した。翌年、江戸（東京）に出たが、宴会で旗本をなぐった事件がもとになり隠居させられた。高知にもどり、郊外に少林塾をひらき、後藤象二郎や福岡孝弟、岩崎弥太郎らを育てた。1857年、藩政に復帰し、門閥の打破と人材の登用、殖産興業（生産物をふやし産業をさかんにすること）、開国貿易、洋式海軍の創設など、豊信の支持を得て改革を進めた。保守的な上層部の家臣や、武市瑞山ら尊王攘夷をとなえる土佐勤王党と対立し、1862年、土佐勤王党により暗殺された。

よしだみつよし

● 吉田光由　　　　　　　　　学問　　1598〜1672年

暮らしに役だつ算術書『塵劫記』の著者

江戸時代前期の数学者。

京都の嵯峨に角倉一族の子として生まれた。はじめ数学者の毛利重能に師事し、のちに一族の角倉素庵（角倉了以の子）に学んだ。素庵から教科書としてあたえられた中国の明の『算法統宗』を手本に、1627年、30歳のとき、算術書『塵劫記』を著した。これは、そろばんのつかい方や日常生活にかかわりのある計算の方法を絵や図を多用してわかりやすく解説した本で、出版と同時に人気をよびロングセラーになった。のちに和算（日本独自の数学）を大成した関孝和も若いころ『塵劫記』を読んで学習したという。その後、肥後国熊本藩（現在の熊本県）の藩主、細川忠利にまねかれて九州各地で指導したが、忠利の死後、京都にもどった。

よしのげんざぶろう

思想・哲学　学問　絵本・児童
● 吉野源三郎　　　　　　　　　　　　1899〜1981年

『君たちはどう生きるか』の作者

昭和時代のジャーナリスト、児童文学者、評論家。

東京生まれ。東京帝国大学（現在の東京大学）哲学科卒業。1935（昭和10）年、新潮社『日本少国民文庫』の編集者になり、のちに岩波書店に移る。1937年、中学生の成長を通して、人はどう生きるかをやさしく説いた長編小説『君たちはどう生きるか』を発表。いまでも多くの人に読みつがれている。岩波書店では、1945年に創刊された雑誌『世界』の初代編集長をつとめ、進歩的な編集で多くの知識人の支持を集める。岩波少年文庫の創設にも力をつくす。退職後は、平和運動や憲法を守る運動を精力的におこなった。代表作に『人間の尊さを守ろう』『ぼくも人間きみも人間』『平和への意志』など。

よしのさくぞう

学問
● 吉野作造　　　　　　　　　　　　　1878〜1933年

大正デモクラシーの立役者

大正時代の政治学者、評論家。

宮城県志田郡大柿村（現在の大崎市古川）で、木綿織物

▲吉野作造　　　　　　　（国立国会図書館）

の原料をあつかう商家の12人兄弟の長男として生まれる。高等小学校1年生のときに受けた英語講習会で、キリスト教に関心をもった。高校時代に聖書研究会に参加し、1898（明治31）年、意志の弱い性格を克服して、信仰により強く生きようと決心し、キリスト教徒となる。

高校卒業と同時に結婚。東京帝国大学（現在の東京大学）政治学科に進む。大学院在学中には、袁世凱の息子の家庭教師をまかされ、中国に滞在したこともある。

政治学をおさめるため、文部省の命令でフランス、ドイツ、イギリス、アメリカ合衆国に留学した際は、宗教と政治はつながっていて、民主政治の根底にはキリスト教の精神があると考えるようになった。帰国後は東京帝国大学の助教授をへて、1914（大正3）年に教授となり、政治史を担当した。

この年から、雑誌『中央公論』に次々と政治評論を発表する。デモクラシーを「民本主義」と訳し、普通選挙法の施行と、政党政治の実現を主張するなど、大正デモクラシー運動の中心人物となった。

また、武力による植民地支配やシベリア出兵を批判。知識人や大学生たちが大正デモクラシー運動の団体を結成するきっかけとなった。

同じころ、労働運動の支援にかかわり、社会民衆党結成の際には、よびかけ人の一人となる。また、キリスト教徒の奉仕団体である東大YMCA理事長として、1918年に賛育会（病院）や簡易法律相談所、翌年、家庭購買組合（生活協同組合）を設立するなど、広く社会事業をおこなった。1924年に教授をやめ、東京朝日新聞社に入社。

編集顧問、論説委員となるが、政治評論がもとで不敬罪としてうったえられ、まもなく退社した。また同年、明治文化研究会を立ち上げ、宮武外骨らを集めて、『明治文化全集』を刊行。明治文化史の研究に貢献した。

気前よく、学生や知人によくお金を貸していたため、かなりの収入があり、本人は質素な暮らしをしていたのに、家計は苦しかったという。

55歳で亡くなると、多くの人が弔問におとずれ、人々にしたわれていたようすがうかがえる。

▲今も機能する賛育会病院

吉田松陰

松下村塾で人材を育てた幕末の思想家

▲吉田松陰 （松陰神社）

■佐久間象山に世界情勢を学ぶ

幕末の思想家。

長州藩（現在の山口県）の藩士杉百合之助の子として長門国萩（山口県萩市）に生まれた。幼いころにおじで兵学者の吉田大助の養子になりおじの死後、吉田家をついだ。父やおじの玉木文之進からきびしい教育を受けて育った。すぐれた能力により10歳で藩校の明倫館で兵学（戦争に関する学問）を教え、11歳のとき藩主毛利敬親の前で『武教全書』（兵学者山鹿素行の著書）を講義して、敬親をおどろかせた。

1851年、22歳のとき兵学を研究するため、藩主敬親にしたがって江戸（東京）に行き、兵学者の佐久間象山に師事して、世界情勢を学んだ。しかし同年、藩の許可を得ずに友人の肥後国（熊本県）藩士宮部鼎蔵とともに東北、北陸地方のようすを知るために出かけ、時勢を論じる多くの人々と交流したが、帰国後脱藩の罪で藩士の身分をとりあげられた。

■アメリカへの密航をくわだてる

1853年、ゆるされてふたたび江戸に出た松陰は、アメリカ合衆国の使節ペリーの来航をまのあたりにし、衝撃を受けた。

翌1854年、自分の目で海外をみるため、浦賀（神奈川県横須賀市）に再来航したペリーの艦隊に乗りこみ、アメリカへ密航しようとしたが失敗した。松陰は幕府にその行為を自首して萩に送られ、獄舎に幽閉された。獄中での生活は1年におよび、その間、囚人たちに『孟子』（中国の思想家、孟子の教え）を講義したりした。

■松下村塾で門人を指導する

1855年、ゆるされて杉家にひきとられた。その後玉木文之進がひらいた松下村塾をひきついで青年たちを指導した。松陰は、師というよりも兄や同志として塾生にむき合いそれぞれの才能をのばすような指導をおこなって儒学や漢学（中国から伝来した学問）を教えた。世界情勢や開国後の日本のあるべき姿について徹夜で議論をたたかわすこともあった。門人には高杉晋作、久坂玄瑞、伊藤博文、吉田稔麿、山県有朋、前原一誠など幕末から明治時代にかけて活躍した逸材がいた。

■安政の大獄で処刑される

1858年、幕府が天皇の許可なくアメリカと日米修好通商条約に調印したことを知ると、幕府をはげしく批判し、尊王攘夷（天皇をうやまい外国勢力を追いはらおうという考え）を説き、幕府の老中（将軍を補佐して政治をおこなう役職）間部詮勝をおそって幕府を改革しようという過激な考えを主張したため、ふたたび藩の獄舎に幽閉された。

翌1859年、尊王攘夷派をとりしまる大老（将軍を補佐する最高位の役職）井伊直弼の命令によって江戸に送られた。松陰はペリー来航以来の幕府の政策を批判し、間部詮勝をおそう計画を自供したため伝馬町牢屋敷（東京都中央区）で処刑された（安政の大獄）。

学 日本と世界の名言

▲松下村塾の建物 （松陰神社）

▲松下村塾の内部 （松陰神社）

吉田松陰の一生

年	年齢	主なできごと
1830	1	長州藩の藩士の子として生まれる。
1839	10	藩校の明倫館で講義する。
1840	11	藩主毛利敬親の前で講義をおこなう。
1851	22	江戸に出て佐久間象山に学ぶ。
1854	25	アメリカへの密航をくわだてて失敗する。 萩の獄舎に幽閉される。
1856	27	松下村塾で青年たちの教育にあたる。
1858	29	幕府を批判してとらえられる。
1859	30	江戸で処刑される（安政の大獄）。

※年齢は数え年であらわしている

よしのひろし

● 吉野弘　　　　　　　　　　1926〜2014年

日常のやさしいことばでうたう詩人

昭和時代〜平成時代の詩人。

山形県生まれ。酒田商業学校を卒業した。卒業後は石油会社につとめるが、第二次世界大戦後、労働組合運動に参加して過労となり休職する。療養中に、詩の創作をはじめた。1952（昭和27）年、雑誌『詩学』に掲載された「I was born」で注目される。

その後、茨木のり子らの主宰する文芸誌『櫂』の同人となって詩を発表する。1957年、最初の詩集『消息』を出版。日常のやさしいことばをつかった自由詩で、生きることのむずかしさや生への愛着をうたう。1971年、『感傷旅行』で読売文学賞詩歌俳句賞。

作品にはほかに詩集『自然渋滞』『幻・方法』、詩論集『遊動視点』などがある。

よしはらさちこ

詩・歌・俳句

● 吉原幸子　　　　　　　　　　1932〜2002年

女性の心の中の愛をうたう

昭和時代〜平成時代の詩人。

東京生まれ。東京大学仏文科卒業。こどものころから演劇にあこがれ、大学卒業後に、劇団四季に入団。

ジャン・アヌイ作『愛の條件─オルフェとユリディス』で主役を演じたが、翌年、退団する。1962（昭和37）年に草野心平が主宰する雑誌『歴程』の同人となり、最初の詩集『幼年連祷』で室生犀星詩人賞を受賞。

『オンディーヌ』『昼顔』で高見順賞を受賞した。1983年に新川和江と季刊詩誌『現代詩ラ・メール』を創刊、女性詩人らを支援した。

詩の朗読とジャズの演奏や舞踊とのコラボレーションでも活躍する。1995（平成7）年、新川和江の編集により詩集『発光』を発表、萩原朔太郎賞を受賞した。ほかにエッセー集や詩論集なども著している。

よしまるかずまさ

音楽　教育

● 吉丸一昌　　　　　　　　　　1873〜1916年

唱歌『早春賦』の作詞者

明治時代〜大正時代の国文学者。

大分県生まれ。東京帝国大学（現在の東京大学）を卒業後、1908（明治41）年に東京音楽学校（現在の東京藝術大学）の教授になる。

翌年、小学唱歌教科書編纂委員となり、唱歌『早春賦』（作曲・中田章）の作詞やドイツ民謡『故郷を離るる歌』の訳詞などをおこなった。

よしみつ

工芸

● 吉光　　　　　　　　　　生没年不詳

短刀づくりの名手

鎌倉時代中期の刀工。

粟田口吉光ともいう。通称は藤四郎。

京都東山の粟田口で平安時代後期から鎌倉時代後期に、刀工をいとなんだ粟田口派の子孫で、越前国（福井県北東部）の出身とされる。とくに短刀づくりの名手といわれた。後世、鎌倉時代後期の刀工、正宗（岡崎正宗）とならび有名になった。

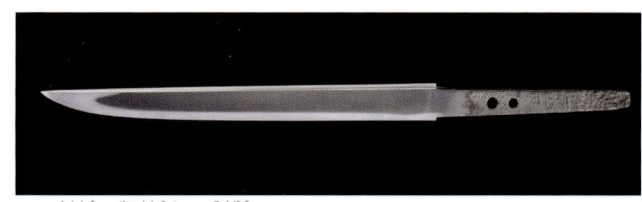

▲ 『短刀　銘吉光』（国宝）　　（東京国立博物館 Image:TNM Image Archives）

よしみねのやすよ

王族・皇族　詩・歌・俳句

● 良岑安世　　　　　　　　　　785〜830年

『経国集』を編さんした

平安時代前期の公家の高官、漢詩人。

桓武天皇の子。藤原冬嗣の同母弟。802年、良岑の姓を受けて皇族をはなれ、臣下の身分にくだる。音楽の才能にすぐれており、809年、雅楽頭（外交事務、宮廷音楽などをつかさどる治部省に属す雅楽寮の長官）となる。

蔵人頭（天皇の機密文書などを管理する役所である蔵人所の長官）、左衛門督（宮中の警備をする役所である左衛門府の長官）、右大弁（朝廷の太政官で、兵部省、刑部省、大蔵省、宮内省を統括する右弁官局の長官）をへて、参議に昇進した。

819年、嵯峨天皇の命により、藤原冬嗣らと、桓武天皇から淳和天皇までの歴史を記述した『日本後記』の編さんにたずさわった。821年、中納言となる。

827年、今度は淳和天皇の命で、707年〜827年のみずからを含めた178人（嵯峨天皇、石上宅嗣、淡海三船、空海など）の漢詩・漢文を集めた『経国集』を編さんした。828年、大納言に昇進するが、2年後に亡くなる。嵯峨天皇はその死をいたみ、挽歌をよんだ。

よしむらあきら

文学

● 吉村昭　　　　　　　　　　1927〜2006年

戦史小説の新たな視点をひらく

昭和時代〜平成時代の作家。

東京生まれ。学習院大学中退。夫人は作家の津村節子。1948（昭和23）年に結核のため大手術を受け、2年半の療養生活を送る。

（日本近代文学館）

在学中から同人誌などに作品を発表していた。1953年に大学を中退し、結婚。はたらきながら執筆活動をおこない、『鉄橋』『貝殻』『透明標本』『石の微笑』で4回芥川賞候補となる。

1966年、『星への旅』で太宰治賞を受賞。同年、『戦艦武蔵』で脚光をあびる。

その後も、日本を代表する戦闘機「ゼロ戦」の開発から終わりまでをえがいた『零式戦闘機』や、1121人の死者をだした軍艦事故にかくされた真実をえがいた『陸奥爆沈』などを発表し、戦史小説に新たな視点をひらいた。1973年菊池寛賞を受賞。

主な作品には、歴史小説『ふぉん・しいほるとの娘』（吉川英治文学賞）、『破獄』（読売文学賞）や、『冷い夏、熱い夏』（毎日芸術賞）、自伝『私の文学漂流』などがある。

よしむらとらたろう

幕 末

● 吉村寅太郎　　　　1837〜1863年

天誅組を組織し倒幕に立ち上がった

▲津野町にある吉村寅太郎の銅像
（高知県観光振興課）

幕末の志士。

土佐藩高岡郡津野山郷（現在の高知県津野町）の庄屋に生まれる。

名は虎太郎とも書く。12歳のときに庄屋のあとをつぎ、その後、各地の庄屋を歴任し、1857年、樗原村（樗原町）の大庄屋となった。

尊王攘夷思想（天皇をうやまい外国勢力を追いはらおうという考え）にふれ、1861年、武市瑞山の土佐勤王党に加わった。

1862年、京都にのぼり、薩摩藩（鹿児島県西部）の藩主の父島津久光の上洛にあわせて挙兵しようとしたが、寺田屋事件に際しとらえられ、土佐藩（高知県）に送られて投獄された。

1863年、攘夷を祈願する孝明天皇が大和へむかうのに先がけて倒幕の兵をあげようと、天誅組を結成。大和国（奈良県）に入り、五条代官所をおそったが、八月十八日の政変で京都から尊攘派が追放されると、天誅組は孤立した。

十津川郷で郷士の兵を集め、ふたたび挙兵するも、幕府軍に追われ、鷲家口（東吉野村鷲家）で戦死した。

よしもとたかあき

思想・哲学 文 学
詩・歌・俳句

● 吉本隆明　　　　1924〜2012年

戦後の思想界を代表する評論家

昭和時代〜平成時代の詩人、評論家、思想家。

東京生まれ。長女のハルノ宵子は漫画家、次女の吉本ばななは作家。高校時代に宮沢賢治や高村光太郎の影響を受けて詩作をはじめる。1947（昭和22）年、東京工業大学卒業。1952年、詩集『固有時との対話』を自費出版。つづいて太平洋戦争中の文学者たちの行動を批判した評論『文学者の戦争責任』（武井昭夫との共著、1956年）などを出版し、それまでの左翼をこえる思想と論理の構築につとめた。

1960年、日米安全保障条約の改定に反対する安保闘争に参加する。1961年、詩人の谷川雁と自立の思想をかかげた雑誌『試行』を創刊。

『言語にとって美とはなにか』（1965年）、『共同幻想論』（1968年）などを著し、1960年代後半におこった大学紛争では、学生たちに大きな影響をあたえた。1984年、漫画やアニメ、ロックミュージック、ファッションなどのサブカルチャーについて論じた『マス・イメージ論』を出版。文学や政治、社会、思想、心理、哲学、宗教など幅広い領域で独自の理論を展開し、左右どちらの派にも属さず、どちらも批判するという立場をつらぬいた。

よしもとばなな

文 学

● 吉本ばなな　　　　1964年〜

透明感のある文体で若者に人気

作家。

東京生まれ。本名は真秀子。日本大学芸術学部卒業。父は思想家の吉本隆明。姉は漫画家のハルノ宵子。幼いころから作家を志す。

23歳のときに書いたデビュー作『キッチン』がベストセラーとなり、新進気鋭の作家として注目される。少女の孤独感を、透明感のある力強い文体でえがいたこの作品で、海燕新人文学賞などを受賞。その後も『哀しい予感』『TUGUMI』『うたかた／サンクチュアリ』など次々と作品を発表、人気作家として活躍している。

作品の多くは、生きることとまっすぐにむき合う普遍的な姿勢につらぬかれ、海外でも翻訳、出版されて高い評価を得ている。

よ

よしもと

よしやのぶこ

● 吉屋信子　　　　　　　　1896〜1973年

少女小説や家庭小説の人気作家

大正時代〜昭和時代の作家。

新潟県生まれ。栃木高等女学校（現在の県立栃木女子高等学校）卒業。在学中から少女雑誌に短歌や物語を投稿し、卒業後に作家をめざして上京。1917（大正6）年から少女雑誌『少女画報』に連載された『花物語』が話題となる。1919年、『大阪朝日新聞』の長編小説の懸賞に『地の果まで』が入選して作家としてみとめられる。その後も『海の極みまで』『女の友情』『良人の貞操』などを出し、理想主義に根ざす家庭小説や少女小説で人気作家として支持を得る。

1952（昭和27）年に『鬼火』で女流文学者賞、1967年には菊池寛賞を受賞。晩年には、『徳川の夫人たち』『徳川秀忠の妻』などの歴史小説もてがけている。

よしゆきじゅんのすけ

● 吉行淳之介　　　　　　　1924〜1994年

戦後の第三の新人の一人として活躍

昭和時代の作家。

岡山県生まれ。東京大学中退。父は作家エイスケ、母は美容家のあぐり。2人の妹は詩人で芥川賞作家の理恵と女優の和子。

学生時代から同人誌『世代』や『新思潮』などに加わり作品を発表して名を知られる。1954（昭和29）年に『驟雨』で芥川賞を受賞する。同世代の安岡章太郎、遠藤周作、阿川弘之、三浦朱門らと「第三の新人」として活躍する。

洗練された表現で微妙な心理を細かくえがき、男女の関係を通して、人間の存在の意味を問う。ほかに『砂の上の植物群』『暗室』『夕暮まで』などの作品がある。

学 芥川賞・直木賞受賞者一覧

よだじゅんいち

● 与田凖一　　　　　　　　1905〜1997年

日本を代表する童謡詩人の一人

昭和時代の詩人、児童文学作家。

福岡県生まれ。小学校の教員をしていたころ教え子たちと、鈴木三重吉の児童雑誌『赤い鳥』に作品を投稿していた。その作品によって北原白秋に才能を見いだされ、1928（昭和3）年に『赤い鳥』の編集者となる。

1933年に初の童謡集『旗・蜂・雲』を出版、その後も詩、童謡、童話、絵本など多くの著作をのこす。主な作品に『五十一番めのザボン』、少年少女詩集『野ゆき山ゆき』（野間児童文芸賞）がある。また、日本女子大学の講師として、あまんきみこ、宮川ひろ、岩崎京子らの作家を育てるなど、児童

文学界で指導的な役割をはたす。

よだべんぞう

● 依田勉三　　　　　　　　1853〜1925年

帯広に農場や牧場をひらいた開拓者

（帯広百年記念館）

幕末〜大正時代の開拓者。伊豆国那賀郡大沢村（現在の静岡県松崎町）の裕福な農家に生まれた。慶應義塾（現在の慶應義塾大学）などで学び、のちに同志となる鈴木銃太郎と知り合った。明治政府にまねかれて来日したアメリカ軍人ケプロンの北海道開発の進言書を読んで感銘を受け、北海道原野の開拓を決意した。

1881（明治14）年、北海道の釧路、十勝、日高地方などを調査し、翌年、故郷にもどり、開拓を志す人々を集め、晩成社を組織した。その後、鈴木銃太郎とともに北海道にわたり、札幌県庁で開墾の許可を願い、十勝国河西郡下帯広村（北海道帯広市）を開墾予定地として、13戸（家族）、27人の同志とともに広大な原野の帯広に移住した。

そのころの帯広は、先住民族のアイヌが10数戸と日本人が1戸くらすだけの未開地で、開拓は苦難の連続だった。15年で1万haを開墾する計画は、5年間で20haを開墾するのがやっとで、絶望して去っていく人々がふえた。しかし、1892年にはダイズやアズキの栽培に成功し、食料も豊富になった。当別村（北海道当別町）に畜産会社をつくり、函館に牛肉店を開業し、帯広に木材工場、然別村（北海道音更町）に牧場をつくるなど、事業を広げた。

1896年ごろから、勉三の下に、多くの開拓移民がやってきた。しかし、1898年におこった十勝川の洪水で、作物は大きな被害を受けた。1902年には、時代に先がけてバター、缶詰、練乳工場を設立したが、これらの先進的事業は、時代に合わず、経営は失敗した。1925（大正14）年、勉三は73歳で亡くなり、7年後に負債のため晩成社は解散した。しかし、勉三が十勝地方や帯広周辺におこしたさまざまな事業は、地域発展のもとを築いた。

よどどの

● 淀殿　　　　　　　　　　1567?〜1615年

秀吉のあとつぎの母として、権勢をふるった

安土桃山時代〜江戸時代前期の女性、豊臣秀吉の側室。

近江国（現在の滋賀県）の小谷城主である浅井長政と、織田信長の妹であるお市の方の長女。

（奈良県立美術館）

幼名は茶々。1573年、父の長政が信長によりほろぼされると、母と2人の妹とともに救出され、尾張国（愛知県西部）の清洲城に移る。1582年には、織田氏家臣の柴田勝家と再婚した母にしたがい、越前国（福井県北東部）の北庄城に住むが、翌年の賤ヶ岳の戦いで、勝家が秀吉にやぶれると、母は勝家とともに自害した。

のこされた2人の妹とともに秀吉にあずけられ、秀吉の寵愛を一身に受け、1588年ころに側室となる。

翌年には長男の鶴松を産み、山城（京都市）の淀城に移り、淀殿、淀の方などとよばれた。鶴松は幼くして亡くなるが、1593年には、秀吉のあとつぎである、次男の豊臣秀頼を産み、大きな権勢をふるった。

秀吉の死後、1596年、秀頼のうしろだてとして摂津国（大阪府北西部・兵庫県南東部）の大坂（阪）城に移るが、1615年、大坂夏の陣で徳川家康にやぶれ、秀頼とともに自害した。

よどやこあん

● 淀屋个庵　　　　　　1576〜1643年

市場をひらき、海運業の発展に力をつくした

戦国時代〜江戸時代の大坂（阪）の商人。

大坂の豪商淀屋常安の子として生まれた。父がはじめた市場を発展させ、天満青物市場（野菜市場）や雑喉場市場（魚市場）をひらいた。

また、米市場をひらくことを幕府に願いでて許可され、主に西国の諸藩から大坂の蔵屋敷に送られてくる蔵米の販売を請け負う蔵元となって、ばく大な富を得た。海運業の発展にも力をつくし、加賀藩（現在の石川県）の米などを大坂に廻送するなど、北陸地方との取引をさかんにした。

現在、大阪市の土佐堀川にかかる淀屋橋は、个庵が屋敷の前につくった橋だといわれている。

よどやじょうあん

● 淀屋常安　　　　　　1560？〜1622年

大坂中之島を開拓し、市場をひらいた商人

戦国時代〜江戸時代前期の武士、商人。

山城国（現在の京都府南部）の武士で、岡本三郎右衛門といった。

豊臣秀吉につかえ、伏見城（京都市伏見区にあった秀吉の城）の造営などに、土木工事の技術力を発揮した。その後、

大坂（阪）に移り、淀屋と号して材木商をいとなみ、巨利を得た。湿地だった中之島（大阪市北区）の開拓を江戸幕府から許可され、1609年から5年をかけ、私財を投じて工事をおこない、2万坪（約6.6ha）の土地をひらいた。大坂の陣では、徳川家康の本陣をつくり、徳川方に食料を提供し協力したので、家康から刀をさすことをゆるされ、青物（野菜）市場と魚市場をひらく特権をあたえられた。

常安の屋敷付近は、水運にめぐまれ、大坂でもさかえる場所となった。子の淀屋个庵は、父がはじめた市場を発展させた。諸藩から大坂の蔵屋敷にはこばれてくる大量の蔵米の販売をまかされる蔵元となって、巨富を得た。隠居してから仏門に入り、常安と名のった。

▲淀屋橋

よどやたつごろう

● 淀屋辰五郎　　　　　　?〜1717年

西日本の多くの大名に金を貸していた豪商

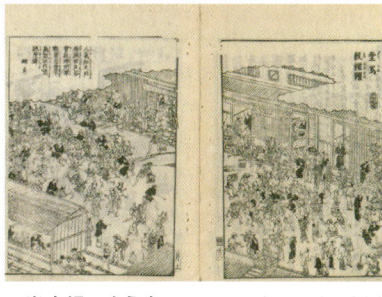
▲米市場のようす　　　　　　（国立国会図書館）

江戸時代中期の大坂（阪）の豪商。

大坂の商人、淀屋の5代目として生まれる。1702年、10代なかばで家督をついで当主になった。淀屋は、材木商をいとなむかたわら、諸藩の蔵元（米などをあつかう商人）をつとめて財をなした豪商で、4代目のころには、西日本の大名で淀屋から借金をしていない者はいないといわれたほど、富をたくわえた。その屋敷は100間四方（約3万3000㎡）の広さがあり、夏座敷と名づけた部屋には、当時としてはめずらしい舶来品のビードロ（ガラス）の障子を立て、天井にもビードロをはって金魚を泳がせ、寝ながらそれをながめたという。

1705年、ぜいたくな暮らしを幕府にとがめられ、全財産を没収されて大坂から追放された。一説には、幕府や大名が淀屋に借りていたばく大な借金をふみたおすため、淀屋を処罰したといわれる。

淀屋の祖先淀屋常安、淀屋个庵は、中之島（大阪市）の開拓にも力をつくし、土佐堀川に自費で橋をかけたが、現在も淀屋橋の名前でのこされている。辰五郎の生涯は歌舞伎や浄瑠璃の題材として脚色された。

よないみつまさ

政 治

● 米内光政　1880〜1948年

戦争終結に力をつくした海軍のリーダー

（国立国会図書館）

明治時代〜昭和時代の軍人、政治家。第37代内閣総理大臣（在任1940年）。

岩手県生まれ。海軍兵学校卒業後、日露戦争に従軍。海軍大学校卒業後、さまざまな軍艦の艦長や司令長官を歴任し、1936（昭和11）年には連合艦隊司令長官となった。翌年、林銑十郎内閣の海軍大臣に就任し、第1次近衛文麿内閣、平沼騏一郎内閣でも留任した。日中戦争のときは拡大方針に転換して長期化をまねき、日米関係を悪化させてしまう。平沼内閣では、陸軍の主張する日独同盟に反対した。1940年、内閣総理大臣に就任するが、陸軍の求める日独伊三国同盟締結の要求を受け入れなかったため、総辞職に追いこまれる。太平洋戦争の戦局が悪化する中で東条英機内閣がたおれると、1944年に小磯国昭内閣、つづく鈴木貫太郎内閣で海軍大臣に復帰し、陸軍の強硬派に抵抗して、戦争終結のために力をつくした。

戦後も東久邇宮稔彦王内閣、幣原喜重郎内閣の海軍大臣として、敗戦処理と海軍の解体にあたった。温和な平和主義者で、海軍の穏健派のリーダー的存在だった。

学 歴代の内閣総理大臣一覧

よねながくにお

伝統芸能

● 米長邦雄　1943〜2012年

最年長記録で名人位を獲得した棋士

昭和時代〜平成時代の将棋棋士。

山梨県生まれ。1956（昭和31）年、佐瀬勇次名誉九段に入門し、1963年にプロ棋士になる。1973年に棋聖戦で初タイトルを獲得し、1984年に史上3人目の四冠（棋聖、十段、王将、棋王）を達成し、翌年、永世棋聖（棋聖のタイトルを通算で5期以上保持した棋士）の資格を得る。1993（平成5）年、7度目の挑戦で名人戦に勝利し、49歳11か月の最年長記録で名人位を獲得した。劣勢になると、局面を複雑にして相手を混乱させ、ねばり強く戦う

ため、棋風は「泥沼流」と称されたが、サバサバとした人がらから「さわやか流」ともいわれた。

2003年に現役を引退し、2005年からは日本将棋連盟会長として将棋界の発展につくした。2012年にはコンピューターの強豪ソフトと対局して、話題を集めた。通算成績は1904戦で1103勝800敗、持将棋1。タイトル獲得数は、計19期。2003年に紫綬褒章を受章した。

よねむらしょへい

郷 土

● 米村所平　1642〜1727年

弓ケ浜半島に用水路をひらいた武士

江戸時代前期〜中期の武士。

伯耆国鳥取藩（現在の鳥取県）の藩士。17世紀末、藩の中心に立ち、農政の改革を進めようと領内を調べてまわるうちに、西方の弓ケ浜半島には川がないため水が不足し、農民がこまっていることを知った。そこで、弓ケ浜半島の東にある日野川に堰を築き、用水路をひけば新田が開発できると、藩に進言した。1700年、提案がみとめられて工事がはじまり、翌年、三柳村（鳥取県米子市）まで約4kmの用水路が完成し、周辺の村に新田がひらかれた。

これを知ったほかの村からも、用水路をのばす願いがだされた。1725年からの工事では、半島の中央付近まで用水路がのばされ、1759年には半島の先端にある境港（鳥取県境港市）まで延長されて、総延長は約20kmになった。名前の1字をとり、「米川」と名づけられた。弓ケ浜半島の農業はさかんになり、江戸時代後期には伯州綿（伯耆国の綿）とよばれたワタが特産品となった。

ヨハネ

宗 教

● ヨハネ　紀元前6ごろ〜紀元後36年ごろ

キリスト教の聖書に登場する預言者

古代ユダヤの宗教家、預言者。

イエス・キリストの使徒（弟子）ヨハネと区別するため、洗礼者（バプテスマ）ヨハネとよばれることが多い。新約聖書によると、原始的な生活を送っていて、荒野に住み、「ラクダの毛の衣を着、腰に革の帯をしめ、イナゴと野蜜を食べ物としていた」とされる。「悔いあらためよ。天の国は近づいた」と神の裁きを受ける日が近いことを預言し、人々に説教し、ヨルダン川周辺で、イエス・キリストや多くの人々に悔いあらためのあかしとしての洗礼をさずけた。当時のガラリヤ領主ヘロデ・アンティパスの結婚を非難したため投獄され、斬首された。

ヨハネパウロにせい

宗 教

ヨハネ・パウロ2世　　　　　　　　1920〜2005年

数々の平和維持活動を実践した教皇

ローマ教皇（在位1978〜2005年）。

ポーランド生まれ。本名はカロル・ヨゼフ・ウォイティワ。大学では詩学と演劇学を学んだが、戦争のため大学が閉鎖され、はたらきながら神学を学び、1946年に司祭となった。1967年に枢機卿、1978年に教皇にえらばれる。イタリア人ではない教皇は455年ぶりだった。

とくに平和への関心が高く、世界平和と戦争反対をよびかけ、数々の平和維持活動を実践し、世界各地を精力的に訪問した。訪問国は129か国におよび、「空飛ぶ聖座」とよばれた。1981（昭和56）年には来日して広島、長崎をおとずれ、日本語で「戦争は人間のしわざです」「戦争は死です」とよびかけた。1989年、旧ソビエト連邦との対立関係を終わらせ、1999年、イランのハタミ大統領と「歴史的宗教対話」を実現、2000年にはエルサレムをおとずれユダヤ教徒との関係を改善した。

2005年に84歳で亡くなると、葬儀にはキリスト教国以外からも国王、皇太子、大統領など元首級の人々や要人が参列した。2014年、バチカン大聖堂前広場で列聖式がおこなわれ、ヨハネ23世とともに聖人となった。　　　学 ローマ教皇一覧

よろずてつごろう

絵 画

萬鉄五郎　　　　　　　　　　　　1885〜1927年

多様な画風でえがいた洋画家

（萬鉄五郎記念美術館）

大正時代の洋画家。

岩手県生まれ。1903（明治36）年に上京し、早稲田中学にかよいながら、白馬会の菊坂洋画研究所でデッサンを学ぶ。1907年、東京美術学校（現在の東京藝術大学）に入学した。在学中に級友と洋画団体アブサント会を結成し、このころ、ゴッホやマティスなど、後期印象派およびフォービスム（野獣派）の影響を受ける。1912（明治45）年、卒業制作として、代表作となる『裸体美人』を提出した。この年、高村光太郎、斎藤与里、岸田劉生らによるフュウザン会の結成に加わる。

1914年から2年間、故郷で制作に没頭する。ヨーロッパの前衛美術運動であるキュビスム（立体主義）を研究し、独自の様式をひらき、1917年の二科美術展覧会（二科展）に『もたれて立つ人』、1919年に『木の間から見下した町』を出品した。その後、浦上玉堂などの南画を研究し、東洋的な表現主義に近づく。1923年、円鳥会を結成し、林武や児島善三郎などの若い芸術家が集まった。

よ

よろずて

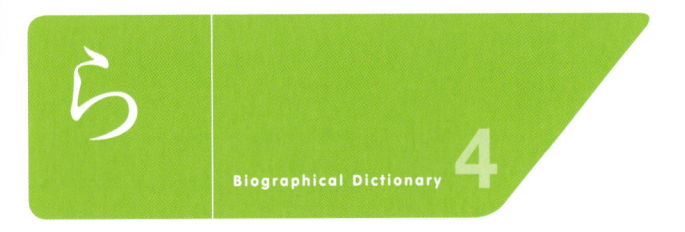

ら

Biographical Dictionary 4

ラーゲルレーブ，セルマ
文学　絵本・児童

● セルマ・ラーゲルレーブ　　1858〜1940年

空想豊かな物語の世界で魅了する

スウェーデンの作家。

ベルムランド生まれ。ストックホルムの女子高等師範学校を卒業し、教師をつとめるかたわら小説を書きはじめる。1891年、『イェスタ・ベルリング物語』が懸賞小説に入選し、作家デビュー。『エルサレム』『キリスト伝説集』『幻の馬車』『ポルトガリヤの皇帝さん』などを発表。民衆の愛や善意、勇気をたたえる人間観や、空想豊かで神秘的な物語の世界により読者を魅了した。

1906年、魔法で小人にされた悪童ニルスが、白いガチョウに乗って旅に出る物語『ニルスのふしぎな旅』を発表。世界各国で翻訳され、日本では1980（昭和55）年、NHKによりアニメ化された。1909年、女性として初のノーベル文学賞を受賞。

学 ノーベル賞受賞者一覧

ラーマよんせい
王族・皇族

● ラーマ4世　　1804〜1868年

映画『王様と私』のモデルになったタイの国王

タイ、チャクリー朝の第4代国王（在位1851〜1868年）。

ラーマ2世の子。プラ・チョームクラウ王ともいう。最高位の王位継承権をもっていたが、位を異母兄にゆずり、僧院生活を送った。この間、フランス人神父と交流してキリスト教にふれ、アメリカ合衆国、イギリスの宣教師から語学、芸術、科学などの教えを受け、積極的に西洋の先進文化を学び、知識人グループの指導的役割をはたした。のちの近代タイに大きな影響をあたえた、合理的な仏教をめざすタマユット派をつくり、仏教を過去の体制にもどそうと改革した。1851年、兄ラーマ3世が亡くなって即位。外交ではヨーロッパに対してひらいた外交をおこない、イギリスとの修好通商条約締結をきっかけに先進諸国と次々に外交関係をむすんだ。映画『王様と私』に登場する王のモデルでもある。

ラーマごせい
王族・皇族

● ラーマ5世　　1853〜1910年

タイを近代国家におし上げた偉大な王

タイ、チャクリー朝の第5代国王（在位1868〜1910年）。

ラーマ4世の子。チュラロンコン大王ともいう。1868年に15

歳で父のあとをついだが、摂政統治のあいだ、進歩的な父の精神を受けつぎ、ジャワ島、シンガポール、インド、ビルマ（現在のミャンマー）を旅して植民地統治の実情をみてまわり、近代ヨーロッパ文化を吸収した。1892年に弟ダムロンを中心に内閣を組織して、近代的政府をつくり、地方行政をととのえ、中央集権化を進めた。また、ヨーロッパ人を相談役としてまねき、ヨーロッパのさまざまな制度を積極的にとり入れ、行政、司法組織を改革した。鉄道、郵便、電信、医療を整備し、さらに陸・海軍の近代化もはかり、42年間の治世で、近代国家がそろえるべき諸制度の基礎をつくり上げた。19世紀末から20世紀初頭にかけてイギリス、フランス両植民地主義勢力が対立するあいだに立ち、強力な指導力を発揮した。

タイの独立をまっとうした名君として知られ、1917年に創設されたタイ最大の総合大学にもその名がつけられている。

ラーム・モーハン・ローイ
宗教

● ラーム・モーハン・ローイ　　1772〜1833年

近代インドの宗教改革者

インドの宗教家、社会運動家。

ベンガル地方のヒンドゥー教ビシュヌ派のバラモン階級（インド社会にのこる階級制度カーストの最高位）の裕福な地主の家に生まれる。イスラム教、キリスト教にふれ、インド哲学、西洋哲学を学ぶうち、基本的にどの宗教も共通したメッセージを説いているという認識を得て、ヒンドゥー教の現状が儀式や因習にすぎなくなってしまっていると考えるようになった。1828年、のちにブラーフマ教会に発展するインド・ユニテリアン教会を設立、ヒンドゥー教改革運動をおこなう。カースト制度、幼児婚、サティ（寡婦殉死。夫が死ぬと、未亡人となった妻が遺体を焼く火の中に飛びこんで死ぬこと）などの古くからの習俗の廃止を主張した。1830年、当時、インドを植民地として支配していたイギリスに、バラモンとしてはじめてわたり、議会で独立をうったえた。そして、1833年、イギリスのブリストルで亡くなった。

ライアン，ノーラン
スポーツ

● ノーラン・ライアン　　1947年〜

剛速球のメジャーリーグ投手

アメリカ合衆国のプロ野球選手。

1966年、ニューヨーク・メッツでメジャーデビューをした。27年間の現役生活で最多奪三振11回、最優秀防御率2回など、数々のタイトルを獲得した。ボールの速さは群をぬき、1974年には当時最速の時速100.9マイル（約162km）を記録し、ギネ

ス世界記録に認定された。その剛速球から「ライアンエクスプレス（ライアン超特急）」とよばれた。

通算奪三振5714は、メジャーリーグ歴代1位で、ノーヒットノーランも7回達成した。ただし、通算与四球2795、通算暴投数277（いずれもメジャーリーグ歴代1位）という記録ももつ。1993年に現役を引退した。

らいさんよう

学問

🔴 頼山陽　　　　　　　　　　　　1780～1832年

幕末に『日本外史』を書いた

（福山誠之館同窓会蔵）

江戸時代後期の儒学者、史学者、詩人。

儒学者の子として大坂（阪）に生まれる。2歳のとき、父について広島藩（現在の広島県）に移った。幼いころから漢詩の才能を発揮し、江戸（東京）に出て、寛政の三博士の一人である尾藤二洲に儒学を学ぶが1年で帰郷。21歳のときに突然、脱藩（藩をぬけだして浪人になること）をはかったため、座敷牢に幽閉された。幽閉生活は4年におよび、そのあいだ、読書や執筆にはげんだ。幽閉がとかれると、30歳のときに、儒学者で詩人の菅茶山の私塾の塾頭となる。翌年には、京都で私塾をひらいた。

歴史家としても知られ、代表作に『日本外史』『日本政記』がある。『日本外史』は、源平の争乱から徳川氏の政権にいたるまでの武家の興亡を親しみやすい文章で著した歴史書。没後に刊行されてベストセラーとなり、幕末には尊王攘夷派の志士たちに大きな影響をあたえた。3男に、尊王攘夷派の志士で安政の大獄で刑死した頼三樹三郎がいる。また、漢詩『題不識庵撃機山図』の作者としても知られる。

ライシャワー，エドウィン

政治

🌐 エドウィン・ライシャワー　　　1910～1990年

戦後の日米関係の安定と維持に貢献

アメリカ合衆国の外交官、歴史家、日本研究家。

宣教師の子として東京で生まれる。ハーバード大学、パリ大学、東京大学、京都大学で東洋史を学んだ。1950（昭和25）年よりハーバード大学教授となり、日本文学の翻訳を発表するなど、日本研究の功績が大きい。1961年から5年間、ケネディ、ジョンソン両大統領時代の駐日アメリカ大使をつとめ、安保闘争後の日米関係構築に尽力した。退任後、ハーバード大学に復職した。日本の近代化研究にもとづいた日本史観は、日本の学会にも多大な影響をあたえた。1981年には、非核三原則に反してアメリカ海軍の核兵器搭載艦が日本に寄港していると発言して、日米

間の核密約問題の発端をつくった。著書に『日本―過去と現在』『ザ・ジャパニーズ』などがある。

らいでん

スポーツ

🔴 雷電　　　　　　　　　　　　　1767～1825年

江戸時代の最強の力士

▲勝川春亭作『雷電為右衛門』
（東京都江戸東京博物館　Image：東京都歴史文化財団イメージアーカイブ）

江戸時代後期の力士。

名は為右衛門。信濃国大石村（現在の長野県東御市）の農家に生まれる。本名は関太郎吉。1784年、18歳のとき江戸（東京）の浦風部屋に入門し、大関谷風の内弟子として修業を積んだ。

1788年、出雲国松江藩（島根県松江市）藩主松平家のおかかえ力士になり、雷電と名のった。1790年、24歳で関脇になって初土俵をふむと、大関小野川と熱戦をくり広げて評判となる。1795年には、大関に昇進した。

身長約197cm、体重約169kgといわれる。1811年に45歳で引退するまで、21年間相撲をとり、優勝25回、254勝10敗、勝率9割6分2厘、連続優勝7回という圧倒的な強さを誇った。あまりにも強かったので、張り手、鉄砲、かんぬきの3つの技を禁じられたという伝説が生まれたが、事実かどうかは不明である。教養も高く、雷電日記といわれる『諸国相撲控帳』を著した。

ライト，フランク・ロイド

建築

🌐 フランク・ロイド・ライト　　　1867～1959年

日本の近代建築に影響をあたえた建築家

アメリカ合衆国の建築家。

ウィスコンシン州の宣教師の家に生まれる。州立大学の土木学科を卒業後、1887年、シカゴに出て建築事務所に入った。1893年に独立して、住宅建築を中心に設計をおこなう。「プレーリー（草原）・ハウス・シリーズ」を発表し、自然との一体感がある建物として、高く評価された。住宅以外にも、企業のビルや教会の設計をおこなった。

1916年、東京の帝国ホテルを設計し、日本の近代建築に大きな影響をあたえた。それまでの機能重視のヨーロッパ建築に対し、建物は周囲の自然環境と一体となるべきだという「有機的建築」の考え方を基本とした。ゆるいこうばいの屋根や深いひ

さしなど、水平的な形に特徴がある。

東京の自由学園の明日館、ウィスコンシン州ラシーヌのジョンソン・ワックス本社ビル、ニューヨークのグッゲンハイム美術館など、生涯で1000以上の作品をのこした。

ライトきょうだい

ライト兄弟 → 229ページ

ライプニッツ，ゴットフリート

`思想・哲学` `学問`

ゴットフリート・ライプニッツ　1646〜1716年

数学では微積分法を開発、哲学では「予定調和」を説いた

17世紀のドイツの数学者、哲学者。

ライプツィヒで大学教授の子として生まれる。ライプツィヒ大学、イエナ大学で数学、哲学、法学などを学んだ。その後、スイスのアルトドルフ大学で法学の博士号を得る。哲学者スピノザや物理学者ホイヘンスなど、同時代のすぐれた学者と交流。1673年から微積分法の研究成果を発表、ニュートンとともに微積分学の祖と称される。1676年、ハノーファーへ移住し、貴族の顧問官、図書館長などをしながら、研究をつづけた。ベルリン科学アカデミー設立に力をそそぎ、1700年に初代院長となった。哲学分野では、すべてのものは「モナド（単子）」からなり、神の「予定調和」によって、モナドは発展していくと説いた。

らいみきさぶろう

`幕末`

頼三樹三郎　1825〜1859年

安政の大獄で処刑された儒学者

（早稲田大学図書館）

幕末の儒学者、志士。

儒学者頼山陽の子として京都に生まれる。通称は三木八。1843年、19歳のとき江戸（現在の東京）に遊学し、昌平坂学問所（幕府直轄の学問所）で朱子学を学んだ。1846年、上野の不忍池で徳川家の葵の紋が入った弁天堂の石灯をたおしたことをとがめられ、退学処分を受けた。1849年、京都にもどり、梅田雲浜ら尊王攘夷派（天皇をうやまい外国勢力を追いはらおうという考えの人々）とまじわり、公家のあいだにも尊王の大義を広めた。1853年、アメリカ合衆国の使節ペリーが来航すると、「皇国の安危にかかわる」と尊王攘夷をうったえた。1858年、大老の井伊直弼が天皇の勅許（許可）を得ずに日米修好通商条約に調印すると、公家の近衛忠熙にはかって、天皇が条約締結に不満であることをしるした勅諚（戊午の密勅）を水戸藩にくださせた。これに対し、幕府は安政の大獄をおこし、頼や梅田らはとらえられ、

翌年、処刑された。

ラオショー

老舎 → 老舎

らかんちゅう

`文学`

羅貫中　1330？〜1400？年

『三国志演義』をのこす

中国の元時代〜明時代初期の作家、劇作家。

『三国志演義』の編者とされる人物。太原（現在の山西省）に生まれたといわれる。本名は羅本。字は貫中。経歴はよくわかっていないが、がんこな下級役人で、元に対する抵抗運動に参加したと伝えられている。

明時代にさかんになった俗語小説の先がけとなり、数十種の長編小説や戯曲をのこした。代表作には、後漢末期から晋のはじめの歴史をえがいた長編歴史小説で、中国の四大奇書の一つといわれる『三国志演義』がある。ほかに、『隋唐両朝史伝』『残唐五代史演義』『三遂平妖伝』、また施耐庵とともに『水滸伝』の共著者とも伝えられる。3つの戯曲作品を書いたといわれるが、そのうち『宋太祖竜虎風雲会』が現存している。

ラグーザ，ビンチェンツォ

`彫刻`

ビンチェンツォ・ラグーザ　1841〜1927年

近代日本の彫刻の基礎をつくった彫刻家

▲プロスペロ・フェレッティ作『ラグーザ肖像』
（東京国立博物館）
Image:TNM Image Archives）

イタリアの彫刻家。

シチリア島に生まれる。1872年、ミラノでひらかれた全イタリア美術展覧会に石こう作品『装飾暖炉』などを出品し、注目される。1876（明治9）年、日本初の官立美術学校である工部美術学校がもうけられると、明治政府にまねかれて来日した。木彫仏や金銅仏などの伝統技法とはことなる、西洋彫刻の技術を日本にはじめて伝えた。わずか6年間の滞在だったが、熱心な指導で近代日本彫刻の基礎をつくった。門下からは、靖国神社の『大村益次郎像』で知られる大熊氏広、『陸奥宗光像』を制作した藤田文蔵らが出た。

日本で制作した作品には、夫人となる清原玉をモデルにした『清原玉女像』、9世市川団十郎をモデルにした『日本の俳優』、『日本の婦人像』などがある。1882年に妻とその姉の千代と漆芸家栄之助夫妻をともない帰国した。1884年に故郷のパレルモに美術工芸学校をひらき、千代夫妻を教師としてむかえた。

ライト兄弟

人類初の動力飛行に成功した自転車店の兄弟

■最初は自転車の店から

アメリカ合衆国の飛行機開発者。

牧師の子として、兄ウィルバーはインディアナ州のミルビル近郊で、弟オービルはオハイオ州デートンで生まれる。2人とも幼少のころから機械いじりが好きだった。1889年、オービルは高校を中退し印刷所をはじめ、2人で週刊新聞を創刊した。1892年、兄弟はデートンで自転車の販売、

▲兄ウィルバー（左）と弟オービル（右）

修理、組みたてをする「ライト自転車商会」をはじめた。1896年、ドイツのリリエンタールがグライダーの飛行で墜落死したというニュースを聞いて、空を飛ぶことに関心をもつようになった。

■飛行機の製造にとりかかる

1899年、飛行に関する資料を片端から集め、読みこんだ。グライダーの主翼の端の部分を少しひねることで、横ゆれのない旋回が可能であることを発見。左右約1.5m、前後約30cmの複葉（翼が2重）のたこをつくり、実験をしてたしかめた。1900年、人が乗る複葉のグライダーをつくり、強い風が吹いている東海岸のノースカロライナ州キティホークで実験を開始した。ウィルバーは腹ばいになってグライダーに乗り、10数回飛行を試み、15〜20秒、距離は90〜120mの飛行に成功した。

1901年、大型のグライダーをつくって試験飛行をするが、計算どおりに上昇しなかったり墜落したりするなどの失敗がつづいた。そこでトンネル形の風洞をつくり、その中に翼の模型を入れて送風実験をおこない、もっとも大きな揚力を生みだす翼の形を検討。また、後方に垂直尾翼（方向舵）をつけて、それを動かすことで、前後、左右の安定は完全になり、自由自在に操縦

▲初の動力飛行に成功　翼の幅12.3m。プロペラは主翼の後部につけ、腹ばいになって操縦した。1903年12月17日、キティホークで。

できるようになった。さらに軽くて強力なエンジンと、じゅうぶんな推進力をもつプロペラを自作した。

■人類初の動力飛行は12秒間、37m

1903年9月、キティホークで動力つきの飛行機を組みたて、フライヤー号と名づけ、12月17日、向かい風の中、初飛行を試みた。1回目はオービルが乗って、滞空時間12秒、飛行距離37mの、世界初の動力飛行に成功した。この日の4回目の飛行ではウィルバーが乗って、滞空時間59秒、飛行距離256mの記録をつくった。

その後、改良を重ね、1905年、滞空時間39分、飛行距離39kmの飛行を記録した。1908年、操縦者は体をおこしてまっすぐにすわり、となりに同乗者を乗せる席も用意したライトA型フライヤーを完成。ウィルバーはフランスにわたり、100回もの公開飛行をおこない、人々を熱狂させた。

1909年、アメリカ陸軍の性能確認飛行がおこなわれ、オービルは2人乗りで1時間以上の飛行、平均時速64km以上を達成し試験飛行に成功、陸軍による買い上げが決まった。同年、アメリカン・ライト飛行機製作会社を設立し、飛行機の生産を開始。各国で飛行機開発競争がはじまった1912年、ウィルバーが腸チフスで亡くなると、1915年、オービルは飛行機事業から身をひいた。

Le Petit Journal

L'AEROPLANE DE WILBUR WRIGHT EN PLEIN VOL.

▲フランスの新聞にのった公開飛行　フランスのオーブールでは滞空時間2時間20分、飛行距離は125kmという記録を打ち立てた（1908年）。

ライト兄弟（ウィルバーとオービル）の一生

年	年齢		主なできごと
	ウィルバー	オービル	
1867	0		4月16日、兄ウィルバーが生まれる。
1871	4	0	8月19日、弟オービルが生まれる。
1892	25	21	自転車の店をひらく。
1900	33	29	グライダーの試験飛行に成功。
1903	36	32	はじめて動力飛行に成功。
1908	41	37	ヨーロッパで公開飛行をおこなう。
1909	42	38	アメリカ陸軍での性能確認試験に合格。デートンにアメリカン・ライト飛行機製作会社を設立。
1912	45	41	5月30日、ウィルバーが亡くなる。
1915		44	会社の権利を売り、飛行機事業から身をひく。
1948		76	1月30日、オービルが亡くなる。

※年齢は満年齢であらわしている

ラクシュミー・バーイー

政治

● ラクシュミー・バーイー　　　　1828?〜1858年

イギリスの支配に対抗して反乱をおこした女王

インド、ジャーンシー藩王国の女王。

1842年、ジャーンシー藩王国のガンガーダル・ラーオ王と結婚。こどもを病気で亡くし、また1853年、夫が亡くなると、イギリスのインド総督から、後継者のいない藩王国はイギリス東インド会社に併合すると通告された。養子をむかえて国の存続をはかったが、領土をうばわれ、年金と引き換えに国を去ることを求められたため、反乱をおこした。全インドに広がった反英闘争、インド大反乱に同調し、イギリス勢力に対抗したが戦死。若い女性だったにもかかわらず、男性と同じく乗馬ズボンをはき、絹のブラウスに腰帯をしめて短剣をつるし、頭にターバンを巻いて戦い、反乱軍の中でもとくに勇敢、有能な指揮官だったといわれる。

ラクスマン，アダム・キリロビッチ

政治

● アダム・キリロビッチ・ラクスマン　　1766〜?年

ロシア最初の日本派遣使節

（函館市中央図書館）

江戸時代後期に来日した、ロシアの軍人。

博物学者キリル・ラクスマンの子に生まれる。陸軍士官学校を卒業後、ロシアの軍人になった。父のキリルはイルクーツクで日本人漂流民の大黒屋光太夫と出会い、その帰国に力をつくしたことで知られる。

1791年、父の推薦で、ロシア帝国の女帝エカチェリーナ2世からロシア初の遣日使節に任命された。1792年、シベリア総督の通商を要求する交渉のため、光太夫らをともなって蝦夷地（現在の北海道）の根室に来航した。根室で冬をこしたあとの1793年、松前（北海道松前町）で江戸幕府の役人と会見して、光太夫らをひきわたす。しかし、通商要求は拒否され、かわりに信牌（長崎入港の許可証）を受けとって帰国した。その後、1804年にロシア使節レザノフが、ラクスマンが幕府から受けた信牌をもって長崎に来航した。

著書に『日本滞在日記』がある。

ラグランジュ，ジョゼフ・ルイ

学問

● ジョゼフ・ルイ・ラグランジュ　　1736〜1813年

『解析力学』を発表し、力学の発展をもたらした

イタリア生まれのフランスの数学者、物理学者。

イタリアのトリノ生まれ。18歳でトリノ陸軍砲兵学校の教授となった。在職中に同僚らと刊行した学術雑誌が、のちにドイツ科学アカデミーの刊行物としてとり上げられるなど、早くから実力のある学者として注目された。1766年にプロイセン（現在のドイツの一部）のベルリン科学アカデミーに移り、『解析力学』を執筆した。この著作で、変分法という数学の分野を開発し、さらに物質のさまざまな運動をあらわすために利用できる新しい座標（一般化座標）を考案して、力学を大きく進歩させる基礎をつくった。1787年にはフランスにもどり、フランス革命後の新しい度量衡制度委員会の委員や大学教授を歴任した。さまざまな関数、方程式を考案し、「ラグランジュ関数」「ラグランジュの平衡点」など、数学用語や天文学用語に名をのこしている。

ラサール，フェルディナント

政治

● フェルディナント・ラサール　　1825〜1864年

ドイツ社会民主党の基礎をつくった

ドイツの労働運動、社会主義運動の指導者。

ブレスラウ（現在のポーランド、ブロツワフ）でユダヤ系商人の子として生まれる。大学で哲学を学んだあと、ヘーゲル哲学を研究し、パリに滞在した。1848年、ドイツで三月革命がおこると『新ライン新聞』の運動に参加、投獄される。このころマルクスを知り、国民経済を独自に分析した。1860年代初頭から社会主義を実践し、社会革命を説く『既得権体系』や『労働者綱領』を発表。1863年に全ドイツ労働者同盟をつくった。その思想は、資本主義とはちがうとしながら、社会主義が国のために何ができるかを重視する国家主義的な考えで、リープクネヒトらのドイツ社会民主労働党といちじ対立した。のちに両党は合同し、ドイツ社会主義者労働党を結成、ドイツ社会民主党の基礎となった。

ラザフォード，アーネスト

学問

● アーネスト・ラザフォード　　1871〜1937年

原子の構造解明に多大な貢献をした「原子物理学の父」

19〜20世紀のイギリス人物理学者。

ニュージーランド生まれ。カンタベリーカレッジに入学して物理学を学ぶ。

1895年、ケンブリッジ大学キャベンディッシュ研究所の研究員となり、J・J・トムソンの下で研究をはじめる。1898年、ウランから放射される2種類の放射線（α線、β線）を発見、その後、放射性物質の半減期の概念を提案、さらに、放射能は物質の崩壊によりおこるという原子崩壊説を主張した。1907年には、ガイガーと共同でα粒子の計数に成功、その後、α粒子（α線）が電子の電荷の2倍で、かつ電子とは反対のプラスの電荷をもつ、つまりヘリウム原子核であることを発見した。さらに1911年には、原子は原子核が中心にあり、周囲に電子が存在するという「ラザフォードの原子模型」を発表するなど、多数の業績を上げ、「原子物理学の父」と称された。1908年にノーベル化学賞を受賞している。　　学 ノーベル賞受賞者一覧

ラシード・アッディーン

政治　学問

🌐 ラシード・アッディーン　　　1247?～1318年

モンゴル帝国の歴史を『集史』にのこした

　モンゴル、イル・ハン国の政治家、歴史家。

　ユダヤ系のイラン人。西アジアを中心とするモンゴル系国家のイル・ハン国の宮廷に、医師としてつかえる。50歳ごろ、第7代君主のガザン・ハンに抜きされて宰相となり、モンゴルの遊牧社会型の政治をイランの風土に適合させる政治改革に力をつくした。第8代オルジェイト・ハンにもつかえたが、第9代アブー・サイード・ハンが即位してまもなく、政敵の陰謀によってオルジェイト毒殺の嫌疑で処刑された。

　歴史家としても有名で、ガザンとオルジェイトの命により『集史』の編さんにあたった。『集史』はペルシア語で書かれ、モンゴル帝国の歴史に関する貴重な史料となっている。ほかに医学書や神学書、農書などの著書もある。

ラシーヌ，ジャン

映画・演劇

🌐 ジャン・ラシーヌ　　　1639～1699年

古典悲劇の代表作者

　フランスの劇作家、詩人。

　東部のラ・フェルテミロン生まれ。幼いころに両親を亡くし、修道女の祖母の手で育てられた。ポール・ロワイヤル修道院で教育を受け、ギリシャやラテンの古典文学を学ぶ。1659年、パリに出て哲学を学びながら詩作をはじめた。

　1660年、ルイ14世の結婚祝いの讃歌『セーヌ川の水精』でみとめられる。その後、修道院ではたらくことを希望していたが失敗し、1663年、モリエールと知り合ってその劇団に入った。しかし、モリエールの劇団が喜劇志向で自分の書く悲劇にはむいていないと判断し、ライバルのブルゴーニュ座に移り、そこで悲劇を次々に上演した。

　完成度の高い幕構成と簡潔で格調高いせりふに特徴がある。悲劇『アンドロマック』と『フェードル』は宮廷で大評判となった。ほかに、合唱つきの宗教劇『エステル』などがある。

ラス・カサス，バルトロメ・デ

宗教

🌐 バルトロメ・デ・ラス・カサス　　　1474～1566年

先住民インディオの自由擁護につくした宣教師

　スペインのドミニコ修道会宣教師。

　セビリア生まれ。1502年「新大陸」（アメリカ大陸のこと。スペインではインディアスとよばれた）のイスパニョーラ島（現在の

ドミニカとハイチからなる島）に植民者としてわたり、1504年、先住民の反乱鎮圧軍に参加。1512年、従軍司祭としてキューバ征服に参加、先住民のインディオに対する酷使の惨状をまのあたりにし、1515年、王室にエンコミエンダ制（新大陸でのスペインの土地制度。入植したスペイン人に統治をまかせ、インディオは非人道的なあつかいを受けた）の廃止をはじめとした植民政策の改善やインディオの救済を求めた。ドミニコ会修道院に入り、1527年から『インディアス史』などを執筆する。

　1542年、国王カルロス1世（カール5世）に報告書を提出、これを受けて「インディアス新法」が公布され、インディオ保護とエンコミエンダ制の段階的廃止が定められた。1547年にはスペインにもどり、さらにインディオの自由擁護につとめた。

ラスプーチン，グレゴリー

宗教

🌐 グレゴリー・ラスプーチン　　　1864?～1916年

ロマノフ朝滅亡を予言した怪僧

　帝政ロシア末期の怪僧。

　ロシアのシベリア西部、貧しい農家に生まれる。馬泥棒をはたらき、村を追いだされると、各地の修道院をめぐるようになった。1904年ごろには予言や呪術などが評判となり、やがて宮廷にも出入りするようになる。祈とうによって皇太子の病気を治したことがきっかけで、皇帝ニコライ2世、皇后アレクサンドラの信頼を得る。やがて政治的に大きな影響力をもち、宮廷の黒幕となったラスプーチンに、宮廷貴族たちが危機感をいだいた。その結果、第一次世界大戦中、貴族の一団により暗殺された。暗殺前、ラスプーチンは皇帝に、ロマノフ朝の崩壊を予言したといわれる。死の2か月後、革命により予言どおりになり、多くの血が流された。

ラックスマン，アダム・キリロビッチ

ラックスマン，アダム・キリロビッチ ➡ ラクスマン，アダム・キリロビッチ

ラッセル，バートランド

思想・哲学

🌐 バートランド・ラッセル　　　1872～1970年

平和運動をつづけた哲学者

　イギリスの数学者、論理学者、哲学者。

　名門貴族の生まれ。祖父はビクトリア女王時代に首相をつとめたジョン・ラッセル。ケンブリッジ大学で数学を学び、その後、哲学をおさめて、数学を論理学としてとらえることを試みた。同じく数学者で哲学者の師ホワイトヘッドと共著の『数学原理』（1910年）は、今日の記号論理学の基礎となった。また、素朴集合論において矛盾をみちびく「ラッセルのパラドックス」も有名であ

る。若いころから社会問題にも関心が深く、個人の自由と幸福に最大の価値をおき、それを阻害するものが戦争であるとした。第一次世界大戦がおきると反戦運動をおこない、第二次世界大戦後の1955年には、親交のあったアインシュタインらとともに、核廃絶をうったえるラッセル・アインシュタイン宣言を発表した。ベトナム戦争にもサルトルらとともに抗議した。その後も人々の先頭に立って、平和主義者、自由主義者として活動した。1950年、ノーベル文学賞を受賞。

学 ノーベル賞受賞者一覧

ラッフルズ，トマス・スタンフォード

政治　学問　発明・発見

🌐 トマス・スタンフォード・ラッフルズ　1781〜1826年

シンガポールを建設し、ラフレシアに名をとどめる

イギリスの植民地行政官、博物学者。

カリブ海のジャマイカ沖の船中で、イギリス人船長の息子として生まれる。1795年ごろ、ヨーロッパ諸国によるアジア貿易のための東インド会社に入ってマレー半島のペナンに赴任し、仕事のかたわら、現地の言語や文化などを研究する。1811年、ジャワの占領後は副総督となり、住民保護を重視した独自の植民地行政をおこなう。ジャワの文化を研究し、密林に眠っていたボロブドゥール遺跡を発見、帰国後に『ジャワ誌』を出版した。

1819年には、イギリスのアジア貿易の拠点の一つとしてシンガポールを当時のジョホール王国から買いとって整備し、シンガポール建設者として知られる。植物や動物にも関心をもって調査をおこない、世界最大の花をつけるラフレシアに名をのこしている。

ラディゲ，レーモン

文学　詩・歌・俳句

🌐 レーモン・ラディゲ　1903〜1923年

心理小説の傑作をのこす

フランスの作家、詩人。

パリ近くのサンモール生まれ。父はさし絵画家だった。高等中学校に在学中、14歳から詩を書いて雑誌に投稿し、詩人のコクトーに注目された。1923年、20歳のとき、小説『肉体の悪魔』を刊行する。第一次世界大戦の時代を舞台に、15歳の少年が19歳の人妻に恋をする物語で、16〜18歳のあいだに書いたとされる。一躍有名になるが、チフスで20年の短い生涯を終えた。19歳で書いた『ドルジェル伯の舞踏会』は、死後の1924年に刊行された。

両作品とも恋をする人の心の動きをこまやかにえがき、フランス文学の伝統である心理小説の傑作とされる。詩集に『燃える頬』『休暇の宿題』がある。

ラビン，イツハーク

政治

🌐 イツハーク・ラビン　1922〜1995年

パレスチナとの歴史的和解に貢献

イスラエルの軍人、政治家。首相（在任1974〜1977年、1992〜1995年）。

エルサレム生まれ。青年時代、ゲリラ部隊に入り、イギリスの統治に対する抵抗運動に参加。その後、部隊の副司令官となり、1948年の独立戦争の戦闘を指揮した。1953年、イギリス陸軍大学を卒業、その後、イスラエル軍参謀総長に就任、1967年の第三次中東戦争での勝利に貢献した。翌年、軍隊を退役、駐米大使のあと、国会議員となった。1974年には労働党党首となり、首相に就任、1977年に選挙でやぶれて退任したが、1992年、首相に復帰した。

就任後は、外務大臣ペレスと協力して、パレスチナ解放機構（PLO）のアラファト議長と和平交渉を進め、1993年にパレスチナ暫定自治について合意した（オスロ合意）。この歴史的和解への貢献により、1994年、アラファト、ペレスとともにノーベル平和賞を受賞。しかし、翌年、和平に不満をもつユダヤ人青年に暗殺された。以後、イスラエルはふたたびパレスチナに強硬姿勢をしめすようになった。

学 ノーベル賞受賞者一覧

ラ・ファイエット，マリー・ジョゼフ

政治

🌐 マリー・ジョゼフ・ラ・ファイエット　1757〜1834年

フランス革命初期の第二身分のリーダー

フランス革命期の政治家、軍人。

南部のオーベルニュ地方の侯爵家に生まれる。16歳で軍隊に入り、アメリカ独立戦争がおこると、1777年、アメリカにわたり、義勇兵として参加。「新大陸の英雄」とたたえられた。帰国後、フランスの絶対王政を立憲君主制にかえるべきだと三部会の開催を主張し、1789年、三部会に第二身分（貴族）で当選した。フランス革命がはじまると、パリ国民衛兵の司令官に就任し、フランス人権宣言の起草にあたるなど、初期の革命をリードした。革命の急進化に抗して立憲君主制をとなえるフイヤン派を結成。1791年、王の退位を求めるダントンら共和派の集会に発砲し、はげしい非難をあびた。

1792年、オーストリア・プロイセン連合軍が攻めてくると、司令官に就任するが、8月、王政が停止されると、オーストリア軍に降伏し、捕虜となった。1815年、王政復古とともに政界に復帰、自由主義的政治家として人気をとりもどした。

ラファイエットふじん

| 文学 |

🌐 ラファイエット夫人　　　　1634〜1693年

心理小説『クレーブの奥方』の作者

フランスの作家。

パリの貴族の家に生まれる。本名はマリー・マドレーヌ。19歳で地方の貴族ラファイエット伯爵と結婚した。若いころから言語学者メナージュの指導を受け、文学を学んだ。歴史を好み、理性的で才女とうたわれた。王妃アンヌ・ドートリッシュにつかえ、結婚後も侍女として王の弟のきさきや、サボア公妃につかえた。

1678年に、人妻の恋をテーマにした『クレーブの奥方』を発表し、有名になる。作品は、恋をする人の心の動きを細かく観察し、それについて批評しながら物語を進める心理小説の手法をとり、フランス心理小説の最初の傑作といわれる。

また、1670年に発表した王弟妃の生涯と悲劇的な死をえがいた『アンリエット・ダングルテール伝』が珠玉の記録文学と高く評価されている。ほかに記録文学『フランス宮廷の覚書』、小説『モンパンシエ公爵夫人』がある。

ラファエロ・サンティ

| 絵画 |

🌐 ラファエロ・サンティ　　　　1483〜1520年

ルネサンス時代の代表的な画家の一人

イタリアの画家。

イタリア中部に生まれる。父が宮廷詩人で、画家だったため、こどものころから父の下で絵の修業にはげんだ。16歳のとき画家ペルジーノの工房に入門して、大聖堂などの壁画装飾の助手をつとめる。1504年にフィレンツェに行き、レオナルド・ダ・ビンチやミケランジェロ・ブオナローティらから、明暗法やデッサンの技術を学んだ。

優雅で柔和な画風で、調和のとれた様式美をつくり上げ、ルネサンスの古典主義絵画を完成させた。『小椅子の聖母』『聖母戴冠』など、聖母マリアや幼子イエス・キリストを多くえがき

「聖母子の画家」とよばれた。また、サンピエトロ大聖堂の建設にあたるなど、建築家としても活躍した。代表作に、バチカン宮殿の装飾壁画『アテネの学堂』『パルナッソス』、神話を題材にした『三美神』『騎士の夢』『聖ゲオルギウス』などがある。

ラ=フォンテーヌ，ジャン・ド

| 詩・歌・俳句 |

🌐 ジャン・ド・ラ＝フォンテーヌ　　1621〜1695年

17世紀フランス文学の代表的詩人

フランスの詩人。

パリの南西シャンパーニュ地方に生まれる。法律を学んで弁護士の資格を得るが、文学に専念して、生涯職業らしい職業にはつかず、有力者の力を借りて詩作にはげんだ。1658年に発表した600行あまりの詩『アドニス』で有名になった。

1668〜1694年に、イソップの寓話やインドなど東洋の寓話、フランス中世の民間説話などを題材にした約240編の寓話集『ファーブル』を書きためた。動植物を主人公に、人生の悲喜劇をフランス語の美しいことばをつかった詩でえがく。現在も、多くの人々に暗誦されている。モリエール、ラシーヌらとともに17世紀のフランス文学を代表する作家の一人である。

📖 日本と世界の名言

ラフマニノフ，セルゲイ

| 音楽 |

🌐 セルゲイ・ラフマニノフ　　　1873〜1943年

つややかなピアノの音色でファンを魅了

ロシアの作曲家、ピアニスト。

ロシア北西部の生まれ。貴族の家系に育ち、9歳でサンクトペテルブルク音楽院に入学、のちにモスクワ音楽院に転学してピアノと作曲を学ぶ。1901年『ピアノ協奏曲第2番ハ短調』を作曲し、みずからピアノ独奏を担当して成功をおさめる。1917年、ロシア革命がおこると、アメリカ合衆国へわたり、ピアニストとして活躍した。祖国へは一度も帰らず、カリフォルニアで生涯を終える。

作風は、つややかな落ち着きのある色彩が特徴で、ロシア・ロマン派を代表する。

歌曲やピアノ協奏曲がとくによく知られ、ファンも多い。ほかに『パガニーニの主題による狂詩曲』、合唱曲『晩祷』『鐘』などがある。

ラプラス，ピエール・シモン

| 学問 |

🌐 ピエール・シモン・ラプラス　　1749〜1827年

メートルの定義の基礎をつくった数学者

フランスの数学者、天文学者。

貧しい農家に生まれた。16歳で陸軍士官学校に入学し、数学の才能を発揮した。その後、パリに出て、高等師範学校や、理工科大学校で数学の教授をつとめ、行列論、確率論、解析学を研究し、『確率の解析的理論』を著した。解析学の研究を太陽系天体の運動論に適用して、その安定性を証明したが、

論争となった。科学アカデミー会員にえらばれ、のちに総裁もつとめる。国際度量衡委員会の委員として、北極点から赤道までの子午線の長さを精密に測量し、1000万分の1を基準とすることを提唱。のちのメートルの定義の基礎をつくった。天体力学の研究では、『天体力学』5巻をのこしている。

ラブレー，フランソワ　　　文学

🌐 フランソワ・ラブレー　　1494?〜1553?年

ルネサンス文学の代表的作家

　フランスの作家、医師。

　中西部トゥーレーヌで地主の息子として生まれる。1520年に修道院に入り、神学や哲学、古典文学を学ぶ。その後、モンペリエ大学で医学を学び、リヨン市で病院の医師となった。1532年から、笑いと風刺の連作『ガルガンチュアとパンタグリュエル物語』を刊行。巨人王ガルガンチュアと息子のパンタグリュエルの物語で、格調高い文章は、フランス・ルネサンス文学の代表作とされる。奇想天外でユーモラスな風刺あふれる物語には、教会批判と人間的な感情や行動をみとめる寛容さがえがかれている。そのため、発表のたびに禁書となり、パリ高等法院などから追及された。

ラベル，モーリス　　　音楽

🌐 モーリス・ラベル　　1875〜1937年

『ボレロ』を作曲した「音の魔術師」

　フランスの作曲家。

　スペインのバスク地方に生まれ、まもなく一家でパリに移住。1889年、パリ音楽院に入学し、フォーレに作曲を学んだ。在学中、ドビュッシーやサティに影響を受けた。1899年にピアノ曲『亡き王女のためのパバーヌ』を、1901年に『水の戯れ』を発表し、若くして作曲家としての名声を築く。

1928年、代表作となる管弦楽曲『ボレロ』を作曲。1932年に自動車事故にあい、その5年後に後遺症で世を去った。

　スペイン、アフリカ、東洋などエキゾチックな雰囲気とジャズの要素をとり入れた斬新な作風で、管弦楽法にすぐれた知的で精密な作品から「音の魔術師」といわれる。

　主な作品に、管弦楽曲『スペイン狂詩曲』、バレエ音楽『ダフニスとクロエ』、ピアノ曲集『鏡』などがある。ムソルグスキーのピアノ曲『展覧会の絵』を管弦楽に編曲した功績も大きい。ドビュッシーとならぶ20世紀はじめのフランスを代表する作曲家である。

ラボアジエ，アントワーヌ=ローラン　　　学問

🌐 アントワーヌ=ローラン・ラボアジエ　　1743〜1794年

質量保存の法則を発見し、近代化学の基礎を築いた

　18世紀のフランスの化学者。パリ生まれ。父親と同じ法律家をめざし、パリ大学法学部へ進むが、在学中に出会った科学者たちとの交流から、自然科学に関心をいだく。1766年、フランス科学アカデミーが募集した懸賞論文で賞を受け、1768年に同会員となる。水や燃焼に関心をもち、研究・実験をおこなう一方、研究資金を得るために税金をとりたてる徴税請負人となる。

　1774年、化学反応の前後で質量は変化しないという「質量保存の法則」を発見。それまで知られていたフロギストン説（燃焼を「フロギストン（燃素）」という物質の放出で説明）を否定、燃焼が「空気のもと」と物質の結合であることをしめし、近代化学の道をひらいた。フランス革命がおこると、革命政府はそれまで市民を苦しめていた徴税請負人を指名手配した。ラボアジエにも死刑の判決がくだり、断頭台で処刑された。「首を切るのは一瞬だが、同じ頭脳があらわれるには100年かかる」とおしまれたという。

ラマルク，ジャン=バティスト　　　学問

🌐 ジャン=バティスト・ラマルク　　1744〜1829年

「生物学」などのことばをつくった

　フランスの生物学者、進化論者。

　北部のピカルディー生まれ。はじめ軍人となったが、その後、医学、植物学を学び、植物学者ビュフォンの目にとまって、王立植物園の仕事についた。1789年、フランス革命後、植物園が自然史博物館になるとともに教授につき、動物学を研究する。動物を背骨のあるなしで分けて、背骨のない動物を無脊椎動物と名づけたり、生物学ということばをつくったりした。著書『動物哲学』などで生物の進化を説明し、もともと無機物から誕生した生命が、複雑な生物となる方向にむかって進化し、進化の過程で使用される器官や特徴が発達して遺伝すると主張した（この主張は、現在、ほぼ否定されている）。

ラムセスにせい　　　王族・皇族

🌐 ラムセス2世　　生没年不詳

ヒッタイトと戦ったのち、巨大建造物を数多くのこした

　古代エジプト、第19王朝のファラオ（王）（在位紀元前1290?〜紀元前1224?年）。

父セティ1世の死後、20代中ごろに即位し、以後66年の長きにわたって国をおさめた。治世5年目、2万人の大軍をひきいてシリア方面に遠征し、ヒッタイト王国と戦った（カデシュの戦い）。この戦いは16年間におよんだが、最後は平和条約をむすび、友好のしるしとしてヒッタイトの王女をきさきにむかえた。これは世界で最初の平和条約とされる。

さらにナイル川上流のヌビアにも遠征し、領土を拡大していった。その後、カルナック神殿、ルクソール神殿やアブシンベル神殿など巨大な建造物の建設に情熱をかたむけ、戦勝の記念碑や、自身の彫像も数多くつくった。

ラムセス2世の墓は王家の谷につくられたが、ミイラは別の場所で発見された。身長は170cm以上と、当時のエジプト人としては高く、推定年齢は90歳前後とされている。現在ミイラは、カイロのエジプト考古学博物館におさめられている。

ランケ，レオポルト・フォン　学問

● レオポルト・フォン・ランケ　1795〜1886年

近代歴史学の創始者

ドイツの歴史家。

中東部にあるチューリンゲン地方の弁護士の子として生まれる。ライプツィヒ大学で神学や言語学を学んだのち、フランクフルト・アン・デア・オーデルの高校の教師となった。

1824年に著した諸民族共同体の歴史『ローマ的・ゲルマン的諸民族史』がみとめられ、ベルリン大学史学科の助教授に、1834年には同大学の教授に昇進した。彼は、それまでの歴史学が過去を研究することで何らかの教訓を得ようとするものだったのに対し、資料を科学的に検討し客観的に歴史事実を確定するという実証史学の方法を提唱。近代歴史学を確立し、ドイツのみならずイギリスやアメリカ合衆国の歴史学にも大きな影響をあたえ、「ランケ学派」とよばれた。

代表作に『ローマ教皇史』『宗教改革時代のドイツ史』『プロイセン史』『フランス史』などがあり、晩年は視力がおとろえる中、『世界史』の口述にあたった。

らんけいどうりゅう　宗教

● 蘭渓道隆　1213〜1278年

多くの弟子に座禅の正しい作法を教えた

鎌倉時代中期に来日した、臨済宗の僧。

13歳のとき、中国の南宋の成都（四川省の都市）の大慈寺で出家し、各地の寺をめぐって修行しさとりをひらいたという。

（蘭渓道隆［大覚禅師］画像／東京大学史料編纂所所蔵模写）

1246年、南宋にわたった日本の僧の求めに応じて来日し、臨済宗の布教をめざした。1247年、泉涌寺（京都市）に住み、その後鎌倉（神奈川県鎌倉市）にくだり寿福寺に住んだ。1253年、執権北条時頼の依頼により建長寺をひらいた。1259年ころ、後嵯峨上皇（譲位した後嵯峨天皇）にまねかれて京都へのぼり、建仁寺（京都市）の住持となって上皇に臨済宗を説いた。

1261年ころふたたび建長寺にもどり多くの弟子に座禅の正しい作法を教えた。1268年、中国の元の使者が日本に朝貢を求めてきたころ、道隆は元の間諜（スパイ）ではないかとうたがわれた。甲斐国（現在の山梨県）に流され、1274年、ふたたび甲斐国、次いで奥州松島（宮城県）に流されたが、そのつどゆるされて建長寺にもどった。1278年、主席（寺の最高位）になったが、まもなく亡くなった。

ランサム，アーサー　絵本・児童

● アーサー・ランサム　1884〜1967年

『ツバメ号とアマゾン号』の作者

イギリスの児童文学作家。

ヨークシャー生まれ。こどものころは、父といっしょにイングランド北部の湖水地方で、釣りなどを楽しんだ。高校を卒業後、出版社ではたらきながら文筆活動をはじめる。第一次世界大戦中は従軍記者として戦場で取材した。

1930年に、湖水地方の思い出をもとに、こどもたちが楽しく休暇をすごすようすをえがいた『ツバメ号とアマゾン号』を出版した。なにげないこどもたちの日常を生き生きとえがき、多くの読者を得る。

この作品は1947年の『シロクマ号となぞの鳥』まで12冊のシリーズとなり、のちの作家に大きな影響をあたえた。1936年、イギリスの児童文学賞であるカーネギー賞を受賞。

ランシング，ロバート　政治

● ロバート・ランシング　1864〜1928年

石井ランシング協定を宣言した国務長官

アメリカ合衆国の政治家。

ニューヨーク州生まれ。アマースト大学を卒業後、国際法弁護士として、国際紛争や国境問題についてアメリカ政府の法律顧問をつとめた。1915年、ウィルソン大統領の下で国務長官となる。第一次世界大戦時にアメリカの連合国側への参戦を強く主張した。

1917年、ワシントンD.C.にて、日本の大隈重信内閣の外務

大臣、石井菊次郎と、日本が二十一か条の要求で得た中国における特殊権益について協議。アメリカは日本の権益をみとめ、日米両国は中国の独立の尊重と、門戸開放、中国に対する貿易や商業などの機会均等を尊重するという、石井・ランシング協定を宣言した。

1919年、第一次世界大戦の講和の条件を話し合うパリ講和会議にアメリカの代表として参加したが、講和条件などをめぐってウィルソンと対立が深まり、1920年に辞職を命じられた。

ランボー，アルチュール　　詩・歌・俳句

🌐 アルチュール・ランボー　　1854〜1891年

ベルレーヌに見いだされた象徴主義詩人

フランスの詩人。

ベルギーとの国境に近いシャルルビルで生まれる。父は陸軍大尉だったが6歳のときに家をはなれ、母に育てられた。こどものころから優秀で「神童」とよばれた。1870年ころ、教師の影響で文学にめざめ、詩を書きはじめる。

1871年、のちに代表作となる『酔いどれ船』を執筆した。詩人ベルレーヌに送ったところ、パリにまねかれる。その後、2人でロンドンやベルギーを旅行するが、1873年にブリュッセルでけんかとなり、ベルレーヌに銃で撃たれて入院する。同年末、散文詩『地獄の季節』を発表したあとは文学から遠ざかり、ジャワ、エジプト、アラブなど世界各地を転々とまわり、37歳で病死した。

生前はほとんど無名だったが、ベルレーヌやマラルメから象徴主義の重要な詩人とされ、その後の文学界に大きな影響をあたえた。作品には、ベルレーヌらによってまとめられた『詩集』のほかに『イリュミナシオン』がある。

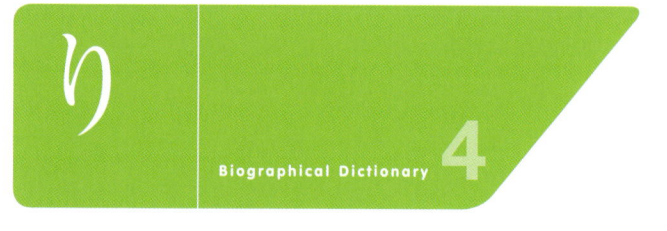

り

Biographical Dictionary　4

リアオチョンチー

廖承志 ➡ 廖承志

リー，ロバート　　政治

🌐 ロバート・リー　　1807〜1870年

南北戦争で活躍した「南部の英雄」

アメリカ合衆国の軍人。

バージニア州で、アメリカ独立戦争の英雄の子に生まれる。陸軍士官学校を卒業後、アメリカ・メキシコ戦争で功績をあげ、陸軍士官学校の校長もつとめた。奴隷制度に反対をとなえるブラウンの反乱をしずめるなどで活躍。アメリカ合衆国初代大統領、ジョージ・ワシントンの孫と結婚した。南北戦争直前、合衆国陸軍総司令官になる要請を辞退し、軍をしりぞく。1861年、南北戦争がおこると、アメリカ連合大統領ジェファーソン・デービスにたのまれ、南軍の大将と軍事顧問になり、各地で戦った。その後、アメリカ連合の首都リッチモンドでやぶれて降伏。名将軍で、「南部の英雄」とよばれ、戦後はワシントン大学学長となり、南部子弟の教育につとめた。

リーキー，ルイス・シーモア・バゼット　　学問　発明・発見

🌐 ルイス・シーモア・バゼット・リーキー　　1903〜1972年

最初の人類アウストラロピテクスの化石を発見

イギリスの古生物学者、人類学者。

宣教師の息子として、父親の布教先のケニアで生まれる。ケンブリッジ大学で古生物学を学び、東アフリカを中心に遺跡の調査にとりくんだ。遺跡を発掘するときに、発見時の状態を正確な記録としてのこすことなど、研究や調査の方法を確立した。

1931年からは、人類学者の妻メアリーらとともに、タンザニア北部のオルドバイ渓谷で旧石器時代の遺跡の調査をはじめる。1959年に、サルから進化した最初の人類とされるアウストラロピテクスの頭骨を発見した。翌1960年には、同時代の人類であるホモ・ハビリスの化石も発見、そのほか、人類学上の重要な資料となる化石を多数発掘した。

この発見をきっかけにして、東アフリカおよび南アフリカの遺跡

から同類の化石が報告されるようになり、1960年代以降の人類学研究を大きく発展させた。

リー・クアンユー 政治

🌐 リー・クアンユー　1923〜2015年

「シンガポール建国の父」と称された政治家

シンガポールの政治家。元首相（在任1965〜1990年）。

中国語では「李光耀」と書く。イギリス植民地だったシンガポールに、中国移民4世として生まれる。1946年にイギリスへ留学、1950年、ケンブリッジ大学法科を首席で卒業。帰国後、さまざまな労働組合の顧問弁護士として活動。1954年、中国人や労働者を中心とした人民行動党を創設し、書記長に就任、植民地からの独立要求をかかげた。立法評議会議員をへて、1959年、立法議会選挙に勝利し、イギリスから自治権を獲得、イギリス連邦内の自治国の初代首相に就任。1963年、マレーシア発足にともないマレーシア連邦に加入したが、連邦内の人種対立が深まり、1965年、マレーシア連邦から分離独立、シンガポール共和国の初代首相となった。

国内の多民族の共存を説き、近代化や工業政策にとりくみ、シンガポールをアジアの新興工業国として発展させた。1990年に辞任したが、その後も総理府上級大臣や内閣顧問として大きな影響力をもち、「シンガポール建国の父」とよばれた。

リークォーチャン

李克強 → 李克強

リーチ，バーナード 工芸

🔴 バーナード・リーチ　1887〜1979年

民芸運動に参加したイギリス人陶芸家

大正時代〜昭和時代に来日した、イギリスの陶芸家。

香港に生まれ、幼少期を京都ですごす。父は弁護士。10歳でイギリスに帰り、ロンドン美術学校でエッチング（銅版画）の技法などを学ぶ。

1909（明治42）年に再来日し、東京の上野に住み、エッチングの教室をひらく。文芸雑誌『白樺』の同人である武者小路実篤や柳宗悦らにエッチングを教えたことから、彼らとの交流はは

じまった。1911年、茶会で楽焼に絵付けをしたことをきっかけに、富本憲吉とともに6代目尾形乾山に入門し、陶芸家を志す。1916（大正5）年、師の本窯をゆずりうけて、柳宗悦の屋敷に窯をつくった。1920年に、浜田庄司とともに帰国し、イギリス南西部のセント・アイブズに日本風の窯「リーチ・ポタリー」をひらき、日本とイギリスの陶芸を隔合した作品を発表する。その後もたびたび来日し、柳宗悦らが進めていた、日常の生活道具にこそ美しさがあるとする「民芸運動」に協力し、日本民藝館の設立にもかかわった。

リートフェルト，ヘリト・トーマス 建築

🌐 ヘリト・トーマス・リートフェルト　1888〜1964年

モダニズムの住宅や家具を設計

▲リートフェルト制作「赤と青の椅子」

オランダの建築家、家具デザイナー。

ユトレヒトに生まれる。家具職人だった父の仕事を11歳ごろからてつだう。その後ははたらきながら美術関係の夜間学校にかよい、28歳で独立して家具工房をはじめた。

制作した家具の一つ、「赤と青の椅子」が、1919年に『デ・ステイル』という芸術活動の機関誌で大きくとり上げられる。それから、デ・ステイルを代表するデザインを次々と発表した。四角い箱を重ねたような外観と柱や壁で細かくくぎらない内部空間をもつ住宅「シュローダー邸」は、モダニズム住宅の先がけとなった。現在は世界遺産に登録されている。

建築家としても活躍し、名作とよばれる個人住宅や公共施設を設計した。アムステルダムのゴッホ美術館が遺作になった。

家具も住宅も手ごろな価格とつかいやすさを追求し、直線と面と色彩を組み合わせた簡潔な作品を得意とした。メタルやアルミでデザインしたいすなど、いまも人気がある。

リートンホイ

李登輝 → 李登輝

リービヒ，ユストゥス・フォン 学問　発明・発見

🌐 ユストゥス・フォン・リービヒ　1803〜1873年

大学における近代的な実験教育を創始した化学者

19世紀のドイツの化学者。

中部のダルムシュタットで、生薬や染料の製造販売業の家に生まれる。幼少から化学好きで、父の仕事場で実験をてつだった。ボン大学、エルランゲン大学で学び、博士号を取得。

1824年、21歳の若さでギーセン大学助教授に就任、翌年、

教授となる。従来の徒弟制度の教育をやめ、学生実験室をつかった近代的授業は評判をよび、各国から学生が集まり、優秀な化学者を輩出する。

そのころ、雷酸塩の一種の雷酸銀の組成（Ag-CNO）を決定するが、フリードリヒ・ウェーラーによって発表されたシアン酸塩の化合物のシアン酸銀（Ag-OCN）と、組成が同じであったことから、論争となる。その後、構造がことなる2つの化合物であることが確認され、世界初の異性体（分子式は同じで構造がことなる物質）の発見となる。

1831年、能率的な有機化学の新しい定量分析法を発表。彼が考案した冷却器、カリ球、炭素定量法などは、リービヒの名が冠され、現在もつかわれている。

リープクネヒト，カール

🌐 カール・リープクネヒト　　　　1871〜1919年

政治

反戦運動をつづけ、スパルタクス団を組織

ドイツの社会主義者。

ライプツィヒに生まれる。ライプツィヒ大学、ベルリン大学で法学、経済学を学び、弁護士となる。1900年に父親の遺志をつぎ、ドイツ社会民主党に入る。1906年、反軍国主義の演説をおこない、翌年には『軍国主義と反軍国主義』を出版して、反逆罪に問われる。しかし、出獄後はプロイセン下院議員、ドイツ帝国議会議員をつとめ、ローザ・ルクセンブルクとともに社会民主党の左翼急進派を指導する立場となった。第一次世界大戦がはじまった1914年、戦時の国の公的借入金にただ一人反対して、社会民主党をはなれる。1916年には、ルクセンブルクらとともにスパルタクス団をつくり、反戦運動を展開。メーデーの5月1日に、ベルリンのポツダム広場で反戦デモをおこない、逮捕された。

1918年の十一月革命では、ベルリン王宮のバルコニーから「自由な社会主義共和国」を宣言。ドイツ共産党を結成して革命を進めたが、政府勢力にやぶれ、ベルリンで反革命義勇軍に殺害された。

リーポン

李鵬 → 李鵬

リーマン，ベルンハルト

学問

🌐 ベルンハルト・リーマン　　　　1826〜1866年

新しい幾何学をひらいた数学者

ドイツの数学者。

牧師の子として生まれた。ベルリン大学とゲッティンゲン大学で学び、ゲッティンゲン大学の教授となった。発表した論文は多くないが、数学のさまざまな分野に新しい基軸を打ちだして、幾何学の分野で、画期的な業績をのこした。リーマンの写像定理とよばれる定理をあたえ、のちにリーマン面の考え方をとり入れて、リーマン幾何学的関数論の基礎を築いた。また、リーマン球面幾何学では、地球の立体模型の地球儀で、地球の経度線をみるとき、赤道で平行の経度線が両極でまじわることを、数学のことばであらわした。関数の性質を研究し、リーマン予想という問題を、後世にのこした。

リウィウス

古代 学問

🌐 リウィウス　　　　紀元前59〜紀元後17年

大作『ローマ史』を著した

古代ローマの歴史家。

北イタリアのパドバに生まれる。長年ローマですごしたが、軍に入ることも官職につくこともなく、皇帝アウグストゥス（オクタウィアヌス）の支援を受けながら著作に打ちこむ生活を送っていた。約40年をついやし、ローマ建国からアウグストゥスの時代までの歴史書『ローマ史（ローマ建国史）』をラテン語で書き上げた。これは142巻の大作であったが、現存するのは35巻ほどである。

『ローマ史』は、歴史記述の中に文学的な表現をとり入れつつ、アウグストゥスの平和な時代にいたる大帝国ローマの支配をたたえている。

後世、ルネサンス時代の詩人ダンテもリウィウスを高く評価し、リウィウスはラテン文学散文の黄金時代を代表する作家といわれている。

リウシャオチー

劉少奇 → 劉少奇

りえん

王族・皇族

🌐 李淵　　　　565〜635年

隋をたおし唐を建国

中国、唐の初代皇帝（在位618〜626年）。

高祖ともいう。長安に生まれ、7歳で父のあとをつぎ、北周の唐国公となる。隋の文帝（楊堅）の皇后が母の妹であったため文帝に気に入られ、地方長官などを歴任して隋につかえた。604年の文帝の死後、その子煬帝が即位して天下が乱れると、李淵の次子李世民のすすめで挙兵し、隋の首都長安を占領する。煬帝の孫の楊侑を立てて恭帝とし、煬帝が家臣に暗殺され

ると、恭帝からの禅譲により皇帝の座につき、618年に唐を建国する。

李世民を中心に群雄討伐を進め、621年、最大の敵である王世充、竇建徳をやぶるが、その後も群雄との戦いはつづいた。同年、漢の武帝の五銖銭以来の貨幣である開元通宝を鋳造して発行。

624年には唐の最初の律令である武徳律令を制定し、唐の基礎をかためた。長子の李建成を皇太子とするが、626年、玄武門の変で兄弟間の後継争いに勝った李世民に退位させられ、李世民が唐の第2代皇帝太宗となり実権をにぎると、李淵は太上皇とされ幽閉された。　学 世界の主な王朝と王・皇帝

リカード，デビッド　学問

🌐　デビッド・リカード　　　　　1772〜1823年

証券取引業者から古典派経済学の権威に

イギリスの経済学者。

ロンドン生まれ。父はユダヤ系でオランダからイギリスに帰化した証券取引業者であった。14歳から父の仕事に従事するが、クエーカー教徒（キリスト教の一宗派）の女性との結婚をきっかけに、両親やユダヤ人社会からはなれ、証券取引業者として独立した。その後、事業に成功、富を築く。

1799年、アダム・スミスの『国富論』を読み、経済学に興味をもち、1809年に通貨発行に関する論文を発表、文筆生活をはじめた。1817年、『国富論』に次ぐイギリス古典派経済学の代表作となる『経済学および課税の原理』を公刊し、経済学者としての名声を得た。

1819年に下院議員となってからも経済に関する研究と執筆をつづけた。リカードは18世紀後半、イギリスではじまった産業革命を背景に、地主、資本家、労働者の関係や利潤と賃金の関係を説いた。また、穀物の輸入を規制した穀物法には、自由貿易論の立場から反対した。

りかいせい

李恢成 → 李恢成

リキテンスタイン，ロイ　絵画

🌐　ロイ・リキテンスタイン　　　1923〜1997年

ポップアートの先駆者

アメリカ合衆国の画家。

ニューヨークで不動産業をいとなむ父の下に生まれる。少年の

ころから、音楽や美術の才能を発揮する。オハイオ州立大学で学び、美術学士と修士を取得した。1960年ころより、ウォーホル、ジョーンズらとともに、ポップアートという新しい美術を生みだす。

1966年、イタリアの美術展ベネチア・ビエンナーレに参加した。

大胆で人目をひく均整のとれた構図が特徴で、新聞の連載漫画の1こまを、印刷でできるインクの点のドットを拡大してかきあらわした。単純な黒線で外枠を太くかき、赤、黄、青の三原色をまぜずに、そのままぬった。絵画の中に鏡を入れた作品や立体作品などもてがけた。また、広告やコミックの世界にも大きな影響をあたえた。

代表作に『見て! ミッキー』、東京都現代美術館所蔵の『ヘアリボンの少女』などがある。

1995（平成7）年、精神科学・表現芸術部門で京都賞を受賞した。

りきどうざん　スポーツ

🔴　力道山　　　　　　　　　　1924〜1963年

国民的人気を集めたプロレスラー

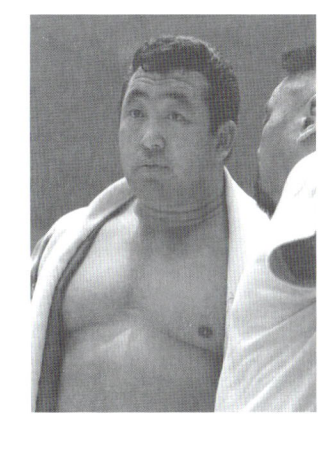

昭和時代の大相撲力士、プロレスラー。

朝鮮半島の北部の生まれ。百田家の養子に入り、百田光浩と名のる。1939（昭和14）年に大相撲の二所ノ関部屋に入門し、翌年力道山のしこ名で初土俵をふんだ。関脇まで昇進したが、1950年に突然廃業し、翌年プロレスリングに転向した。

1952年にアメリカ合衆国にわたり、各地を転戦しながら修業し、翌年帰国して日本プロレス協会を設立した。

1954年に世界タッグ王者のシャープ兄弟をまねいて、プロレス興行をおこなった。得意技の「空手チョップ」でアメリカ人の巨漢レスラーをたおす姿は、テレビ放送によって全国に広まり、国民の熱狂的な支持を集めて、大ブームとなった。

アントニオ猪木やジャイアント馬場など多くの弟子を育て、日本における興行としてのプロレスを確立した。しかし1963年、酒の上のもめごとから暴力団員にさされ、そのときの傷がもとで、39歳の若さで死去した。

リキニウス

古代　政治

🌐 リキニウス　　　　　　　　　生没年不詳

平民の地位向上をめざした法律を立案

古代ローマの護民官。

紀元前376年、古代ローマの民会の一つ、平民会で、セクスティウスとともに護民官にえらばれた。2人で平民（プレブス）の社会的な地位の向上をめざし、リキニウス・セクスティウス法とよばれる法律案を提出した。これは、2人の執政官（コンスル）のうち、一人を平民からえらぶこと、有力者による公有地の占有面積を制限すること、むこう3年間の負債は元金のみを返済することを規定している。この法律は、10年の歳月をへて、紀元前367年に成立した。これにより、貴族（パトリキ）との身分闘争は大きく前進した。

同年、リキニウスは執政官に就任したが、任期中、みずからつくった法に違反して罰せられたといわれる。

りくきゅうえん

思想・哲学

🌐 陸九淵　　　　　　　　　1139〜1193年

象山先生とよばれた、「心即理」を説いた思想家

中国、南宋の思想家。

江西省金渓生まれ。6人兄弟の末っ子で、第5兄の陸九齢（復斎）も学者で、復斎と象山は「江西の二陸」と称された。49歳のとき、応天山に学舎を建て、この山を象山と名づけたため、象山先生とよばれた。経書をよく読み、知的修養を積むことを重視した朱熹（朱子）に対し、象山は本心にもとづく道徳的実践を重視したことから、意見が分かれた。1175年、鵞湖寺でおこなわれた「鵞湖の会」では、朱熹は象山に学問を軽んじていると、象山は朱熹に実践を軽んじていると、たがいに非難した。朱熹の「性即理」（心を構成する性と情のうち、性が理である）に対し、「心即理」（心の性と情は一体のものであり、心はそのまま理である）と説いた象山の思想は、明の時代になって王守仁（王陽明）に評価され、陽明学の源流となった。

りくしょうざん

陸象山 → 陸九淵

りげんこう

王族・皇族

🌐 李元昊　　　　　　　　　1004〜1048年

タングート族をひきい、西夏を建国

中国北西部、西夏の初代皇帝（在位1038〜1048年）。

夏の国王で、チベット系タングートの族長の李徳明の長子。夏は中国西部、遼と宋のあいだにある国で、宋に従属していた。李元昊は若いころから勇敢で教養もあり、兵法、法律、仏学に通じていた。1032年、父の死後国王をつぐと、タングートの諸部族を武力によって併合。1038年、国名を大夏として（宋から

は西夏とよばれる）、独立を宣言した。

宋にならって官位制度の整備、学校の創設、軍備増強など、国家の基盤をかため、1044年には、宋の臣下となるかわりに銀、絹、茶を歳賜として受けとる和約をむすんだ（慶暦の和）。また、西夏文字の形成にも貢献した。この文字は長らく解読されなかったが、20世紀、日本の言語学者、西田龍雄によってほぼ解読された。

りこうしょう

政治

🌐 李鴻章　　　　　　　　　1823〜1901年

清朝の近代化をめざした政治家

中国、清末期の政治家。

安徽省に生まれる。1847年、科挙試験に合格し、翰林院に入る。1851年に太平天国の乱がおこると郷里にもどって義勇軍を組織し、太平天国軍をやぶった。その後、両江（江蘇、安徽、江西）総督となる。

1870年に直隷総督・北洋大臣、2年後に内閣大学士となってからは、漢人官僚の第一人者として、清の近代化をめざして洋務運動を指導し、近代産業の育成と富国強兵につとめ、北洋海軍を設置。外交では、1870年のキリスト教排撃運動「天津教案」をはじめ、台湾問題、琉球問題、イリ問題、清仏戦争などにかかわった。日清戦争では、北洋海軍の敗北の責任を問われ、全権大使として下関条約の調印にのぞんだあと、職をはなれた。

しかしその後も、外交手腕を買われ、露清同盟密約をむすび、ふたたび直隷総督・北洋通商事務大臣となる。1900年におこった義和団事件を鎮圧するため、列強の連合軍が攻め入ると、講和交渉にあたった。そののち、後任に袁世凱を指名して、病死した。

りこくきょう（リークォーチャン）

政治

🌐 李克強　　　　　　　　　1955年〜

中国の習近平政権の国務院総理

中華人民共和国（中国）の政治家。首相（在任2013年〜）。

安徽省生まれ。文化大革命時に農村部に働き手として送りだされたため、農作業をしながら学問をつづけ、北京大学法学部に合格。在学中は学生会主席をつとめ、卒業後は共産党の下部組織である中国共産主義青年団（共青団）に入った。共青団での仕事ぶりが同郷の先輩の胡錦濤にみとめられ、地方の首長などを歴任、2007年には政治局常務委員となり、習近平とならぶ実力者として注目された。

胡錦濤の後継者争いで、習近平におよばず、最高指導者の座はのがしたが、2013年に内閣の長である国務院総理（首相）に就任した。政治的にはリベラル派とみられ、中国経済のさらなる自由化、発展をめざしている。

学 主な国・地域の大統領・首相一覧

リサール, ホセ　　　政治

🌐 ホセ・リサール　　　1861〜1896年

フィリピン独立の父

フィリピンの独立運動指導者。

スペイン支配下のフィリピン、ラグナ州の裕福な大借地農の家に生まれる。1872年、アテネオ・デ・マニラ学院に入学し、サント・トマス大学に進んだ。また、スペインのマドリード中央大学に留学して、医学と哲学、古典文学を学んだ。1887年、ベルリンで小説『ノリ・メ・タンヘレ（わが祖国に捧げる）』を発表し、スペイン植民地政府や修道会の横暴に苦しむ祖国の実態をえがき、スペイン政府に改革を求めた。翌年、一時帰国するが弾圧を受け、日本、ヨーロッパ、香港に亡命。亡命中の1891年に小説『反逆』を出版。革命をめざし、スペイン政府ではなく、フィリピン人への自覚をうながすようになる。

1892年に帰国し、フィリピン民族同盟を結成。社会改革をとなえたが、逮捕されて流刑となった。その後、反乱をしむけたうたがいで、1896年に処刑。現在でも「フィリピン独立の父」として国民から尊敬され、1946年のフィリピン独立後は、命日が国民の祝日となっている。

りさんぺい（イサムピョン）　　　工芸

🔴 李参平　　　?〜1655年

有田焼産業の創始者

江戸時代初期の朝鮮人の陶工、有田焼の陶祖。

朝鮮半島に生まれる。1598（慶長3）年、豊臣秀吉の文禄・慶長の役で朝鮮に出兵した肥前国佐賀藩（現在の佐賀県）の藩主、鍋島直茂によって、日本へつれてこられた。

17世紀はじめ、有田の泉山（佐賀県有田町）で磁器

▲石場神社にある李参平の磁器製座像　　（有田町提供）

の原料になる陶石の白磁鉱を発見し、有田の上白川天狗谷に、磁器専用の窯をひらいた。これが有田焼産業のはじまりで、伊万里港（佐賀県伊万里市）から出荷されたので、伊万里焼ともよばれた。

有田焼の創始者として崇拝されており、陶山神社の祭神として祭られている。

りし　　　思想・哲学

🌐 李斯　　　?〜紀元前208年

儒教を弾圧し、秦の全国統一に貢献した法家の学者

中国、秦の時代の政治家、法家の学者。

楚（現在の河南省）の生まれ。荀子に学び、法治主義を主張する熱心な法家となる。秦王政（のちの始皇帝）につかえ、全国統一に貢献し、行政官の最高位である丞相となった。中央集権を強化するため、全国を36の郡に分け、郡の下に県をおき、中央から派遣した官吏（役人）におさめさせる郡県制を提案した。

また、儒家が始皇帝の改革に批判的であるとの理由から、儒教の書物を焼き、儒家を生き埋めにする「焚書・坑儒」を進言した（誇張があるとの説もある）。さらに、文字や度量衡（ものさし、升、はかりなど）の統一も建議し、秦の体制づくりに大きな役割をはたしたが、始皇帝の死後、2世皇帝のとき、謀反のうたがいをかけられ処刑された。

りし　　　思想・哲学

🌐 李贄　　　1527〜1602年

童心説を根本に、個人主義、平等主義を説いた思想家

中国、明末の陽明学者。

福建省生まれ。号は卓吾。イスラム教徒ともいわれる。26歳で郷試に合格したが、家庭の事情のため進士にならず、地方官吏（役人）となる。54歳で退官、その後は湖北省の芝仏院で、読書と著述の生活を送った。

何ものにもとらわれない純粋で原初的な「童心」を重視し、この童心は成長するにつれて、知識や道徳といった外からのものによって失われるとした。個性を尊重し、個人主義、男女平等などを主張したが、世俗の権威や儒教などの封建倫理をはげしく批判したため、危険思想とみなされ逮捕、76歳の高齢で獄中自殺した。著書に『焚書』『蔵書』などがある。時代を先取りした思想は、近代中国になり、再評価された。

りじせい　　　政治

🌐 李自成　　　1606〜1645年

農民反乱の指導者

中国、明末期の農民反乱指導者。

陝西省の農家の子として生まれる。家が没落したため、牧童、駅卒（輸送業）などをへて、兵士になった。1628年、陝西地

方を干ばつがおそい、大ききんがおこり、各地で農民暴動が発生すると、兵士をひきいて反乱軍に加わった。各地を転戦して勢力を広げ、知識人の参加も得て、「田を平等に分け、3年間税をとらない」という政策をかかげた。さらに、軍の規律をきびしくし、多くの民衆から支持された。

1643年に湖北省で新順王を名のり、西安を占領した。また、国号を大順とあらため、官僚制度を定めるなど、国家としての制度をととのえた。

1644年には北京を攻めて、明の第17代皇帝・崇禎帝を自殺させ、明をほろぼした。しかし、中国東北部から侵入してきた清と、清に降伏した明の将軍呉三桂が攻めてくると、西安にのがれ、湖北省の山中で殺されたといわれている。

りじちん　　　学問　医学

● 李時珍　　　1518?〜1593?年

『本草綱目』を著した本草学者

中国、明の医学者。

湖北省の蘄州で医者の家に生まれ、幼年から病弱であったため、医書に親しむ。当時の医者の社会的身分は低く、父から科挙に合格して官僚になることを望まれ、14歳で科挙（官僚の採用試験）の受験資格を得たが郷試に3度失敗、医業をつぐ。数年後には名医として名を知られるようになり、1557年に楚王府の侍医となり、1558年ごろには明の医学の最高機関「太医院」の副院長に推薦されたが、1年ほどで辞して故郷に帰る。

民間医として医業のかたわら薬草や鉱物などの薬物採集や民間の処方・療法の調査などをおこなって資料を集め、約30年をかけて1578年に『本草綱目』を完成した。本草学とは中国で発展した医薬に関する学問で、同書は伝統的中国医療の集大成の書である。万暦帝が献上された『本草綱目』を称賛、1590年から1596年にかけて出版され、高い評価を得る。病死するまで改訂作業をつづけたという。日本語をはじめ、英・仏・独・ラテン語などに訳され、東西の国々に大きな影響をおよぼした。

リシュリュー、アルマン・ジャン・デュ・プレシ・ド　　　政治

● アルマン・ジャン・デュ・プレシ・ド・リシュリュー　　　1585〜1642年

フランスの絶対王政を確立させたルイ13世の宰相

フランスの政治家、聖職者。

フランス西部の小貴族の出身。神父となり、1614年、全国三部会に聖職者代表として出席し頭角をあらわす。ルイ13世の母后の信頼を得て1622年に枢機卿、1624年に首席顧問官となり、その後18年にわたりルイ13世の宰相をつとめた。行政組織の整備、三部会の停止などをおこなって王権の拡大をはかり、新教徒の政治的権利をうばい、フランス絶対王政の基礎を築いた。

対外的には、スペインのハプスブルク家と対抗するためドイツにおこった三十年戦争に介入し、フランスの国際的威信を高めた。

文化政策にも力をそそぎ、フランス学士院を創設して学問や美術を保護し、フランスにおける新聞のはじまりである『ラ・ガゼット』誌の創刊を援助した。

りしゅんしん（イスンシン）　　　政治

● 李舜臣　　　1545〜1598年

亀甲船で豊臣秀吉を撃破

朝鮮の武将。

漢城府（現在のソウル）に生まれる。1576年、32歳で武官登用試験に合格した。女真との戦いで軍功をたて、1591年、右議政（副首相）で幼なじみの柳成龍の推薦を受けて、全羅左道水軍節度使（水軍指揮官）に任命され、豊臣秀吉の朝鮮侵略をふせぐことを命じられた。

1592年の壬辰倭乱（文禄の役）では、日本水軍を玉浦、唐浦、唐項浦、閑山島、釜山など慶尚道海域で連破し、制海権をにぎった。

このとき李舜臣は、亀甲船という、やりや刀を上に突きだした特殊な屋根をもち、側面に大砲をだすための穴を設置した軍船を建造させ、朝鮮軍に勝利をもたらした。その後、無実の罪で罷免されたが、1597年の丁酉倭乱（慶長の役）で朝鮮水軍が大敗すると、ふたたび起用され、少ない兵力で善戦。日本水軍を苦しめた。

1598年、露梁海戦に大勝するも、弾丸にあたって戦死。日本の侵略を食いとめた救国の英雄として、現在も人々から尊敬されている。

りしょうばん

李承晩 → 李承晩

りじょしょう

政治

● 李如松　?〜1598年

日本軍の朝鮮出兵に対抗した明の武将

中国の明末期の武将。

鉄嶺（現在の遼寧省）に生まれる。父は遼東総兵官の李成梁で、若いときから父にしたがい戦場に出た。1592年、寧夏（寧夏回族自治区）でボバイの反乱がおこると、これを平定し、功を立てた。

この年、日本の豊臣秀吉が朝鮮半島に軍を送り、侵略を開始すると（壬辰倭乱、文禄の役）、李如松は朝鮮を援助するため出兵。

1593年、平壌にこもる小西行長の軍をやぶるが、さらに南下し、漢城（ソウル）の北の碧蹄館で小早川隆景の軍にやぶれた。1598年、遼東にモンゴルの一族トゥメット部が侵入すると、その鎮圧にむかったが、伏兵にあい、戦死した。

リスト，フランツ

音楽

● フランツ・リスト　1811〜1886年

ピアノの表現力を広げた「ピアノの魔術師」

ハンガリーの作曲家、ピアニスト。

ライディング生まれ。幼いころから神童といわれ、9歳でピアニストとしてデビュー。1820年、ウィーンに出て、チェルニーからピアノを、サリエリから作曲を学ぶ。

その後、ヨーロッパ中を演奏してまわり、超絶技巧の演奏が絶賛され、「ピアノの魔術師」とよばれた。1848年、ドイツのワイマールで宮廷楽長となる。演奏技術をみがくかたわら、パガニーニ、ショパン、ベルリオーズ、ワーグナーらに影響を受け、作曲や管弦楽曲からの編曲を活発におこない、ピアノによる表現力を格段に発展させた。晩年はカトリック教会の聖職者となり、多くの宗教曲をてがける。

ピアノのために、鍵盤を最大限につかうスケールの大きな難曲を書いた。

19の『ハンガリー狂詩曲』や12の『超絶技巧練習曲』、ほかに『無調のバガテル』『愛の夢』などがある。また『前奏曲』『タッソー』など標題音楽（曲の内容をしめす題をもつ）としての交響詩を開発し、確立した。

りせいけい（イソンゲ）

王族・皇族

● 李成桂　1335〜1408年

倭寇を撃退し、高麗にかわって朝鮮を建国した人物

朝鮮王朝の初代国王（在位1392〜1398年）。

高麗につかえて武将となる。中国、元末期の朱元璋が指導する紅巾軍により首都開京（現在の開城）が占領されると、これを撃退し、また倭寇を討伐して名を上げた。高麗の昌王が親元政策にかたむくと、それに反対して王を追放。かわりに恭譲王を立て、政治と軍事の実権をにぎった。土地改革をおこない、1391年に科田法を施行。反対する両班の土地を没収するなどして公田を広げ、また地主階級には税金をかけて国の財政基盤をととのえた。翌年、みずから国王となると明との関係改善につとめ、1393年に国号を朝鮮とあらためる。さらに1394年には、首都を漢陽（ソウル）に移した。仏教勢力をおさえて儒教を国教とし、中央や地方に学校をもうけたり、明の官僚制にならった行政制度を導入するなどして、中央集権国家を確立した。その後は、子や重臣らの反乱をきっかけに政治を放棄し、子に位をゆずって仏門に入った。李朝は、最後の南北朝鮮統一王朝であり、1910年まで存続した。　学 世界の主な王朝と王・皇帝

りせいみん

王族・皇族

● 李世民　598〜649年

中国史上有数の名君

中国、唐の第2代皇帝（在位626〜649）。

太宗ともいう。初代皇帝高祖（李淵）の第2子。隋の末期、煬帝の暴政によって各地で反乱がおこると、父とともに兵をひきいて長安を占領。

618年、父が唐を建国し皇帝になる。626年、玄武門の変で兄弟との後継争いに勝ち、父から皇帝の位をゆずり受ける。

東突厥などをほろぼして領土を拡大し、西北方の遊牧諸部族は唐の支配下となる。族長たちは李世民に天可汗の称号を奉上し、異民族の首長としての地位も獲得した。また、隋の律令制度をとり入れて国の政治・軍事制度を整備し、人民の救済につとめるなど、国力を高めた。

文化的にも『晋書』など南北朝の正史の編さんを命じ、玄奘がインドからもち帰った仏経典の漢訳を支援、みずからも教養を高める努力をおしまなかった。隋末や唐初の混乱から国土を回復させ、唐王朝の基礎をかためる善政をおこなったことから、そのときの年号をとって「貞観の治」とたたえられ、中国史上有数の名君とされている。　学 世界の主な王朝と王・皇帝

リターチャオ

李大釗 → 李大釗

りたいしょう（リターチャオ）　[思想・哲学]

李大釗　　　　1889〜1927年

中国共産党創立者の一人で、マルクス主義思想家

中国の政治家、思想家。

河北省生まれ。1913（大正2）年、北洋法政専門学校を卒業後、来日。早稲田大学に留学した。

中国人留学生を組織し、袁世凱の帝政運動や、日本政府による「二十一か条要求」に反対、社会主義者に影響を受け帰国した。

1918年、北京大学教授兼図書館長に就任、啓蒙雑誌『新青年』に参加して、『毎週評論』を創刊した。「庶民の勝利」「ボリシェビズムの勝利」などの文章も発表、マルクス主義、ロシア革命を紹介した。

1919年には五・四運動のリーダーとして活動、1921年、中国共産党の創設に参画。

結党後は第2期から第4期まで中央委員をつとめ、孫文ひきいる国民党との国共合作に尽力したが、1927年、軍閥の張作霖によって逮捕、処刑された。

りたくご

李卓吾 → 李贄

リチャードいっせい　[王族・皇族]

リチャード1世　　　　1157〜1199年

第3回十字軍をおこすが、聖地奪回はできず

イングランド、プランタジネット朝第2代王（在位1189〜1199年）。

イングランド王ヘンリー2世の第3子。弟はジョン王。父王が生存中から父子兄弟間の争いがたえなかった。1189年、父王の死により即位すると、同年、聖地エルサレム奪回をめざして、第3回十字軍をおこす。当時エルサレムはアイユーブ朝サラディンの支配下にあった。フランスのフィリップ2世もともに戦ったが、本国で対立していたため途中で不和となる。その後リチャード1世は単独で戦うが聖地を奪回することはできず、1192年、エルサレムへのキリスト教徒の巡礼者をみとめることでサラディンと休戦条約をむすんだ。

帰途にウィーンでオーストリ

ア王レオポルト5世にとらえられて神聖ローマ皇帝ハインリヒ6世にひきわたされ、多額の身代金をはらって1194年にようやく帰国。その後フィリップ2世とあらそい、フランス遠征中に戦死。勇敢な騎士として獅子心王と称されるが、王としてイングランドに滞在したのは半年だけで統治はせず、生涯のほとんどを戦争についやした。

[学] 世界の主な王朝と王・皇帝

リチャードさんせい　[王族・皇族]

リチャード3世　　　　1452〜1485年

バラ戦争でテューダー家にやぶれたヨーク朝最後の王

イングランド、ヨーク朝最後の王（在位1483〜1485年）。

ヨーク公リチャードの第4子。

父公とランカスター朝ヘンリー6世との王位継承をめぐるバラ戦争で、兄エドワード4世が、ヘンリー6世をやぶってヨーク朝をひらく。

リチャードはグロスター公として北部イングランドの統監となり活躍した。

1483年、兄の子エドワード5世が即位すると、嫡出子でないことを理由にロンドン塔に幽閉して殺害し、みずから即位。国政に精励して財政改革を志したが、1485年、ランカスター家とつながるテューダー家のヘンリー（のちのヘンリー7世）とのボズワースの戦いで没し、ヨーク朝は断絶。戦死した最後のイングランド王である。

ヘンリー7世はエドワード4世の娘と結婚し、バラ戦争は終結した。

[学] 世界の主な王朝と王・皇帝

りちゅうてんのう　[王族・皇族]

履中天皇　　　　生没年不詳

倭の五王の一人といわれる

▲上石津ミサンザイ古墳
（国土地理院／古市陵墓監区事務所）

古墳時代の第17代天皇（在位5世紀ごろ）。

『古事記』『日本書紀』によれば、仁徳天皇の第1皇子で、反正天皇、住吉仲皇子の兄とされている。

仁徳天皇の死後、皇位をねらう弟の住吉仲皇子におそわれ、殺されそうになったが、臣下の阿知使主らによって助けられた。

その後、もう一人の弟である瑞歯別命（のちの反正天皇）に命じて、住吉仲皇子を殺させて、乱を平定。そののち、大和（現在の奈良県）で即位した。国政には意欲的で、諸国に国史とよばれる書記官を設置し、それぞれ、国内の情勢を報告させた。また、蔵職と蔵部をおこしたといわれている。

中国の歴史書『宋書』に出てくる倭の五王のうちの讃にあたるとする説もある。墓は大阪府堺市にある上石津ミサンザイ古墳（百舌鳥耳原南御陵）とされている。　学 天皇系図

リットン, ビクター・アレグザンダー　政治

ビクター・アレグザンダー・リットン　1876〜1947年

リットン調査団をひきいて満州国を調査した

イギリスの政治家。

父はイギリス領インド帝国の総督で、インドで生まれる。兄たちが亡くなり、伯爵家をつぐ。ケンブリッジ大学卒業後、政治家の秘書になった。

1916年以降、海軍次官やインド国務次官、ベンガル州知事、インド総督臨時代理などをつとめ、1931年、国際連盟のイギリス代表となる。同年、満州事変がおこると、日中紛争に関する国際連盟の調査団長として、中国と日本を調査した。翌年、リットン調査団は「満州事変は日本の侵略行為であり、満州国はみずから独立運動した結果からなるものとはみとめがたい」という報告書を公表。

これが、1933年に42か国の賛成を得たため、同年、日本は国際連盟を脱退した。晩年は、社会事業や芸術振興をおこなった。

リッベントロープ, ヨアヒム・フォン　政治

ヨアヒム・フォン・リッベントロープ　1893〜1946年

ナチスドイツの外交をとりしきった

ナチスドイツの外交官、政治家。

プロイセン将校の子として生まれ、第一次世界大戦後、ドイツ有数のワイン会社の幹部として財産を得た。1932年にナチスに入り、ヒトラー政権の成立を助けた。

豊富な海外経験と語学力で、ヒトラーの側近として活躍。外務省のほかにリッベントロープ機関という個人の外交事務所をつくり、ヒトラーの外交顧問として、英独海軍協定や日独防共協定の実現につとめた。イギリス外交の専門家といわれ、1936年には駐英大使、1938年には外務大臣となる。

その後も、独ソ不可侵条約や日独伊三国同盟の締結など、第二次世界大戦中のナチス外交の先頭に立つ。戦後、イギリス軍にとらえられ、ニュルンベルク国際軍事裁判で絞首刑とされた。

りとうき（リートンホイ）　政治

李登輝　1923年〜

台湾の民主化と発展に尽力した初の台湾出身の総統

台湾の政治家。総統（在任1988〜2000年）。

台北県の農家に生まれる。日本統治下の台湾で高校を卒業後、京都帝国大学（現在の京都大学）農学部に入学、日本兵として学徒出陣もした。

第二次世界大戦後、台湾に帰国。台湾大学で農業経済を学び、卒業後は母校の教員をつとめながらアメリカ合衆国に留学、博士号を取得した。また、農林省などで農業政策の仕事を兼務、当時の蔣経国総統に評価され、1971年、国民党に入り、翌年に農業担当の大臣に抜てきされた。台北市長、台湾省主席、副総統を歴任し、1988年、蔣経国の死去を受け、総統に就任した。

就任後は民主化を進め、憲法改正や総統選挙を直接選挙制に変更するなどの改革をおこなった。1996年、初の総統直接選挙で勝利すると、台湾は独立した主権国家であると主張した。

2000年の総選挙で、国民党が野党に敗北し、党主席、総統を辞任。初の台湾出身の総統として、民主化と経済発展に実績をのこした。一方、台湾独立の象徴的人物として、中華人民共和国（中国）から警戒され、中台間の緊張を生んだ。熱烈な親日家としても知られる。　学 主な国・地域の大統領・首相一覧

りはく　詩・歌・俳句

李白　701〜762年

中国、唐代の代表的詩仙

中国、唐時代の詩人。

字は太白。号は青蓮居士。李翰林ともよばれる。西域（現在のキルギス付近）に生まれ、幼いころ綿州（四川省）に移り、少年時代をすごしたといわれる。読書と剣術を好んだが、成長とともに道教に熱中し、仙人にあこがれて山中でくらしたこともあった。

25歳のころ放浪に出る。43歳ごろ、皇帝玄宗に宮廷詩人としてまねかれたが、酒に酔うとかって気ままに行動することが多く、都では長くつとまらなかった。744年以降は旅に出て、杜甫や孟浩然らの詩人と交遊した。

人生の大部分を放浪にすごし、酒、女性、月、山を題材に1000編あまりの詩をつくった。詩風はその生き方のように、おおらかで明るく自由奔放で力強さにあふれている。

天才的な詩人という意味で「詩仙」とよばれている。有名な作品に、広陵に旅立つ親友の孟浩然との別れをおしんだ詩『黄鶴楼送孟浩然之広陵』、『静夜思』などがある。

学 日本と世界の名言

リヒター，ハンス・ペーター

絵本・児童

| ハンス・ペーター・リヒター | 1925〜1993年 |

みずからの体験をみつめて戦争の現実をえがく

ドイツの児童文学作家、社会心理学者。

ケルンの生まれ。ヒトラー時代のみずからの体験をつづった自伝的三部作で有名になる。『あのころはフリードリヒがいた』（1961年）は、ユダヤ人迫害がひどくなり、「ぼく」と同じアパートに住むフリードリヒの身におこった悲劇の物語。この本に収録された、公園にあるユダヤ人専用ベンチをめぐる短編『ベンチ』は、日本の中学国語の教科書にのった。『ぼくたちもそこにいた』（1962年）は、ヒトラー・ユーゲント（ナチスドイツの青少年団）に入団した「ぼく」たちの戦争体験をつづる。『若い兵士のとき』（1967年）は、17歳で入隊し20歳で敗戦をむかえる「ぼく」が体験する戦争の現実をえがく。

リヒトホーフェン，フェルディナント・フォン

学問

| フェルディナント・フォン・リヒトホーフェン | 1833〜1905年 |

はじめて「シルクロード」の語をつかった地理学者

ドイツの地理学者、地質学者。

南部のカールスルーエ生まれ。大学で地質学を学び、卒業後はアルプスなどの地質を調査した。1860年、東アジアの調査に参加、来日もはたした。1869年からは、3年かけて中国のほぼ全土を調査した。この調査では、自然だけでなく、地域ごとの社会風俗や経済状態なども調べ、中国の地理状態を多角的に明らかにした。帰国後は、ドイツ各地の大学で地理学を教え、多数の著作を発表した。地理学研究に新しい視点を導入して、近代地理学の発展に貢献した。中国での調査をまとめた代表的な著作『支那』（支那は昔の中国の呼び名）では、中央アジアの東西交通路に、はじめて「シルクロード」の語を用いた。

リビングストン，デイビッド

→ 247ページ

りほう（リーポン）

政治

| 李鵬 | 1928年〜 |

民主化運動に強硬だった技術者出身の保守的政治家

中華人民共和国（中国）の政治家。首相（在任1988〜1998年）。

四川省生まれ。幼いころに、共産党員であった父親が国民党に処刑され、革命の犠牲になった党員の遺児として、周恩来にひきとられた。1945年、共産党入党、モスクワに留学して工学（発電）を学んで帰国、以後、約20年間は電力にかかわる技術職、管理職を歴任した。1982年、共産党幹部になると、昇進をつづけ、1988年、首相にあたる国務院総理に就任した。翌年、北京市での大規模な民主化運動（天安門事件）がおこ

り、鄧小平が戒厳令を発動した。政治的には保守的で、鄧小平の改革・開放路線に合わず、その後、影響力を失いつつも、1998年まで首相をつとめた。

学 主な国・地域の大統領・首相一覧

リムスキー＝コルサコフ，ニコライ

音楽

| ニコライ・リムスキー＝コルサコフ | 1844〜1908年 |

交響組曲『シェヘラザード』を作曲

ロシア帝国の作曲家。

ロシア北西部生まれ。1856年、12歳で海軍士官学校に入学。このころ、交響曲の演奏会で音楽にめざめ、熱中する。1861年より、バラキレフから作曲を学び、音楽家グループ、ロシア国民楽派「五人組」に参加した。1871年よりサンクトペテルブルク音楽院や無料音楽学校の指導者となる。ストラビンスキーやプロコフィエフなど多くの音楽家を育てた。ロシア民謡集の編さん、「五人組」作品の補筆など、ロシア国民楽派の音楽の発展に力をつくした。作風は、音のあざやかさを強調する管弦楽法に特徴がある。交響組曲『シェヘラザード』、管弦楽曲『スペイン奇想曲』、オペラ『サルタン皇帝の物語』『金鶏』などがある。

リヤンチーチャオ

梁啓超 → 梁啓超

りゅうあみ

華道・茶道

| 立阿弥 | 生没年不詳 |

すぐれた立花の技芸で将軍につかえた

▲『足利将軍若宮八幡宮参詣絵巻』にえがかれた同朋衆（若宮八幡宮社蔵/京都歴史資料館）

室町時代の華道家。足利将軍家に同朋衆としてつかえた。同朋衆とは、将軍のそば近くにつかえ、将軍の出行に同行したり、雑事や技芸に従事したりした、僧の姿をした者のことで、東山文化を代表する、室町時代の文化のにない手でもあった。立阿弥は、室町幕府の第6代将軍足利義教から、第8代将軍足利義政までの時期（15世紀ころ）に活動したといわれており、長期間にわたって記録があるため、同一人物かははっきりしていない。仏前への献花や観賞用のために、花を装飾する立花（立華）の技芸で幕府につかえ、当時の僧侶がのこした日記『蔭涼軒日録』には、義政が立阿弥の立花を称賛したことがしるされている。

同朋衆の活動は、室町幕府の弱体化にともなって勢いを失うが、立花の作法は京都の僧侶、池坊専慶によって受けつがれ、より高度な芸道として大成した。現在の生け花は、この立花が発展したものである。

デイビッド・リビングストン

アフリカ大陸への伝道と探検に生涯をささげた

■医療宣教師をめざして

イギリスの宣教師、アフリカ探検家。

スコットランドのグラスゴーの南東にある工場町に生まれる。貧しい家庭だったが、両親ともに敬虔なキリスト教徒だった。20歳のころ、宣教師となって中国で布教することを志し、1836年、グラスゴー大学に入学。神学と医学を学び、1840年、医師の資格をとり、ロンドン伝道協会の医療宣教師となって、南アフリカ（現在の南アフリカ共和国）にむけて出発した。

▲デイビッド・リビングストン

■布教の拠点をさがしてアフリカを横断

1841年、ケープタウンに到着し、ここからさらに布教の拠点をさがして北へむかい、1849年、ヌガミ湖を発見した。つづいてアフリカ南西海岸にむけて出発。途中、敵対する民族の襲撃や熱病におそわれながら、1854年、南西海岸のルアンダ（現在のアンゴラの首都）についた。

その後、アフリカの東海岸をめざし、途中、ザンベジ川にかかるビクトリア滝を発見するなどして、1856年、東海岸のケリマネに到達。ヨーロッパ人として初のアフリカ大陸横断に成功した。イギリスに帰国すると、英雄としてたたえられ、著書『アフリカ探検記』はベストセラーとなった。

■奴隷貿易廃止をうったえる

1858年、イギリス政府によるザンベジ川探検隊の隊長にえらばれ、第2次アフリカ探検に出発。ニアサ湖（マラウイ湖）などを発見した。この探検のさなか、ポルトガル人やアラブ人による奴隷貿易の実態をみて、イギリス政府に奴隷貿易の廃止をうったえた。

1866年、王立地理学協会からナイル川の水源をさがす遠征を依頼され、第3次アフリカ探検に出発。タンガニーカ湖周辺でムウェル湖、つづいてバングウェル湖を発見した。そして、その後、たどりついたルアラバ川の岸辺で、アラブ人による現地人虐殺の現場を目撃した。こ

▲ビクトリア滝　1855年11月、ビクトリア滝を発見したときのようす。

の話をイギリスに伝えると、世論がイギリス政府を動かして、ザンジバルの奴隷市場は閉鎖された。

■スタンリーによる「発見」

そのころ、イギリスではリビングストンが消息を絶ったというニュースが広まった。1871年、捜索にむかったアメリカ合衆国の『ニューヨーク・ヘラルド』紙の特派員スタンリーは、タンガニーカ湖東岸のウジジで、リビングストンを「発見」し、一躍有名になった。その後もリビングストンは探検をつづけ、1873年、ザンビア中東部のバングウェル湖南岸のチンタボ村で亡くなった。ザンビアには彼の名にちなんだ都市「リビングストン」がある。

彼によってかかれた地図はアフリカに新たな交易路を生み、各地にキリスト教会が建てられた。しかし、結果としてヨーロッパ列強によるアフリカ進出の道をひらくことになった。

MEETING OF LIVINGSTONE & STANLEY.

▲1871年11月、スタンリー（左）と会見するリビングストン（右）

●リビングストンの探検路

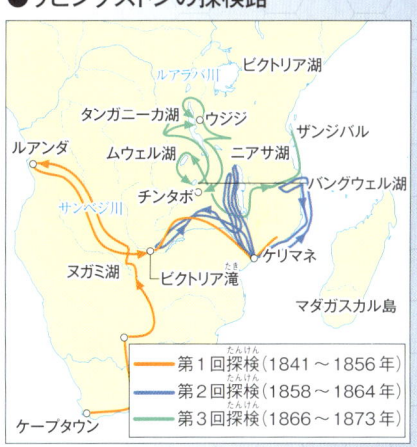

ルアラバ川　ビクトリア湖
タンガニーカ湖　ウジジ　ザンジバル
ルアンダ　ムウェル湖　ニアサ湖
チンタボ　バングウェル湖
ザンベジ川　ケリマネ
ヌガミ湖　ビクトリア滝
マダガスカル島
ケープタウン

━━	第1回探検（1841〜1856年）
━━	第2回探検（1858〜1864年）
━━	第3回探検（1866〜1873年）

リビングストンの一生

年	年齢	主なできごと
1813	0	3月19日、生まれる。
1836	23	グラスゴー大学に入学。
1840	27	医師の資格をとり、宣教師となってアフリカへ出帆。
1854	41	アフリカ南西海岸のルアンダに到着。
1856	43	アフリカ東岸のケリマネに到達し、アフリカ横断を達成。
1858	45	ザンベジ川流域を探検（〜1864年）。
1866	53	ナイル川の水源をさがす探検に出発。
1871	58	スタンリーと会う。
1873	60	ザンビアのチンタボ村で5月1日、亡くなる。

※年齢は満年齢であらわしている

りゅうえいふく

🌐 劉永福　　　　　　　　　　　　1837～1917年

外国からの侵略に立ちむかった英雄

中国、清末期～中華民国初期の軍人。

広東省出身。家は貧しい流民であった。1851年にはじまった太平天国の乱で清軍と戦い、太平天国の滅亡後はベトナムに亡命し、阮朝の嗣徳帝にしたがった。

1867年、六安州で黒旗軍をつくり、ソンコイ川流域を中心に強い勢力をもった。1873年、阮朝とともにフランスの侵略軍と戦って、10年以上にわたって活躍した。阮朝が降伏後は、中国に帰国。

1894年、日清戦争では台湾を守るために派遣され、日本に抵抗したがやぶれる。1898年には、外国勢力の排除をうったえる義和団運動に参加。1911年の辛亥革命で広東民団総長になるが、まもなく辞職した。1915年、日本の「二十一か条の要求」に対し、義勇軍による抵抗を計画したが、はたせないまま亡くなった。

りゅうかんじゅん（ユグァンスン）

政治

🌐 柳寛順　　　　　　　　　　　　1904～1920年

「朝鮮のジャンヌ・ダルク」といわれた少女

朝鮮の独立運動家。

忠清南道天安郡に生まれ、開明的な家庭に育つ。梨花学堂に在学中の1919年、日本の植民地支配下でおきた民族独立運動である三・一独立運動を体験し、帰郷後、みずからも独立運動を計画した。同年4月、並川市場に集まった群衆に国旗である太極旗を配布し、率先して朝鮮独立万歳をとなえデモの先頭に立った。その際、日本の憲兵警察によって両親をふくむ30名あまりが銃殺され、自身も逮捕、勾留された。

裁判では1審で懲役3年の判決が下ったが、受け入れを拒否。上告審では法廷侮辱罪を加算され、懲役7年の刑がいいわたされた。

西大門刑務所に収監されたが、獄中でも朝晩万歳をさけびつづけたといわれ、その信念を曲げることはなかった。刑務所で拷問を受けたとされている。1920年、16歳で獄死。「朝鮮のジャンヌ・ダルク」といわれ、没後40年以上をへて、1962年、韓国政府がその功績をたたえ建国勲章を授与。「独立烈士」と称され、現在、西大門刑務所が歴史館として一般公開されている。

りゅうじゅ

宗教　学問

🌐 竜樹　　　　　　　　　　　　150ごろ～250年ごろ

インドの大乗仏教を確立した仏教学者

2～3世紀、インドの僧、仏教学者、宗教思想家。

南インドのバラモン（インドの階級制度カーストの頂点に位置する階級）の出身。本名はナーガールジュナ。幼いころから多くの学問をおさめるが、快楽をつくすような日々を送る。あるとき欲望は苦の原因であるとさとって出家した。はじめは上座部仏教を学んだが、ヒマラヤ山中で老僧から、より多くの人の救済を目的とする大乗仏教を学び、のちに大乗仏教の理論を大成。大乗仏教の中心的思想である『中論』を著し、「空」の思想を説いた。

彼の教えは鳩摩羅什によって中国に伝えられ、後世の仏教思想全般に決定的影響をあたえた。後代のインド、チベット、中国、日本における大乗仏教のほとんどの宗派から「祖」として尊敬され、「八宗の祖」といわれている。

りゅうしゅう

🌐 劉秀 → 光武帝

りゅうしょうき（リウシャオチー）

政治

🌐 劉少奇　　　　　　　　　　　　1898～1969年

中華人民共和国の建国につくした

中華人民共和国（中国）の国家主席（在任1959～1968年）。

湖南省出身。1921年に中国共産党に入り、毛沢東を支持。1927年の国共分裂後は、党中央政治局委員、党北方局書記などをつとめた。1945年、第7回党大会で正式に毛沢東思想についてのべ、毛沢東に次ぐ指導者として朱徳、周恩来らとともに指導にあたった。1949年に中華人民共和国が成立すると、共和国政府副主席、1956年には国家副主席などとなった。1959年に国家主席となったのち、自由市場、自留地、自営業をふやし、農業生産の任務を1戸ごとに請け負わせる政策「三自一包」を進めた。この政策は、1966年の文化大革命で資本主義への修正と批判され、1968年、党から除名、公職から追放され、翌年、監禁中に死んだ。1980年に名誉が回復された。

📚 主な国・地域の大統領・首相一覧

りゅうそうげん

詩・歌・俳句

🌐 柳宗元　　　　　　　　　　　　773～819年

名文家、唐宗八大家の一人

中国、唐時代の散文家、詩人、思想家、政治家。

河東（現在の山西省）生まれ。柳河東、柳柳州ともよばれる。793年の進士（官僚採用試験の合格者）。優秀な官僚として期待されていたが、政治の改革に失敗し、長安の都から遠くはなれた永州（湖南省）、その後は柳州（広西省）へ左遷されて生涯そこですごした。

唐・宋時代を代表する名文家、唐宋八大家の一人とされ、風景の描写にすぐれる。代表作は、永州で書かれた8編の『永州八記』。漢詩『江雪』（「川に降る雪」という意味）は、五言絶句（1句5文字、4句からなる詩）の傑作とされる。韓愈とともに古代の自由な文体を広めたことでも知られる。

りゅうぞうじたかのぶ

戦国時代

● 龍造寺隆信　　　　　　　　1529～1584年

龍造寺家の力を大きく広げた

戦国時代～安土桃山時代の武将。

幼少のころに出家し、中納言円月と称していたが、父の龍造寺周家、曽祖父の龍造寺家兼の死後に復帰し、1546年、龍造寺氏の分家をついで、肥前国（現在の佐賀県・長崎県）水ヶ江城主となる。ついで、1548年には、龍造寺氏の本家も相続し、村中城主となった。

肥前国の有力大名である少弐冬尚、神代勝利らをほろぼし、豊後国（大分県）の大友宗麟らと戦って勢力を拡大して肥前国をおさめ、さらに筑前国（福岡県北西部）、肥後国（熊本県）に進出。

九州5国2島を支配し、龍造寺家の最盛期を築き上げた。

1581年には当主の座を子の政家にゆずり隠居したが、その後も領国の支配にかかわり、島津氏と島原にて交戦中に戦死する。

りゅうていたねひこ

文学

● 柳亭種彦　　　　　　　　　1783～1842年

『偐紫田舎源氏』で人気作家に

（早稲田大学図書館）

江戸時代後期の戯作者。

本名は高屋知久。通称は彦四郎。旗本の家に生まれる。若いころから絵画、狂歌、俳諧（こっけいみをおびた和歌や連歌、のちの俳句など）をたしなみ、芝居にも精通していた。

武士だったが娯楽小説を書く戯作者をめざし、浄瑠璃作家で戯作者の烏亭焉馬に弟子入り。読本（さし絵より文章を中心にした小説）の作家として『浅間嶽面影草紙』などをだした。

その後、草双紙（絵入りの小説）を数冊とじあわせた合巻をてがけ、浮世絵師の歌川国貞と協力し、歌舞伎趣味をもりこんだ『正本製』を成功させる。1829年に書いた『偐紫田舎源氏』で人気作家になった。これは『源氏物語』の世界を室町時代の足利将軍家の話につくりかえたもので、1842年まで書きつがれて人気になった。

しかし、江戸幕府の第11代将軍徳川家斉のぜいたくな生活や大奥をモデルにしているとうわさされ、老中水野忠邦の天保の改革で絶版を命じられた。その後まもなく、病死。一説には、絶版を苦にして自殺したともいわれる。

りゅうび

王族・皇族

● 劉備　　　　　　　　　　　161～223年

三国志の英雄の一人として有名

中国、三国時代の蜀の初代皇帝（在位221～223年）。

昭烈帝ともいう。字は玄徳。漢王室の子孫を名のった。幼少で父を亡くし、母とむしろを織って生活していた。184年に太平道の教祖張角による黄巾の乱がおきると、張飛や関羽とともに挙兵し、功績をあげた。最初は自分の領土をもたず、各地の勢力を転々とする。荊州（現在の湖北省）にいたころ、戦術などにすぐれた諸葛亮を部下にむかえて、曹操、孫権、劉備で、天下を三分する計略を立てる。208年、孫権と同盟し、大きな勢力をもつ曹操を赤壁の戦いでやぶった。その後、荊州を支配下におき、211年には益州も領土にして、天下三分を成立させた。魏が漢から皇帝の位をゆずられたのを受けて221年に即位し、漢（蜀漢。一般的には蜀）を建国した。孫権と曹操にうばわれた荊州をとりもどすために遠征するが、劣勢のなかで諸葛亮にあとを託して亡くなった。

有能な部下を多くもち戦乱の時代に蜀を建国した人物で、小説『三国志演義』の影響もあり、現代でも人気を誇っている。

学 世界の主な王朝と王・皇帝

りゅうほう

王族・皇族

● 劉邦　　　　　　　紀元前247？～紀元前195年

垓下の戦いで項羽を討ち、前漢をおこす

中国、前漢の初代皇帝（在位紀元前202～紀元前195年）。

高祖ともいう。沛（現在の江蘇省沛）で農民の子として生まれた。農業生活をきらい、宿駅の役場の長をつとめ、このころ呂雉（のちの呂后）と結婚した。秦の始皇帝の墓を築くための囚人の護送役についたが、逃亡者が多く、途中で囚人を解放し、盗賊の首領となった。農民の陳勝と呉広が秦に反乱（陳勝・呉広の乱）をおこすと、みずからも囚人や沛の青年たちをまとめ、紀元前209年に挙兵した。翌年には項梁・項羽の軍と連合し、紀元前206年には項羽より早く秦の首都咸陽に攻め入り、秦の王、子嬰を降伏させた。おく

れて項羽も咸陽に到着したが、劉邦が咸陽入りをじゃましたことにおこり、劉邦を殺そうとする。

しかし劉邦の謝罪により、ゆるされた。項羽と劉邦はその後、覇権をあらそうようになる。紀元前202年、垓下の戦いで項羽をやぶって天下を統一し、漢王朝をひらいた。性格は大胆で包容力があり、諸侯や部下をたくみに用いて成功をおさめた。

学 世界の主な王朝と王・皇帝

りゅうゆう

王族・皇族

🌐 劉裕 　　　　　　　　363〜422年

土断法を実施して国家の安定をはかった

中国南朝、宋の初代皇帝（在位420〜422年）。

武帝ともいう。長江南岸の貧しい身分出身で、東晋の北府軍団に入って軍人となる。399年におきた五斗米道（道教系の宗教組織）の反乱（孫恩・盧循の乱）討伐で功績をあげて勢力を強め、404年、クーデターにより東晋の実権をにぎった。当時、華北から移住してきた漢民族は白籍（無国籍）であったため課税の対象にならなかったが、劉裕は土断法を実施してこうした移住者を現住地で黄籍（戸籍）に登録し、白籍を廃止して課税の平等化と税収の増加をはかった。

外交では南燕、後蜀、後秦を次々とほろぼし国域を広げた。420年、東晋の恭帝の禅譲を受けて建康（現在の南京）に宋を建国した。宋はこのあと斉、梁、陳とつづく、南朝の最初の王朝となった。 学 世界の主な王朝と王・皇帝

リューリク

王族・皇族

🌐 リューリク 　　　　　　　？〜879年

ロシア国家の起源ノブゴロド国を建てたノルマン人

ロシア、ノブゴロド国リューリク朝の建国者。

12世紀はじめに作成されたロシア最古の年代記『原初年代記』によれば、スウェーデンのノルマン人の族長。内紛になやむロシア諸族からのまねきで、リューリク、シネウス、トルボルの3兄弟がノルマン人をひきいてロシアにわたり、抗争するスラブ人を征服して混乱をおさめたという。

最後まで生きのこったリューリクが、862年、ラドガ（現在のロシア北西部のスタラヤ・ラドガあたり）を支配し、ロシア最古の商業都市国家ノブゴロド国を建国した。以後リューリク朝（862〜1598年）が受けつがれ、16世紀末にいたるロシア諸公位はすべてリューリクの子孫が占めることになる。スタラヤ・ラドガ近くに9世紀の巨大な古墳があり、その一つがリューリクの墓とされている。

ただ、リューリクに関する情報は『原初年代記』にしかないため、今日では古代ロシア国家がノルマン人のリューリクによって建てられたという考えを否定する説もある。

学 世界の主な王朝と王・皇帝

リュクルゴス

古代 　学問

🌐 リュクルゴス 　　　　　　生没年不詳

スパルタの政治体制をつくった伝説の人物

古代ギリシャ、スパルタの伝説的な立法家。

ヘロドトスやプルタルコスなどの伝承によると、紀元前11世紀〜紀元前8世紀ごろの人物といわれるが、実在していないという説もある。リュクルゴスは、クレタ島などの法律を研究したのち、デルフォイの神託（予言）にしたがって、大レトラとよばれる法をつくり、国制改革をおこなった。この法には、国家の主権は民会にあり、2人の王をふくむ30名からなる長老会を設置することが定められている。また、貧富の差を解消するため土地の再分配をおこない、市民の共同の食事や青少年へのきびしい訓練など、スパルタ独特の制度をととのえた。これらの内容は政治から生活様式まで幅広く、それまで混乱していたスパルタの秩序回復に役だった。

リュブリュキ, ギヨーム・ド

宗教

🌐 ギヨーム・ド・リュブリュキ 　　　1220?〜1293?年

『東方諸国旅行記』をしるした修道士

フランシスコ会修道士。

ウィリアム・ルブルックともいう。フランスのフランドル地方生まれ。1253年、フランス国王ルイ9世の命によりモンゴル帝国におもむき、翌年、モンゴル帝国の都カラコルムで第4代皇帝モンケ・ハン（憲宗。フビライ・ハンの兄）に謁見した。十字軍への協力要請と、キリスト教の布教が目的だった。1255年に帰国後、報告書『東方諸国旅行記』をルイ9世に提出。これは中央アジア各地の地理、風俗、宗教、言語などをくわしくしるしたもので、貴重な資料となっている。

リュミエールきょうだい

映画・演劇

🌐 リュミエール兄弟 　兄オーギュスト 1862〜1954年
　　　　　　　　　　　弟ルイ 1864〜1948年

映画の技術を発明した兄弟

フランスの映画製作者、映画の発明者。

フランス東部に生まれる。早くから兄弟で、実家の写真乾板工場をてつだった。弟のルイは17歳のときに写真の乾板を開発して成功をおさめ、兄オーギュストの協力のもとに、スクリーンに動く画像をうつしだす撮影機兼用の映写機「シネマトグラフ」を開発した。1895年には特許をとり、最初の映画作品『工場の出口』を制作した。同年末にはこの作品をふくむ10作品をパリで公開する。映写時間20分ほどだったが、上映会は有料で、世界初の映画の興行となった。

「世界を記録する」という目標を立て、兄弟と専属カメラマンで約 1500 本の記録映画を撮影。1900 年のパリ万国博覧会では、大型スクリーンに新しい作品をうつしだした。360 度のパノラマで画像がうつしだされるフォトラマも発案した。映画作品の制作、カラーフィルムの開発や立体映画の技術にも力をそそぎ、「映画の父」とよばれた。

▲兄オーギュスト（左）と弟ルイ（右）

りょうかん

良観 → 忍性

りょうかん

宗教　詩・歌・俳句

● 良寛　　　　　　　　1758〜1831年

たくさんの逸話をのこした歌人

江戸時代中期〜後期の禅僧、歌人。

幼名は栄蔵。越後国出雲崎（現在の新潟県出雲崎町）の名主（村長）の家に生まれた。幼いころから学問を好み、儒学（中国の孔子によってまとめられた学問や教え）を学んだ。1775 年、18 歳で名主見習いになるが、仕事にむかなかったため、まもなく曹洞宗（禅宗の一派）の寺で出家して良寛と名のった。その後、諸国をめぐって修行し、1796 年、39 歳のころ故郷に帰り、国上山（新潟県燕市にある標高約 313m の山）の山腹にある五合庵といういおりに住んだ。

▲良寛
（相馬御風記念館／糸魚川市歴史民俗資料館）

生涯、自分の寺をもたず、広さ 6 畳ほどの粗末ないおりで座禅をするかたわら、たくはつをして各地をまわった。地位や名誉とかかわりなく自由に生き、わかりやすいことばで仏の教えを説いて、人々から親しまれた。

純真であたたかい人がらで、いつもずだ袋にまりを入れておき、行く先々で出会ったこどもたちと、まりつきをして遊んだという。また、五合庵の床下に生えたた

▲国上寺にある五合庵　　（国上寺）

けのこのために、床板をはぎとって自由に育つようにしたという逸話ものこされている。

和歌や漢詩、書の才能にすぐれていた。作風は天衣無縫。「この里に　手毬つきつつ　こどもらと　遊ぶ春日は　くれずともよし」という歌にみられるように、素朴な味わいがある。歌集に弟子の貞心尼とかわした和歌をまとめた『蓮の露』がある。

学 日本と世界の名言

りょうけいちょう（リヤンチーチャオ）

政治

🌐 梁啓超　　　　　　　1873〜1929年

康有為とともに戊戌の変法を進めた

中国、清末期〜中華民国初期の思想家、政治家。

広東省生まれ。10 代なかばで科挙（官僚の採用試験）に合格する。その後、康有為に経書、仏教、ヨーロッパの政治学などを学んだ。1896 年、上海で新聞『時務報』を発行。康の説く変法自強の論を広め、社会制度の近代化を進め、富国強兵をはかる必要性をとなえた。また、ヨーロッパの思想を翻訳して紹介。1898 年、政治改革をめざした運動（戊戌の変法）では、指導者の一人として活躍したが、やぶれて日本に亡命した。日本でも西洋近代思想を広め、中国人留学生の支持を得る。1911 年、辛亥革命によって中華民国が成立すると、袁世凱の下で司法総長、財務総長をつとめた。第一次世界大戦後はヨーロッパにわたり、パリ講和会議に出席。帰国後、1920 年に政界を引退した。

りょうげん

宗教

● 良源　　　　　　　　912〜985年

比叡山延暦寺の中興の祖

平安時代中期の天台宗の僧。

（長浜城歴史博物館）

通称、元三大師でも知られる。近江国（現在の滋賀県）出身。12 歳で比叡山延暦寺（京都市・滋賀県大津市）にのぼり、5 年後に出家。937 年、興福寺（奈良市）の僧と論争して才能をしめし、太政大臣藤原忠平と、その子で、村上天皇の外戚でもある藤原師輔の支持を得て、954 年、横川（比叡山北方の地区）に法華三昧堂を創建した。

963 年、宮中でおこなわれた宗教論争で南都の学僧を論破し、名声を高めた。

966 年、天台座主（天台宗の最高位の僧）となり、その後の大火で焼失した堂塔の整備をおこなった。また、藤原氏からの荘園寄進で得た財力で、経済基盤を立て直し、3000 人の僧

が修行する天台宗の最盛期をささえたので、比叡山中興の祖とたたえられた。975年に大僧都、979年に僧正、981年に大僧正（最高位の僧）となった。

一方、右大臣藤原師輔の子を後継者としたり、有力貴族の子弟を入山させたりしたため、教団が世俗化した。また、円仁派、円珍派の対立がはげしくなり、宗派の分裂をまねいた。

りょうしょうし（リアオチョンチー）

政治

● 廖承志　　　　　　　　　　　　　　　　1908〜1983年

日中国交正常化の土台を築いた中国の政治家

中華人民共和国（中国）の政治家。

東京生まれ。父は中国国民党幹部の廖仲愷、母は女性運動指導者の何香凝。1925年、中国共産党に入党。中国の嶺南大学卒業後、再来日して早稲田大学に入学するが、1928年に中退。毛沢東が指導した紅軍の長征に加わり、1935年、延安で出版局長をつとめた。日中戦争初期は香港を中心に活躍。1949年の中華人民共和国成立後は共産党幹部となり、華僑問題や統一戦線活動を指導した。

1962年、訪中経済使節団団長、高碕達之助とのあいだに、LT貿易覚書（日中長期総合貿易に関する覚書）を締結し、日中国交正常化の土台を築く。中日友好協会では、1963年に設立したときから亡くなるまで、会長として対日交渉の最高責任者だった。

リリウオカラニ

王族・皇族

● リリウオカラニ　　　　　　　　　　　　1838〜1917年

ハワイ王国最後の女王

ハワイ王国の女王（在位1891〜1893年）。

ホノルルで、王家カラカウア家に生まれる。首長子弟学校と名づけられたロイヤルスクールに入学、ほかのホノルルの王族とともに英語や音楽などを学んだ。1862年に、アメリカ合衆国出身のジョン・ドミニス（のちにオアフ島知事）と結婚。1891年、兄のカラカ

ウア王の死後、女王に即位した。

1893年、ハワイの政治を支配する白人の権力を制限し、ハワイ人と国王の権力を強化する新憲法案を閣議に提出するが否決された。同年、王政派の勢力が広がるのをおそれた共和制派が、王政廃止と臨時政府樹立を宣言し、ハワイ革命がおきた。女王は共和制派によって強制的にしりぞけられ、1894年、臨時政府はサンフォード・ドールを大統領として、共和国として独立宣言をおこなった。それに対して反乱をおこしたが、まもなく鎮

圧され、王位を捨てさせられた。これにより、ハワイ王国はほろびる。ハワイアンミュージックの名曲『アロハ・オエ』の作曲者といわれている。

リリエンタール，オットー

発明・発見

● オットー・リリエンタール　　　　　　　　1848〜1896年

みずから実験で空を飛んだ航空機開発の先駆者

19世紀のドイツの発明家、機械製作者。

プロイセン王国のポメラニア地方生まれ。少年時代から弟グスタフとともに鳥の翼を研究し、有人飛行の夢をいだく。ポツダムの工業学校を卒業後、設計技師になり、いくつかの技術系の会社につとめたあと、1883年に蒸気機関を製作する会社を設立する。

1889年、翼の研究の集大成として『飛行技術の基礎としての鳥の飛行』を出版。その後、ジョージ・ケイリーが設計した、人間が翼にぶらさがって飛ぶ形式の「ハンググライダー」を製作し、1891年から、丘を滑走路に利用して飛行実験をくりかえす。改良を重ねた末に1893年、リノウの丘での試験飛行で、飛行距離250mの最高記録を樹立した。しかし、3年後、飛行実験中に墜落、48歳で亡くなった。

6年に約2000回もの滑空飛行をおこない、その間に単葉機、複葉機、翼をはばたかせて飛ぶオーニソプターなど10種類以上のグライダーを製作。のこされた実験記録は、のちにライト兄弟によって、人類初の動力飛行に活用された。

リルケ，ライナー・マリア

詩・歌・俳句

● ライナー・マリア・リルケ　　　　　　　　1875〜1926年

20世紀の頂点といわれる詩人

ドイツの詩人。

オーストリア・ハンガリー帝国のプラハ（現在のチェコ）生まれ。軍人の父の考えで陸軍士官学校に進学するが、1年で退学する。16歳からオーストリアのリンツで商業専門学校に学び、詩作をはじめる。19歳ではじめての詩集『人生と歌』を発表した。プラハとミュンヘンで大学にかよい、1899年から2年間ロシアへ旅行して『時祷詩集』を書く。その後、パリで彫刻家ロダンに取材した。1910年に、孤独、ゆううつ、死を追究した小説『マルテの手記』を発表。1919年からはスイスで、20世紀の詩の頂点と評される代表作『オルフェウスによせるソネット』と『ドゥイノの悲歌』を書いた。多くの手紙を書きのこしており、その価値も高く評価されている。

リンカン，エイブラハム

政治

エイブラハム・リンカン　　　1809～1865年

奴隷解放宣言をした大統領

▲エイブラハム・リンカン

アメリカ合衆国の政治家。第16代大統領（在任1861～1865年）。

ケンタッキー州の開拓農家の子として生まれる。7歳のときインディアナ州に移り、正規の学校には行かず、畑の手伝いや渡し舟の仕事をしながら、自学自習をした。22歳のときイリノイ州に出て、雑貨店、測量技師、郵便局長などの仕事を転々としながら、法律の勉強をした。

1834年、25歳のときイリノイ州の下院議員に当選。以後、4期、8年間にわたり議員をつとめる。1836年に弁護士の資格をとり、翌年、州都のスプリングフィールドで法律事務所をひらいた。1846年に連邦下院議員に当選。1期だけ議員をつとめた。おりしも奴隷制度をつづけようとする南部と、それに反対する北部の緊張が高まり、1856年、リンカンは奴隷制度が広がることに反対する共和党に加わった。

1858年、共和党のイリノイ州の上院議員候補となって、民主党の候補ダグラスと公開討論会をおこなった。リンカンは選挙にやぶれたが、この討論会は全国に報道され、その名はアメリカ中に広まった。そして、1860年の大統領選挙に共和党から立候補して当選すると、南部の諸州が次々に連邦を脱退し、新たにアメリカ連合国を結成。デービスが大統領に就任した。リンカンは連邦制を守るという立場からこれに反対。1861年4月、南部の連合軍がサムター要塞を攻撃し、南北戦争がはじまった。

当初は、リンカンの北軍は苦戦をしいられていたが、戦争の早期終了をはかって1863年1月1日、奴隷解放宣言を発し、北部の結束を強めた。そして国際的にも大義を表明し、支持を得た。また、同年11月、ペンシルベニア州南部のゲティスバーグで最大の激戦がおこなわれ、北軍が南軍をやぶり、戦況は北軍に有利となった。その戦いの戦没者慰霊の式典で、「人民の、人民による、人民のための政治」を地上から消滅させてはならないという内容の演説をおこない、アメリカの民主主義の原則を強調した。

1865年4月、北軍の勝

▲ゲティスバーグで演説するリンカン

利により南北戦争は終結。その5日後の4月14日、ワシントンの劇場で南部出身の俳優にピストルで撃たれ、56歳で亡くなった。リンカンはいまもなお、「分裂した国の救世主」「アメリカ民主主義の理想を実現した人物」など、高い評価をあたえられている。　　🎓アメリカ合衆国大統領一覧　🎓日本と世界の名言

りんそくじょ

政治

林則徐　　　1785～1850年

アヘン戦争を指揮した

中国、清末期の政治家。

福建省福州の貧しい家庭に生まれる。1811年、科挙（官僚の採用試験）に合格し、皇帝の詔勅を起草する翰林院で、治水などの研究をおこなった。その後、湖北省など各地で監察官や総督をつとめ、治水や水害の救済で名を高めた。

朝廷内でアヘンの密輸が問題になると、アヘンの禁止を強く主張したため、1838年、特命全権大使となって広州に派遣された。アヘンをあつかう外国商人をきびしくとりしまり、大量のアヘンを没収し、焼却して、商人を国外へ追放した。

1840年6月、これに反発したイギリスが遠征軍を派遣し、アヘン戦争が勃発。林は義勇軍を組織して戦うが、戦況はイギリス軍の優位に進んだため、清の朝廷は和平にかたむき、林は解任され、新疆省のイリに追放された。3年後にゆるされて官界に復帰。各地の総督などをへて、洪秀全が清の打倒をめざして太平天国の乱をおこすと、鎮圧を命じられ、むかう途中で病死した。

リンドグレーン，アストリッド

絵本・児童

アストリッド・リンドグレーン　　　1907～2002年

『長くつ下のピッピ』の作者

スウェーデンの児童文学作家。

スモーランド地方ビンメルビー郊外の農場で生まれる。ストックホルムの会社につとめ、結婚して2人のこどもをもつ。1941年ころ、娘のために即興でつくった物語を話して聞かせはじめる。1944年に、はじめての作品『ブリット－マリはただいま幸せ』を発表。

翌年には、世界一力持ちで元気な女の子の物語『長くつ下のピッピ』が出版社の懸賞小説の1等賞作品となり、人気を集めた。その後、『やかまし村の子どもたち』『名探偵カッレくん』『親指こぞうニルス・カールソン』など、楽しい物語を次々と生みだした。ほかに『山賊のむすめローニャ』『ミオよわたしのミオ』などがある。

会社員のころに得意だった速記で原稿を書いた。多くがシリーズとなり、数十か国語に翻訳され、それをもとに映画もつくられている。1958年、国際アンデルセン賞受賞。

リンドバーグ，チャールズ
探検・開拓

🌐 チャールズ・リンドバーグ　　　1902～1974年

世界初の単独大西洋横断飛行に成功

アメリカ合衆国の飛行家。

ミシガン州デトロイト生まれ。ウィスコンシン大学を中退後、陸軍飛行学校で学ぶなどして曲芸飛行士、郵便飛行士をつとめた。1927年5月20日、質素なプロペラ機のスピリット・オブ・セントルイス号で、ニューヨーク～パリ間を33時間32分で飛行。史上初の単独大西洋無着陸横断飛行をなしとげた。1929年に結婚、1931年に北太平洋航路調査のため、ニューヨークからカナダ、アラスカ州をへて中国まで夫婦で飛行し、日本にも立ちよっている。1935年から4年間をヨーロッパですごし、工学の知識を生かし、生理学者カレルと世界初の人工心臓を開発した。1954年、単独飛行の回想録『翼よ、あれがパリの灯だ』を出版し、ピュリッツァー賞を受賞。晩年はハワイに移住し、自然環境保護活動に力をそそいだ。スピリット・オブ・セントルイス号は現在スミソニアン航空宇宙博物館に展示されている。

リンネ，カール・フォン
学問

🌐 カール・フォン・リンネ　　　1707～1778年

近代的な生物分類の基礎をつくった

スウェーデンの博物学者。

南部のスモーランド地方生まれ。別名リンネウス。牧師の父に植物の名前を教わり、こどものころから植物に興味をもった。ルンド大学とウプサラ大学で医学、植物学を学び、スカンジナビア半島北部の自然調査や、オランダ留学などで研究を積んだ。1735年に、『自然の体系』を、1753年に『植物の種』を出版し、植物を属名と種名の2つを組み合わせた名前で分類し注目された。この分類による命名は二名法とよばれ、生物の分類の基本となった。その後、植物はこの『植物の種』、動物は1758年の『自然の体系第10版』を基準にして、国際的な共通名称である学名が採用されるようになった（現在は、国際命名規約によって命名される）。

近代的な生物分類の基礎をつくり、自然科学の発展に貢献したリンネを記念して、1788年にロンドンでリンネ学会が設立された。のちにこの学会では、ダーウィンの進化論などが発表され、注目をあつめている。

リンピアオ

林彪 → 林彪

りんぴょう（リンピアオ）
政治

🌐 林彪　　　1909～1971年

毛沢東の後継者とされたがクーデターで失脚

中華人民共和国（中国）の軍人、政治家。

湖北省出身。黄埔軍官学校を卒業後、国民革命軍の将校となり、北伐、南昌蜂起、湖南暴動に加わった。1928年、工農紅軍第4軍の大隊長となる。1939年、抗日軍政大学校長。1945年、中国共産党中央委員をへて、第二次世界大戦後は東北各地の軍の要職を歴任、1959年に国防相となる。同時に、毛沢東の軍事思想を積極的に広めた。

1966年、文化大革命が発動されると、最高指導者の一人となる。1969年、中国共産党第9期全国代表大会で中央委員会副主席に就任。毛沢東の後継者と党規約に明記された。しかし1970年、国家主席の座をめぐり毛沢東と対立し、1971年、クーデターを計画するも失敗。逃亡をはかる途中の搭乗機が墜落し、死亡した。

ルイきゅうせい

王族・皇族

🌐 ルイ9世　　　　　1214〜1270年

フランス、カペー朝の全盛期を生んだ王

フランス、カペー朝の第9代国王（在位1226〜1270年）。

フランス王ルイ8世の子。幼少で即位したため、母后ブランシュが摂政となり、すぐれた政治手腕で諸侯の反乱を鎮定して王領を拡大した。ルイ9世の親政は、敬虔なカトリック教徒として正義と平和に徹し、内政では官吏の腐敗防止につとめ、裁判制度を整備し、国王金貨の基準を設定して経済の安定をはかった。ソルボンヌ神学校（のちのパリ大学）の創設をはじめ、学問、芸術、慈善事業の振興にもつとめた。

外交では、1259年、パリ条約をむすんでイングランドとの紛争を終わらせ、周辺諸国の国内紛争の調停も依頼された。キリスト教徒として十字軍に進んで参加したが、第7回十字軍ではエジプトで捕虜となり、第8回十字軍の途中、チュニスで亡くなった。1297年、教皇ボニファティウス8世によって聖人の称号を贈られる。

長期の国内の平穏はフランス王権の威信を国際的に高める結果となった。フランスに繁栄と平和をもたらした名君だが、2回の十字軍ではばく大な費用をついやしている。

📖 世界の主な王朝と王・皇帝

ルイじゅうさんせい

王族・皇族

🌐 ルイ13世　　　　　1601〜1643年

フランスの絶対王政の確立につくした

フランス王国、ブルボン朝の第2代国王（在位1610〜1643年）。

ブルボン朝をひらいたフランス王アンリ4世の長男として生まれる。母はマリー・ド・メディシス。

1610年、父が暗殺されると9歳にしてフランス王に即位するが、母が摂政となり、政治の実権をにぎった。みずから政治をおこなおうと、1617年に母の側近だったコンチーニ夫妻を殺害し母を追放、1624年にリシュリュー枢機卿を宰相にして、王権

の強化をはかった。その後、各地に地方長官を派遣して中央集権体制をかため、大貴族の反乱をおさえた。また、ユグノー（プロテスタントのカルバン派、新教徒）の勢力を弱めようと、1628年、フランス西部にあるユグノーの拠点ラ・ロシェルを占領した。外交ではドイツの三十年戦争に介入し、フランスの国際的地位を高めた。なかなかあと

つぎにめぐまれなかったが、1638年、長男のルイ（のちのルイ14世）が生まれた。その5年後、42歳で亡くなるまで、フランスの絶対王政の確立につくした。

📖 世界の主な王朝と王・皇帝

ルイじゅうよんせい

王族・皇族

🌐 ルイ14世　　　　　1638〜1715年

「太陽王」とよばれた国王

▲ルイ14世

フランス王国、ブルボン朝の第3代国王（在位1643〜1715年）。

フランス王ルイ13世と王妃アンヌ・ドートリッシュの子として生まれる。1643年に父のルイ13世が亡くなると、4歳8か月で王位についた。実際に政治をおこなったのは、摂政となった母アンヌと宰相のマザランで、王権を強化しようとしたマザランに対し1648年に貴族たちが反乱（フロンドの乱）をおこすと、幼いルイ14世はパリをのがれて、各地をさまよった。

フロンドの乱がおさまり、パリにもどったルイ14世は1660年、スペイン王女マリア・テレサと結婚。1661年にマザランが亡くなると、みずから政治をおこなう親政をはじめた。

コルベールを財務総監にすえ、積極的に経済を発展させる重商主義政策を進めた。オランダやイギリスからの輸入品に関税をかけ、織物産業など国内の有力産業を育て、商業をさかんにした。また1664年にフランス東インド会社を再建し、海外の植民地経営を強化した。さらに、周辺に領土を広げようと常備軍をととのえ、ヨーロッパで最強とよばれたフランス陸軍をひきい

▲建造初期のベルサイユ宮殿

255

て、オランダやイギリス、スペイン、オーストリアなどを敵として戦った。国内ではユグノー（プロテスタントのカルバン派、新教徒）を弾圧し、専門的な知識や技能をそなえた多くのユグノーを国外へ追放した。

パリをきらったルイ14世は、1682年、パリの南西約20kmの地に建てたベルサイユ宮殿に移り、5000人にのぼる王族や貴族たちを住まわせた。ここを中心に、美術や音楽、舞踏会や芝居、料理など、洗練された優雅な宮廷文化がくり広げられた。みずからを神の代理人とする王権神授説をとなえ、「朕は国家なり（自分は国家そのものである）」と宣言し、独裁的な力をふるった。また「太陽王」とよばれ、彼の下でブルボン朝は最盛期をむかえた。

晩年は、スペインの王位を継承しようと、1701年からイギリスやオーストリアと戦い（スペイン継承戦争）、孫をスペイン王につけることに成功したが、戦争の講和としてむすばれたユトレヒト条約、およびラシュタット条約により海外の領土を失った。また、戦費をまかなおうと国民に重い税金をかけたため、国民の心ははなれていき、1715年に亡くなったとき、国民は歓喜の声をあげたという。

🎓 世界の主な王朝と王・皇帝

ルイじゅうごせい

王族・皇族

🌐 ルイ 15 世　　　　　　1710〜1774年

ルイ王朝最後の栄光

フランス王国、ブルボン朝の第4代国王（在位1715〜1774年）。

国王ルイ14世の曽孫にあたる。1715年、5歳で即位すると、ルイ14世のおいのオルレアン公フィリップが摂政となって政治を代行した。1726年、枢機卿フルリーが宰相となり、国力を回復し、経済的繁栄を実現、安定期をむかえた。

1743年、フルリーの死後、親政を開始するが、政治は大臣にまかせ、ポンパドゥール夫人の進言を受け入れることも多かった。一方、多くの文人や美術家を保護し、宮廷ではロココ様式（繊細で華麗、軽快で優美な装飾と明るい色が特徴）とよばれる美術や建築が発展した。

1756年、七年戦争がはじまると、新大陸やインド植民地でイギリスと戦ってやぶれ、広大な植民地を失い、フランスの衰退をまねいた。財政の窮乏を立て直そうと、二十分の一税の創設や経済の自由化政策を計画したが、貴族や高等法院の反対を受け、実現できなかった。多額の負債をのこし、1774年、死去した。

🎓 世界の主な王朝と王・皇帝

ルイじゅうろくせい

王族・皇族

🌐 ルイ 16 世　　　　　　1754〜1793年

フランス革命で処刑された国王

フランス王国、ブルボン朝の第5代国王（在位1774〜1792年）。

国王ルイ15世の孫。1770年、オーストリアの皇女マリー・アントワネットと結婚し、1774年、祖父のあとをついでフランス王に即位した。趣味の狩猟や錠前づくりにふけることが多く、政治には熱心でなかった。即位後、窮乏する財政を改革しようと、自由主義貴族のチュルゴーを、つづいて銀行家のネッケルを財務長官に登用したが、アメリカの独立戦争への参加で財政は破綻。

国王はやむなく1788年、僧侶、貴族、平民からなる三部会をひらいて、財政問題の解決をはかった。

ところが三部会は国民議会に発展したため、これを武力で解散させようとすると、民衆がバスティーユ牢獄を占拠し、1789年、フランス革命がはじまった。

立憲君主主義のミラボーやラ・ファイエットらと通じて、権力の回復をはかるが失敗。1791年、パリを脱出し国外逃亡をはかり、国境近くのバレンヌでとらえられた（バレンヌ逃亡事件）。1792年、王権は停止され、1793年1月、国民公会で有罪の判決を受け、処刑された。

🎓 世界の主な王朝と王・皇帝

ルイじゅうはっせい

王族・皇族

🌐 ルイ 18 世　　　　　　1755〜1824年

ナポレオン没落後、王位にもどった

フランス、ブルボン朝の国王（在位1814〜1815年、1815〜1824年）。

フランス革命中、兄のフランス王ルイ16世がオーストリア亡命に失敗すると、ベルギーに亡命。ルイ16世の処刑後は、パリに幽閉中の王子をルイ17世とし、みずから摂政となる。ルイ17世が亡くなると、国外にいながら、ルイ18世を名のる。

21年間の亡命生活をへて、ナポレオン1世失脚後の1814年、サン・トゥアン宣言によりフランス王位につき、ブルボン朝を復活させる。

翌年、ナポレオンが帝位に復帰した「百日天下」中はベルギーに亡命し、その後ふたたび王位にもどった。自由主義的改革を進めたが、おいが暗殺された事件をきっかけに保守派となり、過激王党の台頭をゆるした。死後は、弟がシャルル10世として即位した。

🎓 世界の主な王朝と王・皇帝

る

るいじゅ

ルイス，カール

🌐 カール・ルイス　　　　　　　　　　1961年～

金メダルを9個獲得した陸上選手

アメリカ合衆国の陸上選手。

1984年のロサンゼルス・オリンピックで100m、200m、走り幅とび、400mリレーに出場し、全種目で金メダル獲得という偉業を達成した。CMやスポンサー料などで年収2億円をこえる世界的なスター選手となった。

長い手足を生かした、歩幅の広いストライド走法が特徴で、オリンピックに4回出場し、金メダル9個と銀メダル1個を獲得した。1988年のソウルオリンピックでは100mでカナダのベン・ジョンソンとの対決が注目された。

決勝ではやぶれたが、試合後のドーピング検査でジョンソンが失格となり、くり上げで金メダルを獲得した。1997年に現役を引退した。

ルイス，クライブ・ステープルズ

🌐 クライブ・ステープルズ・ルイス　　1898～1963年

『ナルニア国ものがたり』の作者

イギリスの作家、児童文学作家、中世文化研究家、評論家。

北アイルランドの生まれ。幼いころから、兄とともに空想の国をつくって物語を書いていた。オックスフォード大学で古典や英文学を学び、卒業後も大学に勤務。1954年からはケンブリッジ大学英文科でルネサンス講座の教授となる。中世からルネサンスの文学にあらわれた愛についての評論『愛とアレゴリー』で名声を得る。キリスト教に関する著作も多く、『悪魔の手紙』『痛みの問題』などが知られる。

1950年からこどもむけに書いたファンタジー『ナルニア国ものがたり』（全7巻）がとくに有名で、現在も読みつがれている。1956年にはシリーズの第7巻『さいごの戦い』で、イギリスの児童文学賞であるカーネギー賞を受賞している。1988年にはイギリスでテレビドラマ化され、のちに映画もヒットした。ほかには、おとなむけの小説『愛はあまりにも若く』、自伝『喜びのおとずれ』などがある。

ルイ＝フィリップ

🌐 ルイ＝フィリップ　　　　　　　　1773～1850年

七月革命で即位した王

フランス、オルレアン朝の国王（在位1830～1848年）。

オルレアン公フィリップ（平等公）の長男。1789年にフランス革命がおきると、軍に入り、またフランス革命運動を進めた政治

組織ジャコバン・クラブにも出入りした。

1792年、バルミーの戦いに参加後、うらぎりにあってスイスへ亡命する。ナポレオン1世が失脚すると帰国し、自由主義派を後援した。

1830年に七月革命がおきると、ラフィットにおされ、新憲法をみとめて、王として即位した。自身を「市民王」とよんで七月王政をはじめるが、しだいに権力をもつことに入れこみ、共和派の運動や労働者の反乱を弾圧した。1847年に選挙法改正運動がくりかえされ、翌年、パリ市民による二月革命がおきると、退位してイギリスに亡命した。　　🏫 世界の主な王朝と王・皇帝

ルーカス，ジョージ

🌐 ジョージ・ルーカス　　　　　　　1944年～

『スター・ウォーズ』の映画監督

アメリカ合衆国の映画監督、製作者。

カリフォルニア州に生まれる。父は事務用品の小売業をいとなみ、農場をもっていた。10代のころはカーレーサーにあこがれる。

事故にあってから、映画へと興味が移り、友人のすすめで南カリフォルニア大学フィルムスクールに入学した。

在学中に監督した作品が1967年の全米学生映画祭でグランプリを受賞し、映画会社のワーナー・ブラザースと契約する

助監督時代に監督のコッポラに見いだされ、1971年にSF作品でデビューした。興行は失敗だったが、2作目の『アメリカン・グラフィティ』と3作目の『スター・ウォーズ』が大ヒットし、監督として世界でみとめられた。

以降は製作業を中心に、スピルバーグとともに製作した『インディ・ジョーンズ』シリーズをはじめ、視覚効果にすぐれた作品を多く送りだす。

映像技術の開発にも熱心で、特撮部門の会社ももつ。映画の撮影機材にデジタルカメラをいち早くつかったことでも知られる。

ルーシュン

魯迅 → 魯迅

ルーズベルト，セオドア

ルーズベルト，セオドア → ローズベルト，セオドア

ルーズベルト，フランクリン

ルーズベルト，フランクリン → ローズベルト，フランクリン

ルートウィヒいっせい

王族・皇族

🌐 ルートウィヒ1世　　　　　778〜840年

相続問題でフランク王国分裂のきっかけをつくる

フランク王国、カロリング朝の第2代国王（在位813〜840年）、西ローマ皇帝（在位813〜840年）。

カール大帝の第3子。フランス語ではルイ1世。兄2人が早世し、813年に父との共同統治者となる。翌年に父が没し、フランク王、西ローマ皇帝の地位に単独でつくことになった。817年、帝国計画令を発布し、ロタール（のちのロタール1世）、ピピン、ルートウィヒ（ルートウィヒ2世）の3子に領土を分割することを定めた。しかし、再婚して生まれたシャルル（シャルル2世）のために領土を再分割しようとしたためロタールらが反乱をおこす。この相続問題に決着をつけることができないままルートウィヒ1世は死去。その後も兄弟間の対立はつづき、フランク王国は分裂した。

信仰心があつく、教会・修道院を保護して敬虔王とよばれたが、政治的には優柔不断でフランク王国の弱体化をまねいた。

📚 世界の主な王朝と王・皇帝

ルートウィヒにせい

王族・皇族

🌐 ルートウィヒ2世　　　　805?〜876年

ドイツの起源となる東フランク王国を築いた

東フランク王国、カロリング朝の初代国王（在位843〜876年）。

フランク王、西ローマ皇帝ルートウィヒ1世の3男。ドイツ人王ともよばれる。父帝の死後、後継者となった兄のロタール（のちのロタール1世）に対立し、異母弟シャルル（シャルル2世）と同盟をむすんでフォントノアの戦いで勝利。843年のベルダン条約によりフランク王国は兄弟に3分割され、ルートウィヒはライン川以東の東フランク王となった。これがドイツの起源となる。その後、870年のメルセン条約でロタール1世の子ロタール2世の遺領をシャルルと分割併合することを決め、ロートリンゲン（中部フランク）東部を獲得した。

生前に東フランク王国は3人の息子に分割相続させることを定め、死後は決めたとおりに3分割された。

📚 世界の主な王朝と王・皇帝

ルーベンス，ペーテル・パウル

絵画

🌐 ペーテル・パウル・ルーベンス　1577〜1640年

宗教画と肖像画を多くえがいた宮廷画家

フランドルの画家。

現在のドイツ西部ジーゲン生まれ。10歳で父を失い、母や兄とともにアントウェルペンに移る。15歳で画家の修業をはじめ、1598年に画家組合（ギルド）に職業画家として登録される。1600年より8年間イタリアへ留学し、マントバやローマで古代美術とルネサンス美術を学び、祭壇画などをかいた。1608年に帰

国して宮廷画家となり、宮廷や教会のために、多くの絵画をえがいた。画家として活躍するかたわら、ファン・ダイクら弟子たちを育て、また外交官としても活躍した。のちのヨーロッパ美術に大きな影響をあたえた。

豊かな色彩をつかった豪華な作風で、2000点におよぶ作品をえがき、とくに宗教画と肖像画にすぐれた作品をのこした。代表作に『マリ・ド・メディシスの生涯』『パリスの審判』『十字架昇架』などがある。ウィーダ作の小説『フランダースの犬』に主人公が崇拝する画家として登場することでも有名。

ルオー，ジョルジュ

絵画

🌐 ジョルジュ・ルオー　　　1871〜1958年

20世紀を代表する画家の一人

フランスの画家、版画家。

家具職人の父にすすめられ、ステンドグラスの工房で修業をはじめるが、まもなく画家を志し、夜間の美術学校で学ぶ。1890年、国立美術学校に入り、ギュスターブ・モローの弟子となる。1898年のモローの死後、遺言によりモロー美術館の館長に就任する。1903年、マティスやボナールたちとサロン・ドートンヌを創設する。以後、個展や回顧展を活発にひらき、1941年にはアメリカ合衆国でも展覧会を開催した。1955年、ローマ法皇よりグレゴリオ大勲章が贈られ、亡くなったときは、国葬がいとなまれた。

悪や貧困など社会的な題材を、かぎられた色をつかって油彩と版画で表現し、しだいに色彩豊かな厚ぬりの素朴であたたかみのある画風をつくり上げた。道化師、裁判官、キリストの顔を題材としてよくとり上げた。代表作に『聖顔』『ミゼレーレ』『受難』などが知られている。

ルクセンブルク，ローザ

政治

🌐 ローザ・ルクセンブルク　1870〜1919年

のちのドイツ共産党となるスパルタクス団を組織

ドイツの経済学者、社会主義者、革命運動家。

ロシア領ポーランド出身。高校在学中から社会主義運動に参加、卒業後スイスのチューリヒにわたり、同地、およびベルリン、ジュネーブなどで社会主義を研究した。1893年、ポーランド王国社会民主党を結成。1898年、ドイツ国籍取得後、ドイツに入国して、

る　るーとう

ドイツ社会民主党の党内左派で指導的役割をはたした。党内では修正主義をとなえるベルンシュタインや日和見主義のカウツキーらと論争、時勢に流され革命性を失うおそれに対し、マルクス主義をかかげ反論した。1889年から1914年まではヨーロッパ各国の社会主義政党や労働者組織が集まる第二インターナショナルで活動した。

第一次世界大戦がはじまると、反戦をうったえリープクネヒトらとスパルタクス団（のちのドイツ共産党）を組織。ドイツの敗戦を獄中でむかえ、のち釈放された。1919年1月に20万人を動員し各地で蜂起するが、社会民主党政府勢力にやぶれ、リープクネヒトらとともにベルリンでとらえられ虐殺された。

ル・コルビュジエ　建築

ル・コルビュジエ　　1887〜1965年

近代建築を切りひらいた巨匠

▲ル・コルビュジエ

フランスの建築家、都市計画家、画家。

スイス北西部のヌーシャテル州に生まれる。本名はシャルル・エドワール・ジャンヌレ。父は時計の文字職人だった。美術学校を卒業し、1908年から1911年にかけて、ウィーン、パリ、ベルリンの一流の建築家の下で建築を学んだ。1917年からパリに住み、画家のオザンファンとキュビスム（立体主義）をさらに洗練させた造形をめざす「ピュリスム（純粋主義）」を宣言した。また、1920年には、総合芸術雑誌『レスプリ・ヌーボー』を創刊した。「家は住むための機械である」ととなえ、新時代の材料である鉄筋コンクリートを活用した、明るく機能的な新しい建築を提唱した。

1922年に建築事務所をひらき、個人住宅から都市計画まで、幅広く建築をてがけた。パリ市街を超高層ビルで建てかえようという改造計画案を発表するなど、高層ビルのまわりに、「緑と太陽と空間」をつくること

▲国立西洋美術館

を提案した。パリの現代装飾・工業美術国際展（アールデコ）では、「エスプリ・ヌーボー館」を建てて参加し、高層アパートの1室をモデルルームとして建て、新しい時代のくらし方を提案した。

1926年、新しい建築の5原則を発表し、1階を柱だけにして空間をつくるピロティ、横長の連続窓、内部空間の自由な平面分割、自由な立体構成、屋上庭園の5つの要素こそ、近代建築の5原則だと主張した。1931年、パリ郊外のポワシーに建てたサボア邸は、白を基調にした幾何学的な形態で、この5原則をもりこんだ初期の傑作とされている。

第二次世界大戦後は、マルセイユのアパート『ユニテ・ダビタシオン』で、18階建て337戸、23タイプの住居のほか、商店や幼稚園、体育館やプールなどをそなえた巨大アパートを実現した。そのほか、カニの甲羅をかたどったとされる独特なデザインのロンシャンの礼拝堂、東京の国立西洋美術館などを設計した。インドのパンジャブ地方の州都チャンディーガルには、はじめてみずから設計した都市が実現した。

伝統に対するすぐれた感性と近代の合理主義・機能主義とを調和させた建築の新しい局面を切りひらいた。日本人では、前川国男、坂倉準三、吉阪隆正などの建築家が師事した。2016年、国立西洋美術館をふくめた7か国17件の建築作品が世界文化遺産に登録された。

ルソー，アンリ　絵画

アンリ・ルソー　　1844〜1910年

独学で幻想的な世界をえがいた画家

フランスの画家。

フランス西部に生まれる。高校を退学して、法律事務所につとめていたが、1871年にパリに出て、税関の職員となる。絵画に興味をもち、1884年に国立美術館で模写の許可をもらい、一人で絵の勉強をした。1886年からはアンデパンダン展に参加し、晩年までほとんど毎回、出品をつづけた。はじめは初心者の絵と酷評を受けたが、しだいに評判が高まる。1893年、画家活動に専念するために、税関を退職した。

素朴派とよばれる詩情あふれる作風で、幻想的な世界をえがいた。作品の主題は、パリの日常生活、肖像、静物などさまざまだったが、ヨーロッパの人たちにとって神秘的な南国のジャングルがしばしば登場した。遠近法をあまりつかわず、人物がほとんど正面をむいていて、全体に均等な画面構成が特徴である。主な作品に『眠れるジプシー女』『詩人に霊感をあたえる女神』『夢』『私自身、肖像＝風景』などがある。

ルソー，ジャン＝ジャック

思想・哲学

🌐 ジャン＝ジャック・ルソー　　1712～1778年

フランス革命をはじめ、民主主義に影響をあたえた

フランスの思想家、作家、音楽家。

スイスのジュネーブに、時計職人の子として生まれる。母は出産と同時に死去、貧困の中で徒弟時代をすごし、放浪生活ののち、バラン夫人の庇護のもと教育を受けた。秘書や家庭教師をしながら音楽を主に活動していたが、1750年、学問や芸術・技術の進歩は人間を堕落させるという『学問芸術論』を書いて有名になった。1762年の『社会契約論』では、公共の利益をめざす一般意志の指導による国家の成立・運営を主張、人民主権を徹底した直接民主制を説き、フランス革命に影響をあたえた。『エミール』では、不平等な社会の中での人間の自立と教育法についてのべ、「自然に帰れ」ととなえた。

これらの書物は19世紀の思想や教育などに大きな影響をあたえたが、当時は危険思想とみなされ禁書処分を受け、ルソー自身にも逮捕状がだされた。逃亡生活中、失意の中で自伝文学の傑作『告白録』を書いた。ほかに『人間不平等起源論』『新エロイーズ』などの著書がある。

るそんすけざえもん

産　業

🔴 呂宋助左衛門　　生没年不詳

東南アジアとの交易で巨方の富を得た

(堺市)

安土桃山時代～江戸時代前期の商人。

ルソン島（フィリピン諸島）との朱印船貿易で巨万の富を築いたので、呂宋の名で伝えられる。また、堺（大阪府）の富裕な豪商である納屋衆の一人であったことから、納屋助左衛門ともいう。

伝説的な人物として語りつがれており、『太閤記』などによると、1593年にルソン島にわたり、翌年には、つぼ、唐傘、ろうそくなど多くの品物をもち帰り、堺の代官である石田木工助を通して豊臣秀吉に献上した。とくにそのつぼは、高価な茶器として秀吉に珍重され、「呂宋壺」として諸大名や家臣たちにも広まり、ばく大な利益を得たという。しかし身分をわきまえずに、ぜいたく

しすぎたため、秀吉の怒りを買い、家を没収され、一家は没落した。豪華けんらんなその邸宅の一部は、大安寺（大阪府堺市）の本堂に移された。その後、カンボジアにわたり、国王の信任を得て、ふたたび豪商となったという説もあるが、消息は明らかではない。

ルター，マルティン

宗　教

🌐 マルティン・ルター　　1483～1546年

宗教改革をおこない、キリスト教プロテスタントを創始

ドイツの修道士、神学者、宗教改革者。

東部のザクセン地方のアイスレーベンに生まれる。父は鉱夫から、事業に成功して鉱山業をいとなむようになった。18歳のとき、中部のチューリンゲン地方のエルフルト大学に入学し、文学修士の学位をとり、法学部に移った。

1505年の夏、はげしい落雷におそわれ、地面に身をふせて、思わず「修道士になる」と誓ったことから、父の反対をおしきってアウグスティヌス修道会に入った。ここで神学の研究をつづけるうちに、善行を積んでも心に平和を得ることはできないと知り、「聖書だけをたよりに、信仰のみによって救われる」という考えに到達した。

ローマ教皇レオ10世がローマのサンピエトロ大聖堂の改築資金を集めることを目的に、贖宥状（免罪符、買えば罪がゆるされるという証書）を販売していたため、1517年、ルターはウィッテンベルク城付属教会の門扉に、「95か条の論題」を掲示。罪を犯しても、善行や献金をすれば救われるとするカトリック教会を批判した。この論題はたちまちドイツ中に広まり、宗教改革運動の口火を切った。

その後、ルターは教皇側から、自説の撤回を求められるが拒否、1520年には教皇からの破門警告状を焼き払った。翌年、神聖ローマ皇帝カール5世がルターをウォルムスの国会により、自説撤回を求めたがこれも拒否、帝国追放となった。

しかし、反皇帝派のザクセン選帝侯フリードリヒ3世により、チューリンゲンのワルトブルク城にかくまわれ、そこで『新約聖書』をドイツ語に翻訳した。これによりドイツ人は母国語で聖書を読むことができるようになった。農民のあいだにもルターの教えを信じる者がふえ、1524年、農民たちがドイツ南西部や中部で

▲ウィッテンベルクの「95か条の論題」が貼りだされた教会のとびら

反乱をおこすと、ルターは運動が過激になるのに反対し、諸侯の側に立って鎮圧した。

その後も、『旧約聖書』のドイツ語訳や典礼の改革、讃美歌の作詞・作曲などをおこない、教会改革に力をつくし、1546年、62歳で亡くなった。ルターの教えを支持する改革派は「プロテスタント（抗議する者）」とよばれ、ヨーロッパ中に宗教改革の波をまきおこした。

ルッジェーロにせい
王族・皇族

🌐 ルッジェーロ2世 　　　　　　1095～1154年

シチリア王国を建国したノルマン人の王

シチリア王国、オートビル朝の初代シチリア王（在位1130～1154年）。

シチリア島を支配したシチリア伯ルッジェーロ1世の子。フランス語ではロジェール2世。父のあとをついでシチリア伯となると、イタリア半島南部へ勢力を拡大し、南イタリアのノルマン人支配地域を統一。1130年、シチリア王の称号を得る。さらに、1149年、ビザンツ帝国をやぶりバルカン半島に進出。また、強力な海軍をつくり北アフリカのイスラム勢力を圧倒するなど、地中海の支配権をにぎり、ヨーロッパの強国の一つとなった。

王国はイタリア人やギリシャ人、アラブ人などの多民族が共存しており、ルッジェーロは学問、文化の保護者として知られる。東方の文化をとり入れ、アル・イドリーシーに命じて世界地図をつくらせた。これは歴史上初の正確な世界地図といわれている。

ルドルフいっせい
王族・皇族

🌐 ルドルフ1世 　　　　　　　1218～1291年

ハプスブルク家最初の神聖ローマ皇帝

神聖ローマ皇帝（ドイツ王）（在位1273～1291年）。

スイスとアルザス地方（現在のフランス中東部）を本拠地とする貴族ハプスブルク伯アルブレヒトの子。

1256年以来、神聖ローマ帝国の皇帝位は空位のままだったが（大空位時代）、当時勢力を拡大したボヘミア王オタカル2世に対抗するため、1273年、有力なドイツ諸侯によってルドルフ1世がハプスブルク家最初の神聖ローマ皇帝（ドイツ王）に選出された。ルドルフ1世は、ドイツ国内の安定をはかるとともに、ローマ教皇とむすんで東方進出をめざすフランスに抵抗した。また、1278年、ルドルフの即位をみとめようとしなかったオタカル2世をやぶってオーストリアなどを領地に加え、オーストリア・ハプスブルク家発展の基礎をつくった。 🎓 世界の主な王朝と王・皇帝

ルドン，オディロン
絵画

🌐 オディロン・ルドン 　　　　　1840～1916年

象徴主義絵画を代表する一人

フランスの画家、版画家。

フランス南西部で生まれる。兄をかわいがった母親により、お

じのもとへ里子にだされ、孤独なこども時代を送る。この経験から、現実から目をそらし、夢の世界を追い求めるようになる。11歳で両親のもとにもどり、15歳で水彩画家ゴランに師事し、18歳で画家ジェロームのもとで学んだ。

人の心の内側に目をむけて制作した、怪奇的なイメージの石版画集を次々に出版した。空中に浮かぶ目玉や頭部などの絵が多い。最初は、あえて白黒の版画を利用し、想像力をみがいた。1880年に50歳をすぎて結婚し、こどもが誕生すると、画風が一変した。黒一色でえがいていた画風が、パステルや油彩をつかい、花や人物をえがくようになる。それにともない、作品の評価も上がった。代表作に石版画集『夢の中で』、油絵には『キュクロプス』『パンドラ』『目を閉じて』などがある。象徴主義を代表する画家の一人である。

ルナール，ジュール
文学

🌐 ジュール・ルナール 　　　　　1864～1910年

小説『にんじん』の作者

フランスの作家、劇作家。

ノルマンディー生まれ。ブルゴーニュで育ち、パリの高等中学校を出て教師をめざしていたが、途中から文学を志した。26歳のときに、象徴主義の文芸誌『メルキュール・ド・フランス』の創刊に参加する。

ユーモアと哀愁に満ちた写実的な小説や詩をつくりはじめる。1894年に『ぶどう畑のぶどう作り』『にんじん』を発表して、名声を得る。『別れも愉し』『日々のパン』などの戯曲作品も書き、小説を戯曲にかえた『にんじん』が大評判となった。そのほかに動物の生態を書いた『博物誌』、また23年間書きつづけ、死後出版された『日記』が有名である。

ルノアール，ピエール・オーギュスト
絵画

🌐 ピエール・オーギュスト・ルノアール 　1841～1919年

印象派を代表する画家

フランスの画家。

フランス中西部の仕立屋の息子に生まれる。13歳のころ、家具や磁器の絵付け職人としてはたらいていたが、好きな絵画の道に進むため、パリの国立美術学校に入学する。

20歳のころ、モネやシスレーらと出会い、印象派の活動に参

加する。1874 〜 1886 年のあいだに、印象派展に 4 回出品した。1880 年代にイタリアをおとずれ、ラファエロの絵画や、古代ローマ美術の古典的な芸術に影響を受ける。この経験が、印象派から新しい画風へ展開するきっかけとなった。

題材には、都市の生活でみられる女性、少女、裸婦、花などを好んでとり上げた。たしかな構図で、光や影の効果を研究した。明るく、やわらかな色彩と、勢いとやわらかさをたくみにつかい分けた筆づかいで、人物の表情を豊かにえがいた。代表作に『ムーラン・ド・ラ・ギャレット』『浴女』などがある。印象派を代表する画家の一人である。

る

るぶらん

ルブラン，モーリス　　　　　文 学

🌐　モーリス・ルブラン　　　　　1864〜1941年

『怪盗ルパン』シリーズの作者

フランスの作家。

セーヌ川下流の都市ルーアンに生まれる。海運業で成功した裕福な家庭に育った。こどものころから読書が好きで詩や小説を書いていた。一度は就職したが、作家を志してやめた。パリに出て、1892 年より『ジル・ブラース』誌などに短編を投稿し、長編・中編の風俗心理小説を書きつづけた。

1905 年、40 歳のときに出版社社長の要望で、娯楽雑誌に神出鬼没の怪盗紳士アルセーヌ・ルパンを主人公にした短編冒険小説『アルセーヌ・ルパンの逮捕』を書く。1907 年には短編集『怪盗ルパン』を発表して大好評を博し、海外でも人気となった。代表作『怪盗ルパン』シリーズは、亡くなるまで 30 年間もつづけた。『ルパン対ホームズ』『奇巌城』『813』『水晶の栓』『虎の牙』などが有名である。ルパンのシリーズや文学での功績がたたえられ、晩年、フランス政府よりレジオンドヌール勲章を贈られた。

ルブルック

ルブルック → リュブリュキ，ギヨーム・ド

ルムンバ，パトリス　　　　　政 治

🌐　パトリス・ルムンバ　　　　　1925〜1961年

コンゴを独立にみちびくも、内戦で処刑

コンゴの民族運動指導者、コンゴ共和国初代首相（在任 1960 〜 1961 年）。

カサイ州の貧農の子に生まれる。バテテラ族出身。カトリック系、プロテスタント系それぞれのミッションスクールで教育を受け、スタンリービル（現在のキサンガニ）の郵便局員となった。その後、

労働組合運動にたずさわる。

1958 年、生まれながらの雄弁さと卓越した筆力で独立運動の有力な指導者となり、コンゴ国民運動を結成。党首となった。第 1 回アフリカ人民会議に出席したことをきっかけに、より急進的な活動を展開。1959 年に扇動罪で一時逮捕されるが、翌年、コンゴ国民運動をひきいて選挙に勝利し、ベルギーからの独立をはたすとともにコンゴ共和国の首相となった。

しかしまもなく、大統領カサブブと対立。加えてカタンガ州分離派のモブツ将軍らが分離独立を主張し、コンゴ動乱が勃発した。このときルムンバは国連軍の派遣を要請したが、国連はカタンガ州の鉱山資本と関係が深いモブツを擁護。のちにカサブブ大統領により解任、逮捕され、その後裁判を受けることなく殺害された。

レイ，マン

🌐 マン・レイ　1890〜1976年

前衛写真や映画などの分野で活躍

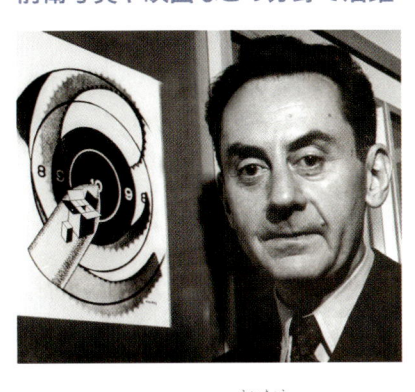

アメリカ合衆国の写真家、画家。

ペンシルベニア州フィラデルフィア生まれ。本名はエマニュエル・ラドニツキー。ニューヨークに出て、地域センターの講座で絵を学び、画廊に出入りして画家や写真家の影響を受けた。学校を卒業してからは、商業美術の仕事をしながら絵画と写真を組み合わせたアートをてがけた。

1921年、デュシャンのあとを追ってパリに移り、既成の芸術的価値を否定した芸術運動、ダダイスムの芸術家たちとともに、シュールレアリスム（超現実主義）運動に参加した。

写真、絵画、彫刻、映画などの多くの分野で活躍した。とくに前衛写真が得意だった。印画紙の上に物体をおいて直接露光する「レイヨグラフ」や、フィルム感光で偶然光が入ってできるネガのような「ソラリゼーション」の技法をよくつかった。主な作品にオブジェ『贈り物』、ロベール・デスノスの詩を映像にした前衛映画『ひとで』がある。そのほか個性的な多くの肖像写真をのこした。

れいげんてんのう

🔴 霊元天皇　1654〜1732年

大嘗祭を復興させた天皇

江戸時代中期の第112代天皇（在位1663〜1687年）。後水尾天皇の皇子で、即位する前は識仁親王とよばれた。生まれてまもなく兄の後光明天皇の養子になり、10歳で即位した。はじめは、父の後水尾法皇（譲位後に出家した後水尾上皇）による院政がおこなわれたが、1680年に法皇が亡くなると、実権をにぎった。朝廷の運営をめぐって、幕府や幕府と親しい公家（朝廷につかえる身分の高い人）と対立することもあった。

朝廷の儀式を復興させるため、幕府に強くはたらきかけ、子の東山天皇に譲位して院政を開始し、1687年、240年ぶりに大嘗祭（天皇が即位して最初におこなう大規模な新嘗祭）を復興させた。和歌や漢詩、書道、絵画などにもすぐれていた。娘の八十宮（吉子内親王）は第7代将軍徳川家継と縁組みしたものの、家継が亡くなったため実現しなかった。

📘 天皇系図

れいぜいてんのう

🔴 冷泉天皇　950〜1011年

わずか2年で譲位した天皇

▲墓所の櫻本陵
（宮内庁書陵部）

平安時代中期の第63代天皇（在位967〜969年）。村上天皇の第2皇子で、為平親王、円融天皇の同母兄。母は藤原師輔の娘安子。即位する前は、憲平親王とよばれた。

950年、生後2か月で異母兄の広平親王をおしのけて皇太子となったが、病気がちで異常な行動が多かった。村上天皇が亡くなると即位し、藤原実頼を関白とした。実頼は、左大臣源高明の娘をきさきとした為平親王が皇太弟（天皇のあとつぎの弟）になることを拒否し、下の弟の守平親王（のちの円融天皇）を皇太弟に立てた。

969（安和2）年、守平親王を退位させ、為平親王を天皇に立てようと謀反をたくらむ者がいると、密告があった。その結果、源高明が事件にかかわったとされ、高明は左遷、為平親王は出家した（安和の変）。

事件は、源高明を失脚させるための藤原氏の陰謀だったと考えられている。事件後、冷泉天皇の第1皇子師貞親王をいそぎ皇太子に立てようという藤原伊尹の策略で、わずか2年で守平親王に譲位した。

📘 天皇系図

レーウェンフック，アントニー・ファン

🌐 アントニー・ファン・レーウェンフック　1632〜1723年

自作の顕微鏡でさまざまなものを観察

オランダの博物学者。

デルフトの生まれ。織物商人や役人としてはたらきながら、ガラスや水晶をみがいてレンズをつくり、単レンズ顕微鏡をつくってさまざまなものを観察した。

独自の構造の顕微鏡は、200倍以上の高い倍率があった。この顕微鏡を用いて、

水の中にうごめく細菌や原生動物、藻類などの肉眼ではみえない生物を観察し「微小動物」と名づけた。

また、昆虫の複眼、心臓などの筋肉である横紋筋などのほか、多くの生物学的に重要な発見をおこなった。1677 年にはヒトの精子を発見し、遺伝学研究の理論に根拠をあたえる発見となった。また、魚の赤血球の観察から、細胞の核の存在を示唆している。

観察した記録をスケッチとともに、生物学の権威であったロイヤル・ソサエティ（ロンドン王立協会）に送りつづけ、1680 年に外国人ではじめて王立協会の会員となった。

レーガン，ロナルド 政治

🌐 ロナルド・レーガン　　　　1911〜2004年

軍備拡大の一方、中距離核戦力全廃条約をむすんだ

アメリカ合衆国の政治家。第 40 代大統領（在任 1981 〜 1989 年）。

イリノイ州生まれ。大学卒業後、ラジオのスポーツアナウンサーとなる。1937 年、ハリウッドの映画俳優となり、1947 年から映画俳優協会会長をつとめた。

1962 年に共和党入党、すぐれた演説が評判となり、1966 年、カリフォルニア州知事に就任。1980 年の大統領選挙では、イランのアメリカ大使館人質事件を解決できなかった現職の大統領カーターをやぶり、当選。「強くて豊かなアメリカ」を標榜し、ソビエト連邦（ソ連）と対立、軍備を拡大する一方、政府の役割を縮小した「小さな政府」をめざし社会保障費をおさえ、減税をおこなった。

「強いアメリカ」のイメージは人気をよび、1984 年の大統領選挙で再選されたが、「レーガノミクス」とよばれた一連の経済政策は、財政・貿易両面の「双子の赤字」をまねいた。1987 年、ソ連のゴルバチョフと中距離核戦力（INF）全廃条約を調印、冷戦終結への道をつくった。1989 年、任期満了により辞任。

📘 アメリカ合衆国大統領一覧

レーニン，ウラジミール・イリイッチ 政治

🌐 ウラジミール・イリイッチ・レーニン　　　1870〜1924年

ロシア革命を指導した革命家

ロシアの革命家、思想家。

ボルガ川流域のシンビルスク（現在のウリヤノフスク）に生まれる。本名はウリヤーノフ。父は中学校の校長などをつとめた教育者だった。ロシア帝国時代の 1887 年、兄がロマノフ朝の皇帝アレクサンドル 3 世の暗殺事件の犯人として処刑され、大きな

衝撃を受けた。同年、カザン大学法学部に入学するが、学生運動に参加したとして退学になる。

その後、マルクスの著書を読み、革命家の道に進むことを決意。1893 年に首都サンクトペテルブルク（のちのペトログラード、レニングラード）に出て、マルクス主義者のグループに入り、社会主義思想を宣伝したため、2 年後に逮捕、投獄され、シベリアに流刑となった。

▲ウラジミール・イリイッチ・レーニン

1900 年に釈放されると、ヨーロッパに亡命。スイスのジュネーブで、マルクス主義の新聞『イスクラ（火花）』を創刊した。また、『何をなすべきか』『貧農に訴える』などを刊行し、国外から革命運動を指導した。1905 年、第 1 次ロシア革命がおこると、一時帰国して戦うが、革命は失敗に終わる。しかしふたたび亡命し、新聞や雑誌を創刊。1914 年に第一次世界大戦がおこると、反戦派社会主義者を国際的に連帯させて、戦争から革命へ転換するよううったえた。

1917 年 3 月、ペトログラードで労働者や兵士が立ち上がり、ロマノフ朝をたおし（二月革命、西暦では三月革命）、立憲民主党を中心に臨時政府が成立する。レーニンは帰国して、すべての権力をソビエト（労働者や兵士の評議会）へ集中し、社会主義革命へ移行するようによびかけた。

11 月、臨時政府をたおし（十月革命、西暦では十一月革命）、ソビエト政権を樹立し、レーニンは人民委員会議の議長に就任。ここに、世界初となる社会主義政権が誕生した。レーニンは第一次世界大戦で戦っていたドイツと講和をむすび、土地の分配や銀行の国有化など、社会主義国家建設にふみだした。

革命に反対する国内の勢力や、これを支援したイギリス、フランス、アメリカ合衆国、日本の軍隊に対し、赤軍を創設して撃退した。1921 年から新経済政策（ネップ）を採用し、経済再建をはかった。

ソビエト社会主義共和国連邦の創設につくし、53 歳

▲ 1917 年、赤の広場でソビエト政権の樹立を宣言するレーニン

で亡くなった。社会主義の創始者として、20 世紀の革命や社会主義にあたえた影響は大きい。

レーバー，ロッド

ロッド・レーバー　　　　　　　　　　1938年～

グランドスラムを2度達成したテニス選手

オーストラリアのプロテニス選手。

テニスの四大大会（全豪・全仏・ウィンブルドン・全米）のすべてに優勝する年間グランドスラムを1962年と1969年の2度達成した史上唯一の選手である。

1度目の1962年には、当時プロ選手は四大大会への参加がみとめられておらず、アマチュア選手として出場した。

1963年にプロへ転向したが、四大大会には出場できない時期がつづいた。1968年にプロ選手の出場が解禁されると、翌年に2度目の年間グランドスラムを達成した。

四大大会通算11勝はビョルン・ボルグとならぶ男子歴代4位タイ記録である。体格は小がらだったが、攻撃的なサーブとボレーで相手を圧倒し、「ロケット・レーバー」とよばれた。

レールモントフ，ミハイル・ユリエビチ

ミハイル・ユリエビチ・レールモントフ　　1814～1841年

戯曲『仮面舞踏会』で知られる

ロシアの詩人、作家。

モスクワ生まれ。モスクワ大学中退。幼いころに母を亡くし、裕福な母方の祖母のもとで育つ。

近衛士官学校卒業。1837年、決闘で死亡したプーシキンをおしむ詩『詩人の死』で一躍有名になるが、皇帝の側近を非難したため、カフカスの戦線に送られる。1841年、旧友と決闘してこの世を去る。

代表作の小説『現代の英雄』（1840年）は、その後のロシア文学に大きな影響をあたえた。ほかに詩『詩人』『悪魔』、戯曲『仮面舞踏会』がある。作曲家ハチャトゥリアンが、1944年に『仮面舞踏会』をもとに作曲した管弦楽用の組曲は、いまも演奏される人気の楽曲となっている。

レオさんせい

レオ3世　　　　　　　　　　　　　　?～816年

西ローマ帝国の復活を宣言したローマ教皇

ローマ教皇（在位795～816年）。

生まれなどの詳細は不明。若いときからローマの教会ではたらいており、795年にローマ教皇となった。

799年、ローマ市内で反対派におそわれ、フランク王カール1世（カール大帝）の下へのがれる。翌年、バチカンのサンピエトロ大聖堂でのクリスマスミサで、カール1世にローマ皇帝の冠をあたえた（カールの戴冠）。これは西ローマ帝国の復活であり、ビザンツ帝国（東ローマ帝国）への対抗措置であり、自分を助けてくれたことへの報償であり、教皇権の優位の確認でもあった。

なお、ビザンツ帝国皇帝のレオ3世（レオン3世）とは別人である。

ローマ教皇一覧

レオじっせい

レオ10世　　　　　　　　　　　　1475～1521年

宗教改革の原因をつくった教皇

ローマ教皇（在位1513～1521年）。

イタリアのフィレンツェ生まれ。ロレンツォ・デ・メディチの息子。本名ジョバンニ・デ・メディチ。

1513年、37歳でローマ教皇に即位。ラファエロにシスティナ礼拝堂の壁かけやバチカン宮殿回廊の天井画・壁画などをえがかせ、ミケランジェロにはフィレンツェのサンロレンツォ教会で制作をおこなわせるなど、多くの芸術家のパトロンとなったことで、ローマを中心とするルネサンス文化が最盛期をむかえた。一方浪費も多く、教皇庁が財政破綻をおこすほどだった。先代ユリウス2世がはじめたサンピエトロ大聖堂の建設をひきついだが、その資金調達のためにおこなわれた贖宥状（免罪符）の販売が、ルターの宗教改革をひきおこすことになった。

ローマ教皇一覧

レオーニ，レオ

レオ・レオーニ　　　　　　　　　　1910～1999年

『あおくんときいろちゃん』の作者

アメリカ合衆国のグラフィックデザイナー、絵本作家。

オランダのアムステルダム生まれ。こどものころ、ベルギー、フランス、スイスなどを転々とした。チューリヒ大学、ジェノバ大学大学院で経済学を学んだ。イタリアに住んでいたが、ファシズムの圧力にあい、1939年にアメリカにわたって1945年にはアメリカ国籍となる。アメリカでは、雑誌のグラフィックデザイナーとして活躍した。

1959年に、2人の孫とのふれ合いをきっかけにつくった絵本『あおくんときいろちゃん』を出版する。

円くちぎった青い紙と黄色い紙が主人公のお話は、抽象的でありながら、イメージをわきたたせるようなすぐれた視覚効果があり、世界的に有名になった。また、小さな魚たちが力をあわせて大きな魚に立ちむかう『スイミー』は日本でも人気があり、教科書でも紹介されている名作である。ほかに『フレデリック』など40以上の作品がある。

レオナルド・ダ・ビンチ

→ 266ページ

レオナルド・ダ・ビンチ

イタリア・ルネサンスを代表する万能の天才

▲レオナルド・ダ・ビンチの自画像

■フィレンツェのベロッキオの工房で修業

イタリアの画家、彫刻家、建築家、科学者。

中部の都市フィレンツェ近郊のビンチ村で、法的文書を作成する公証人の子として生まれる。14歳のころ、フィレンツェで一番の芸術家といわれていた彫刻家で画家のベロッキオの工房に入った。ここは絵画や彫刻のほか、建築の設計や金細工などの工芸品を制作する工房で、レオナルドは絵画の新しい画法や彫刻のしかた、青銅の型づくりなど、さまざまな造形の基礎を身につけた。

20歳のとき、一人前の画家として画家組合に登録されたが、その後もベロッキオの工房にとどまり、『キリストの洗礼』の左端の天使の部分をえがいた。これをみたベロッキオは弟子のほうがすぐれていることを知り、絵をえがくことをやめたといわれている。ほかに『受胎告知』などをえがき、ぬきんでた才能を発揮した。1476年ごろ自分の工房をひらき、修道院の祭壇画『東方三博士の礼拝』を依頼され、素描まで進めたが、未完のまま終わった。

■ミラノで天才ぶりを発揮

1482年、30歳のとき、イタリア北部を支配するミラノ公ルドビコ・スフォルツァにみずからを売りこもうとして、ミラノにむかった。レオナルドは、芸術よりも軍事技術者として売りこんだほうが有利と考え、自己推薦状に「橋や大砲、軍艦、トンネルをほる機械などをつくる技術をもっている」ことをならべたあとに、「平和なときは建築、絵画、彫刻など、お望みのものを制作する」と書いた。

ミラノではまず、教会からサンフランチェスコグランデ聖堂の祭壇画『岩窟の聖母』の制作を依頼された。聖母マリアを中心に、左に洗礼者ヨハネ、右にイエス・キリストと天使をえがき、当時の祭壇画としては革新的なものだった。ミラノ公からは宮廷付き技師として、宮廷のイベントの舞台装置の演出や衣装のデザインを依頼されるなど、総合芸術家として万能の天才ぶりを発揮した。

▲『岩窟の聖母』　背景のごつごつした暗い岩山と手前の明るい情景が効果的に対比され、聖母マリアを頂点とする三角形の構図は安定感をあたえている（1483〜1486年）。

■圧倒的な迫力の騎馬像と『最後の晩餐』

つづいてミラノ公から騎馬像の制作を依頼され、ウマの躍動感をだすために後ろ足だけで立つポーズを考えるなど、何枚もスケッチを重ね、原寸大の粘土模型をつくった。この模型が1491年、ミラノ公のめいの結婚式で披露されると、列席した貴族たちから感嘆の声があがった。しかし、この像の鋳造のために集められた青銅は、翌年、フランス軍が攻めてくると、大砲を製造

▲『受胎告知』　聖母と天使はそれぞれ三角形の構図におさめられ、左右の均衡をたもっている。図は遠近法を用いて、前方から後方へと後退していく（1472〜1475年）。

▼『最後の晩餐』　イエスが「この中に私をうらぎる者がいる」と告げた一瞬の、12人の弟子たちが動揺し混乱しているようすを劇的にえがいた（1495〜1498年ごろ）。

するためにつかわれ、騎馬像は完成しなかった。

1495年、ミラノ公からサンタ・マリア・デレ・グラツィエ修道院の大食堂の壁をかざる『最後の晩餐』を依頼された。レオナルドは、みる人の視線が自然に中央にいるイエスの頭部に集まるように遠近法の構図をとり入れ、一人ひとりの表情や手の動きにくふうをこらし、圧倒的な迫力と至高の美しさを誇る作品を完成させた。

■フィレンツェ市庁舎の壁画と『モナ・リザ』

1499年、ミラノはフランス国王ルイ12世により侵略されたため、レオナルドは約18年間いたミラノを去り、フィレンツェにもどった。1503年、彫刻家で画家のミケランジェロとともに、フィレンツェの市庁舎パラッツォ・ベッキオの大広間をかざる壁画の制作を依頼された。当時51歳のレオナルドはフィレンツェの勝利を記念した『アンギアリの戦い』を、28歳のミケランジェロは『カッシナの戦い』を依頼され、フィレンツェの最高の芸術家による競演として期待されたが、未完のまま終わった。

▲『モナ・リザ』 モナはイタリア語で夫人という意味。口もとに「なぞの微笑」をたたえ、目はまっすぐ鑑賞者をみつめ、奥深い知性と感性をそなえた女性をえがいた。モデルについては別の説もある（1503〜1506年ごろ）。

同じころ、フィレンツェの絹織物商人ジョコンドから妻リザの肖像画を依頼された。油絵の具を何層にも塗り、生涯にわたって筆を入れつづけたため、依頼者にわたされることはなかった。荒々しい岩山を背景に、口もとになぞめいた微笑を浮かべ、やさしげなまなざしと丸みをおびた優美な姿をえがいた『モナ・リザ』は「永遠の女性」とされ、絵画の最高傑作といわれている。

■ミラノ、ローマを遍歴し、フランスへ

1506年、ミラノに駐在していたフランスの総督シャルル・ダンボワーズにまねかれて、宮殿の設計や運河の工事などにたずさわった。1512年、フランス勢がミラノから撤退すると、レオナルドは新たなパトロンを求めてローマにむかった。そこで、最晩年の作品とされる『洗礼者聖ヨハネ』を制作した。

1516年、フランス国王フランソワ1世からまねかれ、フランスのロアール川流域のアンボワーズ城の近くのクルー城に移った。ここで王母の宮殿の設計や宮廷行事の演出などをおこなうかたわら、研究ノートの整理に打ちこみ、1519年5月2日、67歳で死去した。

レオナルドは、絵画では遠近法や精密な

自然描写のほか、輪郭をえがかずに光と影の微妙な変化で立体を表現するスフマートという画法などを駆使し、ルネサンスの古典様式を完成させた。彼がのこした絵画作品は約20点と少ないが、それらのもととなったスケッチや素描は膨大な量にのぼる。スケッチは約500枚、素描や考察、雑記メモなど、折にふれて書きしるしたノート（手稿）は、5000ページにおよぶ。

学 日本と世界の名言

科学者・技術者としてのレオナルド

絵をえがくには自分の目で正確に観察し研究を深めて、正確に表現することが必要だと考えたレオナルドは、膨大なスケッチをノートにかきのこしていた。そこには、物理や数学、気象、地質、植物、動物、解剖、土木工学、機械ほか、さまざまな分野におよぶ図解や研究のあとがみられ、万能の天才として高く評価された。

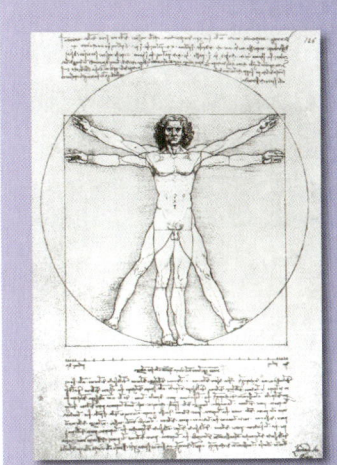

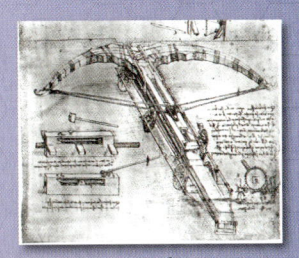

▲大石弓の設計図

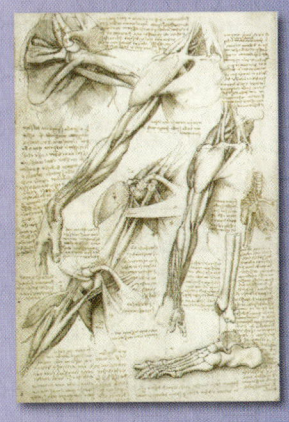

▲人体の理想的なプロポーション
レオナルドは、人体は万物の尺度の基準になると考えていた。

▶腕の筋肉の解剖図 人体の構造を深く理解することにより、絵はより生き生きとすると確信していた。

レオナルド・ダ・ビンチの一生

年	年齢	主なできごと
1452	0	4月15日、イタリアのビンチ村に生まれる。
1466	14	このころ、フィレンツェのベロッキオの工房に入る。
1472	20	フィレンツェの画家組合に登録。
1482	30	ルドビコ・スフォルツァに売りこもうとミラノに移る。
1483	31	『岩窟の聖母』の制作を依頼される。
1498	46	このころ、『最後の晩餐』が完成する。
1503	51	このころ、フィレンツェで『モナ・リザ』の制作を開始。
1506	54	シャルル・ダンボワーズによりミラノにまねかれる。
1513	61	ローマでジュリアーノ・デ・メディチの保護を受ける。
1516	64	フランス国王フランソワ1世にまねかれてフランスに移住。
1519	67	5月2日、フランスのクルー城で亡くなる。

※年齢は満年齢であらわしている

レオポルドにせい

政治

🌐 レオポルド2世　　　　1835〜1909年

コンゴを領有したベルギー王

ベルギー王（在位1865〜1909年）。

レオポルド1世の子。1876年に、アフリカ探検・文明化国際協会をつくり、アメリカ人スタンリーをさしむけて、アフリカ中央部のコンゴ川流域を調査させ、同地方を王領植民地として獲得した。しかし、ベルギー議会と世論の反発をまねいたため、コンゴを私有地として所有。

1883年には、コンゴ国際協会をつくり、その下で開発を進めた。しかし、すでにアフリカ分割を進めていたイギリス、フランスと対立して、コンゴ問題は国際的な紛争となった。これに対して、ドイツ帝国の首相ビスマルクが仲裁に入り、1884年、ベルリン会議でその領有がみとめられた。

1885年には、コンゴ自由国として独立国家となるが、現地人に過酷な労働と税を課すなど、無法な支配が国際的な非難をあび、1908年、同国は、ベルギー領コンゴとして国が管理することとなった。

レオンさんせい

王族・皇族

🌐 レオン3世　　　　685?〜741年

イスラムを撃退し、聖像禁止令をだしたビザンツ皇帝

ビザンツ帝国の皇帝（在位717〜741年）。

北シリア出身。皇帝の血統の生まれではなく、軍人として活躍する。勇敢さからレオン（獅子）というあだ名でよばれ、即位後はそれを正式名とした。当時、ビザンツ帝国はヘラクレイオス朝の血統が断絶し、政治的・軍事的にも有能ではない非王統の皇帝がつづいて脆弱化し、イスラム勢力の侵攻にさらされていた。レオン3世は軍隊におされてビザンツ皇帝のテオドシウス3世を退位させ、みずから即位してイサウリア朝の開祖となる。

即位直後にイスラムのコンスタンティノープル（現在のイスタンブール）包囲を撃退。

キリスト教思想を基盤とした民法典『エクロガ』を公布し、中央集権策を進め、支配体制をかためた。またイスラム教の浸透をおさえるために、本来のキリスト教信仰に帰り、聖像の制作や崇拝を禁止する聖像禁止令を発布。これは、強大となった教会勢力を弱める手段でもあった。これによりローマ教皇グレゴリウス3世の反発をまねき、キリスト教会が東西に分裂する原因ともなった。

レザー・シャー・パフレビー

王族・皇族

🌐 レザー・シャー・パフレビー　　　　1878〜1944年

パフレビー朝の創始者

イラン、パフレビー朝の皇帝（在位1925〜1941年）。

カスピ海の南岸マーザーンダラーンの名門の家の出身。レザー・ハーンともいう。軍人となりペルシア・コサック師団の将校となった。1921年、兵をひきいてテヘランを占領、クーデターを成功させた。のち陸軍大臣などとして実権をにぎり、地方の革命政権を壊滅させた。1924年首相に就任。当初は共和制をめざしていたが、国民議会によるカージャール朝の廃止を決定後、皇帝となる。

外交面では治外法権をゆるしていたイギリス・イラン協定を破棄。また、国際連盟に加入し、1935年、国名をペルシアからイランとした。一方内政においては、財政改革を進め国民銀行の創設を実現した。加えて司法改革、義務兵役制度の導入、女性解放、教育改革など次々に近代化政策を進め、中央集権の実現に力をつくした。しかし独裁的な傾向が強く、ナチスドイツに接近したことにより、第二次世界大戦中の1941年、イギリス、ソビエト連邦（ソ連）の干渉を受け退位させられた。その後、南アフリカに亡命し、ヨハネスバーグで亡くなった。

レザノフ，ニコライ

政治

🔴 ニコライ・レザノフ　　　　1764〜1807年

江戸幕府に通商を拒否されたロシア人

江戸時代後期に来日した、ロシアの貴族、実業家。

サンクトペテルブルクで、貴族の家に生まれる。イルクーツクの富豪の毛皮商の女婿となり、1799年、露米会社（北アメリカにおける植民地開発を目的に設立された会社）の総支配人になった。

1804年、津太夫ら4人の日本人漂流民をともない、幕府からラクスマンにあたえられた信牌（長崎入港の許可証）と、ロシア帝国第10代皇帝アレクサンドル1世の親書をもって、長崎に来航した。幕府に通商を要求したが、半年もまたされたあげく、鎖国を理由に通商を拒

れ

れおぽる

否された。また、日本に滞在中も、囚人のようなあつかいを受けた。

1805年、長崎から退去したが、幕府の対応に怒りがおさまらず、報復のため、樺太（サハリン）と千島列島（北海道東端とロシアのカムチャツカ半島南端のあいだにある列島）の択捉島の襲撃を部下に指示した。この指示はすぐに撤回されたが、部下によって襲撃がおこなわれた。

レジェ，フェルナン 絵 画

🌐 フェルナン・レジェ　　　1881〜1955年

独特の抽象的な作風でえがいた画家

フランスの画家。

北部の農家に生まれる。10代で父を失い、建築装飾の見習い修業に出る。1903年、パリの装飾美術学校に入学するが、パリ国立美術学校の受験に失敗し、私立美術学校で学んだ。1907年、セザンヌの回顧展をみて、感銘を受ける。はじめは印象派のような作品をえがいていたが、1910年ころキュビスム（立体主義）の影響で、抽象的な作風になった。

やがて、歯車など機械文明の機能的なイメージの美しさを、円すいや幾何学的な形で構成して、独特な画風を完成させていった。1920年代になると、人体を太いチューブを組み合わせたような形であらわした。

第二次世界大戦後は、ピクニックや建設現場など、娯楽や労働の場所で多くの人々が登場する場面を、太い輪郭線と限定した色彩で、おおらかにえがいた。代表作に『森の中の裸体』『建築作業員』がある。

レジス，ジャン＝バプティスト 宗 教

🌐 ジャン＝バプティスト・レジス　　　1663〜1738年

清朝の康熙帝につかえたイエズス会士

フランスのイエズス会士。

中国名は雷孝思。1679年にカトリック修道会のイエズス会に入り、1698年に中国へわたって、布教活動をおこなった。数学、天文学の知識を買われて、首都となった北京によばれ、清朝の第4代皇帝、康熙帝につかえた。ブーベらとともに、緯線・経線をえがいた中国初の全国地図である『皇輿全覧図』を作製。

蒙古（現在のモンゴル国、中華人民共和国の内モンゴル自治区にほぼ相当する地域）、東北（現在の遼寧省、吉林省、黒竜江省にほぼ相当する地域）、山東、河北、河南、江蘇、

安徽、浙江、福建、雲南、台湾と、宣教師の中でもっとも広い地域をレジスが測量した。語学の才能もあり、『易経』のラテン語訳をおこなった。北京で死去した。

レスピーギ，オットリーノ 音 楽

🌐 オットリーノ・レスピーギ　　　1879〜1936年

現代イタリア音楽の先駆者

イタリアの作曲家。

ボローニャ生まれ。音楽家の父にピアノとバイオリンの手ほどきを受けて育つ。ボローニャ音楽学校でビオラ、作曲などを学んだあと、リムスキー＝コルサコフに師事する。

バイオリンなどの演奏家として活動しながら、作曲家としてもみとめられ、1913年には、ローマのサンタチェチーリア音楽院の教授となり、1924〜1926年に院長をつとめた。

作品は、古風な旋法（教会旋法）を曲にとり入れ、古代イタリアの栄光をきらびやかな音楽であらわした。三部作の交響詩『ローマの噴水』『ローマの松』『ローマの祭』（1929年、大指揮者トスカニーニによって初演）が有名である。現代イタリア音楽の先駆者といわれる。

レセップス，フェルディナン・マリー・ド 政 治

🌐 フェルディナン・マリー・ド・レセップス　　　1805〜1894年

スエズ運河を建設した

フランスの外交官、実業家。エジプト駐在外交官の子として生まれ、自身も外交官となる。1825年以降、リスボン、チュニス、アレクサンドリア、カイロなどの領事を歴任。この間、地中海と紅海をむすぶスエズ運河の開削を計画した。

ルイ14世やナポレオン1世もこの構想をもっていたといわれるが、当時の技術では不可能と考えられていた。

1848年、駐スペイン大使をへて駐ローマ共和国大使となったが、その後外交官を辞職。

カイロ領事時代に親しくなったエジプトのサイード王子が太守に就任すると、スエズ運河建設の独占権を得る。1858年資本金2億フランでスエズ運河会社を設立。翌年から工事をはじめ、多くの苦難の末に、1869年、全長160kmの運河が完成。その功績はフランス国民から称賛された。

ついで、中央アメリカのパナマ地峡に大西洋と太平洋をむすぶ運河を計画し、1881年に工事を開始するが、労働者の黄熱病の流行や、資金難によって、途中で断念した。パナマ運河はのちにアメリカ合衆国が完成させた。

レノン，ジョン

音楽

ジョン・レノン　　　　　　　　　　1940～1980年

ビートルズで、ポピュラー界最大のスターに

▲ジョン・レノン

イギリスのロック歌手、作詞家、作曲家、画家。

リバプールの生まれ。幼いころから絵をかいたり本を読んだりすることが好きで、7歳のころには絵本をつくっていた。アメリカ合衆国の歌手プレスリーの『ハートブレイク・ホテル』に感動し、1957年に、バンド「クオリーメン」を結成。この年にポール・マッカートニーが、翌年、ジョージ・ハリソンが参加し、いっしょに音楽活動をおこなう。

1960年にバンド名を「ビートルズ」とあらためる。1962年、ドラム奏者のリンゴ・スターが参加、シングルレコード『ラブ・ミー・ドゥ』を発売する。ビートのきいた斬新なサウンドは、独特な髪型やファッションもふくめて、若者から熱狂的にむかえられた。その後も『プリーズ・プリーズ・ミー』『抱きしめたい』など、大ヒットを重ね、1964年にはアメリカ公演が大成功。世界的なスーパースターとなる。外貨を獲得した功績により、エリザベス女王から大英帝国勲章の一つ、MBE勲章を授与される。日本では1966（昭和41）年、東京の日本武道館で公演をおこなった。また、映画『ビートルズがやってくる ヤァ！ヤァ！ヤァ！』『ヘルプ！4人はアイドル』などにも出演し、世界中にファンが広まった。

1966年、ライブ活動を停止。レコーディングスタジオで新しい楽器や多重録音などの技術を用いて、交響楽のような作品にしあげたアルバム『サージェント・ペパーズ・ロンリー・ハーツ・クラブ・バンド』を発売（1967年）。ロックを芸術の領域にまで高めたと絶賛された。『アビイ・ロード』の発売（1969年）を最後に、1970年、ビートルズは解散。

1969年にオノ・ヨーコと結婚したのちは、ソロでの活動のほか、共同名義やプラスティック・オノ・バンドとしても活動、『ジョンの魂』（1970年）、『イマジン』（1971年）を発表する。平和運動を支援する活動もおこなっていた。絵の才

▲ 1967年のビートルズ

能を生かして、さし絵入りの短編集もだしている。

1975年からは育児に専念。1980年に音楽活動を再開したが、アルバム『ダブル・ファンタジー』発売後の12月8日、ニューヨークで暴漢に射殺された。40歳だった。

1960年代、世界中に旋風をまきおこしたビートルズの活躍とともに、レノンの曲は、多くのファンの心にきざまれ、現在もロックやポピュラー音楽の世界に大きな影響をあたえている。

レビ＝ストロース，クロード

学問

クロード・レビ＝ストロース　　　　1908～2009年

20世紀最高の思想家の一人

フランスの文化人類学者、思想家。

ベルギー生まれ。パリ大学で法学、哲学を学ぶ。卒業後の1930年、ブラジルにわたり、サンパウロ大学社会学教授となる。ブラジルのインディオの人類学的実態調査をきっかけに、文化人類学にとりくみ、アメリカ先住民をはじめ数多くの民族を研究した。1962年、著書『野生の思考』で、未開とされていた文化の中にも秩序立った思考が存在することをしめし、社会と文化の根底にいる人たちが明確に自覚していない構造の解明をめざす構造主義の思想運動を創始した。フランスのレジオン・ドヌール勲章受章など、多くの賞に輝いた。20世紀最高の思想家の一人とされ、その著作の影響は広い分野におよぶ。

レピドゥス，マルクス・アエミリウス

古代　政治

マルクス・アエミリウス・レピドゥス　紀元前90?～紀元前12年

第2回三頭政治をおこなった政治家

古代ローマの政治家。

ローマの名門、アエミリウス家に生まれる。カエサルにつかえ、法務官、スペイン総督をへて、紀元前46年に執政官（コンスル）となった。カエサルが独裁官（ディクタトル）に任命されると、彼が暗殺されるまで副官をつとめた。カエサルの死後、アントニウス、オクタウィアヌスとともに、第2回三頭政治を成立させる。国家再建三人委員会をつくり、キケロなど共和政を支持する派閥を一掃した。

その後、逃亡していた共和政支持者のブルートゥスをやぶった戦いには参加せず、しだいに2人の勢力からはなされていった。紀元前36年、オクタウィアヌスの打倒をはかるが、失敗に終わり、ほとんどの役職をうばわれて、ローマからはなれた地で残りの人生をすごした。

レマルク，エーリッヒ・マリア

文学

エーリッヒ・マリア・レマルク　　　1898～1970年

反戦文学『西部戦線異状なし』の作者

ドイツの作家。

北西部のオスナブリュック生まれ。はじめは音楽家をめざした。18歳のときに軍隊に志願し、第一次世界大戦に従軍するが、

負傷して復員する。戦後は、通信員や教師、製本業など転々とした。

1929年、戦場での兵士たちのありさまをえがいた長編小説『西部戦線異状なし』を発表、これは約30か国語に翻訳され、350万部以上のベストセラーとなり、映画化もされた。しかし、その内容が反軍的だとして、ナチスの迫害を受け、1932年にスイスへ亡命、1939年にアメリカ合衆国に移住した。みずからの戦争体験を反戦文学に高め、戦争の無意味さを追求した。ほかに『凱旋門』『汝の隣人を愛せ』『愛する時と死する時』などの作品がある。

レントゲン，ウィルヘルム

学問　発明・発見

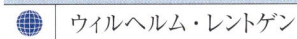
ウィルヘルム・レントゲン　　　1845〜1923年

現在も医療に利用されるX線を発見した物理学者

19世紀のドイツの物理学者。中西部のレンネップ（現在のレムシャイト）で、織物商の子として生まれる。1865年、チューリッヒ工科大学に入学し、1870年、ウュルツブルク大学でアウグスト・クントの助手になる。その後、ストラスブール大学に移り，物理学の研究を進めた。1888年、ウュルツブルク大学で教授となり、レントゲン電流の発見などの成果を上げる。1895年、放電管の実験をおこない、新たな電磁波を見いだし、未知をあらわすXをつかった仮の名として「X線」と名づけた。透過性が高いことから人体内の構造の撮影が可能であり、医学への応用がただちにはじまった。この撮影法は「レントゲン写真」ともよばれている。

1900年、ミュンヘン大学の主任教授となり、翌年には、第1回ノーベル物理学賞を受賞するが、その賞金全額をウュルツブルク大学に寄付した。X線発見から、およそ100年後に発見された原子番号111の元素は、彼の名にちなんでレントゲニウムと名づけられている。　　　　学 ノーベル賞受賞者一覧

れんにょ

宗教

蓮如　　　　　　　　　　　　1415〜1499年

浄土真宗の中興の祖

室町時代の浄土真宗の僧。

本願寺（京都市）の7世住持、存如の長男。幼名は幸亭、布袋。6歳のときに母と別れる。本願寺は、鎌倉時代に浄土真宗をひらいた親鸞が亡くなったあと、その末娘の覚信尼たちが墓所に建てた廟堂にはじまる寺で、子孫が宗主をついできた。しかしその後、浄土真宗は多くの宗派に分かれて、本願寺はすたれていたので、幼いころは貧しい生活の中で育った。

15歳で浄土真宗の再興を決意し、17歳のときに青蓮院で僧侶になる。蓮如と名のって学問にはげみ、また父を助けて聖教の書写などをおこなった。35歳のときには、父とともに北陸から関東、東北をめぐって教えを広めた。1457年に父が亡くなると、異母弟を後継者にする動きもあったものの、本願寺で8世住持をついだ。その後、近江国（現在の滋賀県）を中心に、活発に布教をはじめたことで、比叡山延暦寺と対立するようになった。1465年には、延暦寺の襲撃を受けて本願寺をこわされたため、各地を転々とする。

▲ 『蓮如上人御寿像』
（一般財団法人本願寺文化興隆財団蔵）

1471年、越前国（福井県北東部）で、吉崎御坊という道場をひらく。手紙形式のやさしいことばで浄土真宗の教えを書いた『御文』（『御文章』）とよばれる文書をつかい、布教活動をおこなった。1〜2年のうちに門徒が急速に集まり、寺を中心に町がつくられた。

やがて、加賀国（石川県南部）の守護の争いに影響するほどの勢力をもつようになる。その後、守護から圧力を受けたり、宗派どうしでの争いがおこったりしたため、1475年には吉崎を去って畿内にもどった。加賀では、門徒が弾圧に対して一向一揆をおこした。

1483年に京都の山科に本願寺を造営し、各地に多くの寺と信者をもつ、本願寺教団の再興をなしとげた。1489年、5男の実如に住持をゆずると、のちに石山本願寺が建てられる石山に移り住み、85歳で山科で亡くなった。

蓮如は親鸞の教義を明確化して、教えをわかりやすく広めた。13男14女と、こどもにめぐまれ、彼らを各地に派遣して教団を統制、また地方の有力な寺院を傘下にするなどの方法で、本願寺の力を大きくした。すたれていた本願寺の繁栄につくしたため、「浄土真宗の中興の祖」とうやまわれている。

レンブラント・ファン・レイン

絵画

レンブラント・ファン・レイン　　1606〜1669年

オランダ絵画黄金期の画家

オランダの画家、版画家。

オランダ西部の都市に粉屋の子として生まれる。1620年にライデン大学に入学するが、半年で中退し、風景画家スワーネンブルヒの下で修業した。

1624年、アムステルダムに行き、イタリアの画家カラバッジョの明暗法をオランダに移入した歴史画の大家、ラストマンの工房に入門する。

▲レンブラント・ファン・レイン

1625年に独立して、ライデンにアトリエをかまえ、肖像画家として有名になった。1631年、繁栄を誇っていたアムステルダムに移り、翌年、『トゥルプ博士の解剖学講義』を完成。解剖を見守る7人の医者の緊張した一瞬をとらえた新しい群像画をえがき、一躍人気画家となる。その後、オランダ総督フレデリック・ヘンドリックの依頼で『キリストの受難』の連作を制作し、外国にも名を知られるようになった。

1642年、アムステルダムの市民自警団から依頼されて、団体肖像画『フランス・バニング・コック隊長の市民隊（夜警）』を制作した。ドラマの一場面をみるような独創的な肖像画にしあげたが、ふつうの肖像画を求めていた依頼者からの満足が得られなかった。この年、妻のサスキアが亡くなるなど身内の不幸が重なり、画家としての人気もおとろえて、注文もへっていった。しかし、幼い息子ティトゥスの世話をしていたヘンドリッキエにささえられ、風景画をはじめ、宗教的な主題をえがいた物語画やエッチング、友人や家族の肖像画、自画像など多くの傑作を制作した。明暗を対比させ、闇の中にあたたかい生命の息づかいを感じさせて、人の心に深くうったえたことから、「魂の画家」「光の画家」とよばれた。

1652年からオランダとイギリスのあいだで戦争がはじまると、絵の注文がなくなり、1656年、破産宣告を受け、財産を没収された。1663年、ヘンドリッキエに先だたれ、1668年、ティトゥスも亡くなり、孤独の中で『ユダヤの花嫁』『ある家族の肖像』など、晩年の傑作をかきつづけ、63歳で亡くなるまでに、油絵約400点、銅版画約290点をのこした。

そのうち肖像画は約50点にのぼる。西洋絵画の最高峰の一人として、多くの芸術家に影響をあたえた。

▲『フランス・バニング・コック隊長の市民隊（夜警）』

ろ

Biographical Dictionary **4**

ロイド・ジョージ, デイビッド 〔政治〕

🌐 デイビッド・ロイド・ジョージ　　1863〜1945年

社会保障制度の基礎をつくった

イギリスの政治家。首相（在任1916〜1922年）。

マンチェスター出身。弁護士から政治家に転身し、1890年に自由党の下院議員となった。ジョセフ・チェンバレンの帝国主義政策、とくに南アフリカ戦争に反対。1905年に商務大臣、のちに財務大臣をつとめ、財源を得るめに富裕層に負担を求める新しい予算案（人民予算）をだした。しかし上院で否決されると、翌年議会を解散。1911年、上院の権利を制限する議員法を通した。また同年、国民保険法（健康保険、失業保険）を成立させ、イギリスの社会保障制度の基礎をつくる。第一次世界大戦では軍需大臣、陸軍大臣をつとめたが、のちに対立した首相をしりぞけ、1916年、みずから首相となった。戦争という非常事態に自由党、保守党、労働党の3党が、党をこえ、協力する挙国一致体制をととのえ、戦後はパリ講和会議を主導し、フランスのクレマンソー、アメリカ合衆国のウィルソンとともに対ドイツ強硬論を主張した。しかし第二次世界大戦後は、自由党は労働党におされ、力を失った。🎓 主な国・地域の大統領・首相一覧

ろうし 〔思想・哲学〕

🌐 老子　　生没年不詳

道教の祖とされ、無為自然を説いた思想家

中国、春秋戦国時代の思想家。

紀元前6世紀ごろの人物とされるが、多くの伝説があり、実在もうたがわれている。李耳が本名、老子は尊称といわれる。著書とされる『老子』から、思想を知ることができる。

老子は、世の中のすべてのことは、人間の力をこえた宇宙のはたらきのようなものによって定まると考え、このはたらきを「道」とよんだ。そして、世の中が乱れるのは、人が道にさからって競争したり、欲ばったり、よけいな知識にとらわれたりするためであるとして、自然にしたがい、あるがままに生きる「無為自然」を

説いた。儒教を人為的と批判し、大国も否定、自然の小さな農村社会を理想とした。

老子の思想を荘子が継承、発展させ、あわせて老荘思想とよばれるようになった。老荘思想は、のちに陰陽五行説や、さまざまな民間信仰をむすびつき、道教となった。そして、老子は荘子とともに道教の祖といわれ、神格化された。老子の思想は、科学が発達した現代社会に警鐘を鳴らすものとしても注目されている。

（早稲田大学図書館）

ろうしゃ（ラオショー）
文学

🌐 老舎　　　　　　　　　1899〜1966年

中国の庶民の生活をえがく

中華人民共和国（中国）の作家、劇作家。

北京生まれ。本名は舒慶春。字は舎予。北京師範学校卒業。満州紅旗人の出身。

幼いころに父親を失い、貧しい生活を送る。師範学校卒業後、北京市内で教員となり、1924年、イギリスのロンドン大学東方学院で中国語教師となる。

その間に、創作をはじめ、『張さんの哲学』『趙子曰』『馬さんの父子（二馬）』などを中国の文芸雑誌に発表、ユーモア作家として一躍注目される。1930年に帰国。大学教師をつとめるかたわら、創作をつづけ、1936年、作家に専念する。北京の人力車夫の生活をえがいた小説『駱駝祥子』が英訳され、ベストセラーとなる。1944年から、日中戦争中の北京市民の生活をえがいた長編小説の3部作『四世同堂』を発表し、高い評価を得た。

中華人民共和国が成立してからは劇作家としても活躍し、『方珍珠』『龍須溝』『茶館』などの戯曲をのこした。貧しい庶民の生活を活写して、民族主義的な情熱やユーモアと哀愁をまじえた作風で、多くの読者を獲得した。

ロエスレル，カール・フリードリヒ・ヘルマン
学問

🔴 カール・フリードリヒ・ヘルマン・ロエスレル　1834〜1894年

「大日本帝国憲法」の原案をつくったお雇い外国人

明治時代に来日した、ドイツの法学者、経済学者。

バイエルンの法律家の家に生まれる。レースラーともよばれる。

エルランゲン大学卒業、ミュンヘン大学などでも法学を学び、ロストック大学の国家学教授となる。

1878（明治11）年、明治政府にまねかれて外務省の顧問として来日し、のちに内閣の顧問となる。伊藤博文や井上毅からあつく信頼され、1887年、ドイツのプロイセン憲法を手本とした「日本帝国憲法草案」を提出。その草案のほとんどが大日本帝国憲法に採用された。第1条の天皇の神聖の規定には反対したが、これは受け入れられなかった。

憲法の制定のほか、行政裁判制度、民法、商法の制定にも力をつくした。起草した商法典の一部が施行されたのち、1893年に帰国した。

ローズ，セシル
政治

🌐 セシル・ローズ　　　　　1853〜1902年

3C政策で南アフリカをイギリスの支配下にした

イギリスの企業家、政治家。ハートフォードシャー生まれ。16歳のとき結核の療養のため、兄をたよって南アフリカにわたる。

1881年にはケープ植民地（南アフリカ）議会議員として政治家に、1889年には南アフリカ特許会社（のちのイギリス南アフリカ会社）を設立した。会社を通じてアフリカでの支配を進め、イギリス本国の4倍をこえる広大な地域の統治権をイギリス政府からみとめられる。

その土地を自分の名から、ローデシアと名づけた。翌年1890年には同植民地の首相となった。3C政策とよばれる植民地政策を積極的におし進め、イギリスが支配する世界帝国建設をめざした。しかし1895年、オランダ系のトランスバール共和国への侵略に失敗し、首相を辞任することになる。その後、失意のままケープで亡くなった。

南アフリカ植民地化を進めた一方、学問好きでも知られ、遺産はオックスフォード大学ローズ奨学金設立にあてられた。

ローズ，ピート
スポーツ

🌐 ピート・ローズ　　　　　1941年〜

メジャーリーグで多くのタイトルを獲得

アメリカ合衆国のプロ野球選手。

1963年にシンシナティ・レッズでメジャーデビューし、新人王になる。首位打者3回、最多安打7回など数々のタイトルを獲得。3度のワールドシリーズ優勝を経験し、1975年にはワールドシリーズMVP（最優秀選手）にもえらばれる。

闘志にあふれ、つねに全力でプレーすることから「チャーリー・ハッスル」とよばれ、ファンに愛された。通算出場試合3562、

通算安打 4256 本はメジャーリーグ歴代 1 位の記録である。

レッズの監督であった 1989 年に、野球賭博にかかわっていたことが発覚し、かけの対象にレッズがふくまれていたことから永久追放処分を受ける。処分は現在もとけていない。

ローズベルト，セオドア

🌐 セオドア・ローズベルト　　　　　1858〜1919年

アメリカ帝国主義をおし進めた大統領

アメリカ合衆国の政治家。第 26 代大統領（在任 1901〜1909 年）。

ニューヨーク生まれ、オランダ系の名門の出身。ハーバード大学卒業後、1881 年、ニューヨーク州下院議員となる。1895 年にニューヨーク市公安委員長、1897 年に海軍次官となり、アメリカ・スペイン戦争では義勇兵をひきいてキューバに侵攻し、国民的英雄となる。

1899 年にニューヨーク州知事、1900 年副大統領となり、1901 年にマッキンリー大統領の暗殺により大統領に就任。大統領時代に、内政ではトラスト・独占の規制による労働者保護を柱とするスクエアディール政策を導入。外交では、1903 年からのキューバの保護国化、ドミニカへの武力干渉、パナマ運河の建設など、モンロー主義の拡大解釈ともいえる、力を背景とした強引な手腕がめだった（棍棒外交）。一方で、米大統領としてはじめて国際的な役割をはたし、1905 年に日露戦争終結のためのポーツマス条約を主催して、西太平洋の勢力均衡の維持に尽力したことが評価され、1906 年にノーベル平和賞を受賞している。　🟨 アメリカ合衆国大統領一覧　🟨 ノーベル賞受賞者一覧

ローズベルト，フランクリン

🌐 フランクリン・ローズベルト　　　　1882〜1945年

ニューディール政策で経済を再建した大統領

アメリカ合衆国の政治家。第 32 代大統領（在任 1933〜1945 年）。

ニューヨーク州生まれ。第 26 代大統領セオドア・ローズベルトの遠い親戚にあたる。ハーバード大学卒業後、弁護士をへて、1910 年、上院議員として政界入り。1921 年、小児麻痺にかかり闘病生活を送ったが、1928 年に政界復帰、翌年、ニューヨー

ク州知事となる。1932 年、民主党から大統領選に出馬し当選。当時、アメリカは世界恐慌により社会が混乱していたが、すぐれた学者たちをブレーンとして集め、政府が積極的に経済を統制したニューディール政策を実行し、不況を克服していった。

また、1941 年 12 月の日本軍による真珠湾奇襲をきっかけに、第二次世界大戦に参戦、連合国側の指導者として戦争の指揮をとった。さらに、アメリカ、イギリス、ソビエト連邦によるヤルタ会談などで、戦後国際社会の方向性をしめした。強いリーダーシップをもつ政治家として、国民からのあつい信頼を集め、1944 年、アメリカ史上唯一の大統領 4 選をはたしたが、翌年、脳溢血で死去した。　🟨 アメリカ合衆国大統領一覧

ロートレック，アンリ・ド・トゥールーズ

🌐 アンリ・ド・トゥールーズ・ロートレック　　1864〜1901年

日本の浮世絵に影響を受けた画家

フランスの画家。

南部の伯爵の家に生まれる。めぐまれた生活を送っていたが、14 歳のころ、2 度の事故で両足を骨折したことで、下半身の成長が止まり、それ以降、部屋の中で絵をかく生活になった。動物画家プランストーに師事し、1882 年、18 歳でパリに出て、モンマルトルの画塾に学んだ。そこでベルナール、ゴッホらに出会い、印象派の技術を身につけた。1884 年、モンマルトルに自分のアトリエをかまえ、本格的な制作活動に入った。

マネやドガ、また日本の歌川広重の画法など、浮世絵から影響を受け、きわだった線をえがき、独自の作風を完成した。パリの夜の街と大衆文化を愛し、盛り場や劇場に出入りする芸人や踊り子などをえがいた。1891 年、モンマルトルの人気キャバレー「ムーラン・ルージュ」のポスターを制作し、一気に有名になる。代表作に『ディバン・ジャポネ』などがある。

ローベル，アーノルド

🌐 アーノルド・ローベル　　　　　　1933〜1987年

動物を主人公にしたユーモア絵本をえがく

アメリカ合衆国の絵本作家。

ロサンゼルスに生まれる。ニューヨークに出てブルックリンの美術学校でイラストを学ぶ。以後、亡くなるまでニューヨークで活動した。1955 年、ポーランド出身の絵本作家アニタと結婚して一時、いっしょに絵本制作をおこなった。

1962 年に人間と動物の愛情をえがいた作品『ミスター・マスターの動物園』を出版する。友情や信頼をテーマに、作品全

体に流れるユーモアや誠実さ、あたたかさが魅力となっている。主な作品に、「がまくんとかえるくん」が主人公となった『ふたりはともだち』のシリーズや『どろんここぶた』などがある。1981年、アメリカのその年のもっともすぐれた絵本に贈られるコルデコット賞を受賞。

ローランサン, マリー 絵画

| マリー・ローランサン | 1885〜1956年 |

淡い色調で少女像をえがいた画家

フランスの画家、版画家。

パリに生まれる。高等中学校を卒業後、画家をめざして、画塾で絵の勉強をはじめる。そこでブラックやピカソ、アポリネールらと出会い、フォービスム（野獣派）やルソー風の原始的な画面構成、キュビスム（立体主義）の影響を受けた。

1914年、ドイツの貴族オットー・フォン・ベッツェンと結婚し、第一次世界大戦中はスペインに亡命した。その後、1921年に一人で帰国して、創作活動を再開する。

ディアギレフのロシアバレエ団の舞台美術をてがけ、社交界の人々の肖像画をかいた。版画にも才能を発揮し、ルイス・キャロルの『不思議の国のアリス』などのさし絵をリトグラフ石版画で制作した。晩年は、淡い色調で、夢みるような少女たちの世界をえがいた。バラ色、青、灰色でえがかれる優美な作品がよく知られている。代表作に『二人の少女』『マンドリンを弾く女』がある。

ローリング, ジョアン・キャスリーン 絵本・児童

| ジョアン・キャスリーン・ローリング | 1965年〜 |

『ハリー・ポッター』シリーズの作者

イギリスの作家、児童文学作家。

ウェールズ地方のグロスタシャー州生まれ。本名はジョアン・ローリング。エクスター大学でフランス語と古典を学ぶ。母の影響で幼少から文学に親しみ、6歳のころから物語を書いていた。1990年、母の死後、英語教師の職を得てポルトガルにわたり、結婚と離婚を経験、1993年に娘とともにイギリスにもどる。帰国後はうつ病になやまされ、生活保護を受けながら、カフェの片すみ

で魔法使いの少年を主人公にしたファンタジー小説『ハリー・ポッターと賢者の石』を書きつづけた。この小説は、1997年に出版されると、数十か国語に翻訳され、世界中で大反響をまきおこし、イギリスの文学賞をいくつも受賞。2007年までにシリーズ全7巻を刊行し、200か国以上で合計4億5000万冊以上の売り上げを記録、映画やDVDも大ヒットした。

そのほか、おとなむけの小説や、ロバート・ガルブレイスの名前で推理小説も書いている。2001年、大英帝国勲章を受章。

ローリングズ, マージョリ・キナン 文学

| マージョリ・キナン・ローリングズ | 1896〜1953年 |

『子鹿物語』の作者

アメリカ合衆国の作家。

ワシントン生まれ。ウィスコンシン大学卒業。こどものころから書くことに興味をもち、新聞や雑誌のコンテストなどに応募し入賞。大学卒業後は新聞記者として活躍した。

1928年、フロリダ半島の奥地の自然に感動して移住し、その後はこの地を舞台にした小説を書く。森でひろった子ジカを飼う少年の成長をえがいた『子鹿物語』（または『鹿と少年』など）で、1939年にピュリッツァー賞を受賞。

この作品は世界中で親しまれ、日本ではテレビアニメも製作された。作品にはほかに、魚がすむ川をさがす少女をえがいた童話『ひみつの川』、オー・ヘンリー賞を受賞した短編『ペリカンの影』、自伝的なエッセー『水郷物語』などがある。

ローリンソン, ヘンリー・クレジック 学問

| ヘンリー・クレジック・ローリンソン | 1810〜1895年 |

くさび形文字の碑文の文法を解明した学者

イギリスの軍人、外交官、歴史学者。

オックスフォードシャー生まれ。軍人として東インド会社に入り、インドやペルシア（現在のイラン）、トルコですごしたときに、東方の言語や歴史を学び、古代ペルシアに興味をもつ。イランのビストゥン（ベヒスタン）の岩壁にある古代ペルシア王ダレイオス1世の3か国語の碑文を、危険をおかしてうつしとり、そこで採集した古代ペルシア語くさび形文字を研究して、成果を発表した。その研究は、くさび形文字の最初の解読者であるドイツ人のグローテフェントの解読を一歩進め、本格的な長文の解読に成功したものだった。その功績から、「アッシリア学の父」とよばれている。

その後、アッカド語の部分のくさび形文字も研究し、成果をあ

ろ

ろーりん

げた。1858 年以降は、国会議員、駐ペルシア大使、インド帝国政府高官をつとめた。

ローレン，ラルフ
デザイン

ラルフ・ローレン　　　　　　　　　1939年〜

上品なカジュアル服のデザイナー

アメリカ合衆国の服飾デザイナー。

ニューヨークのブロンクスに生まれた。ユダヤ系ロシア移民を両親にもつ。10 代からフレッド・アステアなどの映画スターを手本にしたファッションで、一目おかれていた。

大学では経営学を学ぶ。

1967 年にボー・ブランメル・ネックウェア社で幅広のネクタイをデザインし、「ポロタイ」と名づけて売りだすと大ヒットした。翌年、紳士服の会社を設立し、のちに婦人服、こども服、インテリアなどをてがける。

アメリカントラッドやプレッピーとよばれるスタイルを基本に、上品なカジュアルを提供する。2008 年の北京オリンピックでは、アメリカチームのユニフォームを担当した。

ローレンツ，コンラート
学　問

コンラート・ローレンツ　　　　　　1903〜1989年

動物行動学の基礎をつくりノーベル賞を受賞

オーストリアの動物学者。ウィーン近郊の生まれ。こどものころから動物に愛情をそそいで育った。ウィーン大学などで医学、比較解剖学、心理学などを学び、1930 年代から、魚類、鳥類を中心に動物の行動の研究をはじめた。卵からかえった鳥のひなが、最初に目にした大きな動くものを親として追いかける「刷りこみ」の現象や、動物がもつ攻撃本能などについて研究し、これらによって動物行動学（エソロジー）の基礎を築いた。

第二次世界大戦に軍医として従軍し、ソ連軍の捕虜となったが、1948 年に帰国する。その後、マックス・プランク協会が設立した行動心理学研究所の初代所長をつとめた。

著書も多く、動物の行動を注意深く観察し、思索する独自の研究スタイルを紹介した『ソロモンの指輪』や『攻撃−悪の自然史』などにより、広く一般むけに動物行動学の考え方を紹介している。

1973 年、同じく動物行動学者であるティンバーゲン、フリッシュとともにノーベル生理学・医学賞を受賞した。

学 ノーベル賞受賞者一覧

ロジェールにせい

ロジェール 2 世 → ルッジェーロ 2 世

ロジャース，リチャード
音　楽

リチャード・ロジャース　　　　　　1902〜1979年

ミュージカルの名作をのこす

アメリカ合衆国の作曲家。

ニューヨーク州生まれ。コロンビア大学卒業。少年時代にブロードウェーミュージカルをみて、ミュージカル音楽の作曲家を志す。18 歳で、作詞家のローレンツ・ハートと組んでミュージカルの作曲をはじめた。その後、約 60 年間にわたり、ハリウッド映画、ブロードウェーやロンドンのミュージカルなど、さまざまな舞台音楽を作曲する。

1943 年からは、作詞家で台本作家のオスカー・ハマースタイン 2 世と新しいコンビを結成し、『回転木馬』『オクラホマ！』『南太平洋』『王様と私』『サウンド・オブ・ミュージック』など、ブロードウェーのためにミュージカル作品を発表する。生涯に書いたミュージカル作品は 900 以上におよび、34 のトニー賞、15 のアカデミー賞、2 つのピュリッツァー賞、2 つのグラミー賞、2 つのエミー賞を受賞した。アメリカのミュージカル界を代表する作曲家である。

ろじん（ルーシュン）
文　学

魯迅　　　　　　　　　　　　　　　1881〜1936年

近代中国の偉大な文学者

中国の作家、評論家、思想家。

浙江省紹興生まれ。本名は周樹人。弟は文学者の周作人と生物学者の周建人。15 歳のときに父が亡くなり、一家は没落した。17 歳で、海軍下士官を養成する江南水師学堂に入学。その後、鉱務鉄路学堂に転校する。

1902 年、国費留学生として日本に留学。仙台医学専門学校（現在の東北大学医学部）に入学するも、体の治

ろ ろーれん

療よりも文学を通して精神の改革を優先するべきだと考え、医学専門学校を中退。東京で文学運動の雑誌の企画や、ロシア文学の翻訳などをおこなった。

1909年、中国に帰り、杭州で師範学校の教員につく。1911年、辛亥革命によって、中華民国が成立すると、翌年、中華民国の教育部の委員にえらばれて北京に移る。やがて、胡適や陳独秀らが文学革命をめざす雑誌『新青年』を創刊すると、これに参加し、1918年、魯迅のペンネームで『狂人日記』を発表。中国社会の現実を批判的にえがいたこの小説は、若者たちに大きな影響をあたえた。

1921年にはおくれた中国社会と民衆の精神的なゆがみをえがいた『阿Q正伝』を発表。

1926年、北京の軍閥政府による弾圧がおよぶと、北京を脱出し、広東省の中山大学に移り、1927年には上海にのがれた。

1930年、中国左翼作家連盟を結成し、その中心となって、帝国主義や旧体制と戦う。そのかたわら、詩や評論、外国文学の翻訳など、作家として幅広く活動する。1936年、55歳で亡くなった。

ロス，ジェームズ

🌐 ジェームズ・ロス　　　　　　1800〜1862年

北極、南極を航海した探検家

イギリスの軍人、極地探検家。

ロンドンに生まれる。12歳のときに海軍軍人となった。

1819年からは北極探検の航海に参加し、磁気の測量や科学調査を担当した。1831年には北磁極の位置を特定し、北磁極に到達することに成功した。1839年からは南極海の探検に2隻の帆船で出発。南磁極へ到達することはできなかったが、ロス海やロス棚氷、活火山エレバスなどさまざまな発見をした。この功績をたたえられ、1843年にイギリス王室からナイトの称号をあたえられた。

1913年には、同じくイギリスのスコットらの隊が南極点に到達したが、帰りに遭難した隊員たちがたどりついた陸地は、彼にちなんでロス島と名づけられている。ロス島は多くの南極探検の拠点となった。

ロスコ，マーク

🌐 マーク・ロスコ　　　　　　　1903〜1970年

象徴表現主義の代表的な画家

ロシア出身の画家。

ドビンスク（現在のラトビア）に生まれる。本名は、マルコス・ロスコビチ。10歳のときに家族でアメリカ合衆国に移住し、美術学校やエール大学などで学んだ。1935年、画家のゴットリーブらと、表現主義を志すアートグループ「ザ・テン」を結成する。1936年より、アメリカ政府による連邦美術計画に参加した。1950年代末より、壁画の制作もてがけた。1970年、ニューヨー

クでみずから命を絶った。

初期の画風は、フォービスム（野獣派）やキュビスム（立体主義）に影響を受けた。1940年代に、シュールレアリスム（超現実主義）の影響から、四角形の色面を縦において構成する、独自の抽象表現主義の作風を確立した。微妙な色彩とぼんやりとした輪郭で、四角形は画面上に浮き上がったようにみえる。壁画をふくむ代表作に『赤の上のオーカーと赤』『赤、茶色、黒』『ロスコ・チャペル』などがある。

ロスチャイルド，マイアー

🌐 マイアー・ロスチャイルド　　　1743〜1812年

ヨーロッパ最大の財閥ロスチャイルド家の始祖

ドイツの金融資本家、ユダヤ系国際金融財閥の始祖。

神聖ローマ帝国（現在のドイツ）のフランクフルト生まれ。ドイツ名は「赤い楯」を意味するロートシルト。1760年代に「赤い楯」を屋号に古銭商をはじめる。ヘッセン地方を統治する貴族ウィルヘルム9世から目をかけられ、宮廷の財産運用をおこなう銀行家となる。5人の息子をフランクフルト、ロンドン、パリなどに送り、国境をこえた金融活動を展開。19世紀初頭、ナポレオン戦争によって追われたウィルヘルム9世から資産をあずかり、ロンドン市場で運用をするなど、戦争の混乱の中で富を得て、一族でヨーロッパ最大の金融王国を築いた。現在でも一族は金融業務以外に石油や金、ワインなどの事業を展開し、国際的に大きな力をもっている。

ロセッティ，ダンテ・ガブリエル

🌐 ダンテ・ガブリエル・ロセッティ　1828〜1882年

聖書や神話を主題にえがいた画家

イギリスの画家、詩人。

ロンドンでイタリアからの亡命詩人ガブリエル・ロセッティの息子として生まれる。弟のウィリアムはのちに評論家、妹のクリスティーナは詩人となった。ロイヤル・アカデミー（王立美術学院）で学ぶ。1848年、そこで出会ったホルマン・ハントや、ジョン・エバレット・ミレイらとともに、初期ルネサンスの伝統と技法にもどることを

理想とした集団「ラファエル前派」の結成に参加した。

聖書や神話などを題材にした作品を多くのこした。1850年代は、主に水彩画を制作したが、のちに油彩にもどる。本の装丁やさし絵、ステンドグラスや家具のデザインもてがけた。代表作に『聖母マリアの少女時代』『ベアタ・ベアトリクス』『プロセルピナ』がある。詩人としても活躍し、詩作には1850年よりダンテ作品の『初期イタリア詩人』の英語訳や『バラッドとソネット集』などがある。

ロタールいっせい 王族・皇族

● ロタール1世　　795〜855年

フランク王国を分割した王

西ローマ皇帝（在位817〜855年）、フランク王（在位840〜843年）、中フランク王（在位843〜855年）。

フランク王ルートウィヒ1世の長子。817年の帝国整頓令により、父の共同統治者としてフランク王となる。また、祖父カール大帝が800年にローマ教皇レオ3世からローマ皇帝の冠をさずかっていたため、西ローマ皇帝としても戴冠した。異母弟シャルル2世への相続分与に対し反乱をおこしたこともあり、840年に父が亡くなると、国の全支配権を主張する。

それを不満とする弟のルートウィヒ2世とシャルル2世との連合軍との争いでやぶれ、843年、ベルダン条約で王国は兄弟3人で3分割され、ロタール1世はフランク王国中央部の中フランクの王となった。その後3人の息子に中フランクの領土を分割してあたえて、亡くなった。　　学 世界の主な王朝と王・皇帝

ロダン，オーギュスト 彫 刻

● オーギュスト・ロダン　　1840〜1917年

近代彫刻を代表する芸術家

フランスの彫刻家。

パリで警察官の息子として生まれる。国立美術学校の試験に3度失敗し、石彫の工房ではたらく。1875年にイタリアでミケランジェロの作品をみて、影響を受ける。帰国後に発表した『青銅時代』は、生き生きとした表現で、彫刻界に大きな波紋をよんだ。1880年にフランス政府からパリ装飾美術館の扉に『地獄の門』の制作依頼を受け、彫刻家としてみとめられる。1883〜1898年は、助手のカミーユ・クローデルと複雑な交際をつづける。革新的な実験と大型の造形をおこない、『カレーの市民』『考える人』『バルザック像』などを次々と発表した。1900年のパリ万国博覧会で大回顧展をひらき、世界的な名声を得る。

人間の内側をみつめたロマンティックな作風で、表情豊かで写実的な肉づけに特徴がある。感情や生命を感じさせる作品を発表し、その後の彫刻に大きな影響をあたえた19世紀を代表する芸術家の一人である。

ろっかくよしかた 戦国時代

● 六角義賢　　1521〜1598年

家臣からの信頼を失った武将

戦国時代〜安土桃山時代の武将。

近江国（現在の滋賀県）の大名、六角定頼の子として生まれる。室町幕府第13代将軍足利義輝や細川晴元を助けて三好長慶と戦い、近江国南部に勢力をふるう。1552年に家をつぎ、観音寺城主となる。1557年に出家して承禎と称し、当主の座を子の義治にゆずるが、実権はにぎりつづけた。翌年、将軍義輝と長慶との和平を成立させ、義輝を二条城に入れる。1563年、義治が重臣を殺害した観音寺騒動により、家臣団の不信感が深まる。この騒動により、「六角氏式目」という戦国家法を義治とともに制定した。第15代将軍となった足利義昭とむすんだ織田信長に攻められ、1570年に降伏。そののちも甲賀山中にしりぞいて抗戦をつづけたが、六角氏の復興はかなわなかった。弓馬の名手としても知られる。

ロック，ジョン 思想・哲学

● ジョン・ロック　　1632〜1704年

イギリス経験論を確立、国民の抵抗権を主張した思想家

イギリスの哲学者、政治思想家。

イングランド南西部のリントンの生まれ。オックスフォード大学で哲学と医学を学び、デカルトやガッサンディの影響を受けた。ホイッグ党のシャフツベリー伯爵の庇護を受け、私設秘書官・主治医となる。1668年『解剖学』、翌年に『医術について』を執筆。1682年にシャフツベリーが反逆罪に問われると、ロックもオランダへ亡命したが、1688年にイギリスで名誉革命がおき、翌年、帰国。同年に発表した『人間知性論』で、観念は経験によってのみ得られるとする経験論を主張した。

1690年に発表した『統治論』では、人は所有物（生命、自由、財産）を守るために共同社会の代表者と契約をむすび、国家が成立するのであって、所有物がその代表者によって侵害されれば、国民には抵抗する権利があると論じ、名誉革命を正当化した。この考えは、その後のアメリカ独立革命やフランス革命に大きな影響をあたえることになった。

ろ

ろたーる

ロックフェラー，ジョン

産業

ジョン・ロックフェラー　　　　1839〜1937年

アメリカの石油精製を支配した石油王

アメリカ合衆国の実業家。

ニューヨーク州で、行商人の子として生まれる。のちに一家でオハイオ州に移住。16歳で農産物仲買商の店につとめ、1859年、仲間とともに仲買業をはじめた。ペンシルベニア州で石油油田が発見されると、精油所に投資し、クリーブランドで石油精製事業に成功して、1870年にオハイオ・スタンダード石油会社を設立した。その後、鉄道会社と提携して石油輸送のコスト削減をはかるなど、競争企業を次々と圧倒して吸収し、10年足らずのあいだに全国の製油業のほぼ9割を支配した。1882年にはスタンダード・オイル・トラストを設立し、販売組織をヨーロッパ、ラテンアメリカに拡大するが、裁判所より独占禁止のため解散するよう命じられる。さらに持株会社を設立したが、法にふれ解散となり、多くの子会社に分割された。

1911年に引退後は、慈善事業に多額の献金をおこない、シカゴ大学、ロックフェラー財団、ロックフェラー医学研究所などを設立して、資金提供をつづけた。

ロッシーニ，ジョアッキーノ

音楽

ジョアッキーノ・ロッシーニ　　　1792〜1868年

『セビリアの理髪師』を作曲

イタリアの作曲家。

アドリア海沿岸の町ペザーロ生まれ。幼少のころより歌や鍵盤楽器を習う。ボローニャの音楽学校で学び、1810年に『結婚手形』を発表すると、オペラの作曲活動に専念する。ベネツィア、ミラノ、ローマなどで『アルジェのイタリア女』『セビリアの理髪師』『オテロ』などのオペラを次々に作曲、上演して名声を上げた。

1815年、ナポリの王立歌劇場の音楽監督に、1824年にはパリの劇場の音楽監督に就任する。翌年からフランスで公演をはじめ、パリ・オペラ座でフランス語のオペラ『ギヨーム・テル（ウィリアム・テル）』を初演して大成功をおさめた。その後、約40年間はオペラを作曲せず、パリなどで宗教曲や小品を書き、優雅な生活を送る。

生涯を通して37のオペラを作曲した。華麗な装飾が特徴的なコロラトゥーラソプラノのためのアリア（独唱曲）や、軽快で生き生きした管弦楽に特徴がある。19世紀イタリア・オペラの黄金期を築いた。

ロッシュ，レオン

幕末

レオン・ロッシュ　　　　　1809〜1901年

幕府を支援したフランスの外交官

（福井市立郷土歴史博物館）

江戸時代に来日した、フランスの外交官、駐日フランス公使。

南東部のグルノーブルに生まれる。1828年、グルノーブル大学法学部に入学するが、6か月で退学。1832年、アルジェリアにわたり、アルジェリア総督の軍隊に入り、その後、アフリカ軍の通訳、1849年、タンジール（現在のモロッコの都市）の領事、1857年、チュニス（チュニジアの首都）の総領事などを歴任。30年あまりにわたり、北アフリカで軍人および外交官として活躍した。

1864年、フランスの駐日公使に就任し、横浜に着任。江戸幕府に接近し、横須賀製鉄所、横浜フランス語学校の設立に協力した。さらに武器の売りこみや軍制改革を提案し、イギリス公使パークスと対立を深めた。また、1867年のパリ万国博覧会への幕府の参加を支援し、ヨーロッパへの日本文化紹介につくした。1868年、フランスに帰国。その後は、公職からはなれ、アフリカ時代の回想録の執筆に専念した。

ロドリーゴ，ホアキン

音楽

ホアキン・ロドリーゴ　　　　1902〜1999年

クラシックギターの普及につくす

スペインの作曲家。

サグント生まれ。3歳のころジフテリアにかかって視力を失う。盲学校で音楽の才能を見いだされ、バレンシアとパリで音楽を学ぶ。1940年、帰国した翌年に、スペインの古都アランフェスのギターと管弦楽のための『アランフェス協奏曲』を作曲・初演して、高い評価を受ける。以後、作曲活動とともにラジオ局の芸術監督、ピアノ演奏、講演などで活躍した。

作品には協奏曲が多く、ピアノによる『英雄協奏曲』、バイオリンの『夏の協奏曲』、4つのギターのための『アンダルシア協奏曲』などがある。1973（昭和48）年に来日し、多くの都市でロドリーゴ・フェスティバルがもよおされた。

ロビン・フッド

ロビン・フッド　　　　　　　　生没年不詳

弓が得意な、イギリスの英雄

イギリスの伝説的な英雄。

12世紀ごろ、ノッティンガム州シャーウッドの森にいたとされる。タック坊主やリトル・ジョンなどの仲間と森に住み、得意の弓で、悪代官や横暴な貴族や僧侶から金をうばい、貧しい者に分けあたえたという。中世から多くの物語や詩、劇の題材になっているが、歴史的な根拠はなく、モデルは実在の人物なのか、人々の不満や希望が形になった人物なのか、はっきりしない。

古い伝承では、ノルマン人によるイングランド征服に抵抗していたり、ジョン王の暴政に立ちむかっていたりと、時代や設定がばらばらになっているが、いずれも悪政から庶民を救う英雄で、民衆に愛された。現在でも、多くのアニメーションや映画などに登場する。

ロフティング, ヒュー

ヒュー・ロフティング　　　　　1886〜1947年

『ドリトル先生物語』の作者

アメリカ合衆国の児童文学作家、絵本作家。

イギリスのイングランド南東部メイドンヘッドに生まれる。こどものころは動物が大好きだった。アメリカのマサチューセッツ工科大学で学び、1912年に鉄道土木技師としてアメリカに定住した。第一次世界大戦中に、イギリス軍に所属し、ヨーロッパにおもむいた。そこで戦地で殺される軍馬たちを題材に、動物のことばがわかる医師の話を手紙に書いてこどもたちに送った。戦後、それをまとめて1920年に『ドリトル先生アフリカゆき』を出版する。ユーモアとヒューマニズムに満ちた物語は評判となり、作家としてみとめられた。これをきっかけに土木技師を退職して、創作に専念した。

ドリトル先生物語の続編の一つ『ドリトル先生航海記』は、アメリカにおけるもっともすぐれた児童書に年1回贈られるニューベリー賞を受賞した。

ほかに、『ドリトル先生のサーカス』『ドリトル先生月へゆく』『ドリトル先生と秘密の湖』など12巻の『ドリトル先生物語』のシリーズがある。

ロベスピエール, マクシミリアン

→ 281 ページ

ロヨラ, イグナティウス・デ

イグナティウス・デ・ロヨラ　　1491〜1556年

イエズス会設立の中心人物

スペイン出身のイエズス会の創立者。

バスク地方ロヨラの貴族の生まれ。26歳から軍人として各地を転戦していたが、1521年、30歳のときにフランスとの戦争（パンプローナの戦い）で負傷。療養生活のあいだに聖人伝を読みふけり、イエス・キリストの兵士になることを決意した。

回復後、カタルーニャのマンレーサで1年間修道生活を送り、その後の1528年、パリ大学に入学、神学を学んだ。ここでピエール・ファーブル、フランシスコ・ザビエルら6人の同志と出会う。1534年、この6人とともに、神に自分の生涯をささげる誓い（モンマルトルの誓い）を立てた。これがイエズス会のはじまりとなった。

1540年、ローマ教皇パウルス（パウロ）3世の認可を得てイエズス会が正式な修道会となると、翌年に初代総長に選出された。

ロラン, ロマン

ロマン・ロラン　　　　　　　　1866〜1944年

平和主義、人道主義、理想主義の立場をつらぬく

フランスの作家、劇作家、思想家。

ブルゴーニュ地方で公証人の息子に生まれる。1880年にパリに移り、高等師範学校で哲学と歴史を学ぶ。トルストイの影響を受け、卒業後1889年にイタリアのローマへ留学した。

帰国後、ソルボンヌ大学で芸術や音楽史と歴史を教えるかたわら、人民劇場運動をはじめた。フランス革命から題材をとった戯曲『群狼』や『7月14日』の上演、また『民衆演劇論』などの論文を発表する。1904年から書いた大作『ジャン・クリストフ』で、1915年度のノーベル文学賞を受賞する。一人のドイツ人音楽家の生涯を雄大にえがいた作品で、主人公はベートーベンをモデルにしたともいわれる。

作品にはほかに、『魅せられたる魂』や伝記『ベートーベンの生涯』『ミケランジェロの生涯』『トルストイの生涯』などがある。第一次世界大戦中も平和主義、人道主義、理想主義の立場をつらぬき、反戦をうったえつづけた。　　学 ノーベル賞受賞者一覧

マクシミリアン・ロベスピエール

革命のためにすべてをささげた政治家

■弱い者の立場を守る弁護士に

フランス革命期の政治家。

フランス北部の町アラスの弁護士の家に生まれる。6歳のとき母が亡くなり、まもなくして父が家出したため、母方の祖父にひきとられた。アラスの神学校を卒業したのち、1769年、パリの名門校ルイ・ル・グラン学院に入学。古典や法律を学んだ。1778年ころ、啓蒙思想家のルソーと会い、大きな感銘を受けた。1781年、弁護士の資格を得て、故郷のアラスで弁護士を開業。支配者層の圧力から、弱い者の立場を守ろうとした。1789年、アラスから三部会（聖職者、貴族、平民からなる身分制議会）の第三身分（平民）の代表にえらばれた。

▲マクシミリアン・ロベスピエール

■フランス革命下、権利の平等を求めて活動

1789年7月、フランス革命がはじまると、ラ・ファイエットやミラボーら自由主義貴族や上層市民がとなえる立憲君主主義に反対し、不平等をなくすための普通選挙の導入、死刑制度廃止などを求めて活動した。

1792年8月10日、サンキュロットとよばれるパリ民衆が蜂起すると、これを支持。民衆はフランス国王ルイ16世一家がこもるテュイルリー宮殿をおそい、王政が廃止され、共和政が成立した。9月、初の男子普通選挙でえらばれた国民公会がひらかれると、ロベスピエールはパリ選出の議員となり、穏健共和派のジロンド派に対する急進的共和派のジャコバン派（山岳派）の指導者として頭角をあらわした。

▲断頭台で処刑されるロベスピエールたち

■ジャコバン派の独裁、恐怖政治を進める

国王ルイ16世の処分をめぐる議論で、ロベスピエールは「祖国と王はならびえない」「祖国が栄えるため、国王は死ななければならない」と演説した。投票により1793年1月、国王は処刑された。その後、反革命容疑者を裁く革命裁判所、内乱や対外戦争にすばやく対応する公安委員会をもうけた。そして6月、議会多数派のジロンド派を追放。以後、公安委員会の指導的メンバーとなり、ジャコバン派による革命政権を確立し、1793年憲法の制定、封建地代（土地にかかる税金）の廃止、最高価格令（食料品などの最高価格）や徴兵制（国民総動員令）の制定などの社会改革を進めた。

また国内の反革命勢力を一掃するため、王党派やジロンド派を裁判にかけて処刑する恐怖政治を進めた。この恐怖政治はジャコバン派内部にもおよび、1794年3月、急進派のエベールを、4月には恐怖政治に疑念をもつ穏和派のダントンを処刑し、支持者をへらしていった。7月26日の国民公会でロベスピエールが、「革命を貫徹するには反逆者の処刑が必要である」と発言すると、翌日、おそれをなした反ロベスピエール派がクーデターをおこし、28日、処刑された。

その後、旧ジロンド派など穏和派が主導権をにぎって恐怖政治を終わらせ、5人の総裁からなる総裁政治がはじまり、フランス革命は終息にむかった。

▲フランス革命を前進させたサンキュロット　職人や商店主などの市民で、長いズボンをはいていた。貴族がはく半ズボン（キュロット）をはかない（サン）ことから「サンキュロット」とよんだ。

ロベスピエールの一生

年	年齢	主なできごと
1758	0	5月6日、フランス北部のアラスで生まれる。
1781	23	弁護士の資格を得て、アラスで開業する。
1789	31	三部会の議員にえらばれる。フランス革命がおこる。
1792	34	8月、パリ蜂起を支持。王政が廃止される。9月、国民公会のパリ選出議員となる。
1793	35	ジロンド派を追放。公安委員会に入り、独裁権力をにぎる。
1794	36	3月、エベール派を、4月、ダントン派を処刑。7月27日、逮捕され、翌日、処刑された。

※年齢は満年齢であらわしている

ロルカ, フェデリコ・ガルシア

詩・歌・俳句　映画・演劇

フェデリコ・ガルシア・ロルカ　　1898〜1936年

スペインの演劇界に新風をふきこむ

スペインの詩人、劇作家。

グラナダ近郊の裕福な農家に生まれる。幼いころから詩や音楽、演劇にふれ、やがて芸術の才能を発揮する。1919年からマドリードで青春時代をすごし、画家のダリ、音楽家のファリャ、詩人のアルベルティらと親交をもつ。1928年に発表した、アンダルシアのロマ（ジプシー）をテーマにした詩集『ジプシー歌集』が絶賛されて、注目を集める。1932年から学生劇団を結成して、地方を巡演し、劇作、演出などをてがけて、スペインの演劇界に新風を吹きこんだ。

代表作として、農村を舞台にして女性たちの愛がえがかれる『血の婚礼』『イエルマ』『ベルナルダ・アルバの家』が知られている。1936年、スペインの内戦の最中にグラナダ市郊外で銃殺された。

ロレンス, デビッド・ハーバート

文　学

デビッド・ハーバート・ロレンス　　1885〜1930年

『チャタレイ夫人の恋人』の作者

イギリスの作家、詩人

イングランド中東部ノッティンガム近郊の炭鉱町で貧しい抗夫の子に生まれる。一般にD・H・ロレンスの名で親しまれている。頭はよいが、病弱で神経質なこどもだった。

苦学を重ねながら大学を卒業して教師となるが、やがて執筆活動に専念する。1911年にはじめての小説『白孔雀』を出版し、1913年に自伝的な長編小説『息子と恋人』を発表して、作家としてみとめられる。第一次世界大戦前後の工業化社会、イギリスの階級社会といった世相をもりこみながら、人間の姿をありのままにえがいた。代表作に『虹』『恋する女たち』『チャタレイ夫人の恋人』などがある。

ロレンス, トーマス・エドワード

政　治　学　問

トーマス・エドワード・ロレンス　　1888〜1935年

独立運動を指導した「アラビアのロレンス」

イギリスの軍人、考古学者。

北ウェールズで生まれる。オックスフォード大学で考古学を学び、優秀な成績で卒業。1911年、大英博物館のイラク発掘探検隊に参加した。第一次世界大戦中は、エジプト駐留イギリス軍で情報将校、参謀として対アラブ情報工作につとめる。1916年、イギリス軍の連絡将校となり、オスマン帝国から独立をめざすアラブ民族を支援。アラブ人部隊をひきいてゲリラ作戦をおこない、オスマン帝国軍を圧倒した。この活躍から、「アラビアのロレンス」とよばれるようになる。

戦後はイギリスに帰国し、パリ講和会議に参加。チャーチル植民地大臣のアラブ問題顧問もつとめたが、政府がアラブの独立をみとめないことに失望して辞任した。のちに偽名で空軍などに入隊するが、46歳で満期除隊となったのち、バイク事故で亡くなった。

アラブ時代の体験を『知恵の七柱』にくわしく著し、有名となる。また、1962年には、それを題材とした映画『アラビアのロレンス』が製作され、名画として知られている。

ロレンツォ・デ・メディチ

ロレンツォ・デ・メディチ → メディチ, ロレンツォ・デ

ロロ

王族・皇族

ロロ　　860〜933年

ノルマンディー公となった、バイキングの首領

初代ノルマンディー公（在位911〜927年）。

ノルウェーの出身。ノルマン人の一部族の首領で、船をあやつって略奪をおこなうバイキングをひきいて、イギリスや北フランスの北海沿岸などを荒しまわった。890年ごろにはセーヌ川の河口地帯に進み、そこを占領する。さらに、パリを包囲したこともあった。911年、西フランク王シャルル3世と、フランス北西部（東ノルマンディー）をもらうかわりに、今後は略奪をおこなわないという取り決めで条約をむすび、ノルマンディー公の爵位をさずけられる。

しかしその後も、征服によって領土を広げ、922年には中部ノルマンディーを手に入れるなど、領土を拡大して勢力をのばした。その生涯に関しては、いまだになぞが多い。

ロンドン, ジャック

文　学

ジャック・ロンドン　　1876〜1916年

記録的なベストセラー『荒野の呼び声』の作者

アメリカ合衆国の作家。

本名はジョン・グリフィス・チェイニー。サンフランシスコで旅まわりの占星術師の子として生まれた。13歳で缶詰工場や漁業などではたらき一家の生活をささえた。苦学の末、大学に進むが、1897年、カナダのクロンダイクで金鉱が発見されると、金の採掘にむかう。この経験をもとに1900年、短編集『狼の息子』を書き、作家としてデビューした。

1903年には代表作となる『荒野の呼び声』（『野性の呼び声』の邦題もある）を発表し、記録的なベストセラーとなった。作家として成功をおさめていたが、生活に矛盾が生じ、みずから命を絶った。ほかの作品に動物小説『白い牙』や海洋小説

ろ

ろるか

『海の狼』、イギリスの貧民街のルポルタージュ『どん底の人びと ロンドン 1902』がある。

ロンメル，エルウィン

政治

エルウィン・ロンメル　　　　　　1891〜1944年

「砂漠の狐」とおそれられた

ナチスドイツの軍人。

シュワーベン生まれ。第一次世界大戦ではイタリア戦線で功績をあげる。ヒトラーを熱烈に支持して大佐となり、1938年、ズデーテン地方を攻めて、ヒトラーの信任を得た。第二次世界大戦では、戦車師団長として西部戦線でイギリスを撃破。北アフリカでは戦車兵団を指揮し、巧妙な作戦で連合軍を苦しめ、「砂漠の狐」とよばれた。1942年にはエジプト北部をおびやかしたが、イギリスに反撃されて撤退。ドイツが勢いをなくすきっかけの一つとなった。その後、連合軍のノルマンディー上陸作戦を阻止できず、ヒトラーに休戦をうったえたが受け入れられず、さらにヒトラー暗殺計画へのかかわりをうたがわれ、強要されて服毒自殺させられた。

わ

Biographical Dictionary **4**

ワーグナー，リヒャルト

音楽

リヒャルト・ワーグナー　　　　　　1813〜1883年

ドイツ・ロマン派楽劇最大の作曲家

ドイツの作曲家。

ライプツィヒ生まれ。少年のころベートーベンの交響曲を聴いて音楽家を志す。1831年、ライプツィヒ大学で音楽と哲学を学び、翌年から指揮者として各地を演奏してまわる。ドレスデンの歌劇場の指揮者につくが、1849年、三月革命への参加で逮捕されそうになり、スイスに亡命する。帰国後、1864年よりバイエルン王の援助を受け、1876年、バイロイトに楽劇専用の祝祭劇場をつくった。

代表作に、オペラ『さまよえるオランダ人』『タンホイザー』『ローエングリン』（劇中の『婚礼の合唱』で有名）、楽劇『ニーベルングの指環』などがある。ギリシャ文学、シェークスピア、ゲーテなどに精通し、音楽、文学、劇が融合しあう総合芸術としての「楽劇」を完成させた功績から、ドイツ・ロマン派楽劇最大の作曲家といわれる。

無調音楽（主音や和音をもたない音楽）の先がけとなる半音階和声（トリスタン和音）の使用は、後世の音楽家に大きな影響をあたえた。

ワーグマン，チャールズ

絵画

チャールズ・ワーグマン　　　　　　1832〜1891年

日本に駐在したイギリスの特派員画家

幕末に来日した、イギリス人の画家、ジャーナリスト。

ロンドンに生まれる。パリで絵の修業をしたのち、陸軍に入り大尉に昇進した。

1857年、25歳のとき、「イラストレイテッド・ロンドン・ニューズ」の特派員画家として中国にわたり、1861年、イギリス公使オールコックとともに長崎から江戸にのぼる。

その年、外国人を追いはらおうとする攘夷派の水戸浪士が江戸高輪（現在の東京都港区）のイギリス仮公使館をおそっ

（神奈川県立歴史博物館提供）

た東禅寺襲撃事件にあい、『浪士乱入図』をえがいた。その後も、薩摩藩士がイギリス人を切り殺した生麦事件や、鹿児島湾でイギリス艦隊と薩摩藩が戦った薩英戦争、新橋と横浜間の鉄道開業など、日本の幕末から明治維新の出来事をえがいて、ヨーロッパに報道した。

1862年、風刺雑誌『ジャパン・パンチ』を創刊。日本の風俗や風景を油絵や水彩でえがいて掲載した。また、高橋由一や五姓田義松らに洋画を教え、横浜で亡くなった。

ワーズワス，ウィリアム

詩・歌・俳句

ウィリアム・ワーズワース 　　1770〜1850年

ロマン主義文学の先駆者となった桂冠詩人

イギリスの詩人。

美しい湖水地方とよばれるイングランド北西部コッカマスで弁護士の息子に生まれる。13歳までに両親を亡くし、おじのもとで育った。1787年、ケンブリッジ大学に進学する。多くの美しい湖と山でかこまれる故郷の湖水地方を深みのあることばで表現し、世界的に有名にした。

1798年に詩人のサミュエル・コールリッジと共著で詩集『抒情歌謡集』を出版する。この詩集はイギリス・ロマン主義文学の先駆的な作品とされる。ほかに、詩集『二巻の詩集』『ダドン川』、自伝的長詩『序曲』、物語詩『ライルストンの白鹿』『ピーター・ベル』などがある。1843年に、イギリスで名誉ある桂冠詩人の称号をあたえられた。

ワイエス，アンドリュー

絵画

アンドリュー・ワイエス 　　1917〜2009年

同じ人物の連作をつづけた画家

アメリカ合衆国の画家。

ペンシルベニア州に生まれる。イラストレーターだった父の指導で、こどものころから絵を学んだ。1948年に、テンペラ画『クリスティーナの世界』で注目される。1976年にはメトロポリタン美術館で、当時、現存するアメリカ人画家として、はじめて回顧展がひらかれた。

作品は、故郷のカーナー一家、メーン州のオルソン姉弟のように、同じ人物を題材につづけてえがいた連作が多い。

アメリカのいなかを舞台に展開する、人間の生と死のドラマをえがこうとした。はでさはないが、アメリカ写実主義をあらわす例として、高く評価されている。制作には、一貫してテンペラという絵の具と、ドライブラッシュをつかい、たくみな表現でえがいた。そのほかの作品では、1970〜1985年に、ヘルガという一人の女性をモデルにした連作『ヘルガ・シリーズ』が有名である。

ワイツゼッカー，リヒャルト・フォン

政治

リヒャルト・フォン・ワイツゼッカー 　　1920〜2015年

ナチスを反省する演説をした統一ドイツ初代大統領

ドイツの政治家。大統領（在任1984〜1994年）。

男爵家の子として、シュツットガルトに生まれる。父エルンストはナチス時代の外交官、兄カールは核物理学者。イギリスのオックスフォード大学やフランスのグルノーブル大学で学ぶ。第二次世界大戦の際に徴兵され、将校として参戦。戦後、学業に復帰し、ゲッティンゲン大学を卒業。銀行などにつとめるかたわら、キリスト教民主同盟に入党し、のちに首相となるコール連邦議員と出会う。

1969年、コールの推薦で連邦議員となり、西ベルリン市長をへて、1984年、西ドイツ大統領に選出された。翌年のドイツ敗戦40周年記念日には「過去に目をとざす者は結局のところ現在にも目をおおっていることになります」と演説をおこない、ナチス・ドイツの蛮行を反省するとともに「歴史における責任」を説き、国内外から高い評価を受けた。大統領2期目在任中の1989年、東西ドイツ分断の象徴といわれたベルリンの壁がとりこわされ、1990年には統一ドイツの初代大統領に就任した。

わいないさだゆき

郷土

和井内貞行 　　1858〜1922年

十和田湖でヒメマスを養殖した実業家

幕末〜大正時代の実業家。

陸奥国盛岡藩（現在の岩手県中部と北部・青森県東部）の藩士の子として、生まれた。24歳で明治政府の工部省が設立した小坂鉱山寮（鉱山の役所）に入り、十和田鉱山の監督に就任した。十和田湖は、水温が低いため魚がとれず、人々は干物や塩漬けを食べていた。十和田湖で魚を育てようと考え、1884（明治17）年、コイの稚魚を放流したが、食用になるほど

とれなかった。

1897年に鉱山を退社し、家族と十和田湖畔に住み、養殖事業に打ちこんだ。カワマスや日光マスの稚魚を放流してみたが、魚はもどってこなかった。

1902年、北海道の支笏湖で養殖するカバチェッポ（ヒメマス）が、冷たい水を好む習性があると聞き、卵3万粒を購入して、ふ化させ、翌年、5〜6cmに育った稚魚を放流した。3年後、産卵のため、ヒメマスの群れがもどってきた。この年、ヒメマスふ化場をつくり、養殖に成功した。

（小坂町立総合博物館郷土館）

ワイルダー，ローラ・インガルス
絵本・児童

🌐 ローラ・インガルス・ワイルダー　　1867〜1957年

開拓農民の姿を感動的にあらわした

アメリカ合衆国の児童文学作家。

ウィスコンシン州の開拓農民の子に生まれる。15歳で小学校の教師となり、18歳のとき結婚してミズーリ州でくらした。以後は、夫とともに開拓にしたがい、やがて農家むけの新聞にコラムを書くようになる。1932年、65歳のときウィスコンシンの自然を相手に苦闘する家族をえがいた『大きな森の小さな家』を出版。自分をモデルにした少女ローラ・インガルスとその一家の物語は、一躍ベストセラーとなる。

以後、一家の開拓史とローラの成長物語は『農場の少年』『大草原の小さな家』『プラム・クリークの土手で』と書きつづけられ、死後に刊行されたものもふくめ10作品がのこされている。作品では、一家がアメリカ中西部を移動しながら開拓農民としてたくましく生きていく姿を、細かい描写で感動的にあらわした。このシリーズは1970年代に『大草原の小さな家』としてテレビドラマ化され、日本でも放送された。

ワイルド，オスカー
文　学 絵本・児童 映画・演劇

🌐 オスカー・ワイルド　　1854〜1900年

『幸福な王子』の作者

イギリスの詩人、作家、劇作家、児童文学作家。

アイルランドのダブリン生まれ。医師と作家の両親のもとで育ち、

17歳でエリート校のトリニティ・カレッジに入学し、ギリシャ、ローマの古典文学や芸術に興味をもつ。優秀な成績で卒業すると、オックスフォード大学に進んだ。

機知に富み、話をして人を楽しませる才能があり、大学在学中からロンドンの富裕な人が集まる社交界で人気者になる。卒業後、文章を書く生活に入り、1888年に自分のこどもに書いたといわれる童話集『幸福な王子』を発表した。その後は小説、批評、戯曲などさまざまな分野で好評を得る。

美しいものや芸術をもっとも重要と考える芸術至上主義を実践し、ファッションにも気をつかった。代表作に小説『ドリアン・グレイの肖像』やフランス語で書かれた戯曲『サロメ』、喜劇『まじめが肝心』などがある。とくに戯曲では、軽妙で洗練された会話を楽しむイギリス伝来の喜劇を復活させた。

わおうぶ

倭王武 → 雄略天皇

わかたけるおおきみ

獲加多支鹵大王 → 雄略天皇

わかたこういち
探検・開拓

🔴 若田光一　　1963年〜

日本人初のミッションスペシャリスト

（JAXA/GCTC）

宇宙飛行士。

埼玉県生まれ。九州大学工学部を卒業後、同大学大学院をへて、1989（平成元）年、日本航空に入社。3年後、宇宙開発事業団（現在のJAXA、宇宙航空研究開発機構）により飛行士候補に選抜され、渡米。日本人初のNASA宇宙飛行士養成クラスに入り、翌年、ミッションスペシャリスト（MS、搭乗運用技術者）の資格を得る。

1996年、スペースシャトル・エンデバー号のミッションにMSとして参加、ロボットアームを操作して宇宙実験などをおこなった。2000年、2度目の宇宙飛行では、国際宇宙ステーション（ISS）の組みたてミッションに参加。ロボティクス（遠隔操作ロボット）の操作などを担当した。

2009年、日本人ではじめてのISS長期滞在ミッションをおこない、船外実験プラットフォームの取りつけなど、日本実験棟「きぼう」の完成に貢献。4年後にソユーズ宇宙船でふたたびISSに搭乗、約6か月の長期滞在の後半では、日本人初のISS船長（司令官）をつとめた。

わかつきれいじろう

政治

● 若槻礼次郎　　　　　　　　　　1866～1949年

金融恐慌や満州事変に対応できず、辞職

大正時代～昭和時代の政治家。第25、28代内閣総理大臣（在任1926～1927年、1931年）。

出雲国（現在の島根県東部）松江藩生まれ。1892（明治25）年、東京帝国大学（現在の東京大学）を卒業し、大蔵省に入る。1912年、第3次桂太郎内閣で大蔵大臣に就任し、その後、第2次大隈重信内閣でも大蔵大臣をつとめた。

1924（大正13）年には加藤高明内閣の内務大臣に就任、翌年に普通選挙法、治安維持法を成立さ

（国立国会図書館）

せた。同年、加藤高明が内閣総理大臣に在任のまま亡くなったため、第1次若槻内閣を発足させた。はげしい与野党攻防の中、1927年におきた昭和金融恐慌に適切な対処ができず、総辞職する。1930（昭和5）年には、首席全権となってロンドン海軍軍縮会議に出席し、条約をむすんだ。1931年、浜口雄幸首相の容体悪化退陣のあとを受けて、第2次若槻内閣を組織するが、すでに浜口内閣の失策により情勢は悪化、満州事変での関東軍の暴走をおさえられず、総辞職した。

その後も重臣としてアメリカ合衆国との開戦に反対し、太平洋戦争にも批判的だった。　　　学 歴代の内閣総理大臣一覧

わがつまさかえ

学問

● 我妻栄　　　　　　　　　　　　1897～1973年

日本の民法学の基礎を築いた民法学者

昭和時代の民法学者。

山形県生まれ。学生時代の成績は伝説的といわれるほど抜群で、東京帝国大学（現在の東京大学）法学部卒業後、同大学の助教授となり、ヨーロッパやアメリカへの留学をへて、教授をつとめた。ドイツの民法学を導入しながら、資本主義の発達にともなう、個人の利益にかかわる法律（民法や商法）の対応を研究した。また、過去の判決例の検証を重視し、実社会に即した法研究をおこなった。第二次世界大戦後、旧民法の

家制度の廃止や、家族法の民主化など、民法改正に指導的な役割をはたした。1957（昭和32）年に東京大学を定年で退官したあとも、法務省の特別顧問として、立法や法改正の作業にかかわった。

日本の民法学の基礎を築いた権威として知られ、多数の著書がある。なかでも『民法講義』は、民法の解説書として重んじられ、法律の研究、裁判の実務に大きな影響をあたえた。これらの功績によって、1964年、文化勲章を受章した。

学 文化勲章受章者一覧

わかのはな

スポーツ

● 若乃花　　　　　　　　　　　　1928～2010年

土俵の鬼とよばれた昭和時代の横綱

昭和時代の大相撲力士。第45代横綱。

青森県弘前市生まれ。本名は花田勝治。国民学校（現在の小学校）を卒業後、北海道の室蘭で船の荷物を上げ下ろしする港湾労働の仕事についた。

1946（昭和21）年、二所ノ関部屋の巡業にとび入り参加したことを機に、同部屋に入門し、初土俵をふんだ。1950年に入幕、1955年に大関、1958年に第45代横綱に昇進した。身長179cm、体重107kgと、力士としては軽量だったが、足腰が強く、上手投げやよびもどしという大技で大型力士をねじふせた。鬼気せまる相撲をとったことから「土俵の鬼」とよばれた。栃錦とは何度も名勝負を演じ、大相撲の黄金期「栃若時代」を築いた。

生涯の取組成績は593勝253敗4分、幕内優勝は10回。1962年に引退後は、二子山部屋を創設した。弟の大関貴ノ花、横綱2代若乃花、横綱隆の里、大関若島津ら多くの力士を育てた。横綱貴乃花、横綱3代若乃花はおいにあたる。

わかまつしずこ

文学

● 若松賤子　　　　　　　　　　　1864～1896年

『小公子』の翻訳で知られる

明治時代の翻訳家、作家、教育者。

陸奥国会津（現在の福島県会津若松市）生まれ。本名は松川甲子のちに嘉志子に改名。ときに島田姓を名のる。フェリス・セミナリー（現在のフェリス女学院）高等科卒業。幼いころに両親を失い、養女になって横浜へ移り住む。

7歳のときからキリスト教の宣教師で、フェリス女学院を創設したキダーの英語塾で学ぶ。高等科卒業後は母校の教師をし

▲和気清麻呂 （護王神社）

ながら『女学雑誌』に作品を発表。肺結核と闘いながら創作をつづけた。1890（明治23）年、バーネットの『小公子』の翻訳で人気を集め、美しい口語体の名訳として賞賛される。英文の雑誌『日本伝導新報』では、行事や習慣など日本の紹介に力をつくした。ほかに『お向こふの離れ』『忘れかたみ』などがある。

わかやまぼくすい

● 若山牧水　　　　　　　　　1885〜1928年　　【詩・歌・俳句】

自然派歌人として活躍

明治時代〜大正時代の歌人。

宮崎県生まれ。本名は繁。早稲田大学卒業。父と祖父は医師で、医者の道に進むことを望まれた。しかし、文学に親しみ、旧制中学のころから創作をはじめ、文学を志す。和歌を尾上柴舟に学び、大学卒業後、はじめての歌集『海の声』を自費出版、1943年には『別離』を出版した。その後、同門の前田夕暮とともに「牧水・夕暮時代」よばれる一時代を築く。旅を愛し、その中でめぐりあう人や自然を歌によむ自然派歌人として活躍した。

作品はわかりやすく明快で、流れるような調べをもち、国民的歌人として親しまれた。自然を愛し、随筆や紀行文なども多い。主な歌集に『路上』『渓谷集』『山桜の歌』などがある。

ワクスマン，セルマン

● セルマン・ワクスマン　　　1888〜1973年　　【学問】【発明・発見】

結核の特効薬を発見しノーベル賞を受賞

アメリカ合衆国の微生物学者。

ロシア帝国領時代のウクライナでキエフ近郊プリルカに生まれる。別の表記はワックスマン。1910年にアメリカに移住して、ニュージャージー州のラトガーズ大学で学ぶ。1916年にアメリカの市民権を得て、農事試験場などで土の中の微生物を研究した。1918年にラトガーズ大学の講師、1930年には教授となる。

1944年、土の中の細菌から、結核菌など多くの細菌の生育をおさえる効果のあるストレプトマイシンという物質を発見し、結核に治療の道をひらいた。

その後も、病原菌に抑制効果をもつ物質の研究をつづけ、これらを抗生物質と名づけた。1952年、結核の特効薬を発見し、抗生物質の研究の基礎を築いた功績によってノーベル生理学・医学賞を受賞した。
【学】ノーベル賞受賞者一覧

わけのきよまろ

● 和気清麻呂　　　　　　　　733〜799年　　【貴族・武将】

平安京への遷都を進言した

奈良時代〜平安時代初期の公家の高官。

備前国（現在の岡山県南東部）に生まれる。豪族和気氏の出身で、和気広虫の弟。姉の和気広虫とともに、孝謙上皇（譲位した孝謙天皇。のちの称徳天皇）につかえて重用された。764年の藤原仲麻呂の乱のとき、朝廷軍として活躍した。

769年、称徳天皇が寵愛していた僧の道鏡を皇位につけよという宇佐八幡宮（大分県宇佐市）の神託があった。皇族でない道鏡が天皇になることにためらいがあった称徳天皇は、信頼していた広虫を宇佐八幡宮に派遣しようとする。病弱だった広虫は、朝廷の役人の中でも清廉潔白といわれた弟の清麻呂に代行をたのみ、称徳天皇はこれに応じて、清麻呂を派遣した。

宇佐八幡宮で清麻呂は「日本では臣下が君主となった例はない。皇位には皇族を立てるべし」というむねの神託を受ける。奈良の都、平城京にもどった清麻呂の報告を聞いた称徳天皇と道鏡は怒り、清麻呂を大隅国（鹿児島県東部）へ流罪とし、別部穢麻呂と改名させた（弓削道鏡事件）。その途中、道鏡は清麻呂を暗殺しようとしたが、失敗に終わった。このとき、姉の広虫も備後国（広島県東部）に流され、別部広虫売と改名させられている。

翌年、称徳天皇が亡くなり、光仁天皇が即位すると、姉ともどもゆるされて都にもどった。光仁天皇の下では、播磨国（兵庫県南西部）、豊前国（福岡県東部・大分県北部）の国司、美作国（岡山県北東部）、備前国の国造に任じられた。

その後、桓武天皇の下で長岡京（京都府長岡京市・向日市）の造営を進める。しかし、造営の中心人物である藤原種継が暗殺されたり、たびたび洪水がおこったりして、人々の心は不安になった。

また、10年たっても長岡京が完成しなかったため、朝廷は財政難におちいっていた。793年、清麻呂は桓武天皇に山背国（京都市）へ都を移すことをひそかに進言して、これがみとめられる。翌年からは、造営大夫として、平安京の都づくりに貢献した。

清麻呂は、楠木正成とならぶ天皇の忠臣とされ、第二次世界大戦前には、10円紙幣に肖像が印刷された。

▲清麻呂の随身「狛いのしし」 （護王神社）

【学】お札の肖像になった人物一覧

わけのひろむし

貴族・武将

● 和気広虫　　　　　　　　　730〜799年

慈善事業に力をつくした女官

（護王神社）

奈良時代〜平安時代初期の女官。

備前国（現在の岡山県南東部）生まれ。豪族和気氏の出身で、桓武天皇に平安京遷都をすすめた和気清麻呂の姉。

8世紀中ごろ、孝謙上皇（譲位した孝謙天皇）につかえて信頼され、762年、上皇とともに出家して法均と名のり、慈善事業に力をつくした。764年の藤原仲麻呂の乱のあと、乱にかかわって処罰される者の助命嘆願をおこない、親を失った80人以上の孤児をやしなった。769年、宇佐八幡宮の神託をもらうための勅使に任じられたが、病弱なことを理由に弟の清麻呂に代行させ、称徳天皇（ふたたび即位した孝謙上皇）の怒りを買う（宇佐八幡宮神託事件）。これにより清麻呂は大隅国（鹿児島県東部）に流罪となり、さらには別部穢麻呂と改名させられた。また、広虫も、還俗（僧をやめて俗人にもどること）させられて備後国（広島県東部）に流され、別部広虫売と改名させられた。翌年、称徳天皇が亡くなると、ゆるされて都にもどる。その後、光仁天皇、桓武天皇につかえ、典侍（宮中の女官たちを監督し儀礼などをつかさどる役）となった。

ワシントン，ジョージ

政治

🌐 ジョージ・ワシントン　　　1732〜1799年

アメリカ建国の父、アメリカ独立革命の指導者

▲ジョージ・ワシントン

アメリカ合衆国の政治家。初代大統領（在任1789〜1797年）。

イギリス領バージニア植民地に生まれる。11歳で父が亡くなると異母兄に育てられ、20歳のとき、その兄が亡くなって、一家が経営していた黒人奴隷プランテーション、マウントバーノン農園（ニューヨーク州南東部）を相続する。1754年、バージニア民兵隊の中佐となり、イギリス軍に従軍し、フランス軍を相手に戦い（フレンチ・インディアン戦争）、戦功をあげて司令官となった。

1759年、大土地所有者の未亡人マーサ・カスティスと結婚。広大な土地を手に入れ、有数の資産家となった。また同年、バージニア植民地議会の議員となり、政界に進出する。アメリカの西部への進出を制限するイギリスの政策に反対し、イギリス商品の輸入をボイコットする政策を支持した。

1775年、イギリスからの独立戦争がはじまると、13植民地全体の植民地軍の総司令官にえらばれた。以後、7年のあいだ、植民地軍の最高責任者をつとめる。イギリス軍にくらべると装備はとぼしく、規律のない軍隊をひきいて苦戦をつづけたが、奇襲攻撃をしかける持久戦に持ちこみ、しだいに一進一退の戦いをするようになった。1776年、ジェファーソンが起草した独立宣言を発表。

1778年にはフランスと同盟をむすび、1781年のヨークタウンの戦いでイギリス軍をやぶり、アメリカを勝利にみちびいた。1783年のパリ条約で、アメリカ合衆国の独立がみとめられた。

1787年、フィラデルフィアの憲法制定会議で議長をつとめ、新しい連邦憲法を制定。1789年に、アメリカ合衆国の初代大統領にえらばれた。内政ではハミルトンを財務長官にすえて、合衆国の経済と財政の基盤をととのえた。ペンシルベニア州西部の農民がウイスキーの課税に反対して反乱をおこすと、みずから軍をひきいて鎮圧した。また外交では、イギリスやスペインと国交を回復し、フランス革命では中立を守った。

大統領を2期つとめたのちの1796年9月、党派の争いをさけ、外交では中立を守るように説いた告別の辞を発表し、大統領を辞した。自分のあとをジョン・アダムスにゆずって引退し、マウントバーノンにもどる。

▲ヨークタウンの戦いを指揮するワシントン

その2年後、67歳で亡くなった。国民の信望を集め、「建国の父」とよばれた。

アメリカの首都ワシントンやワシントン州など、彼の名にちなんでつけられた地名は多い。

学 アメリカ合衆国大統領一覧

わだえい

郷土

● 和田英　　　　　　　　　　1857〜1929年

製糸技術の指導につとめた女性

幕末〜大正時代の製糸技術者。

松代藩（現在の長野県松代市）の藩士横田数馬の子として生まれた。明治政府は、製糸業をさかんにするため、群馬県富岡市に官営（国営）の富岡製糸場を建設し、各地から製糸工女を集めようとした。長野県でも工女を募集したが、応募者が少なかったので、1873（明治6）年、父の数馬は、17歳の

英を富岡製糸場に送った。

伝習工女としてフランス人の技術者から1年あまり製糸技術を学んだのち、故郷にもどり、父たちが設立した民営製糸場で工女たちの技術指導に力をつくした。1880年、陸軍将校和田盛治にとついだ。1905年ごろから、富岡製糸場での日々を回想した『富岡日記』を著した。

わだえいさく
<small>絵 画</small>

● 和田英作　1874〜1959年

外の光による色彩を表現した画家

明治時代〜昭和時代の洋画家。

鹿児島県生まれ。洋画家の曽山幸彦、原田直次郎に学び、次に黒田清輝や久米桂一郎の天真道場で、外光派の表現を学ぶ。この年、東京美術学校（現在の東京藝術大学）に新設された西洋画科の助教授にまねかれるが辞退し、学生として4年に編入し、卒業した。

1899（明治32）年、ドイツにわたり、翌年から文部省留学生として、パリでラファエル・コランの指導を受けた。滞在中にひらかれたパリ万国博覧会に、卒業制作でえがいた『渡頭の夕暮』を出品して受賞した。

帰国後、母校の教授、のちに校長となる。画風は、おだやかな外光派の表現方法をつらぬいた。1943（昭和18）年、文化勲章を受章した。

<small>学 文化勲章受章者一覧</small>

わださんぞう
<small>絵 画</small>

● 和田三造　1883〜1967年

日本ではじめて色見本をつくった画家

明治時代〜昭和時代の洋画家。

兵庫県生まれ。1900（明治33）年、画家を志して上京し、白馬会洋画研究所で黒田清輝の指導を受ける。1904年、東京美術学校（現在の東京藝術大学）を卒業し、1905年、白馬会展で『牧場晩帰』が白馬会賞を受賞した。1907年、第1回文部省美術展覧会（文展）に出品した『南風』が最高賞の2等賞を受賞した。みずからの体験をもとに、船の上で太陽の強い光をあびる男性をえがき、評判となった。第2回文展でも『㷔燻』が2等賞となる。1909年、文部省留学生としてヨーロッパに留学し、各地をまわり、1915（大正4）年に帰国した。その後は、装飾工芸や色彩の研究もおこなう。

1927（昭和2）年に、日本標準色協会（現在の日本色彩

研究所）を設立し、1932年から母校の図案科の教授をつとめた。映画『地獄門』の色彩デザインを担当し、第27回アカデミー賞衣装デザイン賞を受賞した。1958年、文化功労者となった。

わたなべいえもん
<small>郷 土</small>

● 渡辺伊右衛門　1760〜1818年

米沢織を改良した商人

江戸時代後期の商人。

出羽国米沢（現在の山形県米沢市）で織物問屋をいとなんでいた。当時の米沢藩（山形県南部）藩主の上杉治憲が産業の発展を奨励していたので、率先して織物業を発展させようとした。

そのころ米沢で生産されていた織物は、原料のアイの品質が悪く、染色法も未熟で、よいものができなかった。

上質なアイを生産する阿波（徳島県）から、すぐれたアイをつくる職人をよんで、阿波藍の染色法を研究し、改良につとめた。その結果、米沢の織元で改良された米沢織が生産されるようになった。

その後、京都や大坂（阪）、江戸（東京）をはじめ全国へ米沢織の販売先を広げて、米沢藩の発展につくした。

わたなべおのまつ
<small>郷 土</small>

● 渡部斧松　1793〜1856年

男鹿半島の新田開発につくした武士

（男鹿市教育委員会）

江戸時代後期の武士、開拓者。

出羽国秋田藩（現在の秋田県）の足軽の子として檜山（秋田県能代市）に生まれた。1821年、八郎潟湖岸の払戸村（秋田県男鹿市払戸）のアシのしげった原野を開拓して、新田を開発しようと決意した。財政が苦しかった藩からは資金が出なかったので、父を説得し、家や家道具をすべて売って、80両あまりを用意した。調査の結果、寒風山の中にある滝の頭というわき水から用水をひく計画を立てた。工事をはじめると、トンネルをほるために、危険な場所にもみずから入り、率先して作業をつづけたので、農民もこれにつづいた。

1826年、滝の頭から八郎潟まで約8kmの用水路が完成した。斧松は、約400haの開墾地に周辺の村から移住者を集め、村をつくった。藩はその功績をたたえ、村を「渡部村」と命名した。その後、新田は約2000haに広がった。

わたなべかざん

学問 絵画

● 渡辺崋山　　1793〜1841年

蛮社の獄ののちに自殺、写生画でも有名だった

▲渡辺崋山　　（田原市博物館）

江戸時代後期の蘭学者、画家。

三河国田原藩（現在の愛知県田原市）の藩士の子として江戸（東京）に生まれる。藩の財政難により、家臣である渡辺家も生活が苦しく、家計を助けるため、画家の谷文晁らに師事して絵を学んだ。32歳で家をつぎ、海防掛（外国の侵略をふせぐ役職）などの要職についた。

1832年、40歳で家老（藩主を補佐して政治をおこなう役職）になり、藩政改革にとりくみ、農学者の大蔵永常をまねいて殖産興業（生産をふやし産業をさかんにすること）につとめ、農民に商品作物（アブラナ、アイ、ワタ、チャなど売ることを目的に栽培される作物）の栽培をすすめた。天保のききん（1833〜1837年）では、領民の救済につとめた。

一方、海防掛になったことをきっかけに海防問題に関心をもち、蘭学者の高野長英らと研究会をひらいて西洋事情を研究した。また、幕府の代官（幕府領の行政や年貢徴収などをおこなう役職）江川太郎左衛門や、下総国古河藩（茨城県古河市）家老で蘭学者の鷹見泉石などと交流した。

1837年、日本人の漂流民をともなって来航したアメリカ船モリソン号を、異国船打払令によって砲撃する事件がおこると、『慎機論』を著して幕府の対外国政策を批判した。そのため1839年、幕府批判の罪でとらえられ、国元での謹慎を命じられた（蛮社の獄）。

その後、田原にもどって画業に専念したが、生活は苦しかった。1841年、崋山の窮状をみかねた門人たちが江戸で崋山の絵をひそかに販売し、とがめられると藩主に迷惑がかかることをおそれて自殺した。

画家としては西洋画法をとり入れた写生画にすぐれ、代表作に庶民の姿をえがいた『一掃百態図』や、国宝に指定されている『鷹見泉石像』がある。

学 切手の肖像になった人物一覧

▲『一掃百態図』　　（田原市博物館）

わたなべさだかた

郷土

● 渡辺定賢　　1724〜1815年

駿河半紙を創始した名主

江戸時代後期の農民。

駿河国原村（現在の静岡県富士宮市）で代々名主（村長）をつとめる家に生まれた。天明年間（1781〜1789年）に富士山のふもとで、自生しているミツマタ（ジンチョウゲ科の落葉低木）を発見した。ミツマタの樹皮の繊維を原料にして和紙をつくったところ、評判がよかったので、村人に和紙づくりをすすめた。

その後、周辺に和紙づくりが広がり、駿河は駿河半紙とよばれる和紙の一大生産地となった.

わたなべじょうたろう

政治

● 渡辺錠太郎　　1874〜1936年

二・二六事件で暗殺された陸軍教育総監

明治時代〜昭和時代の軍人。

愛知県出身。家庭が貧しかったため、医師をめざし看護卒を志願して陸軍に入り、優秀であることを評価され、陸軍士官学校、陸軍大学校に進み、首席で卒業する。

1904年、日露戦争で負傷するが、山県有朋元帥付副官となり、ドイツ大使館付武官補佐官、参謀本部勤務、オランダ大使館付武官、陸軍大学校校長、航空本部長、台湾軍司令官などの要職を歴任した。

1935年、陸軍内部で勢いにかげりのみえてきた皇道派の真崎甚三郎が教育総監を更迭され、その後任として皇道派とは距離をおく渡辺が就任。皇道派と統制派の派閥抗争などもからみ、1936年、統制派の頭目とみなされた渡辺は、二・二六事件で皇道派の青年将校によって暗殺された。

わたなべすけさく

産業 郷土

● 渡辺祐策　　1864〜1934年

「宇部市発展の父」とよばれる実業家

幕末〜昭和時代の実業家、政治家。

長門国宇部村（現在の山口県宇部市）に生まれた。8歳のとき、父が長州藩（山口県）福原家の家臣の渡辺家をつぎ、渡辺姓となった。

1892（明治25）年、宇部村の村会議員となり、1895年

に宇部村助役に就任した。
1897年、宇部鉱業組合を
創設して組合長となり、沖ノ
山炭鉱の開発に成功した。
1912年、衆議院議員に当
選し、その後4回当選した。
1922（大正11）年、第1
回宇部市議会議員に当選し、
初代議長となった。

（国立国会図書館）

その間、炭坑経営で得た資金で、1909年に宇部電気会社を創設し、1913年に宇部新川鉄工所（のちの宇部鉄工所）、1917年に宇部紡績所、1926年に宇部セメント製造、1927（昭和2）年に宇部電気鉄道（現在のJR小野田線）、1933年に宇部窒素工業などを創業し、現在の宇部興産のもとを築いた。また、宇部に上水道を建設し、工業用地を造成し、宇部港の港湾を整備するなど、宇部市の発展をもたらした。

わたなべせんりゅう　郷土

● 渡辺泉龍　？〜1678年

新江用水をつくった武士

江戸時代前期の武士。

加賀国加賀藩（現在の石川県南部）の藩士だったが、藩をはなれて野中山王村（福井県坂井市）の庄屋（村の長、名主）高椋家に住んだ。荒れ地が広がっていた野中山王村に、新田をひらく計画を立てた。九頭竜川の水を鳴鹿（坂井市丸岡町）付近で取水する計画で、1625年、丸岡藩（福井県坂井市）の許可を得て、工事をはじめた。

3年後、九頭竜川と付近を流れる竹田川のあいだに長さ約10kmの用水が完成した。はじめての新しい江（用水路）という意味から、新江用水と命名された。新江用水により約300haの水田が開発された。

わだよしもり　貴族・武将

● 和田義盛　1147〜1213年

鎌倉幕府の長老として勢力をもった

鎌倉時代前期の武将。

三浦義澄のおい。相模国三浦郡和田郷（現在の神奈川県三浦市）を本拠地とした三浦氏の子孫。1180年、平氏打倒の兵をあげた源頼朝に三浦義澄とともにしたがい頼朝の信任を得た。同年、侍所（軍事・警備をおこなう機関）が設置されると初代別当（長官）となった。

1189年の奥州藤原氏追討ではみずから出陣し戦功をあげた。1195年、頼朝の上洛にしたがい、京都では市中の警備を担当し、頼朝の推薦で左衛門尉（宮中の警備などをおこなう

左衛門府の督、佐に次ぐ官職）に任命された。

1199年、頼朝が急死し子の頼家が第2代将軍になったが、政治は北条氏を中心とした有力御家人による合議制がしかれ、義盛もその一人となった。同年の梶原景時追放や、1203年の比企能員の乱では北条氏と協調し行動をともにした。1205年、

（国立国会図書館）

北条時政が第3代将軍源実朝をやめさせようとした陰謀が発覚して時政が追放されると、幕府内の長老として勢力をもったので執権北条義時と対立するようになった。

1213年、一族の中から義時をたおそうとくわだてたものが出たとき、義時の挑発を受けて合戦となり一族とともに敗死した（和田合戦）。

わたらいいえゆき　宗教

● 度会家行　1256?〜1351?年

伊勢神道を大成した神官

▲伊勢神宮外宮　（神宮司庁）

鎌倉時代後期〜南北朝時代の神官。

伊勢国（現在の三重県東部）の伊勢神宮外宮の神官、度会氏の生まれ。1306年に外宮禰宜（宮司を補佐する役職）に昇進し、1341年に一禰宜（長官）に進み、1349年、北朝に解任されるまで43年間、その職にあった。反本地垂迹説の影響下で、儒教や道教の要素もふくまれた神道理論である伊勢神道（度会神道）をとなえ、発展させた。1318年に『神道簡要』を著し、1320年に『類聚神祇本源』を完成させ、これらは伊勢神道の基本教典とされている。

家行の著書は後宇多天皇、後醍醐天皇にも読まれ、南朝方に大きな思想的影響をあたえた。中でも、北畠親房が伊勢にきたとき、彼の師となった。家行は神官、学者として伊勢神道を大成しただけではなく、南朝方のためにもはたらいた。1338年、親房が義良親王、宗良親王を奉じて伊勢から東国にむかったときや、5年後に親房が東国から吉野へのがれたときに、これを助けた。1347年には、楠木正行と連絡をとりつつ、南朝方で戦った。

わつじてつろう

思想・哲学

● 和辻哲郎　　　　　　　　　　　1889〜1960年

西洋哲学、日本思想史、倫理学などを研究した学者

（日本近代文学館）

大正時代〜昭和時代の哲学者、倫理学者。

兵庫県生まれ。東京帝国大学文科大学（現在の東京大学文学部）哲学科卒業。中学生のころから詩人にあこがれ、大学在学中に谷崎潤一郎らと第2次『新思潮』に参加、文芸評論や戯曲を発表した。

哲学者としては、ニーチェやキルケゴールの研究からはじまり、やがて東洋の文化や思想、仏教美術への関心を深める。日本人の祖先や文化の由来に関心をもち、大和の地をたずねて、『古寺巡礼』を著す。さらに、日本人の精神や文化の歴史を追究して『日本精神史研究』などを発表した。

1927（昭和2）年、道徳思想史研究のためにドイツへ留学。帰国後の1934年に『人間の学としての倫理学』などを著す。やがて、西洋の個人主義に対して批判的な立場をとり、日本的な人間観による独創的な倫理学を完成させた。主な著書に『ニイチェ研究』『ゼエレン・キエルケゴオル』『風土』『倫理学』などがある。1955年、文化勲章を受章。

学 文化勲章受章者一覧

ワット，ジェームス

発明・発見

● ジェームス・ワット　　　　　　1736〜1819年

蒸気機関を開発し、機械の時代を到来させた発明家

18世紀のイギリスの発明家、機械技術者。

スコットランドのグラスゴー近郊で、船大工の子として生まれる。18歳でロンドンに移り、計測機器の製造技術を学び帰郷。1757年、グラスゴー大学構内に工房を建て、研究用機器の修理屋を開業。ニューコメン蒸気機関の模型の修理を依頼されたことを契機に、蒸気機関の改良にとりくんだ。蒸気を冷やす復水器を分離させることで、シリンダー内を高温にたもつしくみを考案。1765年に模型を完成させたが、

シリンダーの精度などに問題があり、実用化は進まなかった。その後、工場経営者の協力を得てボールトン・アンド・ワット商会を設立。1775年、大砲の砲身を精密にくりぬく機械が発明され、その応用から、シリンダーの精密加工が可能となった。ワットは、動力としての利用範囲を広げるため、ピストンの往復運動を回転運動にかえる機構を発明。

このすぐれた蒸気機関の発明が、産業革命の大きな推進力となった。現在も、ワットの名は電力をあらわす単位としてつかわれている。

ワトー，アントワーヌ

絵画

● アントワーヌ・ワトー　　　　　1684〜1721年

優美ではなやかなロココ様式の画家

フランスの画家。

北部の屋根ふき職人の家に生まれる。故郷で絵を習っていたが、18歳のとき、パリの舞台装飾の工房に入り、1708年から室内装飾の工房の助手となった。当時、流行していたイタリア喜劇の芝居絵や、リュクサンブール宮殿のルーベンスの作品を模写して、影響を受ける。優美ではなやかなロココ様式を確立し、フランスのロココ美術を代表する画家の一人といわれる。

作品は、戸外で優雅にすごす当時の貴族たちをえがいた「雅宴画（フェット・ギャラント）」がよく知られている。36歳で亡くなるまで、数多くの作品をのこした。主な作品に『シテール島への巡礼』『ピエロ（ジル）』『ジェルサンの看板』『聖家族』などがある。『シテール島への巡礼』からは、のちに20世紀の作曲家ドビュッシーがイメージを得て、この絵をテーマとするピアノ曲『喜びの島』をつくった。

ワトソン，ジェームズ

学問　発明・発見

● ジェームズ・ワトソン　　　　　1928年〜

DNAの正体を解明しノーベル賞を受賞

アメリカ合衆国の分子生物学者。

シカゴに生まれる。シカゴ大学卒業。タンパク質の研究のためにデンマークに留学し、留学中に、ロザリンド・フランクリンとウィルキンズらが撮影したデオキシリボ核酸（DNA）の解析写真をみて、DNAの構造の研究を志した。

1952年にケンブリッジ大学に留学し、イギリス人研究者クリックとともに、タンパク質の合成や遺伝にかかわる物質であるDNAの構造の研究にとりくんだ。1953年、ウィルキンズらの解析像などをもとに、DNAがねじれたはしごのような二重らせん構造であ

ることを証明した。その後、アメリカの国立衛生研究所のヒトゲノム研究ナショナルセンター長などをつとめ、ヒトの遺伝子についての国際的な研究プロジェクトにおいて中心的な役割をはたした。

1962年に、DNAの正体を解明して、遺伝のしくみの研究を前進させ生物学の進歩に貢献した業績によって、クリック、ウィルキンズとともに、ノーベル生理学・医学賞を受賞した。

学 ノーベル賞受賞者一覧

ワトソン，トーマス・ジュニア　　　産業

トーマス・ワトソン・ジュニア　　1914〜1993年

IBMを世界最大のコンピューター会社に成長させた

20世紀のアメリカ合衆国の実業家。

オハイオ州生まれ。ブラウン大学を1937年に卒業、創業者だった父が経営するIBMに入社する。研修をへて営業業務にたずさわるが、社長の息子として特別視されることをきらい、第二次世界大戦にアメリカが参戦するとパイロットに志願し、陸軍航空隊のブラッドリー少将の下で軍務にはげんだ。IBMにもどり、1946年、副社長、1952年に社長に任命され、1956年にはCEO兼会長に就任した。

1960年代に汎用コンピューター「System/360」の開発に成功し、IBMは世界最大のコンピューター企業に成長した。1971年に引退、その後、軍縮諮問委員会委員長や駐ソ大使をつとめた。

わに　　　学問

王仁　　生没年不詳

日本に漢字を伝えた

古墳時代に渡来した、百済の人。
和邇吉師ともいう。『古事記』『日本書紀』に登場する人物。その姓から、朝鮮半島の高句麗にほろぼされた楽浪郡の漢人系統の学者だったという説もある。

5世紀の応神天皇の時代に、朝鮮半島の百済から渡来した阿直岐（阿知使主と同一人物と考えられている）により、すぐ

れた博士として推薦されて、倭（日本）に渡来した。日本に儒教と漢字を伝えたのは王仁とされており、孔子の『論語』10巻や、漢字をおぼえるための『千字文』1巻などを応神天皇に献上して、応神天皇の皇子の師となり、それらの書物を教えたという。

また、西文氏の祖ともいわれる。子孫の西文氏一族は、河内国古市（現在の大阪府羽曳野市）に居住し、大和政権の下で東漢氏とともに文筆にたずさわり、文字の普及に貢献した。

（国立国会図書館）

ワレサ，レフ　　　政治

レフ・ワレサ　　1943年〜

ポーランドの民主化運動でノーベル平和賞を受賞

ポーランドの政治家、労働運動指導者。大統領（在任1990〜1995年）。

職業訓練学校卒業後、1967年にグダンスクの造船所の電気工となる。1970年、食料品値上げ反対ストライキの参加をきっかけに、指導者として頭角をあらわす。

1980年、全国規模のストライキを指導し、政府から独立した労働組合組織「連帯」を結成。共産党独裁の

▲レフ・ワレサ

ポーランドではみとめられていなかったスト権・言論の自由などを勝ちとり、「連帯」の議長にえらばれた。

たびたび政府から弾圧を受けたが、1983年には民主化運動の功績によりノーベル平和賞を受賞。1989年の自由選挙で「連帯」は圧勝し、1990年、共産党政権がたおれるとポーランド共和国が成立、ポーランド民主化の象徴的人物であるワレサは大統領にえらばれた。大統領就

▲ストライキを先導するワレサ

 は右上の「わ」タブと「われさ」の見出しを含む

わ
われさ

293

任後は国営企業の民営化などを進め、自由主義政治体制への道をひらいた。1995年、2000年の大統領選挙では、いずれも落選した。

学 ノーベル賞受賞者一覧

ワレンシュタイン，アルブレヒト・フォン　政治

アルブレヒト・フォン・ワレンシュタイン　1583〜1634年

三十年戦争で活躍した傭兵隊長

ドイツの軍人、神聖ローマ皇帝軍総司令官。

ボヘミア（現在のチェコ）の貴族の出身。大学を退学となり、軍人になった。妻の遺産や事業で資産をふやし、傭兵をやとって力をつける。

1618年、三十年戦争がはじまると、神聖ローマ皇帝フェルディナント2世の軍を助け、没収された貴族の領地を手に入れて大貴族となる。皇帝に資金や傭兵を提供し、皇帝軍総司令官に任命されて、1629年、デンマーク軍をやぶった。その後任をとかれるが、1631年にスウェーデンがドイツに侵入するとふたたび総司令官となった。

スウェーデン王グスタフ2世を戦死させたが、戦いにはやぶれた。ひそかに休戦を計画したため、皇帝の怒りを買い暗殺された。その生涯を題材にした、シラーの戯曲が広く知られている。

ワンダー，スティービー　音楽

スティービー・ワンダー　1950年〜

アメリカ・ポップス界のスーパースター

▲スティービー・ワンダー

アメリカ合衆国のポピュラー歌手、ピアニスト、作曲家。

ミシガン州生まれ。本名はスティーブランド・モリス・ハーダウェイ。生まれてまもなく視力を失う。教会の聖歌隊で音楽を学び、11歳でハーモニカ、ピアノ、ドラムをマスター。12歳でレコード会社と契約し、シングル『フィンガーティップス』

が話題になる。「天才」と称された盲目のミュージシャン、レイ・チャールズになぞらえて「12歳の天才」とよばれた。以後、数々のヒット曲をだし、ポール・マッカートニーやマイケル・ジャクソンら有名歌手たちと多く共演した。

『サンシャイン』『迷信』『心の愛』などの曲が知られ、『トーキング・ブック』ほかアルバム作品の評価も高い。たびたび来日し、大規模なコンサートをおこなっている。アメリカのポピュラー音楽界を代表するスーパースターである。

音楽活動を通して、視覚障害者の援助や貧しい人々の救済にも力をそそいでいる。

▲マイケル・ジャクソン（左）、ライオネル・リッチー（右）とスティービー

ワンチャオミン

汪兆銘 → 汪兆銘

ワンヤンアクダ（かんがんあくだ）　王族・皇族

完顔阿骨打　1068〜1123年

金を建国した皇帝

中国、金の初代皇帝（在位1115〜1123年）。太祖ともいう。完顔部の族長、完顔劾里鉢の次子。完顔部は中国東北地方の民族、女真の一つで、アルチュフ川流域（現在の黒竜江省哈爾浜市）に居住していた。父と兄が没後、完顔部をつぐ。中国の北辺を支配していた遼のきびしい支配からぬけだすために、1114年に挙兵。天祚帝ひきいる遼の大軍をやぶった。

1115年、皇帝に即位し、国号を大金と定めた。1120年、宋と同盟をむすんで遼との決戦にのぞみ、遼の都上京（内モンゴル巴林左旗の南）を占領した。宋軍は国内の内乱のため統率されておらず、燕京（北京）を攻めあぐねたため、宋の要請

で金が燕京を攻略。天祚帝は逃走し、遼はほぼ壊滅した。

　阿骨打は宋との約束を尊重して燕京を金の領土にせず、燕京以下6州を北宋に割譲。その代償に宋から銀や絹、軍糧、貨幣を受けとった。その後、逃亡した天祚帝の追撃中に病死。あとをついだ弟の太宗が、遼と宋をほろぼし、金は華北一帯を支配するようになる。　　　　　学 世界の主な王朝と王・皇帝

人物事典
Biographical Dictionary

4

へ・ほ
ま・み・む・め・も
や・ゆ・よ
ら・り・る・れ・ろ・わ

2017年1月　第1刷発行
2017年3月　第2刷

発行者
長谷川 均

発行所
株式会社ポプラ社
〒160-8565 東京都新宿区大京町22-1

電話
03-3357-2212（営業）
03-3357-2635（編集）

振替
00140-3-149271

ホームページ
http://www.poplar.co.jp/（ポプラ社）
http://www.poplar.co.jp/poplardia/（ポプラディアワールド）

印刷・製本
凸版印刷株式会社

©POPLAR2017 Printed in Japan
N.D.C.280／295P／29cm×22cm
ISBN978-4-591-15049-8